KB086661

... 개정법령·판례·기출문제 반영

경찰채용·승진 | 경찰간부 | 검찰직·법원직
교정보호직·승진 | 철도경찰직 | 해양경찰직

조충환·양건
형사소송법 조충환·양건·오상훈 편저

동영상강의 www.pmg.co.kr

THEMA

박문각

조충환 · 양건

형사소송법
THEMA

2025 테마 형사소송법 판례·기출증보판을 내면서

이번 2025 판례·기출증보판에서는 다음과 같은 사안에 중점을 두었습니다.

첫째, 기출문제 반영

작년 테마형사소송법 출간 이후의 2023년 기출문제(9급 법원직, 순경 2차, 경력채용, 7급 국가직 등)와 2024년 기출문제(경찰간부, 경찰승진, 순경 1차, 해경간부, 소방간부, 9급 검찰·마약수사·교정·보호·철도경찰, 변호사시험 등)를 전부 비교분석하여 테마와 객관식문제에 반영하였습니다.

둘째, 판례 반영

최근 판례(2024.6.1. 대법원 판례공보)까지 빠짐없이 추가하였으며, 특히 전원합의체 판결(예: 국선변호인선정사유 중 피고인이 구속된 때의 범위 등)에 따라 변경된 기존 판례들을 수정·교체·추가·삭제하였고, 기존 판례들도 최근 출제경향에 맞추어 수정·보완하였습니다.

셋째, 테 마

각 단원마다 사안별로 (판례)총정리 또는 문제화하여 기본서나 요약집(sub-note)을 보지 않고도 한눈에 내용이 정리되고, 사안마다 키워드와 기출을 색표기로 중요도를 파악하여 짧은 시간에 기본서를 총정리하고 뒤에 나온 객관식 문제를 쉽게 해결할 수 있도록 하였습니다.

넷째, 객관식문제(기출문제)

최근 판례와 기출문제까지 전부 비교·분석하여 최근 출제경향에 맞추어 선별하였습니다. 순서는 테마마다 이어서 관련 문제를 넣었고, 마지막에는 파트별 종합문제를 수록하였으며, 문제에서 빠진 기출문제들은 기출지문 종합문제로 배치하였습니다.

테마 형사소송법으로 반복학습 하신다면 테마 형사소송법 한 권만으로도 어느 시험에서나 고득점으로 합격·승진하는 데 아무런 지장이 없을 것입니다.
애독자 여러분께 진심으로 감사드리며, 절실한 심정으로 초지일관하시어 우수한 성적으로 합격·승진하시길 간절히 기원합니다.

2024. 6.

공편저자 조충환·양건·오상훈

차례
CONTENTS

2권

제3편

소송주체와
소송절차의
일반이론

차례
CONTENTS

제2장 증 거

4권

제3장 재 판

차례
CONTENTS

PART
04

공판

제1절 공판절차의 기본원칙

THEMA 01 공판절차의 기본원칙

의의		공판절차의 기본원칙은 공판중심주의의 내용에 해당한다. 공판중심주의란 법원이 피고사건의 실체에 대한 유·무죄의 심증형성을 공판심리, 즉 공개된 법정에서의 심리에 의해야 한다는 원칙을 말하는데, 이러한 공판중심주의는 공개재판주의, 구술주의, 직접주의, 집중심리주의 등을 요구하고 있다.
공개 주의	의의	공개주의란 일반국민에게 법원의 재판과정에 대한 방청을 허용하는 것을 말한다.
	내용 · 위반 효과	1. 공개주의는 모든 사람에게 예외 없이 재판과정을 공개하는 현실적 보장을 의미하는 것은 아니다. 2. 공개재판의 원칙에 반하는 공판절차는 절대적 항소이유(제361조의 5 제9호) 17. 9급 검찰·마약수사 및 상대적 상고이유(제383조 제1호)가 된다. 14. 7급 국가직 ▶ 판결하기 전 미리 그 내용을 알려줄 것을 의미 ×(대판 2008.12.24, 2006도1427) 14. 7급 국가직 ▶ 불기소결정서 ⇨ 공개의 대상(대판 2012.5.24, 2012도1284) ▶ 공개금지사유가 없는데 공개금지결정하여 이루어진 증인의 증언 ⇨ 증거능력이 없다(변호인의 반대신문권이 보장되었더라도). 17. 9급 검찰·마약수사 공개금지결정의 선고가 없는 등으로 공개금지결정의 사유를 알 수 없는 경우에도 동일(대판 2013.7.26, 2013도2511)
	예외 · 제한	1. 방청인의 제한 : 재판장은 법정질서를 유지하기 위하여 필요하다고 인정되면 방청석만큼 방청권을 발행하여 그 소지자에 한해 방청을 허용할 수 있다(법정 방청 및 촬영 등에 관한 규칙 제2조). 그렇다고 해서 공개주의에 위반되는 것은 아니다. 2. 퇴정명령 : 재판장은 법정의 존엄과 질서를 해칠 우려가 있는 사람의 입정금지 또는 퇴정을 명할 수 있다(법원조직법 제58조 제2항). 역시 공개주의에 반하는 것이 아니다. 3. 사건의 성질에 따른 제한 : 재판의 심리가 국가의 안전보장 또는 안녕질서를 방해하거나 선량한 풍속을 해칠 우려가 있는 경우에는 법원은 결정으로 재판을 공개하지 않을 수 있다(법원조직법 제57조 제1항). ▶ 비공개결정 ⇨ 법원(재판장 ×) ▶ 공개하지 않을 수 있는 것은 심리에 한하므로, 판결선고의 비공개는 허용될 수 없음. 01. 법원사무관, 04. 9급 법원직, 12. 순경·경찰간부 4. 소년보호사건 : 소년보호사건에 대한 심리는 비공개를 원칙으로 한다(소년법 제24조 제2항). 14. 9급 교정·보호·철도경찰 ▶ 소년형사사건 ⇨ 원칙적 공개

예외·제한		5. 법정에서의 촬영과 녹음·속기 ① 누구든지 법정 안에서는 재판장(법원 ×)의 허가 없이 녹화, 촬영, 중계방송 등을 하지 못한다(법원조직법 제59조). 17. 9급 검찰·마약수사 재판장(법원 ×)은 피고인의 동의가 있는 때에 한하여 신청에 대한 허가를 할 수 있다. 다만, 공공의 이익을 위하여 상당하다고 인정되는 경우에는 피고인의 동의 여부를 불문하고 허가할 수 있다(법정 방청 및 촬영 등에 관한 규칙 제4조). 14. 7급 국가직 ② 법원은 검사, 피고인 또는 변호인의 신청이 있는 때에는 특별한 사정이 없는 한 공판정에서의 심리의 전부 또는 일부를 속기사로 하여금 속기하게 하거나 녹음장치 또는 영상녹화장치를 사용하여 녹음 또는 영상녹화하여야 하며, 필요하다고 인정하는 때에는 직권으로 이를 명할 수 있다(제56조의 2 제1항). ③ 속기, 녹음 또는 영상녹화의 신청은 공판기일·공판준비기일을 열기 전까지 하여야 한다(규칙 제30조의 2 제1항 : 2014. 12. 30. 개정). ④ 피고인, 변호인 또는 검사의 신청이 있음에도 불구하고 특별한 사정이 있는 때에는 속기, 녹음 또는 영상녹화를 하지 아니하거나 신청하는 것과 다른 방법으로 속기, 녹음 또는 영상녹화를 할 수 있다. 다만, 이 경우 재판장은 공판기일에 그 취지를 고지하여야 한다(규칙 제30조의 2 제2항). ⑤ 법원은 속기록·녹음물 또는 영상녹화물을 공판조서와 별도로 보관하여야 한다(제56조의 2 제2항). 검사, 피고인 또는 변호인은 비용을 부담하고 제2항에 따른 속기록·녹음물 또는 영상녹화물의 사본을 청구할 수 있다(동조 제3항). ⑥ 재판장은 영상녹화물 등 사본청구(제56조의 2 제3항)가 피해자 또는 그 밖의 소송관계인의 사생활에 관한 비밀 보호 또는 신변에 대한 위해 방지 등을 위하여 특히 필요하다고 인정하는 경우에는 속기록, 녹음물 또는 영상녹화물의 사본의 교부를 불허하거나 그 범위를 제한할 수 있다(규칙 제38조의 2 제1항). ⑦ 조서에는 서면, 사진, 속기록, 녹음물, 영상녹화물, 녹취서 등 법원이 적당하다고 인정한 것을 인용하고 소송기록에 첨부하거나 전자적 형태로 보관하여 조서의 일부로 할 수 있다(규칙 제29조 제1항). 제1항에 따라 속기록, 녹음물, 영상녹화물, 녹취서를 조서의 일부로 한 경우라도 재판장은 법원사무관 등으로 하여금 피고인, 증인, 그 밖의 소송관계인의 진술 중 중요한 사항을 요약하여 조서의 일부로 기재하게 할 수 있다(동조 제2항). ⑧ 속기록, 녹음물, 영상녹화물 또는 녹취서는 전자적 형태로 이를 보관할 수 있으며, 재판이 확정되면 폐기한다. 14. 경찰간부 다만, 속기록, 녹음물, 영상녹화물 또는 녹취서가 조서의 일부가 된 경우에는 그러하지 아니하다(규칙 제39조).
구두변론주의		구두변론주의란 법원은 당사자의 구두에 의한 공격·방어를 기초로 하여 심판을 해야 한다는 원칙을 말한다. 구두변론주의는 구두주의와 변론주의를 내용으로 한다.
직접심리주의		직접심리주의란 공판정에서 직접 조사한 증거만을 재판의 기초로 삼는다는 원칙을 말한다.
집중심리주의		집중심리주의란 법원이 공판기일에 하나의 사건을 집중적으로 심리하고, 공판기일이 연장되는 경우에도 시간적 간격을 두지 않고 계속적으로 심리해야 한다는 원칙을 말한다. ▶ 형사소송법에 집중심리주의에 대한 명문의 규정 있음(제267조의 2). 24. 경찰승진 ▶ 재판장은 부득이한 사정으로 매일 계속 개정하지 못한 경우에도 특별한 사정이 없는 한 전회의 공판기일로부터 14일 이내로 다음 공판기일을 지정하여야 한다(제267조의 2 제4항). 09. 9급 법원직

04

01 다음 중 공판중심주의의 내용을 이루는 것이라고 보기 어려운 것은 몇 개인가?

> ㉠ 기소편의주의　　　　　　　　　　　㉡ 당사자공개주의
> ㉢ 간이공판절차　　　　　　　　　　　㉣ 증거재판주의

① 1개　　　　　② 2개　　　　　③ 3개　　　　　④ 4개

해설 ㉠ 기소편의주의는 공소제기의 기본원칙으로 공판절차에 들어가기 이전의 원칙이다.
㉡ 공개주의와 대립된 것으로 밀행주의와 당사자공개주의가 있는바, 밀행주의란 방청을 전혀 허용하지 않고 비밀리에 심판을 행하는 주의이고, 당사자공개주의란 일정한 소송관계인에 한하여 참여를 허용하는 주의를 말한다. 우리나라는 공개주의에 입각해 있다.
㉢ 간이공판절차는 공판중심주의와 관계 있다.
㉣ 증거재판주의는 사실인정은 증거능력이 있고, 증거조사를 거친 증거에 의하여야 한다는 것으로서 증거법의 기본원칙이다. 이는 공판중심주의의 내용을 이루는 것으로 보기는 어렵다.

02 공판절차의 기본원칙에 관한 설명 중 적절하지 않은 것으로만 묶인 것은?(다툼이 있는 경우 판례에 의함)

> ㉠ 공개주의에 따라 재판의 심리와 판결은 공개해야 하나, 국가의 안전보장·안녕질서 또는 선량한 풍속을 해할 우려가 있는 때에는 결정으로 재판의 심리와 판결을 공개하지 아니할 수 있다.
> ㉡ 집중심리주의에 따라 심리에 2일 이상이 필요한 경우에는 부득이한 사정이 없는 한 매일 계속 개정하여야 한다.
> ㉢ 재판장은 부득이한 사정으로 매일 계속 개정하지 못한 경우에도 특별한 사정이 없는 한 전회의 공판기일로부터 14일 이내로 다음 공판기일을 지정하여야 한다.
> ㉣ 공개주의는 모든 사람에게 예외 없이 재판과정을 공개하는 현실적 보장을 의미하는 것이다.
> ㉤ 증인신문에서의 교호신문제도는 형사소송법에 규정된 구두변론주의의 제도적 표현의 하나이다.

① ㉠, ㉡　　　② ㉠, ㉣　　　③ ㉡, ㉢　　　④ ㉣, ㉤, ㉥

해설 ㉠ × : 공개주의에 따라 재판의 심리는 공개해야 하나, 국가의 안전보장·안녕질서 또는 선량한 풍속을 해할 우려가 있는 때에는 결정으로 재판의 심리를 공개하지 아니할 수 있다. 그러나 판결의 선고는 어떠한 경우에도 비공개로 할 수 없다(헌법 제27조 제3항, 법원조직법 제57조 제1항 단서).
㉡ ○ : 제267조의 2 제2항
㉢ ○ : 제267조의 2 제4항
㉣ × : 공개주의는 누구나 방청인으로서 공판절차에 참여할 수 있다는 추상적 가능성이 보장된다는 것을 내용으로 하며, 모든 사람에게 예외 없이 재판과정을 공개하는 현실적 보장을 의미하는 것은 아니다.
㉤ ○ : 교호신문제도는 당사자주의 소송구조의 주된 특징이며, 구두변론주의의 제도적 표현이다.

03 공판정에서의 속기·녹음 및 영상녹화에 관한 다음 기술 중 옳지 않은 것은?

① 법원은 검사, 피고인 또는 변호인의 신청이 있는 때에는 특별한 사정이 없는 한 공판정에서의 심리의 전부 또는 일부를 속기사로 하여금 속기하게 하거나 녹음장치 또는 영상녹화장치를 사용하여 녹음 또는 영상녹화 하여야 한다.

② 속기, 녹음 또는 영상녹화의 신청은 공판기일의 1주일 전까지 하여야 한다. 다만, 지정된 공판기일부터 1주일이 남지 않은 시점에서 공판기일 지정의 통지가 있는 경우에는 통지받은 다음 날까지 신청할 수 있다.

③ 법원은 속기록·녹음물 또는 영상녹화물을 공판조서와 별도로 보관하여야 한다.

④ 속기록, 녹음물 또는 영상녹화물은 전자적 형태로 이를 보관할 수 있으며, 재판이 확정되면 폐기한다.

┃**해설**┃ ① 제56조의 2 제1항
② 당사자의 법정녹음 신청권을 폭넓게 보장하기 위해 '속기, 녹음 또는 영상녹화의 신청은 공판기일·공판준비기일을 열기 전까지 하여야 한다(규칙 제30조의 2 제1항)'라고 개정(2015. 1. 1. 시행)되었다.
③ 공판조서와 별도로 보관하여야 한다(제56조의 2 제2항).
④ 규칙 제39조

04 공판절차의 기본원칙 중 공개주의에 대한 설명으로 옳지 않은 것은?(다툼이 있는 경우 판례에 의함)

14. 7급 국가직

① 공개주의는 검사의 공소제기절차에는 적용되지 않으므로 공소제기 전까지 피고인이 공소제기의 여부나 그 내용을 알 수 없었다고 하더라도 공개주의에 위반되지 않는다.

② 공개주의란 모든 국민이 참관하는 것을 의미하는 것이 아니므로 재판장은 법정질서를 유지하기 위해 필요하다고 판단될 때 방청인의 수를 제한할 수도 있고, 특정인에 대하여 퇴정을 명할 수도 있다.

③ 공판의 공개에 관한 규정에 위반한 때에는 항소이유 또는 상고이유가 된다.

④ 재판장은 공공의 이익을 위하여 상당한 이유가 있는 경우라도 피고인의 동의가 있는 경우에 한하여 법정 안에서 녹화, 촬영, 중계방송 등의 행위를 허가할 수 있다.

┃**해설**┃ ① 대판 2008.12.24, 2006도1427
② 법정 방청 및 촬영 등에 관한 규칙 제2조
③ 제361조의 5 제9호, 제383조 제1호
④ 누구든지 법정 안에서는 재판장의 허가 없이 녹화, 촬영, 중계방송 등을 하지 못한다(법원조직법 제59조). 재판장(법원 ×)은 피고인의 동의가 있는 때에 한하여 신청에 대한 허가를 할 수 있다. 다만, 공공의 이익을 위하여 상당하다고 인정되는 경우에는 피고인의 동의 여부를 불문하고 허가할 수 있다(법정 방청 및 촬영 등에 관한 규칙 제4조).

04

05 공개주의 원칙에 대한 설명으로 옳지 않은 것은? 　14. 9급 교정·보호·철도경찰

① 법원은 피해자를 증인으로 신문하는 경우 피해자 등의 신청에 따라 피해자의 사생활의 비밀이나 신변보호를 위해 결정으로 심리를 공개하지 않을 수 있다.

② 피고인이 동의하지 않더라도 재판장이 공공의 이익을 위해 상당하다고 인정하는 경우 법정 촬영을 허가할 수 있다.

③ 소년보호사건의 심리에도 원칙적으로 공개주의가 적용되나, 소년부 판사가 상당하다고 인정하는 경우 비공개로 진행할 수 있다.

④ 재판장은 증인 또는 감정인이 피고인 또는 어떤 재정인의 면전에서 충분한 진술을 할 수 없다고 인정한 때에는 그를 퇴정하게 하고 진술하게 할 수 있다.

┃해설┃ ① 제294조의 3 제2항
② 법정 방청 및 촬영 등에 관한 규칙 제4조 제2항
③ 소년보호사건의 심리는 공개하지 아니한다. 다만, 소년부 판사는 적당하다고 인정하는 자에게 참석을 허가할 수 있다(소년법 제24조 제2항).
④ 제297조 제1항

06 다음 중 재판의 공개에 관한 설명으로 옳게 연결된 것이 아닌 것은 모두 몇 개인가?

㉠ 소년보호사건 – 비공개	㉡ 공판준비기일 – 공개
㉢ 재정신청사건심리 – 공개	㉣ 배심원선정기일 – 비공개
㉤ 판결선고 – 공개	

① 1개　　　　② 2개　　　　③ 3개　　　　④ 4개

┃해설┃ ㉠㉡㉣㉤은 바르게 연결된 것이고, ㉢만 틀리게 연결된 것이다.
㉠ 소년법 제24조 제2항
㉡ 제266조의 7 제4항
㉢ 비공개(제262조 제3항)
㉣ 국민의 형사재판 참여에 관한 법률 제24조 제2항
㉤ 헌법 제109조

07 공개주의에 대한 다음 설명으로 옳지 않은 것은?(다툼이 있는 경우 판례에 의함)

　17. 9급 검찰·마약수사

① 소년에 대한 형사사건의 심리는 공개하지 아니하나, 법원은 적당하다고 인정하는 자에게 참석을 허가할 수 있다.

② 누구든지 법정 안에서는 재판장의 허가 없이 녹화, 촬영, 중계방송 등의 행위를 하지 못한다.

③ 공개금지사유가 없음에도 불구하고 재판의 심리에 관한 공개를 금지하기로 결정하였다면 그 절차에 따라 이루어진 증인의 증언은 증거능력이 없다.

④ 공판의 공개에 관한 규정을 위반한 경우는 절대적 항소이유에 해당한다.

해설 ① 소년에 대한 형사사건은 소년법에 특별한 규정이 없는 한 형사소송법이 적용되므로(소년법 제48조), 소년에 대한 형사사건의 심리와 재판도 원칙적으로 공개하여야 한다(헌법 제109조, 법원조직법 제57조 제1항).
② 법원조직법 제59조
③ 대판 2013.7.26, 2013도2511
④ 제361조의 5 제9호

08 법정에서의 사진촬영과 녹음에 대한 설명 중 옳은 것은?

① 검사가 사전에 공판정에서의 녹음을 신청한 사실이 없고, 법원이 직권으로 녹음을 명한 바도 없으나 조서 작성의 편의를 위한 녹음이 이루어진 경우라면, 검사는 녹음물의 사본을 청구할 수 있다.

② 법정에서의 사진촬영과 녹음 등에 관해서 규율하고 있는 간접규정들은 있으나 명문의 직접규정은 없다.

③ 공개주의가 보도를 위한 법정에서의 사진촬영과 녹음을 허용하는 것은 아니다.

④ 촬영과 녹음에 의한 법정공개를 직접공개라고 한다.

해설 ① 검사가 사전에 공판정에서의 녹음을 신청한 사실이 없고, 법원이 직권으로 녹음을 명한 바도 없으나 조서 작성의 편의를 위한 녹음이 이루어진 경우, 형사소송법 제56조의 2 제1항에 근거하여 이루어진 공판정에서의 심리에 관한 녹음이 있다고 할 수 없으므로 검사는 녹음물의 사본을 청구할 수 없다(대결 2012.4.20, 2012모459).
② 법원조직법 제59조는 "누구든지 법정 안에서는 재판장의 허가 없이 녹화, 촬영, 중계방송 등의 행위를 하지 못한다."고 규정하고 있다. 그리고 법정 방청 및 촬영 등에 관한 규칙 제4조는 "법원조직법 제59조 규정에 의한 허가를 받고자 하는 자는 녹화, 촬영, 중계방송 등의 목적·종류·대상·시간 및 소속기관명 또는 성명을 명시한 신청서를 재판기일 전날까지 제출하여야 한다." 재판장은 피고인의 동의가 있는 때에 한하여 신청에 대한 허가를 할 수 있다. 다만, 피고인의 동의 여부에 불구하고 촬영 등 행위를 허가함이 공공의 이익을 위하여 상당하다고 인정되는 경우에는 그러하지 아니하다고 규정하고 있다.
③④ 공개주의가 보도를 위한 법정에서의 사진촬영과 녹음을 허용한 것은 아니다. 촬영과 녹음에 대한 법정공개를 간접공개라고 한다.

09 공판정에서의 속기 · 녹음 · 영상녹화에 관한 다음 설명 중 틀린 것은 몇 개인가?

> ㉠ 피고인, 변호인 또는 검사의 신청이 있는 경우라도 특별한 사정이 있으면 영상녹화 등을 하지 않을 수 있으며, 신청한 방법과 다른 방법으로 영상녹화 등을 할 수 있으나, 반드시 재판장이 그 취지를 고지할 필요는 없다.
>
> ㉡ 공개금지사유가 없음에도 불구하고 재판의 심리에 관한 공개를 금지하기로 결정하였다면 그러한 공개금지결정은 피고인의 공개재판을 받을 권리를 침해한 것으로서 그 절차에 의하여 이루어진 증인의 증언은 증거능력이 없으나, 변호인의 반대신문권이 보장된 경우에는 예외적으로 달리 볼 수 있다.
>
> ㉢ 재판이 확정된 이후에는 속기록 등을 폐기하도록 한 규칙 제39조는 대법원규칙으로 재판이 확정된 이후에는 속기록 사본을 청구할 수 없도록 규정함으로써 국민의 알권리를 제한하고 있는바, 이는 기본권을 제한한 것으로 법률유보의 원칙에 반하여 위헌이다.
>
> ㉣ 재판장은 피해자 또는 그 밖의 소송관계인의 사생활에 관한 비밀 보호 또는 신변에 대한 위해방지 등을 위하여 특히 필요하다고 인정하는 경우에는 속기록, 녹음물 또는 영상녹화물의 사본의 교부를 불허하거나 그 범위를 제한할 수 있다.
>
> ㉤ 속기록, 녹음물, 영상녹화물 또는 녹취서는 전자적 형태로 이를 보관할 수 있으며, 재판이 확정되면 반드시 폐기하여야 한다.
>
> ㉥ 재판장은 법원사무관 등으로 하여금 녹취서의 전부 또는 일부를 조서에 인용하고 소송기록에 첨부하여 조서의 일부로 하게 할 수 있다.
>
> ㉦ 검사, 피고인 또는 변호인은 비용부담을 하고 법원에서 보관 중인 속기록, 녹음물 또는 영상녹화물의 사본을 청구할 수 있다.

① 1개   ② 2개   ③ 3개   ④ 4개

│ 해설 │ ㉠ × : 피고인, 변호인 또는 검사의 신청이 있음에도 불구하고 특별한 사정이 있는 때에는 속기, 녹음 또는 영상녹화를 하지 아니하거나 신청하는 것과 다른 방법으로 속기, 녹음 또는 영상녹화를 할 수 있다. 다만, 이 경우 재판장은 공판기일에 그 취지를 고지하여야 한다(규칙 제30조의 2 제2항).

㉡ × : 공개금지사유가 없음에도 불구하고 재판의 심리에 관한 공개를 금지하기로 결정하였다면 그러한 공개금지결정은 피고인의 공개재판을 받을 권리를 침해한 것으로서 그 절차에 의하여 이루어진 증인의 증언은 증거능력이 없고, 변호인의 반대신문권이 보장되었더라도 달리 볼 수 없으며, 이러한 법리는 공개금지결정의 선고가 없는 등으로 공개금지결정의 사유를 알 수 없는 경우에도 마찬가지이다(대판 2013.7.26, 2013도2511). ─ 따라서 공개금지결정을 선고하지 않은 채 그 증인신문을 비공개로 진행한 경우 증인들의 법정진술은 증거능력이 없다.

㉢ × : 재판이 확정된 이후에는 속기록 등을 폐기하도록 한 규칙 제39조는 속기록 등의 보관에 따른 사법자원의 낭비를 막기 위해 이를 폐기하도록 한 것으로 그 입법목적이 정당할 뿐만 아니라 수단의 적정성이 인정된다(헌재결 2012.3.29, 2010헌마599).

㉣ ○ : 규칙 제38조의 2 제1항

㉤ × : 속기록, 녹음물, 영상녹화물 또는 녹취서는 전자적 형태로 이를 보관할 수 있으며, 재판이 확정되면 폐기한다. 다만, 속기록, 녹음물, 영상녹화물 또는 녹취서가 조서의 일부가 된 경우에는 그러하지 아니하다(규칙 제39조).

㉥ ○ : 규칙 제38조 제2항

㉦ ○ : 제56조의 2 제3항

10 공판절차의 기본원칙에 관한 설명으로 가장 적절하지 않은 것은?(다툼이 있는 경우 판례에 의함)

24. 경찰승진

① 헌법은 공개재판을 받을 권리를 피고인의 기본권으로 보장하고 있을 뿐만 아니라 원칙적으로 재판의 심리와 판결을 공개하도록 규정하고 있다.

② 형사소송법은 공판중심주의를 실현하기 위해 구두변론주의 원칙을 명시하고 있으며, 이는 당사자의 주장과 입증만에 의해 재판을 하게 되는 당사자처분주의에 바탕을 두고 있다.

③ 형사소송법은 증명대상이 되는 사실과 가장 가까운 원본증거를 재판의 기초로 삼아야 하며, 원본증거의 대체물 사용은 원칙적으로 허용되지 않는다는 실질적 직접주의를 채택하고 있다.

④ 형사소송법에는 집중심리에 대한 명문의 규정이 있다.

| 해설 | ① 헌법 제27조 제3항, 제109조
② 형사소송법은 공판중심주의를 실현하기 위하여 구두변론주의 원칙을 명시하고 있다(제275조의 3). 당사자처분권주의란 소송의 종결에 관하여 당사자의 처분에 맡기는 원칙을 말하며, 민사소송이 당사자처분권주의에 바탕을 두고 있다. 그러나 국가형벌권을 실현하는 절차인 형사소송에 있어서는 형식적 진실로서는 만족할 수 없고 법원은 당사자의 주장이나 입증에 구속됨이 없이 실체적 진실을 규명할 것이 요구된다.
③ 대판 2012.6.14, 2011도5313
④ 제267조의 2

04

제2절 공판절차의 범위

THEMA 02 심판의 대상

심판대상	법원은 검사가 공소제기한 사건에 한하여 심판하여야 한다(불고불리원칙). 공소장에 기재된 사실이 현실적인 심판대상이고 공소사실과 동일성이 인정되는 사실은 비록 공소장에 기재되어 있지는 아니하더라도 잠재적 심판대상이 된다(다수설·판례). ▶ 공소사실과 동일성이 인정되는 사실일지라도 소송진행에 의하여 현실로 심판의 대상이 되지 아니한 이상 이를 심판하지 않았다 하여 잘못이라고 할 수 없다(대판 1983.11.8, 82도2119). 17. 경찰간부

📖 관련판례

● 불고불리원칙 위반 ×

1. 제1심 법원이 포괄일죄에 해당하는 업무상 배임죄의 범죄사실을 유죄로 인정함에 있어 공소장변경 절차 없이 전체 범행기간 중 특정 월의 범행 목적물 제조량을 공소사실 기재보다 일부 초과하여 인정한 것이 불고불리의 원칙에 위배된 것이라 할 수 없다(대판 2006.10.12, 2004도4896).

2. 공소장의 적용법조의 오기나 누락으로 잘못 기재된 적용법조에 규정된 법정형보다 법원이 그 공소장의 적용법조의 오기나 누락을 바로잡아 직권으로 적용한 법조에 규정된 법정형이 더 무겁다는 이유만으로 그 법령적용이 불고불리의 원칙에 위배되어 위법하다고 할 수 없다(대판 2006.4.14, 2005도9743).

3. 피고인의 방어권 행사에 실질적인 불이익을 초래할 염려가 없는 경우에는 공소사실과 기본적 사실이 동일한 범위 내에서 법원이 공소장변경절차를 거치지 아니하고 공소사실과 다르게 사실을 인정하거나, 오기임이 분명한 것을 증거에 의하여 바로잡아 인정하는 것은 불고불리의 원칙에 위배되지 않는다(대판 2002.7.12, 2002도2134). 16. 순경 2차

4. 법원이 공소사실의 "입찰내정가"를 "입찰에 있어서 낙찰가능성이 있는 공사가액"의 의미로 판단한 것은 불고불리의 원칙에 위배되지 않는다(대판 1995.9.29, 95도489).

5. 공소사실에서 피고인을 회사의 대표이사로 선임한 내용의 서류를 "이사회의사록"이라 표시하지 아니하고 착오로 "임시주주총회의사록"이라고 표시한 것을, 법원이 바로 잡아 피고인이 임시주주총회의사록이 아니라 이사회의사록을 위조한 것으로 범죄사실을 인정하였다고 하여 공소사실의 동일성을 해하였다고 할 수 없으며, 피고인의 방어권 행사에 불이익을 주지 아니하였다면 불고불리의 원칙에 위배되었다고 할 수 없다(대판 1994.7.29, 93도1091).

6. 공소장의 내용을 보다 명확히 하기 위하여 사소한 오류를 바로잡기 위하여는 공소장변경의 절차를 거칠 필요없이 정정하여 범죄사실을 인정할 수 있다 할 것인바, "운영위원회"로 되어있는 것을 "간부회의"로, "지도이념으로 하되"를 "지도이념으로 논의하기로 하되"로 바꾸어 인정하였다고 하여 이를 가리켜 기소하지 아니한 사실을 심판한 것도 아니며 이는 판결결과에 아무런 영향도 없다(대판 1986.9.23, 86도1547).

7. 공소장에 국가보안법 제7조 제5항만 게기하고 준용할 형을 규정한 동법 제7조 제1항을 누락하고 있는 경우 원심이 위 누락된 법조를 적용한 것은 정당하며, 이와 같은 경우에 공소장변경의 절차를 필요로 하는 것도 아니고, 공소의 제기가 없는 사실에 대하여 판결을 한 것으로 볼 수도 없으므로 불고불리의 원칙에 반한다 할 수 없다(대판 1983.12.27, 83도2755).

8. 누범가중의 사유가 되는 피고인의 전과사실은 범죄사실에 해당하는 것이 아니라 양형사유에 불과한 것이므로, 공소장에 기재되어 있지 아니한 전과사실을 인정하고 피고인을 누범으로 처벌하였다 하여도 위법하다 할 수 없다(대판 1971.12.21, 71도2004).

9. 검사의 공소장에 의하면 피고인은 긴급자동차 운전수로서 업무상 요구되는 주의의무를 태만히 하여 공소 외인을 그 자동차 좌측 밤바로 충돌 전도케하여 치사케 한 것이라 함에 있고 그 공소장에 전방 좌우의 주시 정거, 속도 저감 등의 여러 점을 들고 있는 것은 자동차 운전수로서 요구되는 주의의무의 범위를 예시적으로 표시한 것에 지나지 아니하며 자동차 운전수로서의 업무상 주의의무는 위에서 들고 있는 사항 이외의 사항에 관하여서도 존재한다 할 것이니, 피고인의 자동차 운전수로서의 업무상 주의의무의 해태를 인정함에 있어서 검사가 지적하지 아니한 사항에 속하는 도로의 중앙선에 구애됨이 없이 아무런 장애물이 없는 11m 넓이의 도로중앙을 통과하지 아니한 점에도 두고 이를 피고인의 업무상 주의의무 해태의 근거의 하나로 판시하였다 하여서 불고불리의 원칙에 배치되는 위법이 있다고는 볼 수 없다(대판 1965.1.19, 64도719).

● **불고불리원칙 위반 ○**

1. 몰수나 추징을 선고하려면 몰수나 추징의 요건이 공소가 제기된 공소사실과 관련되어야 한다. 공소사실이 인정되지 않는 경우에 이와 별개의 공소가 제기되지 아니한 범죄사실을 법원이 인정하여 그에 관하여 몰수나 추징을 선고하는 것은 불고불리의 원칙에 위배되어 불가능하다(대판 2008.11.13, 2006도4885).

2. 상상적 경합관계에 있는 두 죄 중 어느 한 죄로만 공소가 제기된 경우, 법원이 공소장변경절차를 거치지 아니하고 다른 죄로 바꾸어 인정하거나 다른 죄를 추가로 인정하는 것은 불고불리의 원칙에 위배된다(대판 2007.5.10, 2007도2372). 21. 7급 국가직

3. 공소장에는 피고인이 미공개정보 이용행위의 금지위반으로 인하여 얻은 이익액이 명시되어 있지 아니하고, 나아가 그 이익액을 산정할 수 있는 거래가액 등 기초적인 자료조차 공소장에 기재되어 있지 아니하며, 공소제기 후 공소장이 변경되지도 아니하였으므로, 검사가 피고인의 미공개정보 이용행위 등과 관련하여는 구 증권거래법 제207조의 2 본문에 위반하는 행위로만 기소한 것으로 보아야 할 것임에도 원심이 그 단서에 정한 형을 선고한 것은 불고불리의 원칙에 위반하여 위법하다(대판 2004.3.26, 2003도7112).

01 다음 중 심판의 대상과 관련한 내용으로 가장 거리가 먼 것은?

① 법원은 검사가 공소제기한 사건에 한하여 심판하여야 하는데, 공소장에 기재된 사실이 현실적인 심판대상이고 공소사실과 동일성이 인정되는 사실은 비록 공소장에 기재되어 있지는 아니하더라도 잠재적 심판대상이 된다.

② 상상적 경합관계에 있는 두 죄 중 어느 한 죄로만 공소가 제기된 경우, 동일사건이므로 법원이 공소장변경절차를 거치지 아니하고 다른 죄로 바꾸어 인정하거나 다른 죄를 추가로 인정하는 것은 불고불리의 원칙에 위배되지 아니한다.

③ 공소사실과 동일성이 인정되는 사실일지라도 소송진행에 의하여 현실로 심판의 대상이 되지 아니한 이상 이를 심판하지 않았다 하여 잘못이라고 할 수 없다.

④ 누범가중의 사유가 되는 피고인의 전과사실은 범죄사실에 해당하는 것이 아니라 양형사 유에 불과한 것이므로, 공소장에 기재되어 있지 아니한 전과사실을 인정하고 피고인을 누범으로 처벌하였다 하여도 위법하다 할 수 없다.

| 해설 ① 법원은 검사가 공소제기한 사건에 한하여 심판하여야 한다(불고불리원칙). 공소장에 기재된 사실이 현실적인 심판대상이고 공소사실과 동일성이 인정되는 사실은 비록 공소장에 기재되어 있지는 아니하더라도 잠재적 심판대상이 된다(다수설·판례).

② 상상적 경합관계에 있는 두 죄 중 어느 한 죄로만 공소가 제기된 경우, 법원이 공소장변경절차를 거치지 아니하고 다른 죄로 바꾸어 인정하거나 다른 죄를 추가로 인정하는 것은 불고불리의 원칙에 위배된다(대판 2007.5.10, 2007도2372).

③ 대판 1983.11.8, 82도2119

④ 대판 1971.12.21, 71도2004

02 다음 중 심판의 대상 및 판단기준과 관련한 내용으로 옳은 것은 몇 개인가?(판례에 의함)

> ㉠ 제1심 법원이 포괄일죄에 해당하는 업무상 배임죄의 범죄사실을 유죄로 인정함에 있어 공소장 변경절차 없이 전체 범행기간 중 특정 월의 범행 목적물 제조량을 공소사실 기재보다 일부 초과하여 인정한 것이 불고불리의 원칙에 위배된 것이라 할 수 없다.
> ㉡ 공소장의 적용법조의 오기나 누락으로 잘못 기재된 적용법조에 규정된 법정형보다 법원이 그 공소장의 적용법조의 오기나 누락을 바로잡아 직권으로 적용한 법조에 규정된 법정형이 더 무겁다는 이유만으로 그 법령적용이 불고불리의 원칙에 위배되어 위법하다고 할 수 없다.
> ㉢ 피고인의 방어권 행사에 실질적인 불이익을 초래할 염려가 없는 경우에는 공소사실과 기본적 사실이 동일한 범위 내에서 법원이 공소장변경절차를 거치지 아니하고 공소사실과 다르게 사 실을 인정하거나, 오기임이 분명한 것을 증거에 의하여 바로잡아 인정하는 것은 불고불리의 원칙에 위배되지 않는다.
> ㉣ 몰수나 추징을 선고하려면 몰수나 추징의 요건이 공소가 제기된 공소사실과 관련되어야 한다. 공소사실이 인정되지 않는 경우에 이와 별개의 공소가 제기되지 아니한 범죄사실을 법원이 인정하여 그에 관하여 몰수나 추징을 선고하는 것은 불고불리의 원칙에 위배되어 불가능하다.
> ㉤ 검사가 어떠한 행위를 기소한 것인지는 기본적으로 공소장의 기재 자체를 기준으로 하는 것이 심리의 경과 및 검사의 주장내용 등도 고려하여 판단하여야 하는 것은 아니다.

① 1개   ② 2개   ③ 3개   ④ 4개

| 해설 ㉠ ○ : 대판 2006.10.12, 2004도4896

㉡ ○ : 대판 2006.4.14, 2005도9743

㉢ ○ : 대판 2002.7.12, 2002도2134

㉣ ○ : 대판 2008.11.13, 2006도4885

㉤ × : 검사가 어떠한 행위를 기소한 것인지는 기본적으로 공소장의 기재 자체를 기준으로 하되, 심리의 경과 및 검사의 주장내용 등도 고려하여 판단하여야 한다(대판 2017.6.15, 2017도3448).

Answer╒ 2.④

THEMA 03	공소장변경의 의의 · 내용 · 허용범위

의 의		공소장변경이라 함은 검사가 공소사실의 동일성을 해하지 아니하는 범위 내에서 법원의 허가를 얻어 공소장에 기재된 공소사실 또는 적용법조를 추가 · 변경 · 철회하는 것을 말한다(제298조 제1항). 09. 9급 법원직
내 용	추 가	추가란 공소장에 기재된 공소사실 이외에 새로운 공소사실과 그에 대한 적용법조를 부가하는 것을 말한다. 추가는 예비적 추가, 택일적 추가 모두 가능(대판 2013.2.28, 2011도14986) 14. 9급 교정 · 보호 · 철도경찰 **예** ·상습도박의 경우에 그 범죄사실과 포괄1죄의 관계에 있는 다른 도박사실을 추가하는 경우 ·사기의 공소사실에 배임의 공소사실을 예비적으로 추가하는 경우 ·배임의 공소사실에 횡령의 공소사실을 택일적으로 추가하는 경우
	철 회	철회란 종전의 공소사실이나 적용법조 중 일부를 심판대상에서 제외시키는 것을 말한다. **예** ·과형상 1죄 또는 포괄1죄의 일부를 철회 ·예비적 · 택일적으로 기재된 공소사실의 일부를 철회 ▶ 경합범의 공소사실 중 일부를 철회하는 것은 공소사실의 철회가 아니라 공소취소이다.
	변 경	변경이란 공소사실이나 적용법조의 내용을 고치는 것을 말한다. **예** ·살인의 공소사실을 업무상 과실치사의 공소사실로 변경 ·강도의 공소사실을 강도강간의 공소사실로 변경 ·절도의 공소사실을 예비적으로 장물취득의 공소사실로 변경
허용범위		1. 공소장변경은 공소사실과 동일성이 인정되는 범위 내에서만 허용된다(제298조 제1항). 09. 9급 법원직, 14. 경찰간부, 19. 경찰승진 ▶ 공소사실의 동일성 ⇨ '공소제기의 효력', '공소장변경의 한계', '기판력이 미치는 범위', '심판의 범위'를 결정하는 기준이 된다. 2. 공소사실의 동일성이란 공소사실의 단일성과 협의의 동일성을 포함하는 개념이다(다수설). 단일성이란 소송의 어느 한 시점에서 관찰할 때 사건이 1개인 것을 말하며(**예** 상상적 경합관계에 있는 범죄들은 단일한 범죄에 해당), 협의의 동일성이란 소송절차의 비교되는 두 시점에서 사건을 비교하였을 때 사건의 전후가 동일한 경우를 말한다. ▶ 사건이 단일하다고 하기 위해서는 피고인이 1인, 범죄사실이 1개임을 요한다. 3. 어떠한 기준에 의하여 동일성 여부를 판단할 것인가에 관하여 견해의 대립이 있다. 　① 다수설(기본적 사실동일설) : 공소사실의 동일 여부는 그 사실의 기초가 되는 사회적인 사실관계가 기본적인 점에 있어서 동일한가 여부에 의하여 판단하여야 하며, 사실관계의 지엽적인 점이 동일하지 않더라도 기본적 사실관계(중요한 사실관계)만 동일하면 공소사실의 동일성이 인정된다고 한다. 　　**예** 폭행하였다는 기본적인 사실관계만 같다면 상해죄의 공소사실과 상해치사죄의 공소사실은 그 동일성 인정 　② 판례는 기본적 사실동일설을 취하면서 공소사실의 동일성 여부는 그 사실의 기초가 되는 사회적인 사실관계를 기본으로 하되, 규범적 요소도 고려하여 판단하여야 한다고 하는 입장을 보이고 있다(대판 1994.3.22, 93도2080전원합의체). 13. 9급 교정 · 보호 · 철도경찰, 15. 9급 검찰 · 마약수사, 15 · 19. 9급 법원직

04

> ⓔ • 절도죄와 장물취득죄 사이에는 침해법익이 소유권 내지는 재산권으로 동일하므로 일시와 장소가 근접하지 아니한 경우라도 공소사실의 동일성을 인정할 수 있다.
> • 강도상해죄와 장물취득죄 사이는 침해법익이 전혀 달라 동등하게 평가할 수 없다(강도상해죄의 법익은 재산권 이외에도 신체의 자유가 포함되어, 장물취득죄의 법익과 현저한 차이가 있다).

📑 동일성 인정 여부 판례정리

동일성 인정	동일성 부정
1. 허위진술을 하도록 참고인을 협박하였다는 공소사실과 위와 같이 협박하여 겁을 먹은 참고인으로 하여금 허위로 진술케 함으로써 수사기관에 검거되어 신병이 확보된 채 조사를 받고 있던 자를 증거불충분으로 풀려나게 하여 도피케 하였다는 공소사실은 허위진술을 하도록 참고인을 강요·협박하였다는 기본적 사실관계가 동일하여 공소사실의 동일성이 있다고 할 것이다(대판 1987.2.10, 85도897). 16. 9급 검찰·마약수사	1. "피고인은 1997. 4. 3. 21 : 50경 서울 용산구 이태원동에 있는 햄버거 가게 화장실에서 피해자를 칼로 찔러 乙과 공모하여 피해자를 살해하였다."라는 내용으로 기소되었는데, 선행사건에서 피고인에 대하여 유죄로 확정된 '증거인멸죄 등'의 범죄사실의 요지는 "피고인은 1997. 2. 초순부터 1997. 4. 3. 22 : 00경까지 정당한 이유 없이 범죄에 공용될 우려가 있는 위험한 물건인 휴대용 칼을 소지하였고, 1997. 4. 3. 23 : 00경 乙이 범행 후 햄버거가게 화장실에 버린 칼을 집어 들고 나와 용산 미8군영 내 하수구에 버려 타인의 형사사건에 관한 증거를 인멸하였다."라는 것이다. 살인죄와 선행사건에서 유죄로 확정된 증거인멸죄 등은 범행의 일시, 장소와 행위 태양이 서로 다르고, 보호법익이 서로 다르며 죄질에서도 현저한 차이가 있다. 따라서 이 사건 살인죄의 공소사실과 증거인멸죄 등의 범죄사실 사이에 기본적 사실관계의 동일성을 인정할 수 없다(대판 2017.1.25, 2016도15526). 17. 순경 1차
2. 흉기를 휴대하고 다방에 모여 강도예비를 하였다는 공소사실을 정당한 이유 없이 폭력범죄에 공용될 우려가 있는 흉기를 휴대하고 있었다는 폭력행위 등 처벌에 관한 법률 제7조 소정의 죄로 공소장변경을 하였다면, 그 변경 전의 공소사실과 변경 후의 공소사실은 그 기본적 사실이 동일하므로 공소장변경은 적법하다(대판 1987.1.20, 86도2396). 16. 9급 검찰·마약수사	2. 과실로 교통사고를 발생시켰다는 각 '교통사고처리특례법 위반죄'와 고의로 교통사고를 낸 뒤 보험금을 청구하여 수령하거나 미수에 그쳤다는 '사기 및 사기미수죄'는 그 기본적 사실관계가 동일하다고 볼 수 없다(대판 2010.2.25, 2009도14263). 16. 9급 검찰·마약수사, 22. 9급 검찰·마약·교정·보호·철도경찰
3. 중개수수료 교부자를 甲에서 乙로 공소장을 변경하더라도 피고인이 공소사실 기재 일시 장소에서 위 계약을 중개한 후 법정 수수료 상한을 초과한 중개수수료를 교부받았다는 사실에는 변함이 없으므로, 공소사실의 동일성이 인정된다(대판 2010.6.24, 2009도9593). 15. 순경 3차	3. 검사가 당초 '피고인이 甲에게 필로폰 약 0.3g을 교부하였다.'고 하여 마약류관리에 관한 법률 위반(향정)으로 공소를 제기하였다가 '피고인이 甲에게 필로폰을 구해 주겠다고 속여 甲 등에게서 필로폰 대금 등을 편취하였다.'는 사기 범죄사실을 예비적으로 추가하는 공소장변경을 신청한 사안에서, 위 두
4. '피고인이 甲과 합동하여 1997. 2. 2. 00 : 00경 동두천시 생연동 400의 3 앞길에서 피해자 정원형 소유의 경기5 크1760호 그레이스 승합차를 절취하였다.'는 것이고, 예비적으로 추가한 공소사실은 '피고인이 1997. 2. 3. 01 : 40경(1997. 2. 2. 01 : 40경의 오기인 것으로 보인다) 동두천시 생연동 소재 신천교에서 같은 동 398 소재 금시당 앞길까지 甲이 절취하여 온 피해자 정원형 소유의 경기5 크1760호 그레이스 승합차가 장물인 정을 알면서 운전하여 가 장물을 운반하	

였다.'는 것이어서, 그 시기와 장소 및 행위의 태양을 다소 달리하기는 하나 시기와 장소는 매우 근접해 있고, 피해자와 피해품이 같아 그로 인하여 침해되는 법익이 다르다고 볼 수 없으므로 기본적인 사실관계가 동일하다고 할 것이다(대판 1999.5.14, 98도1438). 12. 교정특채

5. 경범죄처벌법 위반죄의 범죄사실은 '피고인이 1994. 7. 30. 21 : 00경 경북 봉화군 소재 담배집 마당에서 음주소란을 피웠다.'는 것이고, 한편 이 사건 폭력행위 등 처벌에 관한 법률 위반죄의 공소사실은 '피고인이 같은 일시경 같은 장소에서 피해자와 말다툼을 하다가 도끼 머리 부분으로 피해자의 뒷머리를 스치게 하여 피해자에게 약 2주간의 치료를 요하는 두부타박상 등을 가하였다.'는 것으로, 이 사건 공소사실과 즉결심판의 범죄사실은 그 기본적 사실관계가 동일한 것이라고 하지 않을 수 없다(대판 1996.6.28, 95도1270). 11. 경찰승진

▶ 비교판례

① 피고인이 경범죄처벌법상 '음주소란' 범칙행위로 범칙금 통고처분을 받아 이를 납부하였는데, 이와 근접한 일시·장소에서 위험한 물건인 과도(果刀)를 들고 피해자를 쫓아가며 "죽여 버린다."고 소리쳐 협박하였다는 내용의 폭력행위 등 처벌에 관한 법률 위반으로 기소된 사안의 경우, 범칙행위인 '음주소란'과 공소사실인 '흉기휴대협박행위'는 기본적 사실관계가 동일하다고 볼 수 없다(대판 2012. 9.13, 2012도6612).

② 피고인에게 적용된 경범죄처벌법 '인근소란' 등의 범칙행위와 '흉기인 야채 손질용 칼 2자루를 휴대하여 피해자의 신체를 상해하였다.'는 폭력행위 등 처벌에 관한 법률 위반(집단·흉기 등 상해)의 공소사실은 범죄사실의 내용이나 그 행위의 수단 및 태양, 각 행위에 따른 피해법익이 다르고, 그 죄질에도 현저한 차이가 있으며, 위 범칙행위의 내용이나 수단 및 태양 등에 비추어 그 행위과정에서나 이로 인한 결과에 통상적으로 흉기휴대상해 행위까지 포함된다거나 이를 예상할 수 있다고는 볼 수 없어 기본적 사실관계가 동일한 것으로 평가할 수 없다(대판 2011.4.28, 2009도12249).

6. 공소사실의 요지는 "피고인들은 합동하여 1985. 12. 24. 19 : 40경 시내버스정류장에서 피해자 왼쪽 손에 손가방을 들고 그곳에 정차한 시내버스를 타려고 할

범죄사실은 기본적인 사실관계가 동일하다고 볼 수 없다(대판 2012.4.13, 2010도16659). 19. 경찰간부·7급 국가직, 20. 순경 1차, 22. 9급 검찰·마약·교정·보호·철도경찰

4. 검사가 피고인들의 토지거래허가구역 내 토지에 대한 미등기 전매 후 근저당권설정행위를 배임으로 기소하였다가, 원심에서 매매대금 편취에 대한 사기 공소사실을 예비적으로 추가하는 공소장변경신청을 한 사안의 경우, 위 각 범죄사실은 기본적 사실관계가 동일하다고 볼 수 없다(대판 2012.4.13, 2011도3469).

5. 무역회사 대표이사인 피고인이 수입신고서에 '청콩', '카오피콩'을 수입하는 것으로 신고하고 실제로는 '콩나물콩'을 수입한 사안의 경우, '청콩', '카오피콩'과 '콩나물콩'은 동종의 물품으로 관세액도 동일하지만, 수입 당시 '콩나물콩'은 '청콩'이나 '카오피콩'과 달리 사전세액심사 대상물품이었으므로 양자를 동일성이 인정되는 물품이라고 할 수 없다(대판 2011. 11.10, 2009도12443).

6. 판결로 확정된 사기죄의 범죄사실은 피고인이 제3자를 기망하여 리스계약 당사자가 되게 함으로써 리스대금 상당의 재산상 이익을 취득하였다는 것임에 반하여, 이 사건 공소사실은 피고인이 리스회사를 위하여 이 사건 승차를 보관 중 횡령하였다는 것으로 양자가 리스계약을 매개로 한 것이라는 관련성은 있으나 범행일시, 상대방 등 범죄사실의 내용이나 행위가 별개이고, 행위의 태양이나 피해법익도 달라 양자 사이에 동일성이 있다고 보기 어렵다(대판 2011.5.26, 2010도17349).

7. 피고인이 의약품이 아닌 '신기한 비누'를 의학적 효능·효과가 있는 것으로 오인될 우려가 있는 광고를 하였다는 약사법 위반죄의 범죄사실과 의약품을 제조하려는 자는 식품의약품안전청장의 허가를 받아야 함에도 위 피고인이 '허가를 받지 아니한 채 의약품인 신기한 비누를 제조, 판매하였다.'는 '보건범죄단속에 관한 특별조치법 위반(부정의약품제조 등)'의 공소사실은 행위의 태양과 보호법익 및 죄질이 전혀 다르고, 범행일시 및 장소도 극히 일부만 중복될 뿐이므로, 양자 사이에 동일성이 있다고 보기는 어렵다(대판 2010.10.14, 2009도4785).

8. 약식명령이 확정된 무등록 석유판매행위로 인한 석유 및 석유대체연료 사업법 위반죄의 범죄사실과 밀수입품 알선행위로 인한 관세법 위반죄의 공소사실

때, 피고인 B는 속칭 바람을 잡고, 피고인 A는 위 피해자가 들고 있던 손가방을 열고 그 속에 들어있던 위 피해자 소유의 현금과 자기앞수표를 절취한 것이다."라는 사안에서, "피고인들은 1985. 12. 24. 19 : 00경 피해자 성명미상 여자(35세 가량) 앞을 가로막으며 피고인 B는 피해자의 뒷편에서, 피고인 A는 피해자의 옆에서 승차할 승객들을 미는 등 정류장의 질서를 어지럽히고 정당한 이유없이 피해자의 길을 막는 등 다수인에게 불안감을 조성한 것이다."라는 경범죄처벌법위반의 범죄사실로 피고인들을 즉결심판에 회부하여 확정된 경우, 비록 이 사건 공소사실의 범행시간 및 장소와 위 확정된 범죄사실의 범행의 시간 및 장소와의 사이에는 근소한 차이가 있고, 또 피해자의 인상착의 등 지엽적인 점에서도 약간의 차이가 있기는 하나 이는 이 사건 공소사실인 소매치기 범행의 과정 내지 수단, 방법에 지나지 아니하는 것을 불안감 조성행위라 하여 이 사건과는 별도로 즉결심판에 회부하면서 사실관계를 위와 같이 약간씩 다르게 기재하였던 것에 기인하는 것이니 위 2개의 범죄사실의 기초가 되는 사회적 사실관계는 결국 그 기본적인 점에서 동일한 것이다(대판 1987.2.10, 86도2454). 11. 경찰승진

7. 청객행위를 하는 피해자를 발로차고 넘어뜨리는 등 폭행행위를 하여 사망에 이르게 하였다는 폭행치사의 공소범죄사실과 동일한 일시·장소에서 청객행위를 이유로 폭력전과를 과시하여 피해자와 시비하며 붙들고 싸우다가 경찰지서에 연행되어 즉결심판을 받았다면 위 두개의 범죄사실의 기초가 되는 사회적 사실관계는 그 기본적인 점에서 동일한 것이라고 보는 것이 상당하다(대판 1979.1.30, 78도3062). 11. 경찰승진

8. "피고인이 2013. 5. 12.경 부천시 원미구 소재 새마을금고 앞에서 동네 후배인 이○○로부터 그 명의의 새마을금고 통장과 현금카드를 양수하였다."의 확정판결 사실과(전자금융거래법 위반), "피고인과 성명불상자가 공동하여 통장을 만들어주지 아니하면 위해를 가할 것처럼 행동하며 위협적인 말투로 통장을 만들어 달라고 겁을 주어 2013. 5. 12.경 부천시 원미구 소재 새마을금고에서 피해자 이○○로 하여금 자신이 원하는 비밀번호를 설정하고 피해자 명의의 새마을금고 통장을 개설하게 하여 위 통장 및 접근매체를 갈취하였다."인 사실은 그 범행일시, 장소, 상대방 및 범행대상인 접근매체가 동일하고, 피고인이 피해자

사이에는 그 행위의 태양이나 피해법익, 죄질에 현저한 차이가 있어, 약식명령이 확정된 범죄사실과 위 공소사실 사이에는 동일성이 인정되지 않는다(대판 2009.3.12, 2008도7689).

9. 비자금의 사용으로 인한 업무상 횡령의 점과 비자금의 조성으로 인한 업무상 배임의 점은 기본적 사실관계가 동일하다고 보기 어렵다(대판 2009.2.26, 2007도4784).

10. 약식명령이 확정된 의료법 위반죄의 '무자격자 안마행위'와 성매매알선 등 행위의 처벌에 관한 법률 위반죄의 '유사성교행위'라는 공소사실 상호간에 그 기초가 되는 사회적 사실관계가 동일한 것이라고 평가할 수 없다(대판 2009.1.30, 2008도9207).

11. 상해의 공소사실에 폭력행위 등 처벌에 관한 법률 위반(집단·흉기 등 협박) 등의 공소사실을 추가하여 공소장변경신청을 한 사안에서, 범행 장소와 피해자가 동일하고 시간적으로 밀접되어 있으나 수단·방법 등 범죄사실의 내용이나 행위태양이 다를 뿐만 아니라 죄질에도 현저한 차이가 있어 기본적인 사실관계가 동일하지 않으므로 공소사실의 동일성을 인정할 수 없다(대판 2008.12.11, 2008도3656).

12. 유사수신행위의 규제에 관한 법률 제3조에서 금지하고 있는 유사수신행위 그 자체에는 기망행위가 포함되어 있지 않고, 이러한 위 법률 위반죄와 특정경제범죄 가중처벌 등에 관한 법률 위반(사기)죄는 각 그 구성요건을 달리하는 별개의 범죄로서, 서로 행위의 태양이나 보호법익을 달리하고 있어 양 죄는 상상적 경합관계가 아니라 실체적 경합관계로 봄이 상당할 뿐만 아니라, 그 기본적 사실관계에 있어서도 동일하다고 볼 수 없다(대판 2008.2.29, 2007도10414).

13. 약식명령이 확정된 소방법위반의 범죄사실과 업무상 과실치상·업무상 실화의 공소사실 모두 인화물질을 매개로 동일 장소·일시에서 근접하여 이루어졌다는 점에서는 일부 중복되는 면이 있으나, 각 위반행위의 내용과 태양 및 책임의 근거, 직접적인 보호법익 등이 다를 뿐만 아니라 그 죄질에도 현저한 차이가 있는 이상 이들 행위 상호간에는 그 기초가 되는 사회적 사실관계가 동일한 것이라고 평가할 수 없다(대판 2005.1.13, 2004도6390).

14. 검사는 당초 '피고인이 2000. 2. 27. 04 : 00경 인천 부평구 일신동 110에 있는 대림상회 내에서 청소년에게 청소년 유해약물인 디스 담배를 1갑 판매하였다.'는 범죄사실로 공소를 제기하여 약식명령을 청구하였다가, 2001.5. 15. 제1심의 제5회 공판기일에 재

에게 겁을 주어 접근매체를 갈취한 행위는 접근매체 양수를 위한 단일한 범의 아래 진행된 일련의 행위로서 위 양수의 원인이 되어서 위 양수행위와 불가분의 밀접한 관계에 있다고 할 것이므로, 그 기본적 사실관계가 동일한 것이라고 하지 않을 수 없다(대판 2015.9.10, 2015도7081).

9. "피고인(甲)이 2008. 7. 25. 자신의 주거지에서 주식회사 엘지파워콤에 전화를 걸어 행사할 목적으로 권한 없이 마치 자신이 乙인 것처럼 행세하면서 乙의 주민등록번호 등을 불러주는 방법으로 그 담당자로 하여금 乙 명의의 엘지파워콤 서비스 신청서 1부를 작성하게 함으로써 乙 명의의 서비스 신청서 1부를 위조하고, 이를 비치하게 하여 행사하였다."는 사실과 "피고인이 2008. 7. 25. 자신의 주거지에서 엘지파워콤의 초고속인터넷을 설치하면서 행사할 목적으로 권한 없이 마치 자신이 乙인 것처럼 행세하면서 인터넷을 설치한 자가 제시하는 휴대정보단말기(PDA)에 乙 명의로 서명함으로써 피고인은 행사할 목적으로 사서명인 乙의 서명을 위조하고 이를 비치하게 하여 행사하였다."는 사실은 그 기초가 되는 사회적 사실관계가 범행의 일시와 장소, 상대방, 행위태양, 수단과 방법 등 기본적인 점에서 동일할 뿐만 아니라, 규범적으로 보아 공소사실의 동일성이 있다(대판 2013.2.28, 2011도14986).

10. 피고인에 대하여 '공인중개사 자격이 없고 중개사무소 개설등록을 하지 않았는데도 甲, 乙과 공모하여 부동산 매매계약을 중개한 대가로 丙에게서 甲, 乙 및 피고인의 수고비 합계 2천만원을 교부받아 중개행위를 하였다.'는 공인중개사의 업무 및 부동산 거래신고에 관한 법률 위반 공소사실로 벌금의 약식명령이 확정되었는데, 그 후 피고인이 '피해자 丙에게서 甲, 乙에 대한 소개비 조로 2천만원을 교부받아 丙을 위하여 보관하던 중 임의로 사용하여 횡령하였다.'는 공소사실로 기소된 사안의 경우, 확정된 약식명령의 공소사실과 양립할 수 없는 관계에 있고, 양자의 행위 객체인 금품이 丙이 교부한 2천만원으로 동일한 점에 비추어 양자는 행위 태양이나 피해법익 등을 서로 달리하지만 규범적으로는 공소사실의 동일성이 인정된다(대판 2012.5.24, 2010도3950).

11. 피해자를 주식회사 ○○○에서 △△디자인(△△ Design Pty Ltd)으로 변경한다 하더라도 피고인이 공소사실 기재 일시 장소에서 저작권 침해행위를 하였다는 사실과 침해행위의 태양 및 침해된 저작권이 어떠한 저

정한 피고인의 동의하에 구술에 의하여, '피고인이 2000. 2. 26. 20 : 00경 위 대림상회 내에서 청소년에게 청소년 유해약물인 디스 담배 1갑을 판매하였다.'는 것으로 범죄사실을 변경하는 경우에 공소가 제기된 당초의 범죄사실과 검사가 공소장변경신청을 한 범죄사실은 범행 일시와 상대방은 물론 그 수단·방법 등 범죄사실의 내용이나 행위태양이 다르고 경합범 관계에 있으므로 그 기본적인 사실관계가 동일하다고 할 수 없다(대판 2002.3.29, 2002도587).

15. 피고인이 공소 외인으로부터 피해자를 위한 합의금을 교부받아 보관 중 이를 횡령하였다는 원래의 공소사실과 피고인이 피해자를 기망하여 위임장 사본을 편취하였다는 예비적으로 추가한 공소사실 사이에 동일성이 있다고 보기 어렵다(대판 2001.3.27, 2001도116).

16. 사전분양으로 인한 주택건설촉진법위반죄의 공소사실과 아파트를 분양할 의사와 능력 없이 분양계약자들로부터 분양대금을 상습적으로 편취하였다는 내용의 특정경제범죄가중처벌 등에 관한 법률위반(사기)죄의 공소사실 사이에 행위의 태양이나 피해법익 등에 있어 다를 뿐 아니라 죄질에도 현저한 차이가 있어 동일성이 있다고 보기 어렵다(대판 1998.8.21, 97도2487).

17. 2개월 내에 작위의무를 이행하라는 행정청의 지시를 이행하지 아니한 행위와 7개월 후 다시 같은 내용의 지시를 받고 이를 이행하지 아니한 행위는 성립의 근거와 일시 및 이행기간이 뚜렷이 구별되어 서로 양립이 가능한 전혀 별개의 범죄로서 동일성이 없다(대판 1994.4.26, 93도1731).

18. 공소장변경 전후의 각 문서의 명칭, 작성일시, 작성목적, 작성방법 및 형상과 내용 등이 전혀 달라서 허위공문서작성죄의 공소사실의 동일성이 인정되지 아니한다(대판 1993.9.10, 93도1203).

19. 축산업협동조합 상무대리인 피고인이 위 조합 소유의 사료를 판매하여 이를 횡령하였다는 공소사실과 위 피고인이 위 조합 이사회의 의결 없이 축산업협동조합법 제144조 제4호를 위반하였다는 공소사실은 동일성을 인정할 수 없다(대판 1989.1. 24, 87도1978).

20. 공소사실은 피고인이 그의 상사에게 의사국가고시에 부정한 방법으로 합격케 하여 달라는 청탁으로 제3자에게 전달하여 달라고 금 250,000원을 교부하였다는 것으로 이는 피고인이 의사고시응시준비를 위하여 장기결근을 하였는데 그의 상사가 이를 출근

작물에 대한 것인지에 변함이 없는 이상, 위 공소장변경 전후의 공소사실은 상호 동일성을 인정할 수 있어 그 공소장변경은 적법하다고 할 것이다(대판 2008. 2.28, 2007도8705). 09. 9급 국가직

12. 음주상태로 자동차를 운전하다가 제1차 사고를 내고 그대로 진행하여 20분 후 제2차 사고를 낸 후 음주측정을 받아 도로교통법 위반(음주운전)죄로 약식명령을 받아 확정되었는데, 그 후 제1차 사고 당시의 음주운전으로 기소된 사안의 경우, 위 공소사실이 약식명령이 확정된 도로교통법 위반(음주운전)죄와 포괄일죄 관계에 있다(대판 2007.7.26, 2007도4404).

13. 공소장변경을 신청한 공소사실은, 범행의 일시와 장소 및 피해내용 등은 모두 위와 같고, 다만 기망행위의 방법으로, "사실은 피고인이 약 5억원 정도의 채무가 있고 피고인 소유의 부동산에 이미 담보가 설정되어 있어 위 약속어음을 할인하더라도 지급기일에 이를 결제할 의사나 능력이 없음에도 마치 지급기일에 틀림없이 결제할 것처럼 가장하였다."는 것을 추가하였을 뿐이므로, 결국 이는 원래의 공소사실과 동일성의 범위를 벗어난 것으로 볼 수 없다(대판 1999.4.13, 99도375).

14. 감금죄의 공소사실과 그 감금 상태에서 피해자 명의의 인감증명서를 이용하여 회사의 대표이사 명의나 회사 부지의 소유자 명의를 변경하여 경영권을 빼앗았다는 내용의 폭력행위 등 처벌에 관한 법률위반죄의 공소사실 사이에 동일성이 있다(대판 1998.8.21, 98도749).

15. 당초 공소사실은 향정신성의약품 제조에 사용하고 남은 원료물질을 향정신성의약품 제조목적으로 은닉·보관하여 이를 소지하였다는 것인데, 그 소지 일자가 당초 일자보다 뒤로, 그 제조목적이 단순히 매매목적으로 공소사실이 변경신청된 사건에서, 원래 범죄의 일시는 공소사실의 특정을 위한 요인이지 범죄사실의 기본적 요소가 아닐 뿐더러 피고인이 동일한 원료물질을 같은 장소에 당초 공소사실에 적시된 일자로부터 압수될 때까지 계속하여 은닉·보관해 왔다면, 그 두 공소사실은 기본적 사실관계에서 동일하다(대판 1994.9.23, 93도680).

16. 피고인 甲이 1984. 10. 초순 일자 불상 피고인 乙로부터 금 150만원을 교부받아 뇌물을 수수한 것이라는 당초의 공소사실과 같은 해 9월 말 일자불상경 같은 사람으로부터 위 금액을 교부받아 뇌물을 수수한 것

한 것으로 처리하여 봉급까지 타게 해주어 고맙다는 뜻에서 그에게 금 200,000원을 제공하였다는 것과는 그 기본적 사실을 달리하는 것이므로 공소장변경 등의 절차가 없는 한 이를 심판의 대상으로 삼을 수는 없다(대판 1985.6.25, 85도546).

21. 피고인이 1982. 8. 3. 18 : 00경 회집에서 피해자(甲)에게 폭행을 하여 상처를 입혔다는 것(주위적 공소사실)과 피고인의 위 폭행이 폭행습벽의 발로라는 것(예비적 공소사실)에 대하여 피고인이 제1심 판결선고 후인 1983. 5. 27. 피고인의 매형에게 한 폭행, 협박 사실을 추가하는 공소장변경신청은 공소사실의 동일성이 인정될 수 없는 경우이다(대판 1984.3.13, 84도219).

22. 청소년성보호법에서 아동·청소년성착취물을 제작하는 행위를 처벌하는 규정을 두고 있으며, 상습으로 아동·청소년성착취물을 제작하는 행위를 처벌하는 조항을 신설하였다. 아동·청소년성착취물 제작으로 인한 청소년성보호법 위반 부분에 대하여는 위 개정규정을 적용하여 청소년성보호법 위반(상습성착취물 제작·배포 등)죄로 처벌할 수 없으며, 양자는 실체적 경합관계에 있게 되므로 공소사실과 기본적 사실관계가 동일하다고 볼 수 없다(대판 2022. 12.29, 2022도10660).

이라는 변경된 공소사실은 동일한 범죄사실로 인정된다(대판 1990.5.8, 89도1450).

17. 검사가 공소제기된 사기죄의 공소사실인 "피고인은 위조한 10만원권 수표 1매를 진정하게 성립된 것인양 그 정을 모르는 여관주인에게 밀린 숙박비 일부로 교부하여 동 액수를 공받음으로써 동액 상당의 재산상 이득을 편취한 것이다."를 "피고인은 위조한 10만원권 수표 1매를 그 정을 모르는 여관 주인에게 밀린 숙박비 지불조로 교부하여 그로 하여금 그의 거래은행을 통하여 동 수표의 지급위탁은행에 진정하게 성립된 것인 양 제시케하여 이에 속은 동 은행 담당자로부터 수표 액면금 100,000원을 교부받으려고 하였으나 위조사실이 발각되어 그 목적을 달하지 못하고 미수에 그친 것이다."의 사기미수로 공소장변경허가신청을 한 경우, 공소제기된 사기사실과 공소장변경허가신청된 사기미수 사실은 피고인이 위조한 수표를 그 정을 모르는 자를 속여, 밀린 숙박비조로 변제하여 재산상 이득을 얻고자 한 기본적인 사실관계에 있어서 동일하다(대판 1990.2.13, 89도1457).

18. 피고인이 피해자를 살해하려고 목을 누르는 등 폭행을 가하였으나 미수에 그쳤다는 살인미수의 공소사실에 대하여 피해자를 강간하려고 위와 같은 폭행을 가하였으나 미수에 그치고 피해자에게 상해를 입혔다는 강간치상의 공소사실로 변경하는 경우 동일성을 해친다고 볼 수 없다(대판 1984.6.26, 84도666).

19. 공소장변경 전의 횡령공소 사실과 변경 후의 사기공소 사실이 그 기초되는 사회적 사실관계가 기본적인 점(피해자에게 다방을 경영하게 해주겠다는 명목으로 금원수령)에서 동일하다(대판 1983.11.8, 83도2500).

20. 일방의 범죄가 성립되는 때에는 타방의 범죄의 성립은 인정할 수 없다고 볼 정도로 양자가 밀접한 관계가 있는 경우에는 그간의 시간적 간격이 긴 경우라도 양자의 기본적 사실관계는 동일한 것이라고 할 것인바, 최초의 공소사실이 피고인은 1981. 1. 14. 19 : 00경 甲의 집에서 피해자 乙의 얼굴을 1회 때려 폭행했다는 것인데 그 일시만을 "1979. 12. 중순경"으로 변경된 경우에 있어서 피고인 및 피해자의 진술과 증언에 의하여 공소사실과 같은 시비나 폭행을 1981. 1. 중순경이 아니고 1979. 12. 중순경에 있었던 일을 경찰에서 잘못 진술했다는 취지로 인정되고, 양 공소사실의 내용에 의하더라도 그 폭행한 장소, 수단, 방법, 부위,

회수나 피해자가 같아서 양 사실을 별개의 다른 사실이 아니고 1개의 동일한 사실이라고 보지 않을 수 없다면 양 공소사실은 동일성의 범위 안에 있다고 할 것이다(대판 1982.12.28, 82도2156).

21. 방위소집의 해제를 받을 목적으로 호적등본의 해당란을 사실과 다르게 기입한 등본을 방위해제원서에 첨부 제출하였다는 범죄사실에 대하여 공문서위조 및 동 행사로 기소한 공소장을 위계에 의한 공무집행방해죄로 죄명과 적용법조의 변경을 허가한 조치는 그 기본적 사실관계가 동일하여 공소사실의 동일성이 있다(대판 1978.11.1, 78도1540).

22. 처음에 어느 물건을 장물인 줄 알면서 남에게 양여하였다하여 장물양여죄로 공소를 제기하였다가 나중에 그 물건을 절취한 사실을 이유로 야간주거침입절도나 절도로서 공소장에 기재한 공소사실을 변경하는 것은 그 공소사실에 있어서 동일성을 해하는 것이라고는 볼 수 없다(대판 1964.12.29, 64도664).

23. 피고인이 저녁 시간에 무면허인 상태로 차량을 운전하여 인근 식당까지 이동하고(제1 무면허운전 혐의), 약 3시간이 경과 후 식당 인근에서 시동이 켜진 위 차량에서 술에 취해 잠이 든 상태로 발견되어 경찰에 의해 음주측정을 받은 다음(제2 무면허운전 및 음주운전 혐의), 검사가 피고인에 대하여 제2 무면허운전 및 음주운전을 하였다는 혐의로 기소하였다. 제2 무면허운전과 제1 무면허운전은 시간 및 장소에 있어 일부 차이가 있으나, 같은 날 동일 차량을 무면허로 운전하려는 단일하고 계속된 범의 아래 동종 범행을 같은 방법으로 반복한 것으로 포괄하여 일죄에 해당하고 그 기초가 되는 사회적 사실관계도 기본적인 점에서 동일하다(대판 2022.10.27, 2022도8806).

24. '피고인이 건축물에 해당하는 컨테이너를 허가 없이 건축하였다.'는 기존 공소사실을 '피고인이 가설건축물에 해당하는 컨테이너를 신고 없이 축조하였다.'는 공소사실로 변경하는 내용의 검사의 공소장변경허가신청을 허가하여 공소장변경이 이루어진 사안에서, 관련 행정소송에서는 처분사유의 추가·변경이 허용되지 않는다는 대법원 판결이 선고·확정되었다고 하더라도 기존 공소사실과 변경된 공소사실은 형사소송의 공소장변경에서 요구하는 기본적 사실관계의 동일성이 인정되므로 공소장변경이 적법하다(대판 2022.12.29, 2022도9845).

01 공소사실의 동일성을 인정할 수 없는 경우는?(다툼이 있는 경우 판례에 의함)

16. 9급 검찰 · 마약수사

① 과실로 교통사고를 발생시켰다는 교통사고처리 특례법 위반죄의 공소사실과 고의로 교통사고를 낸 뒤 보험금을 청구하여 수령하거나 미수에 그쳤다는 사기 및 사기미수죄의 공소사실

② 참고인에 대하여 허위진술을 하여 달라고 요구하면서 이에 불응하면 어떠한 위해를 가할 듯한 태세를 보여 외포케 하여 참고인을 협박하였다는 공소사실과 위와 같이 협박하여 겁을 먹은 참고인으로 하여금 허위로 진술케 함으로써 수사기관에 검거되어 신병이 확보된 채 조사를 받고 있던 자를 증거 불충분으로 풀려나게 하여 도피케 하였다는 공소사실

③ 거래처로부터 수금한 돈을 보관하던 중 횡령하였다는 공소사실과 그 돈의 수금권한이 없는데도 있는 것처럼 가장하고 수금하여 이를 편취하였다는 공소사실

④ 흉기를 휴대하고 다방에 모여 강도예비를 하였다는 공소사실과 정당한 이유 없이 폭력범죄에 공용될 우려가 있는 흉기를 휴대하고 있었다는 폭력행위 등 처벌에 관한 법률 제7조에 규정한 죄의 공소사실

해설 ① 과실로 교통사고를 발생시켰다는 각 '교통사고처리 특례법 위반죄'와 고의로 교통사고를 낸 뒤 보험금을 청구하여 수령하거나 미수에 그쳤다는 '사기 및 사기미수죄'는 서로 행위 태양이 전혀 다르고, 각 교통사고처리 특례법 위반죄의 피해자는 교통사고로 사망한 사람들이나, 사기 및 사기미수죄의 피해자는 피고인과 운전자보험계약을 체결한 보험회사들로서 역시 서로 다르며, 따라서 위 각 교통사고처리 특례법 위반죄와 사기 및 사기미수죄는 그 기본적 사실관계가 동일하다고 볼 수 없다(대판 2010.2.25, 2009도14263).
②(대판 1987.2.10, 85도897) ③(대판 1984.2.28, 83도3074) ④(대판 1987.1.20, 86도2396) 모두 동일성 인정

02 다음 중 사건의 동일성이 소송법상 의미를 가지는 사항이 아닌 것은 몇 개인가?

㉠ 공소제기의 효력이 미치는 범위
㉡ 공소장변경의 허용범위
㉢ 공판심리의 범위
㉣ 일사부재리의 원칙이 적용되는 범위
㉤ 증거의 증거능력
㉥ 고소의 주관적 불가분의 원칙이 적용되는 범위

① 1개   ② 2개   ③ 3개   ④ 4개

해설 ㉠ ○ : 공소제기의 효력은 그 사건과 동일성이 인정되는 범위 내의 전부에 미친다.
㉡ ○ : 피고사건과 동일성이 인정되는 범위 내에서 공소장변경이 허용된다.
㉢ ○ : 공소장에 기재되는 사실이 현실적 심판대상이 되고, 공소사실과 동일성이 인정되는 사실은 잠재적 심판대상이 된다.

ⓔ ○ : 사건의 동일성이 인정되는 모든 사실에 일사부재리의 원칙이 적용된다.

ⓜ × : 증거의 증거능력이란 엄격한 증명의 자료로 사용될 수 있는 법률상의 자격을 말하는 것으로 동일성과는 무관하다.

ⓗ × : 고소의 주관적 불가분의 원칙이란 친고죄의 공범 중 1인 또는 수인에 대한 고소 또는 취소의 효력은 다른 공범자에게도 효력이 있다는 원칙으로서 범죄사실의 동일성 문제와는 관련이 없다.

03 甲은 장물취득죄로 제1심에서 징역 1년을 선고받고 항소하였으나 공범이 검거되어 강도상해죄로 처벌될 상황에 이르자 항소를 취하하여 확정되었다. 이후 검사가 甲에 대하여 강도상해죄로 공소제기한 경우 법원이 취할 조치에 대한 설명으로 옳은 것은?(다툼이 있는 경우 판례에 의함)

15. 9급 검찰·마약수사

① 두 죄의 기본적 사실관계가 동일한가의 여부는 그 규범적 요소를 전적으로 배제한 채 순수하게 사회적·전법률적 관점에서 파악하여야 한다.

② 확정된 장물취득의 범죄사실과 강도상해의 공소사실은 동일성이 인정되므로 공소기각판결을 하여야 한다.

③ 확정된 장물취득의 범죄사실과 강도상해의 공소사실은 동일성이 인정되므로 면소판결을 하여야 한다.

④ 확정된 장물취득의 범죄사실과 강도상해의 공소사실은 동일성이 인정되지 않으므로 유·무죄의 실체판결을 하여야 한다.

해설 두 죄의 기본적 사실관계가 동일한가의 여부는 그 규범적 요소를 전적으로 배제한 채 순수하게 사회적·전법률적인 관점에서만 파악할 수는 없고, 그 자연적·사회적 사실관계나 피고인의 행위가 동일한 것인가 외에 그 규범적 요소도 기본적 사실관계 동일성의 실질적 내용의 일부를 이루는 것이라고 보는 것이 상당하다. 따라서 유죄로 확정된 장물취득죄와 이 사건 강도상해죄는 범행일시가 근접하고 위 장물취득죄의 장물이 이 사건 강도상해죄의 목적물 중 일부이기는 하나, 그 범행의 일시·장소가 서로 다르고, 강도상해죄는 피해자를 폭행하여 상해를 입히고 재물을 강취하였다는 것인 데 반하여 위 장물취득죄는 위와 같은 강도상해의 범행이 완료된 이후에 강도상해죄의 범인이 아닌 피고인이 다른 장소에서 그 장물을 교부받았음을 내용으로 하는 것으로서 그 수단, 방법, 상대방 등 범죄사실의 내용이나 행위가 별개이고, 행위의 태양이나 피해법익도 다르고 죄질에도 현저한 차이가 있어, 위 장물취득죄와 이 사건 강도상해죄 사이에는 동일성이 있다고 보기 어렵고, 따라서 피고인이 장물취득죄로 받은 판결이 확정되었다고 하여 강도상해죄의 공소사실에 대하여 면소를 선고하여야 한다거나 피고인을 강도상해죄로 처벌하는 것이 일사부재리의 원칙에 어긋난다고는 할 수 없다(대판 1994.3.22, 93도2080 전원합의체).

04 동일성이 인정되는 경우(A)와 부정되는 경우(B)를 바르게 조합한 것은?(판례에 의함)

> ㉠ 피고인이 1982. 8. 3. 18 : 00경 횟집에서 피해자(甲)에게 폭행을 하여 상처를 입혔다는 공소
> 사실과 피고인이 제1심 판결선고 후인 1983. 5. 27. 피고인의 매형에게 폭행, 협박했다는 공
> 소사실
>
> ㉡ '피고인이 1994. 7. 30. 21 : 00경 경북 봉화군 소재 담뱃집 마당에서 음주소란을 피웠다.'는 경
> 범죄처벌법 위반죄의 범죄사실과 '피고인이 같은 일시경 같은 장소에서 피해자와 말다툼을 하
> 다가 도끼 머리 부분으로 피해자의 뒷머리를 스치게 하여 피해자에게 약 2주간의 치료를 요하
> 는 두부타박상 등을 가하였다.'는 폭력행위 등 처벌에 관한 법률 위반죄의 공소사실
>
> ㉢ 경범죄처벌법상 '음주소란'의 공소사실과 이와 근접한 일시·장소에서 위험한 물건인 과도(果
> 刀)를 들고 피해자를 쫓아가며 "죽여 버린다."고 소리쳐 협박하였다는 내용의 폭력행위 등 처
> 벌에 관한 법률 위반의 공소사실
>
> ㉣ 경범죄처벌법 '인근소란' 등의 범칙행위에 대한 공소사실과 '흉기인 야채 손질용 칼 2자루를
> 휴대하여 피해자의 신체를 상해하였다.'는 폭력행위 등 처벌에 관한 법률 위반(집단·흉기 등
> 상해)의 공소사실
>
> ㉤ "피고인이 2004. 3. 22. 22 : 00경 포천시 일동면에 있는 피고인의 집에서 피해자와 말다툼을
> 하다가 발로 피해자의 배와 가슴 부위를 수회 차 피해자에게 약 2주간의 치료를 요하는 흉부
> 좌상을 가하였다."는 공소사실과 "이후 계속하여 부엌 뒤에 있는 창고에서 전지가위를 가지고
> 와 거실바닥에 쓰러져 있는 피해자에게 들이대며 '너 오늘 죽여 버리겠다.'고 말하여 피해자를
> 협박하였다."는 공소사실

① A ㉠, B ㉡㉢㉣㉤

② A ㉡, B ㉠㉢㉣㉤

③ A ㉢㉣, B ㉠㉡㉤

④ A ㉢㉣㉤, B ㉠㉡

해설 **㉠ 동일성 ×** : 피고인이 1982. 8. 3. 18 : 00경 횟집에서 피해자(甲)에게 폭행을 하여 상처를 입혔다는 공소사실과 피고인이 제1심 판결선고 후인 1983. 5. 27. 피고인의 매형에게 폭행, 협박했다는 공소사실은 동일성이 인정될 수 없는 경우이다(대판 1984.3.13, 84도219).

㉡ 동일성 ○ : 경범죄처벌법 위반죄의 범죄사실은 '피고인이 1994. 7. 30. 21 : 00경 경북 봉화군 소재 담뱃집 마당에서 음주소란을 피웠다.'는 것이고, 한편 이 사건 폭력행위 등 처벌에 관한 법률 위반죄의 공소사실은 '피고인이 같은 일시경 같은 장소에서 피해자와 말다툼을 하다가 도끼 머리 부분으로 피해자의 뒷머리를 스치게 하여 피해자에게 약 2주간의 치료를 요하는 두부타박상 등을 가하였다.'는 것으로, 이 사건 공소사실과 즉결심판의 범죄사실은 그 기본적 사실관계가 동일한 것이라고 하지 않을 수 없다(대판 1996.6.28, 95도1270).

㉢ 동일성 × : 피고인이 경범죄처벌법상 '음주소란' 범칙행위로 범칙금 통고처분을 받아 이를 납부하였는데, 이와 근접한 일시·장소에서 위험한 물건인 과도(果刀)를 들고 피해자를 쫓아가며 "죽여 버린다."고 소리쳐 협박하였다는 내용의 폭력행위 등 처벌에 관한 법률 위반으로 기소된 사안의 경우, 범칙행위인 '음주소란'과 공소사실인 '흉기휴대협박행위'는 기본적 사실관계가 동일하다고 볼 수 없다(대판 2012.9.13, 2012도6612).

② **동일성** × : 피고인에게 적용된 경범죄처벌법 '인근소란' 등의 범칙행위와 '흉기인 야채 손질용 칼 2자루를 휴대하여 피해자의 신체를 상해하였다.'는 폭력행위 등 처벌에 관한 법률 위반(집단·흉기 등 상해)의 공소사실은 범죄사실의 내용이나 그 행위의 수단 및 태양, 각 행위에 따른 피해법익이 다르고, 그 죄질에도 현저한 차이가 있으며, 위 범칙행위의 내용이나 수단 및 태양 등에 비추어 그 행위과정에서나 이로 인한 결과에 통상적으로 흉기휴대상해 행위까지 포함된다거나 이를 예상할 수 있다고는 볼 수 없어 기본적 사실관계가 동일한 것으로 평가할 수 없다(대판 2011.4.28, 2009도12249).

⑩ **동일성** × : "피고인이 2004. 3. 22. 22 : 00경 포천시 일동면에 있는 피고인의 집에서 피해자와 말다툼을 하다가 발로 피해자의 배와 가슴 부위를 수회 차 피해자에게 약 2주간의 치료를 요하는 흉부좌상을 가하였다."는 범죄사실과 "이후 계속하여 부엌 뒤에 있는 창고에서 전지가위를 가지고 와 거실바닥에 쓰러져 있는 피해자에게 들이대며 '너 오늘 죽여 버리겠다.'고 말하여 피해자를 협박하였다."는 공소사실은 범행 장소와 피해자가 동일하고 시간적으로 밀접되어 있기는 하나, 그 수단·방법 등 범죄사실의 내용이나 행위태양이 다를 뿐만 아니라 죄질에도 현저한 차이가 있어 그 기본적인 사실관계가 동일하다고 할 수 없다(대판 2008. 12.11, 2008도3656).

05 다음 중 판례에 의할 때 옳은 것은 모두 몇 개인가?

> ㉠ 피고인이 피해자를 위한 합의금을 교부받아 보관 중 이를 횡령하였다는 원래의 공소사실과 피고인이 피해자를 기망하여 위임장 사본을 편취하였다는 예비적으로 추가한 공소사실 사이에 동일성이 인정된다.
>
> ㉡ 축산업협동조합 상무대리인 피고인이 위 조합 소유의 사료를 판매하여 이를 횡령하였다는 공소사실과 위 피고인이 위 조합 이사회의 의결 없이 축산업협동조합법 제144조 제4호를 위반하였다는 예비적 공소사실은 공소사실의 동일성을 인정할 수 없다.
>
> ㉢ 기본적 사실관계는 동일하고 적용법조에 형법 제30조만을 추가하여 공동정범으로 변경한 공소장변경 전후의 두 공소사실 사이에 동일성이 있다.
>
> ㉣ 약식명령이 확정된 무등록 석유판매행위로 인한 석유 및 석유대체연료 사업법위반죄의 범죄사실과 밀수입품 알선행위로 인한 관세법위반죄의 공소사실 사이에는 그 행위의 태양이나 피해법익, 죄질에 현저한 차이가 있어, 약식명령이 확정된 범죄사실과 위 공소사실 사이에는 동일성이 인정되지 않는다.

① 2개   ② 3개   ③ 4개   ④ 없 음

┃ 해설 ┃ ㉠ × : 피고인이 피해자를 위한 합의금을 교부받아 보관 중 이를 횡령하였다는 원래의 공소사실과 피고인이 피해자를 기망하여 위임장 사본을 편취하였다는 예비적으로 추가한 공소사실 사이에 동일성이 있다고 보기 어렵다(대판 2001.3.27, 2001도116).
㉡ ○ : 대판 1989.1.24, 87도1978
㉢ ○ : 대판 2009.1.30, 2008도8138
㉣ ○ : 대판 2009.3.12, 2008도7689

06 공소장변경제도와 관련하여 타당하지 아니한 경우는 몇 개인가?(판례에 의함)

> ㉠ 흉기를 휴대하고 다방에 모여 강도예비를 하였다는 공소사실을 정당한 이유 없이 폭력범죄에 공용될 우려가 있는 흉기를 휴대하고 있었다는 폭력행위 등 처벌에 관한 법률 제7조 소정의 죄로 공소장변경을 하였다면, 그 변경 전의 공소사실과 변경 후의 공소사실은 그 기본적 사실이 동일하므로 공소장변경은 적법하다.
>
> ㉡ 피고인이 피해자를 살해하려고 목을 누르는 등 폭행을 가하였으나 미수에 그쳤다는 살인미수의 공소사실에 대하여 예비적으로 피고인이 피해자를 강간하려고 위와 같은 폭행을 가하였으나 미수에 그치고 피해자에게 상해를 입혔다는 강간치상의 공소사실을 추가하는 공소장변경은 공소사실의 동일성을 해친다고 볼 수 없다.
>
> ㉢ 감금죄의 공소사실과 그 감금상태에서 피해자 명의의 인감증명서를 이용하여 회사의 대표이사 명의나 회사 부지의 소유자 명의를 변경하여 경영권을 빼앗았다는 내용의 폭력행위 등 처벌에 관한 법률 위반죄의 공소사실 사이에 동일성이 있다.

① 1개 　　　② 2개 　　　③ 3개 　　　④ 없 음

┃해설┃ 모두 옳은 내용이다.
㉠ 대판 1987.1.20, 86도2396
㉡ 대판 1984.6.26, 84도666
㉢ 대판 1998.8.21, 98도749

07 다음 중 공소사실의 동일성과 관련한 판례의 내용으로 옳은 것은 모두 몇 개인가?

> ㉠ '피고인이 공소 외인과 합동하여 1997.2.2. 00：00경 동두천시 생연동 400의 3 앞길에서 피해자 소유의 경기5 크1760호 그레이스 승합차를 절취하였다.'는 것과 '피고인이 1997.2.3. 01：40경 동두천시 생연동 소재 신천교에서 같은 동 398 소재 금시당 앞길까지 공소 외인이 절취하여 온 피해자 소유의 경기5 크1760호 그레이스 승합차가 장물인 정을 알면서 운전하여 장물을 운반하였다.'는 것은 기본적인 사실관계가 동일하다고 할 것이다.
>
> ㉡ 비자금의 사용으로 인한 업무상 횡령의 점과 비자금의 조성으로 인한 업무상 배임의 점은 기본적 사실관계가 동일하다고 볼 수 있다.
>
> ㉢ 중개수수료 교부자를 甲에서 乙로 공소장을 변경하더라도 피고인이 공소사실 기재 일시 장소에서 위 계약을 중개한 후 법정 수수료 상한을 초과한 중개수수료를 교부받았다는 사실에는 변함이 없으므로, 공소사실의 동일성이 인정된다.
>
> ㉣ 약식명령이 확정된 의료법위반죄의 '무자격자 안마행위'와 성매매알선 등 행위의 처벌에 관한 법률 위반죄의 '유사성교 행위'라는 공소사실 상호간에 그 기초가 되는 사회적 사실관계가 동일한 것이라고 평가할 수 없다.
>
> ㉤ 무역회사 대표이사인 피고인이 수입신고서에 '청콩', '카오피콩'을 수입하는 것으로 신고하고 실제로는 '콩나물콩'을 수입한 사안에서, 양자를 동일성이 인정되는 물품이라고 할 수 있다.

04

ⓑ "피고인(甲)이 2008. 7. 25. 자신의 주거지에서 주식회사 엘지파워콤(이하 '엘지파워콤'이라 한다)에 전화를 걸어 행사할 목적으로 권한 없이 마치 자신이 乙인 것처럼 행세하면서 乙의 주민등록번호 등을 불러주는 방법으로 그 담당자로 하여금 乙명의의 엘지파워콤 서비스 신청서 1부를 작성하게 함으로써 乙명의의 서비스 신청서 1부를 위조하고, 이를 비치하게 하여 행사하였다."는 공소사실과 "피고인이 2008. 7. 25. 자신의 주거지에서 엘지파워콤의 초고속인터넷을 설치하면서 행사할 목적으로 권한 없이 마치 자신이 乙인 것처럼 행세하면서 인터넷을 설치한 자가 제시하는 휴대정보단말기(PDA)에 乙명의로 서명함으로써 피고인은 행사할 목적으로 사서명인 乙의 서명을 위조하고 이를 비치하게 하여 행사하였다."라고 공소장변경을 신청한 예비적 공소사실은 공소사실의 동일성이 있다.

① 1개   ② 2개   ③ 3개   ④ 4개

┃ **해설** ┃ ㉠ ○ : '피고인이 공소 외인과 합동하여 1997. 2. 2. 00 : 00경 동두천시 생연동 400의 3 앞길에서 피해자 소유의 경기5 크1760호 그레이스 승합차를 절취하였다.'는 것이고, 예비적으로 추가한 공소사실은 '피고인이 1997. 2. 3. 01 : 40경(1997. 2. 2. 01 : 40경의 오기인 것으로 보인다) 동두천시 생연동 소재 신천교에서 같은 동 398 소재 금시당 앞길까지 공소 외인이 절취하여 온 피해자 소유의 경기5 크1760호 그레이스 승합차가 장물인 정을 알면서 운전하여 장물을 운반하였다.'는 것이어서, 그 시기와 장소 및 행위의 태양을 다소 달리하기는 하나 시기와 장소는 매우 근접해 있고, 피해자와 피해품이 같아 그로 인하여 침해되는 법익이 다르다고 볼 수 없으므로 기본적인 사실관계가 동일하다고 할 것이다(대판 1999.5.14, 98도1438).
㉡ × : 비자금의 사용으로 인한 업무상 횡령의 점과 비자금의 조성으로 인한 업무상 배임의 점은 기본적 사실관계가 동일하다고 보기 어렵다(대판 2009.2.26, 2007도4784).
㉢ ○ : 대판 2010.6.24, 2009도9593
㉣ ○ : 대판 2009.1.30, 2008도9207
㉤ × : 무역회사 대표이사인 피고인이 수입신고서에 '청콩', '카오피콩'을 수입하는 것으로 신고하고 실제로는 '콩나물콩'을 수입한 사안에서, '청콩', '카오피콩'과 '콩나물콩'은 모두 관세·통계통합품목분류표상 10단위 품목번호가 같아 동종의 물품으로 보아야 하고 관세율 및 관세액도 동일하지만, 수입 당시 '콩나물콩'은 사전세액심사 대상물품이었음에 반하여 '청콩'이나 '카오피콩'은 그 대상물품이 아니어서 양자를 동일성이 인정되는 물품이라고 할 수 없다(대판 2011.11.10, 2009도12443).
㉥ ○ : 공소제기된 사문서위조 및 위조사문서행사의 공소사실은 "피고인(甲)이 2008. 7. 25. 자신의 주거지에서 주식회사 엘지파워콤(이하 '엘지파워콤'이라 한다)에 전화를 걸어 행사할 목적으로 권한 없이 마치 자신이 乙인 것처럼 행세하면서 乙의 주민등록번호 등을 불러주는 방법으로 그 담당자로 하여금 乙 명의의 엘지파워콤 서비스 신청서 1부를 작성하게 함으로써 乙명의의 서비스 신청서 1부를 위조하고, 이를 비치하게 하여 행사하였다."는 것이고, 검사가 예비적 공소사실로 공소장변경허가를 신청한 사서명위조 및 위조사서명행사의 공소사실은 "피고인이 2008. 7. 25. 자신의 주거지에서 엘지파워콤의 초고속인터넷을 설치하면서 행사할 목적으로 권한 없이 마치 자신이 乙인 것처럼 행세하면서 인터넷을 설치한 자가 제시하는 휴대정보단말기(PDA)에 乙명의로 서명함으로써 피고인은 행사할 목적으로 사서명인 乙의 서명을 위조하고 이를 비치하게 하여 행사하였다."는 것이어서 두 공소사실은 그 기초가 되는 사회적 사실관계가 범행의 일시와 장소, 상대방, 행위 태양, 수단과 방법 등 기본적인 점에서 동일할 뿐만 아니라, 죄의 성립 여부를 보면, 주위적 공소사실이 유죄로 되면 예비적 공소사실은 주위적 공소사실에 흡수되고 주위적 공소사실이 무죄로 될 경우에만 예비적 공소사실의 범죄가 성립할 수 있는 관계에 있으므로, 규범적으로 보아 공소사실의 동일성이 있다(대판 2013.2.28, 2011도14986).

08 〈보기 A〉에서 공소사실의 동일성 판단기준에 관한 판례의 입장을 고르고, 이러한 판례의 입장에 의해 공소사실의 동일성을 인정할 수 없는 경우를 〈보기 B〉에서 찾아 바르게 연결한 것은?

20. 순경 1차

〈보기 A〉

㉠ 제1설 : 공소사실은 자연적 사실이 아니라 구성요건의 유형적 본질인 죄질에 의한 사실관계의 파악이므로 죄질이 동일한 경우에만 공소사실의 동일성이 인정된다.

㉡ 제2설 : 공소사실의 동일성은 그 사실의 기초가 되는 사회적 사실관계가 기본적인 점에서 동일하면 그대로 유지되는 것이며, 기본적 사실관계의 동일성을 판단함에 있어서는 사회적인 사실관계를 기본으로 하되 규범적 요소도 고려하여야 한다.

㉢ 제3설 : 비교되는 두 사실이 구성요건적으로 상당한 정도 부합하는 때에는 공소사실의 동일성이 인정되고, 이때 양 구성요건이 죄질을 같이 하거나 공통된 특징을 가질 것을 요구하지 않는다.

〈보기 B〉

ⓐ '피고인은 1999. 5. 일자 불상 04시경 피해자와 전화통화 중 다른 남자와의 관계를 아들에게 폭로하겠다고 말하여 협박하였다'라는 공소사실과 '피고인은 2000. 8. 4. 새벽경 위와 동일한 방법으로 동일한 피해자를 협박하였다'라는 공소사실

ⓑ '피고인은 2017. 10. 하순경 승용차 안에서 甲에게 필로폰 0.3g을 교부하였다'라는 공소사실과 '피고인은 2017. 10. 중순경 장소 불상지에서 전화로 甲에게 필로폰 10g을 구해주겠다고 속여 2017. 10. 하순경 ○○역 근처에서 甲으로부터 필로폰 대금 370만원을 교부·편취하였다'는 공소사실

ⓒ '피고인은 피해자를 살해하려고 목을 누르는 등 폭행을 가하였으나 미수에 그쳤다'라는 공소사실과 '피고인은 피해자를 강간하려고 목을 누르는 등 폭행을 가하였으나 미수에 그치고 피해자에게 상해를 입혔다'라는 공소사실

① ㉠-ⓐ　　　② ㉡-ⓑ　　　③ ㉢-ⓒ　　　④ ㉣-ⓒ

해설 〈보기 A〉 공소사실이나 범죄사실의 동일성은 형사소송법상의 개념이므로 이것이 형사소송절차에서 가지는 의의나 소송법적 기능을 고려하여야 할 것이고, 따라서 두 죄의 기본적 사실관계가 동일한가의 여부는 그 규범적 요소를 전적으로 배제한 채 순수하게 사회적·전법률적인 관점에서만 파악할 수는 없고, 그 자연적·사회적 사실관계나 피고인의 행위가 동일한 것인가 외에 그 규범적 요소도 기본적 사실관계 동일성의 실질적 내용의 일부를 이루는 것이라고 보는 것이 상당하다(대판 1994.3.22, 93도2080 전원합의체).

〈보기 B〉

ⓐ '피고인이 1999. 5. 일자불상 04 : 00경 피해자과 전화 통화 중 다른 남자와의 관계를 아들에게 폭로하겠다고 말하여 협박하였다.'는 사실과 다른 공소사실은 그대로 유지한 채 범죄 일시만을 '2000. 8. 4. 새벽경'으로 변경한 사실은 기초가 되는 사회적 사실관계가 동일하여 공소사실의 동일성을 인정할 수 있다(대판 2005.7.14, 2003도1166).

ⓑ 당초의 공소사실인 마약류관리에 관한 법률 위반(향정)의 범죄사실과 검사의 공소장변경에 의해 예비적으로 추가된 사기의 범죄사실은 그 수단·방법 등 범죄사실의 내용이나 행위의 태양 및 피해법익이 다르고 죄질에도 현저한 차이가 있어, 그 기본적인 사실관계가 동일하다고 볼 수 없다(대판 2012.4.13, 2010도16659).

ⓒ 동일성 인정(대판 1984.6.26, 84도666)

Answer ⟆ 8. ②

THEMA 04 공소장변경의 필요성

	의 의		법원이 공소장에 기재된 사실과 다른 사실을 인정하기 위해서는(공소사실의 동일성을 전제) 항상 공소장변경이 선행되어야 하는 것은 아니다. 따라서 어떤 범위까지 법원은 공소장변경 없이 공소장에 기재된 사실과 다른 사실을 인정할 수 있고, 어떤 경우에 공소장변경을 요하는가 하는 것이 필요성에 관한 문제이다.
	판단기준		1. 대법원 판례에 의하면, 피고인의 방어권 행사에 실질적으로 불이익을 줄 염려가 없는 경우에는 공소장변경 없어도 공소장에 기재된 사실과 다른 사실을 인정할 수 있다(대판 1994.12.9, 94도1888). 14. 9급 교정·보호·철도경찰, 15. 9급 법원직, 16. 순경 1차·2차, 17. 경찰승진, 13·24. 9급 검찰·마약수사 2. 이 경우에 법원은 반드시 유죄를 인정하여야 하는 것이 아니라 법원의 재량으로 무죄를 선고할 수 있다(대판 1993.12.28, 93도3058). 다만, 사안이 중대하여 처벌하지 않으면 현저히 정의와 형평에 반한 경우에는 유죄판결을 하여야 할 의무가 있다고 한다(대판 2006.4.13, 2005도9268). 3. 공소장변경절차 없이도 법원이 심리·판단할 수 있는 죄가 한 개가 아니라 여러 개인 경우에는, 법원으로서는 그중 어느 하나를 임의로 선택할 수 있는 것이 아니라 검사에게 공소사실 및 적용법조에 관한 석명을 구하여 공소장을 보완하게 한 다음 이에 따라 심리·판단하여야 할 것이다(대판 2005.7.8, 2005도279).
유형별 고찰	구성요건이 동일한 경우	범죄일시·장소변경	범죄의 일시와 장소를 공소장변경 없이 공소장에 기재된 것과 달리 인정할 수 있는가에 대하여 판례는 피고인의 방어권 행사에 실질적인 불이익이 있느냐의 여부로 판단한다.
		범죄의 수단·방법의 변경	범죄의 수단이나 방법이 변경되면 피고인의 방어권행사에 영향을 미치게 되므로 원칙적으로 공소장변경이 필요하다. 판례에 의하면, 사기죄에 있어서 기망의 내용이 달라지는 경우에는 공소장변경이 필요하며, 과실범의 경우에 주의의무 위반의 내용이 다른 경우에는 공소장변경을 필요로 한다.
		범죄객체·피해자 달리하는 경우	1. 범죄의 객체가 달라지는 경우에도 피고인의 방어권 행사에 영향을 미치기 때문에 원칙적으로 공소장변경이 필요하다. 2. 다만, 판례에 의하면 범죄의 객체가 달라지는 경우에도 범행객체의 일부만 인정하는 경우, 피고인이 시인하는 경우, 객체가 추가되는 경우, 범행의 객체는 동일하고 피해자만 다른 경우 등은 피고인의 방어권행사에 실질적으로 불이익이 없기 때문에 공소장변경이 필요 없다고 한다.
		기타 사항	1. 단독범 ⇨ 공동정범, 공동정범 ⇨ 방조범으로 인정 : 피고인의 방어권행사에 실질적으로 불이익을 줄 우려가 있는 경우에는 공소장변경이 필요하다. 2. 상해의 정도의 차이나 인과관계의 중간 경로에 차이가 있는 경우에는 공소장변경을 요하지 않는다.

구성 요건을 달리한 경우	축소사실의 인정	1. 공소장변경을 요하지 않는다(예 강간치상의 공소사실을 강간죄로 인정). 2. 축소사실을 인정하지 않고 무죄판결 가능 3. 현저히 정의와 형평에 반하는 것으로 인정되는 경우에는 법원은 축소 사실에 대하여 유죄판결을 할 의무가 있다(판례).
	법률적 구성만을 달리하는 경우	사실관계의 변화없이 사실에 대한 법적평가만을 달리하는 경우, 죄수에 대한 법적평가만을 달리하는 경우 등은 원칙적으로 공소장변경을 요하 지 않는다.

📖 실질적 불이익 유무 판례

1. 공소장에 적용법조를 도로교통법 제148조의 2 제2항 제2호(혈중알콜농도 0.1% 이상 0.2% 미만 상태에서 운전)로 기재하여 공소제기한 경우, 법원이 공소장변경 없이 그보다 형이 무거운 도로교통법 제148조의 2 제1항 제1호(2회 이상 음주운전 전과가 있는 상태에서 다시 음주운전)를 인정하는 것은 불고불리원칙에 위반하여 피고인의 방어권 행사에 실질적 불이익을 초래한다(대판 2019.6.13, 2019도4608).

2. '미성년자약취 후 재물취득 미수'에 의한 특정범죄 가중처벌 등에 관한 법률 위반죄로 공소제기하였는데, 법원이 공소장변경 없이 '미성년자 약취 후 재물요구 기수'를 인정하여 미수감경을 배제하는 것은 피고인의 방어권 행사에 실질적인 불이익을 초래할 염려가 있다(대판 2008.7.10, 2008도3747).
   12. 변호사시험

3. 정당법상 당원이 될 수 없는 피고인들이 특정 정당에 당원으로 가입하여 당비 명목으로 정치자금을 기부하였다고 하여 정치자금법 위반으로 기소된 사안에서, 공소장변경 없이 위 이체금원의 명목을 '당비'에서 '후원금'으로 변경하여 인정하였다고 하더라도 피고인들의 방어권 행사에 실질적인 불이익이 초래되었다고 할 수 없다(대판 2014.5.16, 2012도12867).

4. 정신장애로 인하여 항거불능 상태에 있는 피해자를 간음 또는 추행하는 행위와 심신미약자에 대하여 위력으로 간음 또는 추행하는 행위는 그 행위의 객체, 상대방의 상태, 행위의 내용과 방법 등에서 서로 달라서 공소장변경 없이 후자의 사실을 인정함은 피고인의 방어권 행사에 실질적인 불이익이 초래되었다고 보아야 할 것이다(대판 2014.3.27, 2013도13567).
   ▶ 비교판례 : 피고인이 성폭력범죄의 처벌 등에 관한 특례법 위반(장애인강간) 및 성폭력범죄의 처벌 등에 관한 특례법 위반(장애인강제추행)으로 기소된 사안의 경우, 공소장변경절차 없이 각각 성폭력범죄의 처벌 등에 관한 특례법 위반(장애인위계 등 간음)죄와 성폭력범죄의 처벌 등에 관한 특례법 위반(장애인위계 등 추행)죄로 인정한 조치는 피고인의 방어권 행사에 실질적인 불이익을 초래할 염려도 없으므로 정당하다(대판 2014.10.15, 2014도9315).

5. 정당의 공직후보자 추천과 관련하여 '금품을 수수하였다.'는 공소사실에 대하여, 법원이 공소장변경절차를 거치지 않고 직권으로 '금원을 대여함으로써 금융이익 상당의 재산상 이익을 수수하였다.'는 범죄사실을 유죄로 인정한 것은, 피고인의 방어권 행사에 실질적인 불이익을 초래한 것으로 위법하다(대판 2009.6.11, 2008도11042).
   ▶ 비교판례 : 피고인이 '1억 8,000만원의 뇌물을 수수하였다.'는 공소사실에 대하여 공소장변경 없이 피고인이 '차용금 1억 8,000만원에 대한 금융이익 상당의 뇌물을 수수하였다.'는 범죄사실을 유죄로 인정한 판단은 정당하다(대판 2014.5.16, 2014도1547). - 피고인이 1억 8,000만원을 무이자, 무담보로 차용하여 위 돈에 대한 금융이익 상당의 이익을 얻은 것은 맞다고 시인한 사건임.

6. 성폭력범죄의 처벌 및 피해자보호 등에 관한 법률 제5조 제1항의 주거침입에 의한 강간미수죄와 주거침입에 의한 강제추행죄의 법정형은 동일하지만, 전자의 경우 형법 제25조 제2항에 의한 미수감경을 할 수 있어, 법원의 감경 여부에 따라 처단형의 하한에 차이가 발생할 수 있다. 따라서 주거침입강간미수의 공소사실을 공소장변경 없이 주거침입강제추행죄로 인정하여 미수감경의 가능성을 배제하는 것은 피고인의 방어권행사에 실질적인 불이익을 초래할 염려가 있다(대판 2008.9.11, 2008도2409).

7. 법원이 인정하는 범죄사실이 공소사실과 차이가 없이 동일한 경우에는 비록 검사가 재판시법인 개정 후 신법의 적용을 구하였더라도 그 법형에 대한 형의 경중의 차이가 없으면 피고인의 방어권 행사에 실질적으로 불이익을 초래할 우려도 없어 공소장변경절차를 거치지 않고도 정당하게 적용되어야 할 행위시법인 구법을 적용할 수 있다(대판 2002.4.12, 2000도3350).

8. 피고인과 공범자의 공동 범행 중 일부 행위에 관하여 피고인이 한 것이라고 기소된 것을 둘 중 누군가가 한 것이라고 인정하는 경우, 이 때문에 피고인에게 불의의 타격을 주어 그 방어권의 행사에 실질적인 불이익을 줄 우려가 없다(대판 2000.5.12, 2000도745).

9. 금품을 수수하였다는 알선수재죄의 공소사실을 공소장변경 없이 금융상의 편의제공을 받아 이익을 수수한 것으로 인정하는 것은 그 범죄행위 내용 내지 태양이 서로 달라 그에 대응할 피고인의 방어행위 역시 달라질 수밖에 없어 피고인의 방어권 행사상 실질적인 불이익을 초래할 수 있으므로 위법하다(대판 1999.4.9, 98도667).

10. 공소장 기재사실에 비하여 수뢰기간 회수 및 전체의 수뢰금액에 있어서는 축소 절감되어 있지만 공소장에 명시되지도 아니한 포괄일죄를 구성하는 개개의 범죄사실을 적시하고 있고 일회의 수뢰금액이나 매월의 합계액에 있어서도 공소장 기재의 금액을 넘는 경우가 있다면 이는 심판을 구하지 아니한 사실을 심리한 위법이 있다(대판 1981.3.24, 80도2832).

11. 피고인이 2003. 5. 23.경 A에게 BMW 735 승용차 1대 시가 1억 2,600만원 상당을 뇌물로 공여하였다는 공소사실 부분에 대하여, 비록 피고인과 A가 위 승용차를 실질적으로 A의 소유로 하고자 하였다고 하여도, 자동차등록원부에 대우캐피탈 주식회사와 제이디에스 주식회사 명의로 등록되었을 뿐 A명의로 등록된 사실이 없으므로, 위 승용차는 대우캐피탈 내지 제이디에스의 소유이지 A의 소유는 아니라는 이유로, 피고인이 A에게 공여한 뇌물은 시가 1억 2,600만원 상당의 위 승용차 자체가 아니라, 리스보증금 및 리스료 지급 등과 같은 형태의 금전적인 부담이 전혀 없는 상태에서 위 승용차를 A의 의사대로 사용·수익할 수 있는 무형의 이익이라고 보고 이를 유죄로 인정하는 것은 공소사실과 기본적 사실의 동일성이 인정되고 그 공소제기된 범죄사실에 포함되어 있으며, 기록에 나타난 이 부분에 대한 심리과정에 비추어 피고인을 그 죄로 처벌하더라도 피고인의 방어권 행사에 실질적 불이익이 초래되었다고도 할 수 없다(대판 2006.5.26, 2006도1716).

12. 수뢰후부정처사의 점에 관하여 공소장에는, "피고인은 甲으로부터 1회에 30만원씩 5회에 걸쳐 합계 150만원을 교부받고"로 되어 있는 것을, "피고인은 甲으로부터 직접 또는 도박장에서 잔심부름을 하던 乙을 통하여 1회에 금 30만원씩 5회에 걸쳐 합계 금 150만원을 교부받고"라고 인정하였으나, 이는 뇌물 수수행위의 태양을 보다 구체적으로 상세히 특정한 것이거나 또는 불명확한 점을 바로잡은 것에 지나지 아니할 뿐만 아니라, 피고인은 원심 및 제1심에서 이 부분의 공소사실을 다투었고, 그에 관하여 심리가 충분히 되어 있음이 인정되므로 피고인의 방어권 행사에 실질적인 불이익이 초래되었다고도 할 수 없다(대판 2003.6.13, 2003도1060).

13. 세무서직원인 피고인 甲, 乙이 A로부터 금 4천5백만원을 수뢰하여 그중 5백만원을 상사인 피고인 丙에게 전달한 경우, 피고인 丙에 대한 공소장에 증뢰물전달자가 공범자중의 1인인 乙로 되어 있었으나 원심판결에서 甲으로 바꾸어 인정하였다 하여도 불고불리의 원칙, 사건의 동일성과 필요적 공범의 법리오해가 있다고 할 수 없다(대판 1984.5.29, 84도682).

14. 공소장변경 없이 무등록 석유판매업을 하였다는 공소사실과 다른 건전한 석유유통질서를 저해하는 행위를 하였다는 범죄사실은 행위의 내용 또는 태양이 서로 다르므로 피고인의 방어권 행사에 실질적인 불이익을 초래할 염려가 인정되어 공소장변경 없이 공소사실과 다른 범죄사실을 인정할 수는 없다(대판 2004.5.28, 2004도1297).

15. 횡령죄에 대하여 법원이 공소장변경절차를 거치지 않고 횡령목적물의 소유자(위탁자), 보관자의 지위, 영득행위의 불법성을 공소사실과는 다르게 각 인정한 것이 공소사실에 의하여 한정된 심판범위를 넘어 피고인의 방어권을 침해하는 것으로서 위법하다(대판 1991.9.24, 91도1605). 08.경찰승진

16. 피고인이 범행도구를 미리 준비한 방법에 관하여 원심이 공소장변경 없이 공소사실과 다르게 인정하였으나, 이로 인해 피고인의 방어권 행사에 실질적인 불이익이 초래되었다고 할 수 없다(대판 2006.6.15, 2006도1667).

17. 피고인이 범행에 사용한 도구가 스카프가 아니라 피고인이 신고 있던 양말(늘였을 때의 길이 약 70cm)임에도 원심이 이를 스카프로 잘못 인정한 위법이 있다 하더라도, 이는 공소사실의 동일성의 범위 내에 속하는 것으로서 피고인의 방어권 행사에 아무런 지장이 없고 범죄의 성립이나 양형조건에도 영향이 없다(대판 1994.12.22, 94도2511).

18. 피고인의 사문서위조의 공소사실은 피고인이 공소외 甲 명의의 부동산 월세계약서 1매를 위조하였다는 것인데 이에 관한 제1심 판결의 판시사실이 피고인은 그 정을 모르는 피고인의 직원인 소송외 乙로 하여금 위 甲 명의의 계약서 1매를 위조하였다고 하는 것이라면 이는 위 공소사실과 기본적 사실의 동일성의 범위를 벗어난 것이 아니고 피고인의 방어권행사에 실질적인 불이익을 초래할 염려도 없다고 보여지므로, 공소장변경절차가 불필요하다(대판 1990.3.13, 90도94).

📖 유형별 판례정리

1. 일시 관련

● 공소장변경 필요 ○

1. 범행일자가 1991. 5. 14.로 기재되어 있는 경우, 공소장변경 없이 1991. 6. 14. 범행을 저지른 것으로 인정한 조치는 판결에 영향을 미친 위법을 저지른 것이다(대판 1993.1.15, 92도2588).

2. 1985. 5. 중순 일자불상경 조직폭력단체인 시라소니파에 지휘부조직원으로 가입하였다는 공소사실에 대하여, 1986. 5.경에 피고인이 위 범죄단체에 간부로서 가입하였다는 사실로 인정하는 것은 피고인에게 예기치 않은 타격을 주어 그 방어권의 행사에 실질적인 불이익을 줄 우려가 있으므로 공소장변경절차를 거쳐야 한다고 할 것이다(대판 1992.12.22, 92도2596).

3. "피고인이 1987. 3.경 신양오비파에 행동대장으로 가입하여 신양오비파를 구성하였다."는 공소사실에 대하여 법원이 "피고인이 1988. 9.경 신양오비파에 가입하였다."의 범죄사실로 인정하기 위하여는 공소장변경절차를 거쳐야 한다(대판 1992.10.27, 92도1824).

4. 피고인이 1988. 12.경 인천 남동구 간석 3동 39의 8 소재 맘모스 실내 포장마차에서 신천석파 범죄집단을 조직하였다는 공소사실에서, 공소장변경 없이 1990. 3.경의 범죄집단조직사실로 인정한 것은 피고인의 방어권 행사에 불이익을 줄 우려가 있어 허용될 수 없다(대판 1991.6.11, 91도723).

5. 피고인이 1972. 1. 말경부터 1974. 12. 말경까지 사이에 그 직무에 관하여 공소외인으로부터 매월 1,500,000원씩 36회에 걸쳐 합계 금 54,000,000원을 교부받았다는 점에 관하여 공소장의 변경절차 없이 1972. 6. 29.부터 1974. 7. 26.까지 사이에 25회에 걸쳐 합계 금 27,050,000원을 교부받았다는 범죄사실을 인정할 수 없다(대판 1981.3.24, 80도2832).

04

- **공소장변경 필요 ×**
1. 범죄일시를 '2006. 9. 22.경'에서 '2006. 9. 23.경'으로 변경한 경우나, 범죄시각을 '03 : 30경'에서 '0 2 : 30경'으로 변경한 것은 모두 공소사실과 기본적 사실이 동일한 범위 내에서의 변경으로서 피고 인의 방어권 행사에 실질적인 불이익을 초래할 염려가 없다(대판 2008.3.27, 2007도11400).
2. 외국환관리법 위반의 공소사실 중 1997. 3. 14.경 8만 4천 달러를 빌렸다는 범죄사실과 1997. 3. 15. 경과 1997. 3. 19.경 각 2만 달러씩을 빌렸다고 인정한 범죄사실은 피고인의 방어권 행사에 실질적 불이익을 초래할 염려가 없어 공소장변경 없이도 이를 유죄로 인정할 수 있다(대판 2004.4.23, 2002 도2518).
3. 공소장의 범행일시를 1978. 6. 16.로 기재한 것이 1978. 6. 17의 오기인 경우에 그것을 바로 잡는 데 공소장변경절차를 필요로 하는 것은 아니다(대판 1980.2.12, 79도1032).
4. (밀항단속법 위반과 관련하여) "피고인은 1966. 8. 22. 일본국 대마도 이즈하라항을 출항하여 ~"라 는 공소사실에 대하여, "피고인은 1966. 8. 하순경 일본국 대마도 이즈하라항을 출항하여 ~"라는 범죄사실을 인정하는 경우는 공소장변경이 없어도 할 수 있는 것이다(대판 1967.9.29, 67도946).

2. 범죄의 수단 방법 관련

(1) **사기죄(▶ 기망 내용이 상이 ⇨ 공소장변경 필요)**

- **공소장변경 필요 ○**
1. '토지매매계약체결에 관한 약정이 없음에도 피해자를 기망하였다.'는 공소사실과 '수분양자들의 분양계약체결 의사를 확인한 바 없음에도 피해자를 기망하였다.'는 원심 인정의 범죄사실은 그 기망의 내용이나 태양을 달리하는 것이어서, 공소장의 변경 없이 직권으로 공소사실과 다른 위 범죄사실을 유죄로 인정한 조치는 위법하다(대판 2010.4.29, 2010도2414).
2. '절취한 신용카드를 사용'한 사기의 공소사실과 신용카드 '절취 여부와 무관하게 신용카드 사용'으 로 인한 사기의 범죄사실은 그 범죄행위의 내용 내지 태양에서 서로 달라 공소장변경 없이 공소사 실과 다른 범죄사실을 인정할 수 없다(대판 2003.7.25, 2003도2252).
3. '승용차의 할부금이 남아 있음에도 할부금이 없다고 거짓말을 하여 이에 속은 피해자와 대금 9,500,000원에 위 승용차를 매도하는 계약을 체결하고 그 자리에서 매매대금 명목으로 금 9,500,000 원을 교부받아 이를 편취하였다.'는 공소사실에 대하여, 법원이 '피고인이 매도할 대리권이 없으면 서도 대리권이 있는 양 행세하여 피해자를 기망하여 피해자로부터 승용차를 금 950만원에 매수한 것이다.'라는 사실의 인정은 공소장변경절차를 거치지 아니하고는 피고인들의 방어권을 실질적으 로 침해하는 것으로서 허용될 수 없다(대판 1998.4.14, 98도231).
4. 공소사실은 '피고인이 피해자에게 고속버스터미널 화장실 관리권 등의 이권을 얻어 주겠다고 거짓 말을 하여 돈을 편취하였다.'는 것인데, 법원이 인정한 범죄사실은 '시외버스 노선허가의 이권을 얻어 주겠다고 하여 돈을 편취하였다.'고 인정하였다면 이는 공소장변경절차 없이 공소사실과 다 른 범죄사실을 인정한 잘못을 범한 것이 된다(대판 1979.6.26, 78도1166).

- **공소장변경 필요 ×**
1. 검사가 '재물 편취의 사기죄'로 공소를 제기하였으나 실제로는 '이익 편취의 사기죄'가 인정되는 경우, 재물 편취의 범죄사실과 이익 편취의 범죄사실을 비교하여 볼 때, 그 금액, 기망의 태양, 피해의 내용이 실질에 있어 동일하여 피해자를 기망하여 금원을 편취하였다는 기본적 사실에 아 무런 차이가 없으므로 공소장변경절차가 없더라도 이익 편취의 사기죄로 인정할 수 있다(대판 2004.4.9, 2003도7828).

2. '변제할 의사와 능력없이 피해자로부터 금원을 편취하였다.'고 기소된 사실을 공소장변경절차 없이 '피해자에게 제3자를 소개케 하여 동액의 금원을 차용하고 피해자에게 그에 대한 보증채무를 부담케 하여 재산상의 이익을 취득하였다.'고 인정하였다 할지라도 위 양 범죄사실을 비교하여 보면 차용액, 기망의 태양, 피해의 내용이 실질에 있어 동일한 것이어서 피해자를 기망하여 금원을 편취하였다는 기본적 사실에 아무런 차이도 없고, 공소사실의 동일성을 벗어난 것도 아닐 뿐더러 피고인이 스스로 이를 시인하고 있는 이상 피고인의 방어에 하등의 불이익을 주었다고 볼 수도 없으므로 위법이 있다 할 수 없다(대판 1984.9.25, 84도312).

(2) **과실범**(▶ 주의의무 위반의 내용이 상이 ⇨ 공소장변경 필요)

● **공소장변경 필요 ○**

1. 피고인이 사건 분전반이나 전선의 관리를 게을리하였다는 이유가 아니라 그 주변에 화선지 등 불이 붙기 쉬운 물건을 놓지 않도록 주의하고, 어린 학생들에게 화재에 대한 주의를 주고, 화재 발생시 피해를 최소화할 수 있는 조치를 하여야 할 주의의무를 위반하였다는 이유로 공소장의 변경 없이 유죄로 인정한 취지라면, 피고인의 방어권 행사에 실질적 불이익을 초래하였으므로, 위법을 저질렀다고 볼 것이다(대판 2009.5.28, 2009도1040).

2. 피고인이 횡단보도 앞에서 횡단보행자가 있는지 여부를 잘 살피지 아니하고 또 신호에 따라 정차하지 아니하고 시속 50킬로미터로 진행하였다는 과실과 보조 제동장치나 조향장치를 조작하지 아니하였다는 과실은 그 내용을 달리하며, 피고인의 방어권행사에 불이익을 초래할 염려가 있는 경우라 할 것이므로 공소장의 변경절차를 필요로 한다(대판 1989.10.10, 88도1691). 12. 9급 법원직

3. '교통사고처리특례법 제3조 제2항(단서) 제1호(신호위반)' 위반의 공소사실에 대하여 공소장변경이 없이는 '같은 조항(단서) 제6호(횡단보도 보행자 보호의무 위반)의 위반' 여부까지 판단할 수는 없다(대판 1992.10.13, 91도2674).

● **공소장변경 필요 ×**

1. 공소장에 기재된 피고인의 과실은 '피고인이 승용차를 운전하고 가다가 이 사건 사고 지점에 이르러 전방 및 좌우를 잘 살피지 않고 진행하였다.'는 것이고, 원심이 인정한 피고인의 과실은 '피고인이 이 사건 사고 지점에 이르러 도로 우측에 앞서가던 시외버스가 정차하는 것을 발견하였으면 일단 속도를 줄이거나 정차하여 혹시 버스의 앞이나 뒤쪽으로 건너가는 사람이 없는지를 살펴본 다음 안전하다고 생각이 되면 비로소 진행하여야 할 업무상 주의의무가 있다.'고 할 것임에도 불구하고, 아무 일 없으리라고 생각하고 만연히 버스를 추월하여 나갔다는 것으로, 공소사실에서 지적한 피고인의 과실을 보다 구체적으로 지적한 것에 지나지 않아 피고인의 방어권 행사에 지장이 없어 공소장변경이 불필요하다(대판 1998.3.27, 97도3079).

2. 공소사실이나 법원이 인정한 범죄사실은 모두 '피고인이 이 사건 다리를 통과함에 있어 30km의 제한속도를 지키고 다리를 지난 후에는 즉시 자기차선으로 복귀하여 진행하여야 할 주의의무가 있다.'는 것이고, 다만 공소사실은 거기에 덧붙여 사전에 피고인이 이 사건 승용차가 그와 같이 비정상적으로 운행하여 오는 것을 발견하였으므로 더욱 더 이 사건 승용차의 동태를 잘살펴야 한다는 점을 부연한 것에 불과하므로 피고인의 방어권행사에 실질적인 불이익을 초래할 염려가 있다고도 보여지지 아니한다(대판 1994.12.9, 94도1888).

3. 공소사실은 '피고인이 피해자가 운전하는 오토바이를 추월하려고 추월방법을 위반하여 피해자 오토바이의 우측으로 근접하여 운행하다가 서로 충돌하여 이 사건 교통사고가 일어났다.'는 것임에 대하여 제1심 인정의 범죄사실은 '피해자가 피고인이 운전하는 오토바이를 추월하기 위하여

피고인 오토바이의 좌측으로 근접운행하다가 서로 충돌하여 이 사건 사고가 일어났다.'고 인정한 차이가 있을 뿐이라면 공소사실과 제1심이 인정하는 범죄사실은 서로 기본적 사실에 있어서 동일하고, 피고인의 방어권행사에 실질적인 불이익을 초래할 염려가 있다고도 보여지지 않는다(대판 1990.5.25, 89도1694).

4. 공소사실과 법원 인정 사실이 이 사건 충돌사고의 원인을 피고인이 전방주시의무를 태만히 하고 앞차와의 안전거리를 충분히 확보하지 아니한 것으로 보고 있다면 공소사실이 앞차가 감속하는 것을 뒤늦게 발견한 탓으로 이건 사고가 야기되었다고 한 것을 원심이 앞차가 후진하기 위하여 정차하고 있는 것을 너무 가까운 지점에서 발견한 탓으로 위 사고가 야기되었다고 인정하였다 하더라도 그와 같은 차이는 지엽적인 것에 불과하여 근본적인 과실인정에 영향을 미친 것은 못된다 할 것이므로 이를 가리켜 불고불리의 원칙에 위배된다 할 수 없다(대판 1984.12.26, 84도2523).

5. 검사의 공소장에 의하면 '피고인은 긴급자동차 운전수로서 업무상 요구되는 주의의무를 태만히 하여 공소외인을 그 자동차 좌측 밤바로 충돌 전도케하여 치사케 한 것'이라 함에 있고 그 공소장에 전방좌우의 주시 정거, 속도 저감 등의 여러 점을 들고 있는 것은 자동차 운전수로서 요구되는 주의의무의 범위를 예시적으로 표시한 것에 지나지 아니하며 자동차 운전수로서의 업무상 주의의무는 위에서 들고 있는 사항 이외의 사항에 관하여서도 존재한다 할 것이니 원심과 1심이 피고인의 자동차 운전수로서의 업무상 주의의무의 해태를 인정함에 있어서 검사가 지적하지 아니한 사항에 속하는 '도로의 중앙선에 구애됨이 없이 아무런 장애물이 없는 11미터 넓이의 도로중앙을 통과하지 아니한 점'에도 두고 이를 피고인의 업무상 주의의무 해태의 근거의 하나로 판시하였다 하여서 위법이 있다고는 볼 수 없다(대판 1965.1.19, 64도719).

📂 공소장변경의 필요성 여부(정리)

구성요건이 동일한 경우		범행일시 · 장소(대판 2001도970 · 92도2596), 범행수단 · 방법(대판 2003도2252), 객체(대판 84도312), 피해자(대판 2001도6876)를 달리 인정하거나 단독범을 공동정범으로 인정(대판 96도1185)하는 여부에 대하여 피고인의 방어권행사에 실질적 불이익 여부에 의해 결정

구성요건을 달리한 경우	원칙 (공소장 변경 필요)	• 살인죄 ⇨ 폭행치사죄(대판 1981.7.28, 81도1489) 09. 경찰승진, 10. 7급 국가직, 12. 변호사시험, 16. 순경 2차, 14 · 21. 순경 1차
		• 명예훼손죄 ⇨ 모욕죄(대판 1972.5.31, 70도1859) 03. 순경 1차, 08. 순경 1차 · 3차
		• 일반법 ⇨ 특별법 적용(대판 2007.12.27, 2007도4749) 11. 9급 국가직, 13. 경찰승진, 16. 9급 검찰 · 마약수사
		• 폭행치상죄 ⇨ 폭행죄(대판 1971.1.12, 70도2216) 12. 순경 · 경찰승진
		  ▶ 주의 : 축소사실 인정이므로 공소장변경이 불필요할 것으로 보이나, 판례는 공소장변경을 필요로 한다는 입장이다.
		• 강간치상죄(예비적 죄명 : 상해) ⇨ 강제추행치상죄(대판 1968.9.29, 68도776) 09. 경찰승진, 10. 7급 국가직
		• 비지정문화재수출미수죄 ⇨ 비지정문화재수출예비 · 음모죄(대판 1999.11.26, 99도2461) 15. 순경 3차
		• 정신장애로 항거불능상태인 자를 간음 · 추행 ⇨ 심신미약자에 대한 위력에 의한 간음 · 추행(대판 2014.3.27, 2013도13567) 15. 경찰간부
		• 업무상 과실치사죄 ⇨ 단순과실치사(대판 1968.11.19, 68도1998) 14. 순경 1차
		  ▶ 업무상 과실치상죄 ⇨ 과실치상죄 : 공소장변경 불필요

04

	• 사실적시 명예훼손죄 ⇨ 허위사실적시 명예훼손죄(대판 2001.11.27, 2001도5008) 14. 순경 1차 • 미성년자 약취 후 재물취득 미수 ⇨ 미성년자약취 후 재물요구 기수(대판 2008.7.10, 2008도3747) 12. 순경 1차 • 고의범 ⇨ 과실범(대판 1981.2.28, 80도2824) 10. 경찰승진 • 강도상해교사 ⇨ 공갈교사(대판 1993.4.27, 92도3156) 09. 9급 법원직 • 관세포탈미수 ⇨ 관세포탈예비·음모(대판 1983.4.12, 82도2939) 09. 경찰승진 • 특수강도죄 ⇨ 특수공갈죄(대판 1968.9.19, 68도995) 09. 경찰승진 • 특수절도죄 ⇨ 장물운반죄(대판 1965.1.26, 64도681) 08. 순경 1차 • 신용카드 절취 ⇨ 신용카드사용사기죄(대판 2003.7.25, 2003도2252) • 공무집행방해죄 ⇨ 폭력행위의 범죄(대판 1991.12.10, 91도2395) • 장물보관죄 ⇨ 업무상 장물보관죄(대판 1984.2.28, 83도3334) • 사기죄 ⇨ 상습사기죄(대판 1977.9.13, 77도2233) • 강제집행면탈죄 ⇨ 권리행사방해죄(대판 1972.5.31, 72도1090) • 강간치상죄 ⇨ 강제추행치상죄(대판 1968.9.24, 68도776 ; 공소장변경이 불필요하다는 판례도 있음 : 대판 2001.10.30, 2001도3867)
예외 (공소장 변경 불필요)	1. 축소사실 인정 • 강간치상죄 ⇨ 준강제추행죄(대판 2008.5.29, 2007도7260) 09·11. 9급 국가직, 12. 경찰승진·순경 1차, 13. 경찰승진 • 허위사실적시 명예훼손죄 ⇨ 사실적시 명예훼손죄(대판 2008.11.13, 2006도7915) 08. 경찰승진, 10·15. 7급 국가직 • 강도강간죄 ⇨ 강도죄(대판 1987.5.12, 87도792) 08. 경찰승진·순경 • 강간치사죄 ⇨ 강간죄 또는 강간미수죄(대판 1969.2.18, 68도1601) 01·05. 순경 • 강간치상죄 ⇨ 강간죄(대판 2002.7.12, 2001도6777) 11. 9급 국가직, 13. 경찰승진 • 강제추행치상죄 ⇨ 강제추행죄(대판 1999.4.15, 96도1922) 03·05. 순경, 12. 9급 법원직 • 특수절도죄 ⇨ 절도죄(대판 1973.7.24, 73도1256) 05. 순경·9급 국가직, 08. 순경 • 수뢰 후 부정처사죄 ⇨ 뇌물수수죄(대판 1999.11.9, 99도2530) 11. 9급 국가직, 13. 경찰승진 • 상습절도죄 ⇨ 절도죄(대판 1984.2.28, 84도34) 08. 순경, 10. 7급 국가직 • 특수강도강간미수 ⇨ 특수강도(대판 1996.6.28, 96도1232) 08. 순경 • 위력자살결의 ⇨ 자살교사(대판 2005.9.28, 2005도5775) • 강간치상죄 ⇨ 강제추행치상죄(대판 2001.10.30, 2001도3867) • 특정범죄 가중처벌 등에 관한 법률위반 ⇨ 수뢰죄(대판 1994.11.4, 94도129) • 특정범죄 가중처벌 등에 관한 법률위반(누범준강도) ⇨ 준강도(대판 1982.9.14, 82도1716) • 특정범죄 가중처벌 등에 관한 법률위반(상습관세 포함) ⇨ 관세법위반(대판 1980.3.11, 80도217) • 강도상해죄 ⇨ 절도죄와 상해죄(대판 1965.10.26, 65도599) • 강도상해죄 ⇨ 야간주거침입절도죄와 상해죄(대판 1965.10.26, 65도599) • 업무상 과실치상죄 ⇨ 과실치상죄(대판 2017.12.5, 2016도16738)

		2. 사실에는 차이가 없고 법적 평가만을 달리하는 경우
		• 배임죄 ⇨ 횡령죄(대판 1999.11.26, 99도2651) 08. 경찰승진 · 순경, 10. 7급 국가직, 12. 변호사시험 · 9급 법원직, 13. 순경 1차, 16. 순경 2차 · 9급 검찰 · 마약수사
		• 포괄1죄 ⇨ 실체적 경합(대판 1987.5.26, 87도527) 13. 7급 국가직, 22. 9급 검찰 · 마약 · 교정 · 보호 · 철도경찰
		• 경합범 ⇨ 포괄1죄(대판 1987.7.21, 87도546) 또는 상상적 경합(대판 1980.12.9, 80도2236)
		• 공동정범 ⇨ 방조범(대판 2004.6.24, 2002도995) 11. 9급 교정 · 보호 · 철도경찰, 19. 순경 1차
		▶ 피고인의 방어권행사에 실질적 불이익의 염려 有 ⇨ 공소장변경 필요(대판 2001.11.9, 2001도4792)
		• 장물취득죄 ⇨ 장물보관죄(대판 2003.5.13, 2003도1366) 24. 9급 검찰 · 마약수사

01 다음 중 판례에 의할 때 공소장변경을 하지 않아도 되는 것은 몇 개인가?

㉠ 미수 ⇨ 예비	㉡ 고의범 ⇨ 과실범
㉢ 명예훼손 ⇨ 모욕	㉣ 강도상해죄 ⇨ 야간주거침입절도죄와 상해죄

① 1개 ② 2개 ③ 3개 ④ 4개

해설 ㉠㉡㉢은 공소장변경이 필요한 경우이고, ㉣은 공소장변경이 필요하지 않은 경우이다.
㉠ 대판 1999.11.26, 99도2461 ㉡ 대판 1984.2.28, 83도3334
㉢ 대판 1972.5.31, 70도1859 ㉣ 대판 1965.10.26, 65도599

02 공소장변경에 대한 설명으로 옳은 것은?(다툼이 있는 경우 판례에 의함)

19. 9급 검찰 · 마약 · 교정 · 보호 · 철도경찰

① 검사가 형이 보다 가벼운 일반법의 법조를 적용하여 그 죄명으로 기소한 경우, 공소사실에 변경이 없고 그 적용법조의 구성요건이 완전히 동일하다면 법원은 공소장변경 없이 형이 더 무거운 특별법의 법조를 적용하여 처벌할 수 있다.

② 단독범으로 기소된 것을 다른 사람과 공모하여 동일한 내용으로 공동정범의 범행을 한 것으로 인정하는 경우, 이로 말미암아 피고인에게 예기치 않은 타격을 주어 방어권 행사에 실질적 불이익을 줄 우려가 없더라도 공소장변경이 필요하다.

③ 기소된 공소사실의 재산상 피해자와 공소장에 기재된 피해자가 다른 것으로 판명된 경우에는 공소사실의 동일성을 해하지 않고 피고인의 방어권 행사에 실질적 불이익을 주지 않는 한 공소장변경 없이 공소장 기재의 피해자와 다른 실제의 피해자를 적시하여 이를 유죄로 인정해야 한다.

Answer 1.① 2.③

④ 동일한 범죄사실에 대하여 포괄일죄로 기소된 것을 법원이 공소장변경 없이 실체적 경합관계에 있는 수죄로 인정하는 것은 피고인의 방어권 행사에 실질적으로 불이익을 초래할 우려가 있어서 허용되지 아니한다.

| 해설 | ① 구성요건이 동일하더라도 공소장변경 없이 형이 더 무거운 특정범죄 가중처벌 등에 관한 법조를 적용하여 처벌할 수 없다(대판 2008.3.14, 2007도10601).
② 단독범으로 기소된 것을 법원이 다른 사람과 공모하여 동일한 내용의 범행을 한 것으로 인정하는 경우, 이 때문에 피고인의 방어권의 행사에 실질적 불이익을 줄 우려가 있다면 반드시 공소장변경을 필요로 한다(대판 1997.5.23, 96도1185).
③ 대판 2002.8.23, 2001도6876
④ 포괄일죄로 공소제기된 사건에서 실체적 경합관계에 있는 두죄로 인정하였다 하여도 이는 죄수에 관한 법률적 평가를 달리한 것에 지나지 않을 뿐이고 또 피고인의 방어권행사에 실질적으로 불이익을 초래할 우려도 없으므로 불고불리의 원칙에 위반된다고 할 수 없다(대판 1987.4.14, 86도2075).

03 공소장변경을 요하지 아니하는 것은 모두 몇 개인가?(판례에 의함)

> ㉠ 성폭력범죄의 처벌 및 피해자보호 등에 관한 법률 위반인 특수강도강간미수의 공소사실을 특수강도죄의 공소사실로 인정
> ㉡ 성폭력범죄의 처벌 및 피해자보호 등에 관한 법률상 주거침입강간미수의 공소사실을 주거침입강제추행죄로 인정한 경우
> ㉢ 업무상 과실치상의 공소사실을 과실치상으로 인정한 경우
> ㉣ 권리행사방해죄의 공소사실을 배임죄의 유죄로 인정하는 경우
> ㉤ 배임의 공소사실에 피해자로 기재된 丙이 아닌 乙의 상속인들을 피해자로 인정할 경우

① 1개   ② 2개   ③ 3개   ④ 4개

| 해설 | ㉠ 변경 불필요 : 성폭력범죄의 처벌 및 피해자보호 등에 관한 법률 위반죄(특수강도강간미수)의 공소사실 중에는 특수강도죄의 공소사실도 포함되어 있고 공소사실의 동일성이 인정되는 범위 내의 사실에 대하여는 법원은 검사의 공소장 기재 적용법조에 구애됨이 없이 직권으로 법률을 적용할 수 있다(대판 1996. 6.28, 96도1232).
㉡ 변경 필요 : 성폭력범죄의 처벌 및 피해자보호 등에 관한 법률 제5조 제1항의 주거침입에 의한 강간미수죄와 주거침입에 의한 강제추행죄의 법정형은 동일하지만, 전자의 경우 형법 제25조 제2항에 의한 미수감경을 할 수 있어 법원의 감경 여부에 따라 처단형의 하한에 차이가 발생할 수 있다. 따라서 법원이 성폭력범죄의 처벌 및 피해자보호 등에 관한 법률상 주거침입강간미수의 공소사실을 공소장변경 없이 직권으로 같은 법의 주거침입강제추행죄로 인정하여 미수감경의 가능성을 배제하는 것은 피고인의 방어권 행사에 실질적인 불이익을 초래할 염려가 있어 위법하다.
㉢ 변경 불필요 : 업무상 과실치상의 공소사실을 무죄로 판단하고 공소장변경 없이 축소사실인 과실치상 부분을 유죄로 인정한 것은 정당하다(대판 2017.12.5, 2016도16738).
㉣ 변경 필요 : 권리행사방해죄와 배임죄는 구성요건과 보호법익이 달라 법원이 공소장변경 없이 배임죄를 유죄로 인정하는 것은 피고인의 방어권 행사에 실질적인 불이익을 초래할 염려가 있고, 배임죄를 유죄로 인정하지 않은 것이 현저하게 정의와 형평에 반한다고 볼 수도 없다(대판 2017.5.30, 2017도4578).
㉤ 변경 필요 : 공소장변경 없이 배임의 공소사실에 피해자로 기재된 丙이 아닌 乙의 상속인들을 피해자로 인정할 경우 그에 대응할 피고인의 방어방법이 달라질 수밖에 없어 그의 방어권 행사에 실질적인 불이익을

초래할 염려가 있다. 따라서 원심이 직권으로 乙의 상속인들을 피해자로 인정하지 아니한 것이 현저하게 정의와 형평에 반한다고 볼 수도 없으며, 공소제기된대로 丙을 피해자로 한 배임죄에 관하여만 판단하여 무죄를 선고한 원심의 조치는 정당하다(대판 2011.1.27, 2009도10701).

04 다음은 공소장변경이 없는 경우 공소사실과 다른 죄를 인정할 수 있는지 여부에 관한 판례이다. 판례의 태도와 부합하지 않는 것은 모두 몇 개인가? 14. 순경 1차

> ㉠ 관세포탈 미수의 공소사실을 관세포탈 예비로 심판할 수 없다.
> ㉡ 히로뽕투약죄 기수의 공소사실을 히로뽕투약죄 미수로 인정할 수 있다.
> ㉢ 특수강도의 공소사실을 특수공갈죄로 처단할 수 없다.
> ㉣ 장물보관죄의 공소사실을 업무상 과실장물보관죄로 의율할 수 없다.
> ㉤ 살인죄의 공소사실을 폭행치사죄로 처단할 수 없다.
> ㉥ 실체적 경합범의 공소사실을 포괄일죄로 처벌할 수 있다.
> ㉦ 업무상 과실치사죄의 공소사실을 단순과실치사죄로 인정할 수 없다.
> ㉧ 사실적시에 의한 명예훼손죄의 공소사실을 허위사실 적시에 의한 명예훼손죄로 처벌할 수 없다.

① 0개   ② 1개   ③ 2개   ④ 3개

▎해설▎ 모두 옳은 항목이다.
㉠ 대판 1983.4.12, 82도2939 ㉡ 대판 1999.11.9, 99도3674
㉢ 대판 1968.9.19, 68도995 ㉣ 대판 1984.2.28, 83도3334
㉤ 대판 1981.7.28, 81도1489 ㉥ 대판 1987.7.21, 87도546
㉦ 대판 1968.11.19, 68도1998 ㉧ 대판 2001.11.27, 2001도5008

05 범죄일시가 다르더라도 공소장변경절차가 필요하지 않은 것으로만 연결된 것은?(판례에 의함)

> ㉠ 외국환관리법위반의 공소사실 중 피고인이 1997. 3. 14.경 8만 4천 달러를 빌렸다는 범죄사실에 대하여 그중 1997. 3. 15.경과 1997. 3. 19.경 각 2만 달러씩을 빌렸다고 인정한 경우
> ㉡ 협박죄의 범죄사실 중 그 범죄일시를 '2006. 9. 22.경'에서 '2006. 9. 23.경'으로 변경한 경우
> ㉢ 범행일시가 1991. 5. 14.로 기재되어 있는 범죄사실을 피고인이 1991. 6. 14. 위와 같은 범행을 저지른 것으로 인정한 경우
> ㉣ 피고인이 1972. 1. 말경부터 1974. 12. 말경까지 사이에 그 직무에 관하여 공소 외인으로부터 매월 1,500,000원씩 36회에 걸쳐 합계 금 54,000,000원을 교부받았다는 점에 관하여, 1972. 6. 29.부터 1974. 7. 26.까지 사이에 25회에 걸쳐 합계 금 27,050,000원을 교부받았다는 범죄사실을 인정한 경우
> ㉤ (밀항단속법 위반과 관련하여)"피고인은 1966. 8. 22. 일본국 대마도 이즈하라항을 출항하여 ~"라는 공소사실에 대하여, "피고인은 1966. 8. 하순경 일본국 대마도 이즈하라항을 출항하여 ~"라는 범죄사실을 인정하는 경우

① ㉠, ㉡, ㉢   ② ㉠, ㉡, ㉤   ③ ㉡, ㉣, ㉤   ④ ㉡, ㉢, ㉤

| 해설 | **문제해결방법** : 대법원은 범죄의 일시가 문제된 사항에서 범죄의 일시의 간격이 길고 범죄의 성부에 중대한 관계가 있는 경우에는 피고인의 방어에 실질적인 불이익을 가져다 줄 염려가 있으므로 공소장변경을 필요로 한다는 기준을 제시하고 있다. 따라서, 일시가 길면 공소장변경(○), 짧으면 공소장변경(×).
㉠㉡㉤ 사안의 경우는 비교적 일시가 짧은 경우(1개월 미만)로서 공소장변경이 불필요하다.
㉠ **변경 필요 ×** : 외국환관리법위반의 공소사실 중 피고인이 공소 외 甲으로부터 1997. 3. 14.경 8만 4천달러를 빌렸다는 범죄사실과 원심에서 그중 1997. 3. 15.경과 1997. 3. 19.경 각 2만 달러씩을 빌렸다고 인정한 범죄사실은 일시만 약간 달리할 뿐 기본적 사실관계가 동일하고, 그 심리과정에 비추어 피고인의 방어권 행사에 실질적 불이익을 초래할 염려가 없어 공소장변경 없이도 이를 유죄로 인정할 수 있다 할 것이므로, 원심이 공소장변경 없이 이를 유죄로 인정한 것은 옳다(대판 2004.4.23, 2002도2518).
㉡ **변경 필요 ×** : 협박죄의 범죄사실 중 그 범죄일시를 '2006. 9. 22.경'에서 '2006. 9. 23.경'으로 변경한 경우나, 공갈죄의 범죄사실 중 그 범죄시각을 '03 : 30경'에서 '02 : 30경'으로 변경한 것은 모두 공소사실과 기본적 사실이 동일한 범위 내에서의 변경으로서 피고인의 방어권 행사에 실질적인 불이익을 초래할 염려가 없는 경우에 해당한다고 보인다(대판 2008.3.27, 2007도11400).
㉢ **변경 필요 ○** : 범행일시는 1991. 5. 14.로 기재되어 있고 그 후 이에 관하여 공소장이 변경된 사실이 없으며, 피해자의 수차례에 걸친 진술과 피고인의 변소내용을 대조하면 위 범행일시에 관하여 공소장과 원심판결의 기재가 다른 것이 오기 기타 단순한 오류로 인한 것이라고는 볼 수 없는바, 그렇다면 피고인이 1991. 6. 14. 위와 같은 범행을 저지른 것으로 인정한 원심의 조치는 공소제기가 없거나 적법하게 변경되지 아니한 공소사실에 대하여 심판함으로써 판결에 영향을 미친 위법을 저지른 것이라 아니할 수 없다(대판 1993.1.15, 92도2588).
㉣ **변경 필요 ○** : 피고인이 1972. 1. 말경부터 1974.12. 말경까지 사이에 그 직무에 관하여 공소 외인으로부터 매월 1,500,000원씩 36회에 걸쳐 합계 금 54,000,000원을 교부받았다는 점에 관하여 공소장의 변경절차 없이 1972. 6. 29.부터 1974. 7. 26.까지 사이에 25회에 걸쳐 합계 금 27,050,000원을 교부받았다는 범죄사실을 인정할 수 없다(대판 1981.3.24, 80도2832).
㉤ **변경 필요 ×** : (밀항단속법 위반과 관련하여) "피고인은 1966. 8. 22. 일본국 대마도 이즈하라항을 출항하여 ~"라는 공소사실에 대하여, "피고인은 1966. 8. 하순경 일본국 대마도 이즈하라항을 출항하여 ~"라는 범죄사실을 인정하는 경우는 공소장변경이 없어도 할 수 있는 것이다(대판 1967.9.29, 67도946).

06 판례에 따를 때 공소사실과 다른 일시를 인정하기 위해서는 공소장변경이 필요하다고 보는 것을 모두 고르면?

> ㉠ 1985. 5. 중순 일자불상경 조직폭력단체인 시라소니파에 지휘부조직원으로 가입하였다는 공소사실에 대하여, 1986. 5.경에 피고인이 위 범죄단체에 간부로서 가입하였다는 사실로 인정하는 경우
> ㉡ 공소사실에 기재된 일시인 1988. 12.경의 범죄집단조직사실은 증거가 없고 1990. 3.경의 범죄집단조직사실이 증거에 의하여 뒷받침되므로 이를 유죄로 인정하는 경우
> ㉢ "피고인이 1987. 3.경 신양오비파에 행동대장으로 가입하여 신양오비파를 구성하였다."는 폭력행위 등 처벌에 관한 법률 제4조 제2호의 공소사실에 대하여 "피고인이 1988. 9.경 신양오비파에 가입하였다."고 같은 조 제3호의 범죄사실로 인정하는 경우
> ㉣ "피고인이 1988. 12.경 인천시 남구 간석3동 39의 8 소재 맘모스실내포장마차에서 피고인을 두목으로 하는 신천석파 범죄집단을 조직하였다."라는 공소사실을 "피고인은 1990. 3.경 신천석파 범죄집단을 조직하였다."는 사실을 인정하는 경우

① ㉠   ② ㉠, ㉡   ③ ㉡, ㉢   ④ 모두 해당

| 해설 | **문제해결방법**: 범죄단체 가입과 관련하여 법원이 공소사실 기재 일시와 다른 일시의 범죄사실을 유죄로 인정하는 것은 피고인에게 예기치 않은 타격을 주어 그 방어권의 행사에 실질적인 불이익을 줄 우려가 있으므로 공소장변경절차를 거쳐야 한다는 것이 판례의 입장이다.

㉠ 1985. 5. 중순 일자불상경 조직폭력단체인 시라소니파에 지휘부조직원으로 가입하였다는 공소사실에 대하여, 1986. 5.경에 피고인이 위 범죄단체에 간부로서 가입하였다는 사실로 인정하는 것은 각 범죄사실이 별개의 범죄사실로서 양립가능한 것이고 법원이 공소사실 기재 일시와 다른 일시의 범죄사실을 유죄로 인정하는 것이 피고인에게 예기치 않은 타격을 주어 그 방어권의 행사에 실질적인 불이익을 줄 우려가 있으므로 공소장변경절차를 거쳐야 한다고 할 것이다(대판 1992.12.22, 92도2596).

㉡ 폭력행위 등 처벌에 관한 법률 제4조 소정의 범죄집단은 계속적 결합체임을 요하지 않고 다수인이 동시에 동일 장소에 집합한 결합체로서 그 조직의 형태가 수괴, 간부, 가입자를 구분할 수 있을 정도의 것을 말하므로 집단구성의 일시 및 장소는 범죄사실을 특정하는 주요한 요소가 되는바, 공소사실에 기재된 일시인 1988. 12.경의 범죄집단조직사실은 증거가 없고 1990. 3.경의 범죄집단조직사실이 증거에 의하여 뒷받침되므로 이를 유죄로 인정하였으나, 이는 공소장변경절차를 거치지 않고 공소장 기재 사실과 다른 일시의 범죄집단조직사실을 유죄로 인정하는 것이 되므로 피고인의 방어권 행사에 불이익을 줄 우려가 있어 허용될 수 없다(대판 1991.6.11, 91도723).

㉢ "피고인이 1987. 3.경 신양오비파에 행동대장으로 가입하여 신양오비파를 구성하였다."는 폭력행위 등 처벌에 관한 법률 제4조 제2호의 공소사실에 대하여 법원이 "피고인이 1988. 9.경 신양오비파에 가입하였다." 고 같은 조 제3호의 범죄사실로 인정하기 위하여는 공소장변경절차를 거쳐야 한다(대판 1992.10.27, 92도1824).

㉣ 피고인의 방어권행사에 불이익을 줄 염려가 있어 공소장변경이 필요하다(대판 1991.6.11, 91도723).

07 다음 판례의 내용 중 과실범에 있어서 공소장변경을 필요로 하는 것은 몇 개인가?

㉠ 공소사실은 피고인의 과실은 피고인이 승용차를 운전하고 가다가 이 사건 사고 지점에 이르러 전방 및 좌우를 잘 살피지 않고 진행하였다는 것이고, 원심이 인정한 피고인의 과실은 피고인이 이 사건 사고 지점에 이르러 도로 우측에 앞서가던 시외버스가 정차하는 것을 발견하였으면 일단 속도를 줄이거나 정차하여 혹시 버스의 앞이나 뒤쪽으로 건너가는 사람이 없는지를 살펴 본 다음 안전하다고 생각이 되면 비로소 진행하여야 할 업무상 주의의무가 있다고 할 것임에도 불구하고, 아무 일 없으리라고 생각하고 만연히 버스를 추월하여 나갔다는 것으로 인정한 경우

㉡ 피고인이 분전반이나 전선의 관리를 게을리하였다는 이유로 공소제기된 사건에 대하여, 그 주변에 화선지 등 불이 붙기 쉬운 물건을 놓지 않도록 주의하고, 어린 학생들에게 화재에 대한 주의를 주고, 화재 발생시 피해를 최소화할 수 있는 조치를 하여야 할 주의의무를 위반하였다는 이유로 유죄로 인정한 경우

㉢ 공소사실은 피고인이 피해자가 운전하는 오토바이를 추월하려고 추월방법을 위반하여 피해자 오토바이의 우측으로 근접하여 운행하다가 서로 충돌하여 이 사건 교통사고가 일어났다는 것임에 대하여 제1심 인정의 범죄사실은 피해자가 피고인이 운전하는 오토바이를 추월하기 위하여 피고인 오토바이의 좌측으로 근접운행하다가 서로 충돌하여 이 사건 사고가 일어났다고 인정한 경우

㉣ 공소사실이 앞차가 감속하는 것을 뒤늦게 발견한 탓으로 이건 사고가 야기되었다고 한 것을 원심이 앞차가 후진하기 위하여 정차하고 있는 것을 너무 가까운 지점에서 발견한 탓으로 위 사고가 야기되었다고 인정한 경우

㉤ 피고인이 횡단보도 앞에서 횡단보행자가 있는지 여부를 잘 살피지 아니하고 또 신호에 따라 정차하지 아니하고 시속 50km로 진행한 과실의 공소사실에 대하여 보조제동장치나 조향장치를 조작하지 아니하였다는 과실로 인정하는 경우

| Answer | 7. ②

ⓑ 공소장에 의하면 피고인은 긴급자동차 운전수로서 업무상 요구되는 주의의무를 태만히 하여 공소 외인을 그 자동차 좌측 밤바로 충돌 전도케하여 치사케 한 것이라 함에 있고, 전방좌우의 주시 정거, 속도 저감 등의 점을 들고 있는데, 자동차 운전수로서의 업무상 주의의무에 대하여 검사가 지적하지 아니한 사항에 속하는 도로의 중앙선에 구애됨이 없이 아무런 장애물이 없는 11m 넓이의 도로중앙을 통과하지 아니한 점에도 두고 이를 피고인의 업무상 주의의무 해태의 근거의 하나로 판시한 경우

① 1개　　　　② 2개　　　　③ 3개　　　　④ 4개

해설　문제해결방법 : 공소장에 기재된 과실과 다른 과실을 인정하려면 어떠한 경우에 공소장변경이 필요한가에 대한 기준으로 과실의 내용이 다르면 공소장변경이 필요하고, 거의 동일하면 공소장변경을 요하지 아니한 것으로 판단하면 된다.

ⓐ **변경 필요 ×** : 피고인의 과실은 피고인이 승용차를 운전하고 가다가 이 사건 사고 지점에 이르러 전방 및 좌우를 잘 살피지 않고 진행하였다는 것이고, 원심이 인정한 피고인의 과실은 피고인이 이 사건 사고 지점에 이르러 도로 우측에 앞서가던 시외버스가 정차하는 것을 발견하였으면 일단 속도를 줄이거나 정차하여 혹시 버스의 앞이나 뒤쪽으로 건너가는 사람이 없는지를 살펴본 다음 안전하다고 생각이 되면 비로소 진행하여야 할 업무상 주의의무가 있다고 할 것임에도 불구하고, 아무 일 없으리라고 생각하고 만연히 버스를 추월하여 나갔다는 것으로, 공소사실에서 지적한 피고인의 과실을 보다 구체적으로 지적한 것에 지나지 않아 그 기본적 사실관계가 동일하다고 할 것이고, 한편 기록에 비추어 살펴보면, 원심이 이 사건 사고상황에 관하여 자세히 심리하여 그 판시와 같은 사실을 인정한 후 피고인에게 과실이 있다고 판단한 이상, 피고인의 방어권 행사에 지장이 있었다고 할 수도 없다(대판 1998.3.27, 97도3079).

ⓒ **변경 필요 ○** : 피고인이 이 사건 분전반이나 전선의 관리를 게을리하였다는 이유가 아니라 그 주변에 화선지 등 불이 붙기 쉬운 물건을 놓지 않도록 주의하고, 어린 학생들에게 화재에 대한 주의를 주고, 화재 발생시 피해를 최소화할 수 있는 조치를 하여야 할 주의의무를 위반하였다는 이유로 이 사건 공소사실을 유죄로 인정한 취지라면, 이는 공소장의 변경 없이 직권으로 공소장에 기재된 공소사실과 다른 범죄사실을 인정하여 피고인의 방어권 행사에 실질적 불이익을 초래하였으므로, 공소장변경에 관한 법리를 오해한 위법을 저질렀다고 볼 것이다(대판 2009.5.28, 2009도1040).

ⓒ **변경 필요 ×** : 공소사실은 피고인이 피해자가 운전하는 오토바이를 추월하려고 추월방법을 위반하여 피해자 오토바이의 우측으로 근접하여 운행하다가 서로 충돌하여 이 사건 교통사고가 일어났다는 것임에 대하여 제1심 인정의 범죄사실은 피해자가 피고인이 운전하는 오토바이를 추월하기 위하여 피고인 오토바이의 좌측으로 근접운행하다가 서로 충돌하여 이 사건 사고가 일어났다고 인정한 차이가 있을 뿐이라면 공소사실과 제1심이 인정하는 범죄사실은 서로 기본적 사실에 있어서 동일하고, 피고인의 방어권행사에 실질적인 불이익을 초래할 염려가 있다고도 보여지지 않는다(대판 1990.5.25, 89도1694).

ⓓ **변경 필요 ×** : 공소사실과 원심인정 사실이 이 사건 충돌사고의 원인을 피고인이 전방주시의무를 태만히 하고 앞차와의 안전거리를 충분히 확보하지 아니한 것으로 보고 있다면 공소사실이 앞차가 감속하는 것을 뒤늦게 발견한 탓으로 이건 사고가 야기되었다고 한 것을 원심이 앞차가 후진하기 위하여 정차하고 있는 것을 너무 가까운 지점에서 발견한 탓으로 위 사고가 야기되었다고 인정하였다 하더라도 그와 같은 차이는 지엽적인 것에 불과하여 근본적인 과실인정에 영향을 미친 것은 못된다 할 것이므로 이를 가리켜 불고불리의 원칙에 위배된다 할 수 없다(대판 1984.12.26, 84도2523).

ⓔ **변경 필요 ○** : 과실의 내용이 피고인이 횡단보도 앞에서 횡단보행자가 있는지 여부를 잘 살피지 아니하고 또 신호에 따라 정차하지 아니하고 시속 50km로 진행한 과실이라면 보조제동장치나 조향장치를 조작하지 아니하였다는 과실은 전자와 그 내용을 달리하며 피고인의 방어권행사에 불이익을 초래할 염려가 있는 경우이므로 공소장의 변경절차를 밟지 아니한 이상, 법원의 현실적 심판의 대상이 될 수 없다(대판 1989.10.10, 88도1691).

ⓕ **변경 필요 ×** : 검사의 공소장에 의하면 피고인은 긴급자동차 운전수로서 업무상 요구되는 주의의무를 태만히 하여 공소 외인을 그 자동차 좌측 밤바로 충돌 전도케하여 치사케 한 것이라 함에 있고 그 공소장에 전방좌우의 주시 정거, 속도 저감 등의 여러 점을 들고 있는 것은 자동차 운전수로서 요구되는 주의의무의

범위를 예시적으로 표시한 것에 지나지 아니하며 자동차 운전수로서의 업무상 주의의무는 위에서 들고 있는 사항 이외의 사항에 관하여서도 존재한다 할 것이니, 피고인의 자동차 운전수로서의 업무상 주의의무의 해태를 인정함에 있어서 검사가 지적하지 아니한 사항에 속하는 도로의 중앙선에 구애됨이 없이 아무런 장애물이 없는 11m 넓이의 도로중앙을 통과하지 아니한 점에도 두고 이를 피고인의 업무상 주의의무 해태의 근거의 하나로 판시하였다 하여서 검사의 공소 이외의 사실을 인정하고 불고불리의 원칙에 배치되는 위법이 있다고는 볼 수 없다(대판 1965.1.19, 64도719).

08 다음 중 판례에 의할 때 옳은 것은 모두 몇 개인가?

> ㉠ 피고인이 범행에 사용한 도구가 스카프가 아니라 피고인이 신고 있던 양말(늘였을 때의 길이 약 70cm)임에도 원심이 이를 스카프로 잘못 인정한 위법이 있다 하더라도, 이는 공소사실의 동일성의 범위 내에 속하는 것으로서 피고인의 방어권 행사에 아무런 지장이 없고 범죄의 성립이나 양형조건에도 영향이 없는 것이다.
> ㉡ 뇌물수수의 공소사실에 대하여 공소장변경 없이 뇌물수수약속죄로 인정한 것이 방어권행사에 실질적 불이익을 준 것이라고 볼 수 없다.
> ㉢ 공소제기된 범죄는 친고죄나 반의사불벌죄가 아닌 경우에 공소장이 변경되지 않았다면 직권으로 친고죄나 반의사불벌죄로 인정할 수 없다.
> ㉣ 피고인과 공범자의 공동범행 중 일부행위에 관하여 피고인이 한 것이라고 기소된 것을 둘 중 누군가가 한 것이라고 인정하는 경우, 이 때문에 피고인에게 불의의 타격을 주어 그 방어권의 행사에 실질적인 불이익을 줄 우려가 있지 않는 한 공소장변경을 필요로 한다고 볼 수 없다.
> ㉤ "피고인 甲은 乙로부터 매매대금 명목으로 695,150,000원을 지급받고 乙에게 토지의 소유권을 이전하여 실거래금액으로 신고한 540,000,000원과의 차액인 155,150,000원을 뇌물로 수수하였다"라는 공소사실에 대하여 "피고인 甲은 乙로부터 매매대금 명목으로 695,150,000원을 지급받고 乙에게 토지 소유권을 이전하여 액수미상 시가와의 차액 상당의 재산상 이익 및 농지취득자격증명을 필요로 하여 본등기를 경료할 수 없는 토지를 처분하여 현금화 하는 재산상 이익을 취득하여 뇌물로 수수하였다"라는 사실을 인정하는 경우 공소장변경이 필요하다.
> ㉥ 상상적 경합관계에 있는 공소사실 중 일부가 먼저 기소된 후 그 나머지 공소사실이 추가기소되고 이들 공소사실이 상상적 경합관계에 있음이 밝혀진 경우라면, 그 추가기소에 의하여 공소장변경이 이루어진 것으로 보아 전후에 기소된 공소사실 전부에 대하여 실체판단을 하여야 하고 추가기소에 대하여 공소기각판결을 할 필요가 없다.

① 2개   ② 3개   ③ 4개   ④ 5개

해설 ㉠ ○ : 대판 1994.12.22, 94도2511
㉡ ○ : 뇌물수수의 공소사실에 대하여 공소장변경 없이 뇌물수수약속죄로 인정한 것이 방어권행사에 실질적 불이익을 준 것이라고 볼 수 없다(대판 1988.11.22, 86도1223).
㉢ × : 법원은 공소사실의 동일성이 인정되는 범위 내에서 공소가 제기된 범죄사실에 포함된 보다 가벼운 범죄사실이 인정되는 경우에 심리의 경과에 비추어 피고인의 방어권 행사에 실질적 불이익을 초래할 염려가 없다고 인정되는 때에는 공소장이 변경되지 않았더라도 직권으로 공소장에 기재된 공소사실과 다른 공소사실을 인정할 수 있고, 이러한 이치는 공소제기된 범죄는 친고죄나 반의사불벌죄가 아닌 반면 법원이 직권으로 인정하는 범죄는 친고죄나 반의사불벌죄라 하여 달라질 것은 아니다(대판 2006.5.25, 2004도3934).
㉣ ○ : 대판 2000.5.12, 2000도745 ㉤ ○ : 대판 2021.6.24, 2021도3791 ㉥ ○ : 대판 2012.6.28, 2012도2087

Answer 8.④

09 다음 중 공소장변경에 대한 설명으로 타당하다고 볼 수 없는 것은?(판례에 의함)

① 기소된 특정범죄 가중처벌 등에 관한 법률 위반(도주차량)의 공소사실에 대하여, 공소장 변경 없이 피고인을 교통사고처리 특례법 위반죄로 처벌한다면 피고인의 방어권의 행사에 실질적 불이익을 초래할 염려가 있다.

② '금품을 수수하였다.'는 공소사실에 대하여, 법원이 공소장변경절차를 거치지 않고 직권으로 '금원을 대여함으로써 금융이익 상당의 재산상 이익을 수수하였다.'는 범죄사실을 유죄로 인정한 것은, 피고인의 방어권 행사에 실질적인 불이익을 초래한 것으로 위법하다.

③ 피고인이 피해자에게 교부한 보관증이 10가마의 백미보관증인데 피고인이 이를 100가마의 보관증이라고 거짓말을 하였고, 한문판독 능력이 없는 피해자가 그대로 믿고 교부받은 경우, 법원이 공소장변경 없이 이익사기죄에 해당 사실을 인정할 수 없다.

④ 정당법상 당원이 될 수 없는 피고인들이 특정 정당에 당원으로 가입하여 당비 명목으로 정치자금을 기부하였다고 하여 정치자금법 위반으로 기소된 사안에서, 그 명목을 '당비'에서 '후원금'으로 변경하여 인정하였다고 하더라도 피고인들의 방어권 행사에 실질적인 불이익이 초래되었다고 할 수 없다.

│ 해설 │ ① 유죄로 인정한 교통사고처리 특례법 위반죄의 범죄사실이, 기소된 특정범죄 가중처벌 등에 관한 법률 위반(도주차량)의 공소사실에 포함되어 있으며, 교통사고처리 특례법 위반의 점에 관하여 충분한 심리가 이루어졌다고 보아, 공소장변경 없이 피고인을 교통사고처리 특례법 위반죄로 처벌하더라도 피고인의 방어권의 행사에 실질적 불이익을 초래할 염려가 없다(대판 2007.4.12, 2007도828).
② 대판 2009.6.11, 2008도11042 ③ 피고인이 피해자에게 교부한 보관증이 도합 10가마의 백미보관증이라고 한다면 피고인이 이를 100가마의 보관증이라고 거짓말을 하였고, 한문판독 능력이 없는 피해자가 그대로 믿고 교부 받았다고 하여 이것만 가지고서 나머지 90가마의 채무가 소멸할리 없고, (중략) 이익사기죄에 해당한다고 할 수 없다. 또한 만일 피고인이 도합 10가마의 백미 보관증을 도합 100가마의 백미 보관증이라고 속여 피해자로부터 피고인이 전에 작성하여 준 차용증서를 교부받았다면 이 차용증서를 편취한 것이라고 할 수는 있을 것이고, 경우에 따라 이익사기죄도 성립할 수는 있을 것이나 이 사건 공소사실에는 그와 같은 사실의 기재가 없으므로 법원이 공소장변경 없이 그와 같은 사실을 인정할 수도 없을 것이다(대판 1990.12.26, 90도2037). ④ 대판 2014.5.16, 2012도12867

10 공소장변경제도와 관련하여 타당하지 아니한 경우는 몇 개인가?(판례에 의함)

㉠ 변제할 의사와 능력 없이 피해자로부터 금원을 차용하여 편취하였다고 기소된 사실을 피해자에게 제3자를 소개하게 하여 동인으로부터 동액의 금원을 차용하고 피해자에게 그에 대한 보증채무를 부담케 하여 재산상의 이익을 취하였다고 인정한 경우 기본적 사실에 차이가 있다 할 것이므로 위법이 있다.

㉡ 성폭력 범죄사실 및 위치추적 전자장치 부착명령청구의 사실에 대해 공소장변경이 이루어진 사안에서 성폭력범죄 피고사건에 대하여는 공소장변경을 이유로 직권으로 제1심 판결을 파기하고 변론을 거쳐 다시 판결하면서도, 그와 함께 심리판단이 이루어져야 하는 부착명령청구사건에 대하여는 피부착명령청구자의 항소를 기각한 원심판단은 법리오해의 위법이 있다.

ⓒ 공소장에 범죄사실과 그 적용법률만 제시하고 준용할 항을 누락하고 있는 경우 법원이 공소장변경절차 없이 누락된 법조를 적용한 것은 정당하다.

ⓔ 상사에게 의사국가고시에 부정한 방법으로 합격케 하여 달라는 청탁으로 제3자에게 전달하여 달라고 금 250,000원을 교부하였다는 것으로, 이는 피고인이 의사고시 응시준비를 위하여 장기결근을 하였는데 그의 상사가 이를 출근한 것으로 처리하여 봉급까지 타게 해 주어 고맙다는 뜻에서 그에게 금 200,000원을 제공하였다는 것과는 공소장변경 등의 절차가 없는 한 이를 심판의 대상으로 삼을 수는 없다.

ⓜ 피고인이 특정범죄 가중처벌 등에 관한 법률 제4조에 의하여 공무원으로 의제되는 정부관리기업체의 간부직원의 지위(한국도로공사 건설사업소장)에 있으면서 그 직무와 관련하여 금원을 교부받았다는 것으로 기소된 것을 공소장변경 없이, 피고인이 한국도로공사법 제13조의 3, 제12조의 2에 의하여 공무원으로 의제되는 기업체의 임·직원의 지위(고속도로관리공단 토목상무)에 있으면서, 피고인이 종전에 특정범죄 가중처벌 등에 관한 법률 제4조에 의하여 공무원으로 의제되는 정부관리기업체의 간부직원의 지위에 있을 당시에 담당하였던 직무와 관련하여 금원을 교부받았다는 것이라고 인정할 수 없다.

① 1개 　　　② 2개 　　　③ 3개 　　　④ 없 음

해설 ㉠ × : 변제할 의사와 능력 없이 피해자로부터 금원을 편취하였다고 기소된 사실을 공소장변경 절차 없이 피해자에게 제3자를 소개하게 하여 동액의 금원을 차용하고 피해자에게 그에 대한 보증채무를 부담케 하여 재산상의 이익을 취득하였다고 인정하였다 할지라도 위 양 범죄사실을 비교하여 보면 차용액, 기망의 태양, 피해의 내용이 실질에 있어 동일한 것이어서 피해자를 기망하여 금원을 편취하였다는 기본적 사실에 아무런 차이도 없으므로, 위법이 있다 할 수 없다(대판 1984.9.25, 84도312).
ⓒ ○ : 대판 2010.4.29, 2010도1626
ⓒ ○ : 공소장에 국가보안법 제7조 제5항만 게기하고 준용할 형을 규정한 동법 제7조 제1항을 누락하고 있는 경우 원심이 위 누락된 법조를 적용한 것은 정당하며, 이와 같은 경우에 공소장변경의 절차를 필요로 하는 것도 아니고, 공소의 제기가 없는 사실에 대하여 판결을 한 것으로 볼 수도 없으므로 불고불리의 원칙에 반한다 할 수 없다(대판 1983.12.27, 83도2755).
ⓔ ○ : 대판 1985.6.25, 85도546
ⓜ ○ : 대판 2001.2.9, 2000도5358

11 공소장변경에 관한 설명 중 옳은 것은 모두 몇 개인가?(판례에 의함)

ㄱ 횡령죄에 대하여 법원이 공소장변경절차를 거치지 않고 횡령목적물의 소유자(위탁자), 보관자의 지위, 영득행위의 불법성을 공소사실과는 다르게 각 인정한 것은 위법하지 않다.

ㄴ 교통사고 후 조치불이행의 죄로 기소된 공소사실에 대하여 공소장변경 없이 교통사고 미신고의 죄로 처벌할 수 있다.

ㄷ 동일한 부가가치세의 과세기간 내에 행하여진 조세포탈기간이나 포탈액수의 일부에 대한 조세포탈죄의 고발이 있는 경우 그 고발의 효력은 그 과세기간 내의 조세포탈기간 및 포탈액수 전부에 미치지 않아 동일성이 인정되는 범위 내라 할지라도 조세포탈기간이나 포탈액수를 추가하는 공소장변경은 부적법하다.

② 제1심에서 강제추행의 공소사실을, 주위적 공소사실은 강제추행으로, 예비적 공소사실은 준강 제추행으로 변경하고 모두 무죄를 선고한 후, 항소심에서 예비적 공소사실을 업무상 위력 등에 의한 추행의 공소사실로 변경하는 공소장변경신청을 허가하고 준강제추행의 예비적 공소사실을 유죄로 인정한 사안에서, 이로써 업무상 위력 등에 의한 추행의 공소사실은 철회한 것으로 볼 수 있다.

⑩ 피고인이 재정하는 공판정에서 검사가 구술로 공소장변경신청을 하자 피고인이 이에 동의하였고 법원도 위 변경신청을 기각하지 아니한 채 바로 다음 공판절차를 진행하였더라도 법원이 공소장변경신청에 대하여 명시적인 허가결정을 하지 아니하였다면 그 허가가 있었던 것으로 볼 수 없다.

⑭ 사단법인 한국에이비씨(ABC)협회 사무국장인 피고인이, 협회가 신문발전위원회로부터 지급받은 '보조금' 중 일부를 목적 외 용도로 사용하였다고 하여 기소된 사안에서, 공소장변경 없이 '간접보조금'으로 보아 처벌할 수 있다.

① 1개   ② 2개   ③ 3개   ④ 없다.

해설 ㉠ × : 피고인의 방어권을 침해하는 것으로서 위법하다(대판 1991.9.24, 91도1605).
㉡ × : 피고인이 차량을 후진 운전 하다가 정차 중인 피해자 승용차의 앞 범퍼 부분을 들이 받아 약간의 손괴를 한 후 피고인이 사고 직후 주차장 관리인을 통하여 피해차량의 주인(피해자)을 만나려고 하였으나 그가 집에 없어서 만나지 못하게 되자 위 주차장 관리인에게 피고인의 전화번호와 운전하던 차량번호를 적어 주고 그 현장을 떠나게 되었다면, 운전자로서 위 법 제50조에서 규정한 필요한 조치를 하지 아니한 경우에 해당한다 할 수는 없을 것이다. 교통사고 후 조치 불이행으로 공소제기된 이 사건 공소사실이 유죄로 인정되지 아니하면 법원에서는 검사의 공소장변경이 없으면 교통사고 미신고의 죄로 처벌할 수 없다(대판 1991.2.26, 90도2462).
㉢ × : 고발은 범죄사실에 대한 소추를 요구하는 의사표시로서 그 효력은 고발장에 기재된 범죄사실과 동일성이 인정되는 사실 모두에 미치므로, 범칙사건에 대한 고발이 있는 경우 그 고발의 효과는 범칙사건에 관련된 범칙사실의 전부에 미치고 한 개의 범칙사실의 일부에 대한 고발은 그 전부에 대하여 효력이 생기므로, 동일한 부가가치세의 과세기간 내에 행하여진 조세포탈기간이나 포탈액수의 일부에 대한 조세포탈죄의 고발이 있는 경우 그 고발의 효력은 그 과세기간 내의 조세포탈기간 및 포탈액수 전부에 미친다. 따라서 일부에 대한 고발이 있는 경우 기본적 사실관계의 동일성이 인정되는 범위 내에서 조세포탈기간이나 포탈액수를 추가하는 공소장변경은 적법하다(대판 2009.7.23, 2009도3282).
㉣ × : 제1심에서 강제추행의 공소사실을, 주위적 공소사실은 강제추행으로, 예비적 공소사실은 준강제추행으로 변경하고 모두 무죄를 선고한 후, 항소심에서 예비적 공소사실을 업무상 위력 등에 의한 추행의 공소사실로 변경하는 공소장변경신청을 허가하고 준강제추행의 예비적 공소사실을 유죄로 인정한 사안에서, 항소심에서의 공소장변경은 강제추행의 주위적 공소사실에 대하여 업무상 위력 등에 의한 추행의 공소사실을 제2 예비적 공소사실로 추가한 것이라고 봄이 상당하고, 이로써 기존의 준강제추행의 예비적 공소사실을 철회한 것으로 볼 수 없다(대판 2009.4.23, 2009도2001).
㉤ × : 피고인이 재정하는 공판정에서 검사가 구술로 공소장변경신청을 하자 피고인이 이에 동의하였고 법원도 위 변경신청을 기각하지 아니한 채 바로 다음 공판절차를 진행하였다면, 법원이 공소장변경신청에 대하여 명시적인 허가결정을 하지 아니하였다 하더라도 그 허가가 있었던 것으로 봄이 상당하다(대판 2002.3.29, 2002도587).
㉥ × : 사단법인 한국에이비씨(ABC)협회 사무국장인 피고인이, 협회가 신문발전위원회로부터 지급받은 '보조금' 중 일부를 목적 외 용도로 사용하였다고 하여 구 보조금의 예산 및 관리에 관한 법률 위반으로 기소된 사안에서, 이를 '간접보조금'이라고 할 수 없는데도, '간접보조금'으로 보아 공소장변경 없이 유죄를 인정한 원심판결은 법리오해의 잘못이 있다(대판 2012.8.23, 2010도12950).

12 다음 중 공소장변경에 관한 설명으로 옳은 것은?(판례에 의함)

① 기소된 사기공소사실의 재산상의 피해자와 공소장 기재의 피해자가 다른 경우에는 피고인의 방어권 행사에 실질적 불이익을 주는 경우라 할 것이므로 공소장변경절차 없이 직권으로 공소장 기재의 사기피해자와 다른 실제의 피해자를 적시하여 이를 유죄로 인정할 수는 없다.

② 인과관계의 중간경로에 사실에 차이가 있어도 과실과 치사 간에 인과관계가 있다면 법원은 공소장변경 없이도 그 죄책 여부를 심판할 수 있다.

③ 사기죄에 있어서 공소사실의 기망내용과 다른 기망행위를 공소장변경절차 없이도 직권으로 인정할 수 있다.

④ 친고죄인 저작권법위반 행위에 대해 피해자만을 바꾸는 공소장변경은 허용되지 아니한다.

> **해설** ① 기소된 공소사실의 재산상의 피해자와 공소장 기재의 피해자가 다른 것이 판명된 경우에는 공소사실에 있어서 동일성을 해하지 아니하고 피고인의 방어권 행사에 실질적 불이익을 주지 아니하는 한 공소장변경절차 없이 직권으로 공소장 기재의 사기피해자와 다른 실제의 피해자를 적시하여 이를 유죄로 인정하여야 한다(대판 2002.8.23, 2001도6876).
> ② 피고인 운전의 트럭이 피해자 운전의 오토바이를 추월하기 위하여 우측으로 너무 근접하여 운행한 과실로 위 트럭 왼쪽 뒷바퀴부분으로 위 오토바이의 오른쪽을 충격하여 피해자로 하여금 위 오토바이와 함께 넘어져 사망에 이르게 한 경우, 피고인이 위와 같은 내용의 과실로 피해자가 위험을 느끼고 당황하여 중심을 잃고 땅에 넘어지게 하여 사망케 하였다는 공소사실기재는 과실과 사망에 관한 인과관계의 중간경로를 설명한데 불과하므로 그 중간사실에 차이가 있어도 과실과 치사간에 인과관계가 있다면 법원은 공소장변경 없이도 그 죄책 여부를 심판할 수 있다(대판 1989.12.26, 89도1557).
> ③ 사기죄에 있어서 공소사실의 기망내용과 다른 기망행위를 공소장변경 절차 없이 직권으로 인정할 수 없다(대판 1998.4.14, 98도231).
> ④ 피해자를 주식회사 ○○○에서 △△ 디자인(△△ Design Pty Ltd)으로 변경한다 하더라도 피고인이 공소사실 기재 일시 장소에서 저작권 침해행위를 하였다는 사실과 침해행위의 태양 및 침해된 저작권이 어떠한 저작물에 대한 것인지에 변함이 없는 이상, 위 공소장변경 전후의 공소사실은 상호 동일성을 인정할 수 있어 그 공소장변경은 적법하다고 할 것이고, 이 사건 범죄가 친고죄라 하여 달리 볼 것도 아니다(대판 2008.2.28, 2007도8705).

13 다음 중 공소장변경과 관련한 판례의 내용으로 올바른 것은?

① 반국가단체구성죄의 공소사실을 공소장변경의 절차를 밟음이 없이 그 구성음모죄로 심판한 것은 적법하다.

② 기소된 특정범죄 가중처벌 등에 관한 법률 위반(도주차량)의 공소사실을 공소장변경 없이 교통사고처리 특례법 위반죄로 처벌하더라도 피고인의 방어권의 행사에 실질적 불이익을 초래할 염려가 없다.

③ 특정범죄 가중처벌 등에 관한 법률 제5조의 4 제5항으로 공소제기된 사건을 같은 조 제1항을 적용하여 처단하는 경우 공소장변경이 필요 없다.

④ 뇌물수수죄의 공소사실에 관하여 공소장에 기재된 뇌물전달자와 다르게 전달자를 인정한 경우에는 불고불리의 원칙에 위배된다.

| 해설 | ① 반국가단체구성죄의 공소사실을 공소장변경의 절차를 밟음이 없이 그 구성음모죄로 심판한 것은 위법이다(대판 1969.11.11, 69도1517).
② 대판 2007.4.12, 2007도828
③ 제1항은 상습성을 요건으로 하는 반면 제5항은 누범가중에 해당함을 요건으로 하고 있어 공소장변경 없이 제1항을 적용하여 처벌할 수는 없다(대판 2005.11.25, 2005도6925).
④ 불고불리의 원칙위배라거나 사건의 동일성과 필요적 공범의 법리오해가 있다고 할 수 없다(대판 1984.5. 29, 84도682).

14 공동정범으로 기소된 범죄사실을 방조범으로 인정하는데 공소장변경이 필요한가에 관한 판례의 태도로 틀린 것은 몇 개인가?

> ㉠ 히로뽕 제조의 공동정범의 공소사실에 대하여 피고인이 이를 부인하고 자신은 방조범에 해당한다고 이미 진술하고 있고 심리도중에 방조사실에 대하여 수차례 언급을 하였더라도 공동정범을 방조범으로 인정하기 위해서는 공소장변경을 하여야 한다.
> ㉡ 피고인의 행위가 관세포탈의 방조에 해당된 경우, 관세포탈죄의 공동정범으로 공소가 제기된 이 사건에서 관세포탈의 방조사실을 유죄로 인정하지 아니하는 것은 현저히 정의와 형평에 반하는 것이라고 보여진다(심리과정에서 방조에 대한 언급이 없었음을 전제).
> ㉢ 공소사실의 동일성이 인정되는 범위 내에서 공소가 제기된 범죄사실보다 가벼운 범죄사실이 인정되는 경우에 있어서, 그 심리의 경과 등에 비추어 볼 때 피고인의 방어에 실질적인 불이익을 주는 것이 아니라면 공소장변경 없이 직권으로 가벼운 범죄사실을 인정할 수 있다고 할 것이므로 공동정범으로 기소된 범죄사실을 방조사실로 인정할 수 있다.
> ㉣ 피고인의 행위가 보건범죄단속에 관한 특별조치법 위반(부정의료업자)의 방조에 해당된다고 하더라도, 보건범죄단속에 관한 특별조치법 위반(부정의료업자)의 공동정범으로 공소가 제기된 사건의 심리과정에서 단 한 번도 언급된 바 없는 보건범죄단속에 관한 특별조치법 위반(부정의료업자)의 방조사실을 법원이 공소장의 변경도 없이 그대로 유죄로 인정하는 것은 피고인의 방어권 행사에 실질적인 불이익을 초래할 염려가 있다.

① 1개　　　　② 2개　　　　③ 3개　　　　④ 4개

| 해설 | ㉠ × : 피고인의 방어에 실질적인 불이익을 주지 아니하므로 공소장변경 없이 방조사실을 인정할 수 있다(대판 1982.6.8, 82도884).
㉡ × : 심리과정에서 단 한번도 언급된 바 없는 관세포탈의 방조사실을 법원이 공소장의 변경도 없이 그대로 유죄로 인정하는 것이 피고인의 방어권 행사에 실질적인 불이익을 초래할 염려가 없다고 보기 어려울 뿐만 아니라, 관세포탈의 방조사실을 유죄로 인정하지 아니하는 것이 현저히 정의와 형평에 반하는 것이라고 보여지지도 아니한다(대판 1996.2.23, 94도1684).
㉢ ○ : 공소사실의 동일성이 인정되는 범위 내에서 공소가 제기된 범죄사실보다 가벼운 범죄사실이 인정되는 경우에 있어서, 그 심리의 경과 등에 비추어 볼 때 피고인의 방어에 실질적인 불이익을 주는 것이 아니라면 공소장변경 없이 직권으로 가벼운 범죄사실을 인정할 수 있다고 할 것이므로 공동정범으로 기소된 범죄사실을 방조사실로 인정할 수 있다(대판 2004.6.24, 2002도995).
㉣ ○ : 피고인의 행위가 보건범죄단속에 관한 특별조치법 위반(부정의료업자)의 방조에 해당된다고 하더라도, 보건범죄단속에 관한 특별조치법 위반(부정의료업자)의 공동정범으로 공소가 제기된 사건의 심리과정에서 단 한 번도 언급된 바 없는 보건범죄단속에 관한 특별조치법 위반(부정의료업자)의 방조사실을 법원이

| Answer | 14. ②

공소장의 변경도 없이 그대로 유죄로 인정하는 것이 피고인의 방어권 행사에 실질적인 불이익을 초래할 염려가 없다고 보기 어려울 뿐만 아니라, 보건범죄단속에 관한 특별조치법 위반(부정의료업자)의 방조사실을 유죄로 인정하지 아니하는 것이 현저히 정의와 형평에 반하는 것이라고 보여지지도 아니한다(대판 2001.11.9, 2001도4792).

15 공소장변경 없이 축소사실 인정의무를 지우고 있는 판례의 조합은?

> ⊙ 당초 폭행치사죄로 공소가 제기되었으나, 피고인의 행위가 폭행죄를 구성하는 폭행이 인정된 경우
> ⓛ 특정범죄 가중처벌 등에 관한 법률 위반죄로 공소가 제기된 경우 법원이 이 사건을 심리한 결과 위 범죄는 인정되지 아니하나 형법상 업무상 과실치상죄가 인정된 경우
> ⓒ 향정신성의약품을 제조·판매하여 영리를 취할 목적으로 그 원료가 되는 물질을 소지한 것이라는 공소사실에 대하여 영리의 목적이 인정되지 않으나, 위 공소사실에 포함된 향정신성의약품을 제조할 목적으로 그 원료가 되는 물질을 소지한 범죄사실이 인정된 경우
> ⓔ 히로뽕 투약죄의 기수범으로 기소된 공소사실에 대하여 실행행위에 착수한 사실은 인정되나 기수에 이른 사실은 인정되지 않는 경우
> ⓜ 위험한 물건인 쇳젓가락으로 피해자의 눈을 찔러 상해를 가하였다는 공소사실에 대하여 위 공소사실에 포함된 단순상해의 점이 인정된 경우

① ⊙, ⓛ, ⓒ
② ⓛ, ⓒ, ⓔ
③ ⓒ, ⓔ, ⓜ
④ ⊙, ⓛ, ⓒ, ⓔ, ⓜ

| 해설 | ⊙ 피고인의 행위가 폭행죄를 구성하는 폭행이 된다고 하더라도 당초 폭행치사죄로 공소가 제기되고 그 후 공소장변경 등의 절차가 없었다면 피고인에게 폭행죄를 인정하지 않았다 하여 위법이라 할 수 없다(대판 1984.11.27, 84도2089).
ⓛ 특정범죄 가중처벌 등에 관한 법률 제5조의 3 제1항의 죄는 형법 제268조의 죄를 범한 자가 피해자를 구호하지 아니하고 도주한 때에 성립하는 것으로서 형법 제268조의 업무상 과실치상죄는 위 특정범죄 가중처벌 등에 관한 법률 제5조의 3이 정한 죄에 포함되어 있다고 보아야 할 것이므로 특정범죄 가중처벌 등에 관한 법률 위반죄로 공소가 제기된 경우 법원이 이 사건을 심리한 결과 위 범죄는 인정되지 아니하나 업무상 과실치상죄가 인정된다면 공소장변경절차 없이도 그 죄로 처단되어야 한다(대판 1990.12.7, 90도1283).
ⓒ 향정신성의약품을 제조·판매하여 영리를 취할 목적으로 그 원료가 되는 물질을 소지한 것이라는 공소사실에 대하여 비록 영리의 목적이 인정되지 않더라도 무죄를 선고할 것이 아니라 위 공소사실에 포함된 향정신성의약품을 제조할 목적으로 그 원료가 되는 물질을 소지한 범죄사실을 공소장변경 없이 유죄로 인정하여야 한다(대판 2002.11.8, 2002도3881).
ⓔ 히로뽕 투약죄의 기수범으로 기소된 공소사실에 대하여 실행행위에 착수한 사실은 인정되나 기수에 이른 사실은 인정되지 않는 경우, 공소장이 변경되지 않았다는 이유로 이를 처벌하지 않으면 현저히 정의와 형평에 반한다고 여겨지므로, 법원은 공소사실에 포함된 히로뽕 투약 미수의 범죄사실을 유죄로 인정하여야 한다(대판 1999.11.9, 99도3674).
ⓜ 위험한 물건인 쇳젓가락으로 피해자의 눈을 찔러 상해를 가하였다는 공소사실에 대하여 무죄를 선고하면서 위 공소사실에 포함된 단순상해의 점을 유죄로 인정하지 아니한 것은 위법하지 않다(대판 2007.8.23, 2007도3710).

THEMA 05	공소장변경의 절차	
방 식	검사의 신청에 의한 경우	1. 검사가 공소장변경을 하고자 하는 경우에는 공소장변경 허가신청서(피고인 수에 상응하는 부본 첨부)를 법원에 제출하여야 하고(규칙 제142조 제1항·제2항), 15. 순경 2차 ▶ 공소장변경신청 ⇨ 서면에 의하는 것이 원칙[피고인이 나와 있는 공판정에서는 피고인에게 이익이 되거나 피고인이 동의하는 경우에 구술에 의한 공소장변경을 허가할 수 있다(규칙 제142조 제5항).] 14. 경찰간부, 15. 7급 국가직 2. 법원은 이 부본을 피고인 또는 변호인에게 즉시 송달하여야 한다(규칙 제142조 제3항). 변호인에게 고지하였으면 별도로 피고인에게 고지·송달할 필요는 없다. 21. 9급 법원직 ▶ 공소장변경허가신청서 부본을 송달·교부하지 않은 경우 ⇨ 판결에 영향을 미친 법령 위반에 해당(다만, 피고인의 방어권이나 변호인의 변호권이 본질적으로 침해되지 않았으면 위반 아님)(대판 2021.6.30, 2019도7217) 3. 검사는 변론종결 전에 공소장변경을 신청[변론이 종결된 후에 공소장변경을 신청 ⇨ 법원은 재량으로 심리 여부를 판단(대판 2003.12.26, 2001도6484)] 24. 9급 검찰·마약수사 4. 법원은 공소사실의 동일성이 인정되는 한 공소장변경을 허가하여야 한다(판례는 의무적으로 봄). 14. 9급 교정·보호·철도경찰, 15. 9급 법원직·순경 2차, 14·17. 경찰승진 5. 허가결정은 법원의 판결 전 소송절차에 관한 결정(명령 ×)이므로 그 결정에 대하여 독립하여 항고할 수 없다(제403조 제1항 참조). 12. 9급 국가직, 13·16. 7급 국가직, 14·16. 9급 교정·보호·철도경찰, 16. 순경 1차 다만, 허가결정의 위법이 판결에 영향을 미친 경우에 판결에 대해 상소할 수 있을 뿐이다(대결 1987.3.28, 87모17). 6. 공소장변경허가결정을 한 법원은 스스로 결정을 취소할 수 있다(대판 1989.1.24, 87도1978). 09·11·12·21. 9급 검찰·마약·교정·보호·철도경찰
	법원의 요구에 의한 경우	1. 법원은 심리의 경과에 비추어 상당하다고 인정한 때에는 공소사실이나 적용법조의 추가 또는 변경을 요구하여야 한다(제298조 제2항). 08. 순경, 16. 9급 교정·보호·철도경찰 2. 공소장변경요구 : 재량설(대판) 09. 9급 국가직 3. 공소장변경요구의 구속력 : 명령적 효력설(다수설)
공소장 변경 허용 단계		1. 항소심에서 공소장변경 : 허용(판례) 10. 경찰승진 ▶ 항소심의 변론이 종결된 후 다시 변론을 재개한 경우에도 가능 09. 9급 법원직 ▶ 상고심 × 2. 상고심에서 파기환송 후의 항소심 : 허용(판례) 09. 9급 국가직, 13. 7급 국가직, 15. 순경 3차 3. 재심공판절차 : 기본적으로 허용(다만, 재심대상사건과 별개공소사실을 추가하거나, 재심대상사건에 일반절차로 진행 중인 별개사건 병합심리는 허용 × : 대판 2019.6.20, 2018도20698 전원합의체) 4. 간이공판절차 : 허용 5. 약식절차 : 공판심리절차가 아니므로 허용 ×

변경후의 절차	1. 공소장의 변경이 있는 때에는 법원은 신속히 피고인 또는 변호인에게 고지하여야 한다(제298조 제3항). ▶ 고소인에게 통지 ×
	2. 공소장변경이 허가된 때에는 검사는 변경된 공소사실·죄명 및 적용법조를 낭독하여야 한다. 재판장은 검사로 하여금 공판기일에 공소장변경요지를 진술하게 할 수 있다(규칙 제142조 제4항).
	3. 직권 또는 피고인이나 변호인의 청구에 의하여 법원은 결정으로 피고인의 방어준비에 필요한 기간 공판절차를 정지할 수 있다(제298조 제4항). 10. 9급 국가직, 15. 9급 법원직, 23. 7급 국가직
변경의 효과	1. 공소장변경에 의하여 심판의 현실적 대상이 변경된다.
	2. 공소장변경에 의하여 공소사실이 특정된 경우에는 공소제기의 무효는 치유될 수 있다.
	3. 단독판사관할 사건이 공소장변경에 의하여 사물관할권이 없게 된 경우에는 수소법원은 결정으로 합의부로 이송하여야 한다(제8조 제2항). 10. 순경, 11. 경찰승진·9급 국가직, 13. 경찰간부, 14. 9급 법원직, 15. 순경 3차
	4. 공소제기 당시 공소사실에 대한 법정형으로 하면 아직 시효가 완성되지 않았으나, 변경된 공소사실에 대한 법정형에 의하면 공소제기 당시 이미 시효가 완성된 경우라면 면소판결을 하여야 한다(판례). 16. 7급 국가직

01 공소장변경 절차에 관한 설명으로 옳은 것은?

① 공소장변경의 주체는 법원이다.

② 법원은 심리의 경과에 비추어 상당하다고 인정한 때에는 공소사실이나 적용법조의 추가·철회 또는 변경을 요구하여야 한다.

③ 상고심, 항소심, 재심, 약식절차, 간이공판절차 모두 공소장변경이 가능하다.

④ 공소장변경이 허가된 때에는 검사는 변경된 공소사실·죄명 및 적용법조를 낭독하여야 한다.

┃ 해설 ┃ ① 검사의 신청에 의한 경우이거나 법원의 요구에 의한 경우 모두 공소장변경의 주체는 검사이다(제298조 참조). ② 법원은 심리의 경과에 비추어 상당하다고 인정한 때에는 공소사실이나 적용법조의 추가 또는 변경을 요구하여야 한다(제298조 제2항).
③ 상고심, 약식절차는 공소장변경이 불가능하다. ④ 규칙 제142조 제4항

02 공소장변경에 관한 설명으로 옳지 않은 것은?(다툼이 있는 경우 판례에 의함)

① 공소장변경 없이 공소사실과 다른 사실을 인정할 수 있는 경우 법원은 예외 없이 다른 사실을 인정하여야 한다.

② 공소장변경을 요하는 경우 검사가 공소장변경을 신청하지 않았더라도 법원은 이를 요구할 의무가 없다.

③ 검사의 공소장변경신청이 있는 경우 공소사실의 동일성을 해하지 않는 때에는 법원은 이를 허가해야 할 의무가 있다.

④ 공소장변경허가결정에 위법사유가 있는 경우에는 공소장변경허가를 한 법원이 스스로 이를 취소할 수 있다.

⑤ 공소사실의 변경이 있었더라도 피고인의 방어권 행사에 실질적 불이익이 없는 한 법원은 피고인의 공판절차정지신청을 받아들이지 않을 수 있다.

해설 ① 법원은 공소사실의 동일성이 인정되는 범위 내에서 공소가 제기된 범죄사실에 포함된 보다 가벼운 범죄사실이 인정되는 경우에 심리의 경과에 비추어 피고인의 방어권 행사에 실질적 불이익을 초래할 염려가 없다고 인정되는 때에는 공소장이 변경되지 않았더라도 직권으로 공소장에 기재된 공소사실과 다른 범죄사실을 인정할 수 있지만, 이와 같은 경우라고 하더라도 공소가 제기된 범죄사실과 대비하여 볼 때 실제로 인정되는 범죄사실의 사안이 중대하여 공소장이 변경되지 않았다는 이유로 이를 처벌하지 않는다면 적정절차에 의한 신속한 실체적 진실의 발견이라는 형사소송의 목적에 비추어 현저히 정의와 형평에 반하는 것으로 인정되는 경우가 아닌 한 법원이 직권으로 그 범죄사실을 인정하지 아니하였다고 하여 위법한 것이라고까지 볼 수는 없다(대판 1993.12.28, 93도3058). 반드시 다른 사실을 인정해야 하는 것은 아니고, 공소범죄사실에 대한 실체재판을 할 수도 있다.
② 형사소송법 제298조 제2항의 공소장변경요구에 관한 규정은 법원의 변경요구를 의무화한 것이 아니고 법원의 재량에 속하는 것이다(대판 1985.7.23, 85도1092).
③ 검사의 공소장변경신청이 공소사실의 동일성을 해하지 않는 때에는 법원은 결정으로 이를 허가하여야 한다. 이 경우 법원의 허가는 의무이다(대판 1999.4.13, 99도375).
④ 대판 1989.1.24, 87도1978 ⑤ 제298조 제4항

03 공소장변경절차와 관련한 설명으로 옳은 것은?

① 법원은 공소사실 또는 적용법조의 추가, 철회 또는 변경이 있을 때에는 그 사유를 신속히 피고인 또는 변호인, 피해자에게 고지하여야 한다.

② 공소장에 기재된 적용법조를 단순한 오기나 누락으로 볼 수 없고 구성요건이 충족되더라도 법원이 공소장변경의 절차를 거치지 아니하고 임의적으로 다른 법조를 적용하여 처단할 수는 있다.

③ 공소장변경허가신청서에는 피고인의 수에 상응한 부본을 첨부하여야 하고, 법원은 부본을 피고인 또는 변호인에게 즉시 송달하여야 한다.

④ 공소장의 변경이 허가된 때에는 재판장은 공판기일에 공소장변경허가신청서에 의하여 변경된 공소사실·죄명 및 적용법조를 낭독하여야 한다. 다만, 재판장은 필요하다고 인정하는 때에는 공소장변경의 요지를 진술하게 할 수 있다.

해설 ① 법원은 공소사실 또는 적용법조의 추가, 철회 또는 변경이 있을 때에는 그 사유를 신속히 피고인 또는 변호인에게 고지하여야 한다(제298조 제3항).
② 공소장에 기재된 적용법조를 단순한 오기나 누락으로 볼 수 없고 구성요건이 충족됨에도 법원이 공소장변경의 절차를 거치지 아니하고 임의적으로 다른 법조를 적용하여 처단할 수는 없다(대판 2015.11.12, 2015도12372).
③ 규칙 제142조 제2항·제3항
④ 공소장의 변경이 허가된 때에는 검사는 공판기일에 공소장변경허가신청서에 의하여 변경된 공소사실·죄명 및 적용법조를 낭독하여야 한다. 다만, 재판장은 필요하다고 인정하는 때에는 공소장변경의 요지를 진술하게 할 수 있다(규칙 제142조 제4항).

Answer 3. ③

04 공소장변경절차와 관련한 내용으로 잘못된 것은 몇 개인가?

> ⊙ 검사는 공판정에서 구술로써 공소장에 기재한 공소사실 또는 적용법조를 변경할 수 있어도 추가는 하지 못한다.
>
> ⓛ 일죄의 관계에 있는 여러 범죄사실 중 그 일부의 범죄사실에 대하여 공소가 제기된 뒤에 항소심에서 나머지 부분을 추가하였다고 하여 공소사실의 동일성을 해하는 것이라고 볼 수 없으므로 법원은 이를 허가하여야 한다.
>
> ⓒ 항소심법원이 변론기일에 변론을 종결하였다가 그 후 변론을 재개하여 심리를 속행한 다음 직권으로 증인을 심문한 뒤 검사의 공소장변경신청을 허가하였다고 하더라도 이와 같은 항소심의 조처는 형사소송법의 절차나 규정에 위반하였다고 볼 수 없다.
>
> ⓔ 구속피고인에 대하여 공소장변경을 이유로 공판절차가 정지될 경우 그 정지된 기간은 구속기간에 산입되지 아니한다.
>
> ⓜ 공소장변경 허가결정에 대해서는 항고의 방법으로 불복할 수 없다.
>
> ⓗ 검사가 공소장변경허가신청서를 제출하지 않고 공소사실에 대한 검사의 의견을 기재한 서면을 제출하였다고 하더라도 공소장변경허가신청서를 제출한 것이라고 볼 수 있다.

① 1개   ② 2개   ③ 3개   ④ 4개

해설 ⊙ × : 검사는 공소사실 또는 적용법조를 추가 · 변경 · 철회할 수 있다(제298조 제1항). 서면에 의해 공소장변경을 신청함이 원칙이나(규칙 제142조 제1항 · 제2항), 피고인이 재정하는 공판정에서는 피고인에게 이익이 되거나 피고인이 동의하는 경우 구술에 의한 공소장변경을 허가할 수 있다(동조 제5항).
ⓛ ○ : 일죄의 관계에 있는 여러 범죄사실 중 일부에 대한 기판력은 현실적으로 심판대상이 되지 아니한 다른 부분에도 미치므로, 그 일부의 범죄사실에 대하여 공소가 제기된 뒤에 항소심에서 나머지 부분을 추가하였다고 하여 공소사실의 동일성을 해하는 것이라고 볼 수 없으므로 법원은 이를 허가하여야 한다(대판 2016.1.14, 2013도8118). ⓒ ○ : 대판 1996.1.15, 94도1520
ⓔ ○ : 심신상실 및 질병으로 인한 공판절차 정지기간, 기피신청에 의한 소송진행의 정지기간, 공소장변경으로 인한 공판절차 정지기간 등은 구속기간에 산입되지 아니한다(제92조 제3항).
ⓜ ○ : 대결 1987.3.28, 87모17 ⓗ × : 검사가 공소장변경허가신청서를 제출하지 않고 공소사실에 대한 검사의 의견을 기재한 서면을 제출하였다고 하더라도 이를 곧바로 공소장변경허가신청서를 제출한 것이라고 볼 수는 없다(대판 2021.1.13, 2021도13108).

📌 최신판례

1. 검사의 공소장변경허가신청에 대해 법원의 허가 여부 결정은 공판정 외에서 별도의 결정서를 작성하여 고지하거나 공판정에서 구술로 하고 공판조서에 기재할 수도 있다. 만일 공소장변경허가 여부 결정을 공판정에서 고지하였다면 그 사실은 공판조서의 필요적 기재사항이다(형사소송법 제51조 제2항 제14호)(대판 2023.6.15, 2023도3038). 24. 변호사시험
2. 공소장변경허가신청이 있음에도 공소장변경허가 여부 결정을 명시적으로 하지 않은 채 공판절차를 진행하면 현실적 심판대상이 된 공소사실이 무엇인지 불명확하여 피고인의 방어권 행사에 영향을 줄 수 있으므로 공소장변경허가 여부 결정은 위와 같은 형식으로 명시적인 결정을 하는 것이 바람직하다(대판 2023.6.15, 2023도3038).

종합문제

01 공소장변경에 대한 다음의 설명(㉠~㉣) 중 옳고 그름의 표시(○, ×)가 바르게 된 것은?(다툼이 있는 경우 판례에 의함)

21. 순경 1차

> ㉠ 공소가 제기된 살인죄의 범죄사실에 대하여는 그 증명이 없으나 폭행치사죄의 증명이 있는 경우, 살인죄의 구성요건이 반드시 폭행치사 사실을 포함한다고 할 수 없으므로, 검사의 공소장변경 없이 이를 폭행치사죄로 처단할 수는 없다.
> ㉡ 피고인의 방어권 행사에 실질적인 불이익을 초래할 염려가 없는 경우에는 법원이 공소장변경 절차 없이 일부 다른 사실을 인정하거나 적용법조를 수정하더라도 불고불리의 원칙에 위배되지 않는다.
> ㉢ 재심심판절차에서는 특별한 사정이 없는 한 검사가 재심대상 사건과 별개의 공소사실을 추가하는 내용으로 공소장을 변경하는 것은 허용되지 않는다.
> ㉣ 포괄일죄에서는 공소장변경을 통한 종전 공소사실의 철회 및 새로운 공소사실의 추가가 가능한 점에 비추어 그 공소장변경 허가 여부를 결정할 때는 변경된 공소사실이 전체적으로 포괄일죄의 범주 내에 있는지 여부를 따지기보다는 포괄일죄를 구성하는 개개 공소사실별로 종전 것과의 동일성 여부에 초점을 맞추어야 한다.

① ㉠(×), ㉡(×), ㉢(○), ㉣(×) ② ㉠(○), ㉡(○), ㉢(×), ㉣(○)
③ ㉠(○), ㉡(○), ㉢(×), ㉣(×) ④ ㉠(○), ㉡(○), ㉢(○), ㉣(×)

| 해설 | ㉠ ○ : 대판 2001.6.29, 2001도1091
㉡ ○ : 대판 1994.12.9, 94도1888
㉢ ○ : 대판 2019.6.20, 2018도20698 전원합의체
㉣ × : 공소장변경허가 여부를 결정함에 있어서는 포괄일죄를 구성하는 개개 공소사실별로 종전 것과의 동일성 여부를 따지기보다는 변경된 공소사실이 전체적으로 포괄일죄의 범주 내에 있는지 여부, 즉 단일하고 계속된 범의하에 동종의 범행을 반복하여 행하고 그 피해법익도 동일한 경우에 해당한다고 볼 수 있는지 여부에 초점을 맞추어야 한다(대판 2006.4.27, 2006도514).

02 공소장변경에 대한 설명으로 옳지 않은 것은?(다툼이 있는 경우 판례에 의함)

21. 9급 검찰 · 마약 · 교정 · 보호 · 철도경찰

① 약식명령에 대하여 피고인만 정식재판을 청구한 사건에서 법정형에 유기징역형만 있는 범죄로 공소장을 변경하는 것은 공소사실의 동일성이 인정되더라도 허용될 수 없다.
② 법원은 공소사실의 동일성이 인정되는 범위 내에서 심리의 경과 등에 비추어 피고인의 방어권 행사에 실질적인 불이익을 주는 것이 아니라면 공동정범으로 기소된 범죄사실을 방조사실로 인정할 수 있다.
③ 공소사실의 동일성이 인정되지 않는 등의 사유로 공소장변경 허가결정에 위법사유가 있는 경우에는 공소장변경허가를 한 법원 스스로 이를 취소할 수 있다.

Answer 1.④ 2.①

④ 검사의 공소장변경 신청이 공소사실의 동일성을 해하지 아니하는 한 법원은 이를 허가하여야 한다.

해설 ① 약식명령에 대하여 피고인만이 정식재판을 청구한 사건에서 피고인에 대하여 사문서위조 및 위조사문서행사의 공소사실로 공소제기하였다가 사서명위조 및 위조사서명행사의 공소사실을 예비적으로 추가하는 내용의 공소장변경을 신청한 사안에서, 비록 사서명위조죄와 위조사서명행사죄의 법정형에 유기징역형만 있다 하더라도 불이익변경금지 원칙이 적용되어 벌금형을 선고할 수 있으므로 공소장변경을 불허할 것은 아니다(대판 2013.2.28, 2011도14986).

② 대판 2004.6.24, 2002도995
③ 대판 2001.3.27, 2001도116
④ 대판 1999.4.13, 99도375

03 공소장변경에 대한 설명으로 옳은 것만을 모두 고르면?(다툼이 있는 경우 판례에 의함)

21. 7급 국가직

> ㉠ 공소장변경의 허가에 관한 결정은 판결 전의 소송절차에 관한 결정이므로 위법사유가 있는 경우 공소장변경허가를 한 법원이 스스로 이를 취소할 수는 있지만, 그 결정에 대해 독립하여 항고할 수 없고 그 결정을 함에 있어서 저지른 위법이 판결에 영향을 미친 경우에 한해 그 판결에 대해 상소를 제기할 수 있을 뿐이다.
> ㉡ 공무원이 취급하는 사건에 관하여 청탁 또는 알선을 할 의사와 능력이 없음에도 청탁 또는 알선을 한다고 기망하고 금품을 교부받아 사기죄와 변호사법 제111조 위반죄가 성립하고 두 죄가 상상적 경합관계에 있는 경우, 그중 어느 한 죄로만 공소가 제기되었음에도 법원이 공소장변경절차를 거치지 아니하고 다른 죄로 바꾸어 인정하거나 다른 죄를 추가로 인정하는 것은 불고불리 원칙에 위배된다.
> ㉢ 공소장변경절차 없이도 법원이 심리·판단할 수 있는 죄가 한 개가 아니라 여러 개인 경우, 법원으로서는 그중 어느 하나를 임의로 선택할 수 있고, 검사에게 공소사실 및 적용법조에 관한 석명을 구하여 공소장을 보완하게 한 다음 이에 따라 심리·판단하여야 하는 것은 아니다.
> ㉣ 공소사실의 예비적 기재는 공소사실의 동일성이 인정되지 않는 경우에도 허용되므로, 원래의 횡령의 공소사실과 예비적으로 추가한 사기의 공소사실 사이에 그 동일성이 있다고 보기 어렵다고 하여도 공소장을 변경할 수 있다.

① ㉠, ㉡   ② ㉠, ㉣   ③ ㉡, ㉢   ④ ㉢, ㉣

해설 ㉠ ○ : 대결 1987.3.28, 87모17
㉡ ○ : 대판 2007.5.10, 2007도2372
㉢ × : 공소장변경 절차 없이도 법원이 심리·판단할 수 있는 죄가 한 개가 아니라 여러 개인 경우에는, 법원으로서는 그 중 어느 하나를 임의로 선택할 수 있는 것이 아니라 검사에게 공소사실 및 적용법조에 관한 석명을 구하여 공소장을 보완하게 한 다음 이에 따라 심리·판단하여야 할 것이다(대판 2005.7.8, 2005도279).
㉣ × : 횡령의 공소사실과 예비적으로 추가한 사기의 공소사실 사이에 그 동일성이 있다고 보기 어렵다면 공소장을 변경할 수 없다(대판 2001.3.27, 2001도116).

Answer 3. ①

04 공소장변경에 대한 설명으로 가장 적절하지 않은 것은?(다툼이 있는 경우 판례에 의함)

① 일반적으로 범죄의 일시는 범죄사실의 기본적 요소이지 공소사실의 특정을 위한 것은 아니므로 그 일시가 다소 다르다 하여 공소장변경의 절차를 요하는 것은 아니나, 범죄의 시일이 그 간격이 길고 범죄의 인정 여부에 중대한 관계가 있는 경우에는 공소장변경절차를 밟아야 한다.

② 기소된 공소사실의 재산상 피해자와 공소장 기재의 피해자가 다른 것이 판명된 경우에는 공소사실에 있어서 동일성을 해하지 아니하고 피고인의 방어권 행사에 실질적 불이익을 주지 아니하는 한, 공소장변경절차 없이 직권으로 공소장 기재의 피해자와 다른 실제의 피해자를 적시하여 이를 유죄로 인정하여야 한다.

③ 적법하게 공판의 심리를 종결하고 판결선고기일까지 고지한 후에 이르러서 한 검사의 공소장변경에 대하여는 그것이 변론재개신청과 함께 된 것이더라도 법원이 종결한 심리를 재개하여 공소장변경을 허가할 의무는 없다.

④ 실체적 경합범으로 공소제기된 범죄사실에 대하여 법원이 그 범죄사실을 그대로 인정하면서, 다만 죄수에 관한 법률적인 평가만을 달리하여 포괄일죄로 처단하더라도, 이는 피고인의 방어권 행사에 불이익을 미치는 것이 아니므로 법원은 공소장변경 없이도 포괄일죄로 처벌할 수 있다.

| 해설 ① 일반적으로 범죄의 일시는 공소사실의 특정을 위한 것이지 범죄사실의 기본적 요소는 아니므로 그 일시가 다소 다르다 하여 공소장변경의 절차를 요하는 것은 아니나, 범죄의 시일이 그 간격이 길고 범죄의 인정 여부에 중대한 관계가 있는 경우에는 피고인의 방어에 실질적 불이익을 가져다 줄 염려가 있으므로 이러한 경우에는 공소장변경절차를 밟아야 한다(대판 2019.1.31, 2018도17656).
② 대판 2002.8.23, 2001도6876
③ 대판 2003.12.26, 2001도6484
④ 대판 1987.7.21, 87도546

05 공소장변경에 관한 설명으로 옳지 않은 것은?(다툼이 있는 경우 판례에 의함) 22. 소방간부

① 일방의 범죄가 성립되는 때에는 타방의 범죄성립은 인정할 수 없다고 볼 정도로 양자가 밀접한 관계에 있는 경우에는 양자의 기본적 사실관계는 동일하다고 봄이 상당하다.

② 포괄일죄의 경우 공소장변경 허가 여부를 결정할 때에는 포괄일죄를 구성하는 개개 공소사실 별로 종전 것과의 동일성 여부를 따지기보다는 변경된 공소사실이 전체적으로 포괄일죄의 범주 내에 있는지 여부에 초점을 맞추어야 한다.

③ 상고심에서는 공소장변경이 허용되지 않지만 상고심에서 파기환송된 항소심에서는 공소장변경이 허용된다.

④ 횡령죄와 배임죄는 다 같이 신임관계를 기본으로 하는 재산범죄로서 그에 대한 형벌도 경중의 차이가 없고 동일한 범죄사실에 대하여 단지 법률 적용만을 달리하는 경우에 해당하므로 특별한 사정이 없는 한 횡령죄로 기소된 공소사실에 대하여 공소장변경 없이도 배임죄를 적용하여 처벌할 수 있다.

⑤ 단독범으로 기소된 것을 다른 사람과 공모하여 동일한 내용의 범행을 한 것으로 인정하는 경우에는 이로 말미암아 피고인에게 예기치 않은 타격을 주어 방어권행사에 실질적 불이익을 줄 우려가 없더라도 공소장변경이 필요하다.

| 해설 ① 대판 2007.5.10, 2007도1048 ② 대판 2006.4.27, 2006도514
③ 대판 2004.7.22, 2003도8153 ④ 대판 2015.10.29, 2013도9481
⑤ 피고인의 방어권 행사에 실질적인 불이익을 초래할 염려가 없는 경우에는 공소사실과 기본적 사실이 동일한 범위 내에서 법원이 공소장변경절차를 거치지 않고 공소사실과 다르게 사실을 인정하더라도 불고불리의 원칙에 위배되지 않는다(대판 2018.7.12, 2018도5909).

06 공소장변경에 대한 설명으로 옳지 않은 것은?(다툼이 있는 경우 판례에 의함)

22. 9급 검찰·마약·교정·보호·철도경찰

① 공소사실의 동일성을 판단할 경우 순수한 사실관계의 동일성이라는 관점에서만 파악할 수 없고, 피고인의 행위와 자연적·사회적 사실관계 이외에 규범적 요소를 고려하여 기본적 사실관계가 실질적으로 동일한지에 따라 판단해야 한다.

② 甲이 한 개의 강도범행을 하는 기회에 수 명의 피해자에게 각각 폭행을 가하여 각 상해를 입힌 사실에 대하여 포괄일죄로 기소된 경우 법원은 공소장변경 없이 피해자별로 수 개의 강도상해죄의 실체적 경합범으로 처벌할 수 있다.

③ 甲이 과실로 교통사고를 발생시켰다는 각 '교통사고처리 특례법 위반죄'의 공소사실을 고의로 교통사고를 낸 뒤 보험금을 청구하여 수령하거나 미수에 그쳤다는 '사기 및 사기미수죄'로 변경하고자 하는 경우 기본적 사실관계가 동일하므로 공소장변경은 허용된다.

④ 甲이 A에게 필로폰 0.3g을 교부하였다는 '마약류관리법위반(향정)죄'의 공소사실을 필로폰을 구해주겠다고 속여 대금을 편취하였다는 '사기죄'로 변경하고자 하는 경우 기본적 사실 관계가 동일하다고 볼 수 없으므로 공소장변경은 허용되지 않는다.

| 해설 ① 대판 2017.12.5, 2013도7649
② 대판 1987.5.26, 87도527
③ 각 교통사고처리 특례법 위반죄의 행위 태양은 과실로 교통사고를 발생시켰다는 점인데 반하여, 이 사건 사기 및 사기미수죄는 고의로 교통사고를 낸 뒤 보험금을 청구하여 수령하거나 미수에 그쳤다는 것으로서 서로 행위 태양이 전혀 다르고, 피해자도 서로 다르다. 따라서 위 각 교통사고처리 특례법 위반죄와 사기 및 사기미수죄는 그 기본적 사실관계가 동일하다고 볼 수 없으므로, 위 전자에 관한 확정판결의 기판력이 후자에 미친다고 할 수 없다(대판 2010.2.25, 2009도14263). 동일성이 없어서 공소장변경을 허용할 수 없다.
④ 대판 2012.4.13, 2010도16659

07 공소장변경에 대한 설명이다. 아래 ㉠부터 ㉤까지의 설명 중 옳고 그름의 표시(○, ×)가 바르게 된 것은?(다툼이 있는 경우 판례에 의함)

> ㉠ 상해정도의 차이만 가지고는 기본적 사실의 동일성이 깨어진다고 볼 수 없으므로 공소장에 약 4개월간의 치료를 요하는 상해라고 적시된 것을 법원이 공소장변경절차 없이 약 8개월간의 치료를 요하는 것으로 인정하였다 하여도 이는 불고불리의 원칙에 반한다고 할 수 없다.
>
> ㉡ 법원이 상표법 위반의 공소사실을 부정경쟁방지 및 영업비밀보호에 관한 법률 위반으로 공소 장변경을 요구하지 않거나, 직권으로 위 부정경쟁방지 및 영업비밀보호에 관한 법률 위반죄의 성립 여부를 판단하지 않은 것은 위법하다.
>
> ㉢ 검사가 단순일죄로 기소한 후 포괄일죄인 상습범행을 추가로 기소하였으나 그 심리과정에서 전후에 기소된 범죄사실이 포괄일죄를 구성하는 것으로 밝혀진 경우, 검사는 원칙적으로 먼저 기소한 사건의 범죄사실에 추가로 기소한 범죄사실을 추가하여 전체를 상습범행으로 변경하 는 공소장변경 신청을 하고, 추가기소한 사건에 대하여는 공소취소를 하는 것이 형사소송법의 규정에 충실한 조치이다.
>
> ㉣ 검사가 구술로 공소장변경허가신청을 하면서 변경하려는 공소사실의 일부만 진술하고 나머지 는 전자적 형태의 문서로 저장한 저장매체를 제출하였다면, 공소사실의 내용을 구체적으로 진 술한 부분에 한하여 공소장변경허가신청이 된 것으로 볼 수 있다.
>
> ㉤ 실체적 경합관계에 있는 수개의 공소사실 중 어느 한 공소사실을 전부 철회하는 검사의 공소 장변경신청이 있는 경우에 이것이 그 부분의 공소를 취소하는 취지가 명백하다면, 법원은 해 당 공소장변경신청을 공소취소로 보아 공소기각결정을 하여야 한다.

① ㉠(○), ㉡(○), ㉢(○), ㉣(×), ㉤(○)

② ㉠(○), ㉡(○), ㉢(×), ㉣(×), ㉤(×)

③ ㉠(○), ㉡(×), ㉢(○), ㉣(○), ㉤(○)

④ ㉠(×), ㉡(×), ㉢(×), ㉣(○), ㉤(○)

| 해설 | ㉠ ○ : 대판 1984.10.23, 84도1803

㉡ × : 법원이 검사에게 공소장변경을 요구할 것인지의 여부는 재량이므로, 상표법 위반의 공소사실을 부정 경쟁방지 및 영업비밀보호에 관한 법률 위반으로 공소장변경을 요구하지 않거나, 직권으로 위 부정경쟁방지 및 영업비밀보호에 관한 법률 위반죄의 성립 여부를 판단하지 않은 것은 위법하지 않다(대판 2011.1.13, 2010도5994).

㉢ ○ : 검사로서는 원칙적으로 먼저 기소한 사건의 범죄사실에 추가기소의 공소장에 기재한 범죄사실을 추 가하여 전체를 상습범행으로 변경하고 그 죄명과 적용법조도 이에 맞추어 변경하는 공소장변경신청을 하고, 추가기소한 사건에 대하여는 공소취소를 하는 것이 형사소송법의 규정에 충실한 온당한 처리라고 할 것이 나, 이와 같은 처리에 의하지 않더라도 위의 추가기소에 의하여 공소장변경이 이루어진 것으로 보아 전후에 기소된 범죄사실 전부에 대하여 실체판단을 하여야 하고 추가기소에 대하여 공소기각판결을 할 필요는 없다 (대판 1999.11.26, 99도3929).

㉣ ○ : 대판 2016.12.29, 2016도11138

㉤ ○ : 대판 1992.4.24, 91도1438

08 공소장변경에 대한 설명으로 옳지 않은 것은?　　　　23. 9급 검찰 · 마약 · 교정 · 보호 · 철도경찰

① 검사가 제출한 공소장변경허가신청서 부본을 즉시 피고인에게 송달하지 않은 채 법원이 공판절차를 진행한 조치는 절차상의 법령위반에 해당하나, 그러한 경우에도 피고인의 방어권이나 변호인의 변호권 등이 본질적으로 침해되었다고 볼 정도에 이르지 않는 한 그것만으로 판결에 영향을 미친 위법이라고 할 수 없다.

② 포괄일죄인 영업범에서 공소제기된 범죄사실과 공판심리 중에 추가로 발견된 범죄사실 사이에 그 범죄사실들과 동일성이 인정되는 또 다른 범죄사실에 대한 유죄의 확정판결이 있더라도 추가로 발견된 범죄사실을 공소장변경절차에 의하여 공소사실로 추가할 수 있다.

③ 상고심에서 원심판결을 파기하고 사건을 항소심에 환송한 경우, 환송받은 항소심에서도 공소장변경이 허용된다.

④ 검사가 공소장변경을 하고자 하는 경우, 피고인이 재정하는 공판정에서는 피고인에게 이익이 되거나 피고인이 동의하면 법원은 구술에 의한 공소장변경을 허가할 수 있다.

> ▌**해설**▐ ① 대판 2009.6.11, 2009도1830
> ② 포괄일죄인 영업범에서 공소제기된 범죄사실과 공판심리 중에 추가로 발견된 범죄사실 사이에 그 범죄사실들과 동일성이 인정되는 또 다른 범죄사실에 대한 유죄의 확정판결이 있는 경우, 공소제기된 범죄사실과 판결이 확정된 범죄사실만이 포괄하여 하나의 상습범을 구성하고, 추가로 발견된 확정판결 후의 범죄사실은 그것과 경합범 관계에 있는 별개의 상습범이 되므로, 검사는 공소장변경절차에 의하여 이를 공소사실로 추가할 수는 없고 어디까지나 별개의 독립된 범죄로 공소를 제기하여야 한다(대판 2000.3.10, 99도2744).
> ③ 대판 2004.7.22, 2003도8153
> ④ 규칙 제142조 제5항

09 공소장변경에 대한 설명으로 옳지 않은 것은?　　　　23. 7급 국가직

① 검사가 제1심이나 항소심에서 상상적 경합의 관계에 있는 수죄 가운데 당초 공소를 제기하지 아니한 공소사실을 추가하는 내용의 공소장변경신청을 하는 경우, 법원은 공소사실의 동일성을 해하지 아니함이 명백하므로 그 공소장변경을 허가하여 추가된 공소사실에 대하여 심리 · 판단하여야 한다.

② 법원은 검사가 공소장변경을 신청한 경우 피고인이나 변호인의 청구가 있는 때에는 피고인으로 하여금 필요한 방어의 준비를 하게 하기 위해 필요한 기간 공판절차를 정지하여야 한다.

③ 포괄일죄의 경우 법원이 공소장변경 허가 여부를 결정할 때는 포괄일죄를 구성하는 개개 공소사실별로 종전 것과의 동일성 여부를 따지기보다는 변경된 공소사실이 전체적으로 포괄일죄의 범주 내에 있는지 여부에 초점을 맞추어야 한다.

④ 법원이 적법하게 공판의 심리를 종결하고 판결선고기일까지 고지하기에 이르렀다면, 비록 검사가 변론재개신청과 함께 공소장변경신청을 하더라도 법원이 종결한 심리를 재개하여 공소장변경을 허가할 의무는 없다.

| 해설 | ① 대판 2016.1.14, 2013도8118
② 법원은 검사가 공소장변경을 신청한 경우 피고인이나 변호인의 청구가 있는 때에는 피고인으로 하여금 필요한 방어의 준비를 하게 하기 위해 필요한 기간 공판절차를 정지할 수 있다(제298조 제4항).
③ 대판 2006.4.27, 2006도514
④ 대판 2003.12.26, 2001도6484

10 공소장변경에 대한 설명으로 옳지 않은 것은?   24. 9급 검찰·마약수사

① 법원은 공소사실의 동일성이 인정되는 범위 내에서 공소가 제기된 범죄사실보다 가벼운 범죄사실이 인정되는 경우, 피고인의 방어에 실질적인 불이익을 주는 것이 아니라면 공소장변경 없이 직권으로 가벼운 범죄사실을 인정할 수 있다.

② 장물취득죄로 기소되었으나 장물보관의 범죄사실만이 유죄로 인정되는 경우, 양자가 법적 평가에 있어서만 차이가 있을 뿐 공소사실의 동일성이 인정되는 범위 내에 있고, 이를 처벌하지 아니하는 것이 현저히 정의와 형평에 반한다면 공소사실의 변경이 없더라도 법원이 직권으로 장물보관의 범죄사실을 유죄로 인정하여야 한다.

③ 법원이 적법하게 공판의 심리를 종결한 뒤에라도 검사가 공소장변경 허가신청을 한 경우, 공소사실의 동일성이 인정되는 범위에 있다면 반드시 공판의 심리를 재개하여 공소장변경을 허가하여야 한다.

④ 검사가 항소심의 제1회 공판기일이 열리기 전에 먼저 기소된 업무상횡령 공소사실과 상상적 경합관계에 있고 공소사실의 동일성이 인정되는 업무상횡령 공소사실을 추가하는 공소장변경 허가신청서를 제출하였으나, 항소심이 공판정 외에서 공소장변경 허가신청에 대한 결정을 하지 않고 공소장변경허가 여부를 결정하는 소송절차를 진행하지도 않은 채 제1회 공판기일을 진행하여 변론을 종결하고 검사의 항소를 기각한 경우 법리오해 등의 잘못이 있다.

| 해설 | ① 대판 2004.6.24, 2002도995
② 대판 2003.5.13, 2003도1366
③ 법원이 공판의 심리를 종결하기 전에 한 공소장의 변경에 대하여는 공소사실의 동일성을 해하지 않는 한도에서 허가하여야 할 것이나, 적법하게 공판의 심리를 종결하고 판결선고 기일까지 고지한 후에 이르러서 한 검사의 공소장변경에 대하여는 그것이 변론재개신청과 함께 된 것이라 하더라도 법원이 종결한 공판의 심리를 재개하여 공소장변경을 허가할 의무는 없다(대판 2003.12.26, 2001도6484).
④ 대판 2023.6.15, 2023도3038

제3절	**공판준비절차**

THEMA 06 통상의 공판준비절차

공소장 부본송달	법원은 공소제기가 있으면 지체 없이 공소장부본을 피고인 또는 변호인에게 송달하여야 한다. 단, 제1회 공판기일 전 5일까지 송달되어야 한다(제266조). 07·11. 9급 법원직, 11. 순경 2차, 12·14. 9급 검찰·마약수사, 14. 9급 교정·보호·철도경찰, 15. 경찰간부 ▶ 공소장부본송달(제266조) 위반 ⇨ 피고인 모두진술단계(제286조)까지 이의신청 가능 07. 7급 국가직 ▶ 공소장의 송달이 부적법(교도소장이 아닌 교도관에게 송달)하다 하여도 피고인이 제1심에서 이의함이 없이 공소사실에 관하여 충분히 진술할 기회를 부여받은 이상 판결결과에는 영향이 없다(대판 1992.3.10, 91도3272).
의견서 제출	1. 피고인 또는 변호인은 공소장부본을 송달받은 날부터 7일 이내에 공소사실에 대한 인정 여부, 공판준비절차에 관한 의견 등을 기재한 의견서를 법원에 제출하여야 한다. 다만, 피고인이 진술을 거부하는 경우에는 그 취지를 기재한 의견서를 제출할 수 있다(제266조의 2 제1항). ▶ 미제출 : 제재 × 2. 법원은 제1항의 의견서가 제출된 때에는 이를 검사에게 송부하여야 한다(동조 제2항).
국선변호인 선정에 관한 고지	국선변호인의 선정이 필요한 사건의 경우에 공소제기가 있는 때에는 재판장은 변호인이 없는 피고인에게 국선변호인을 선정하게 된다는 취지 또는 선정을 청구할 수 있다는 취지를 서면으로 고지한다(규칙 제17조 제1항·제2항).
공판기일 지정· 변경· 통지	1. 공소장부본이 송달되고 국선변호인 선정절차가 완료되면 재판장은 공판기일을 정하여야 한다(제267조 제1항). ▶ 검사, 피고인이나 변호인 ⇨ 공판준비기일의 지정 또는 공판기일의 변경 신청 가능(제266조의 7 제1항, 제270조 제1항), 공판기일의 지정 신청 × 12. 9급 검찰·마약·교정·보호·철도경찰 2. 지정·변경된 공판기일은 검사, 변호인과 보조인에게 통지하여야 한다(제267조 제3항). 3. 재판장은 직권 또는 검사나 피고인·변호인의 신청에 의하여 공판기일을 변경할 수 있다(제270조 제1항). 공판기일변경신청을 기각한 명령은 송달하지 아니한다(제270조 제2항). 11. 9급 법원직 4. 재판장은 여러 공판기일을 일괄하여 지정할 경우에는 검사, 피고인 또는 변호인의 의견을 들어야 한다(규칙 제124조의 2).

01 통상의 공판준비절차에 관한 다음 설명 중 틀린 것은?

① 공소장부본은 피고인 또는 변호인에게 제1회 공판기일 5일 전까지 송달하여야 한다.

② 피고인 또는 변호인은 공소장부본을 송달받은 날부터 7일 이내에 공소사실에 대한 인정 여부, 공판준비절차에 관한 의견 등을 기재한 의견서를 법원에 제출하여야 한다.

Answer⊃ 1. ④

③ 공소장부본이 송달되고 국선변호인 선정절차가 완료되면 재판장은 공판기일을 정하여야 한다.

④ 검사, 피고인 또는 변호인의 공판기일변경신청을 기각한 명령도 송달하여야 한다.

| 해설 | ① 제266조 ② 제266조의 2 제1항 ③ 제267조 제1항
④ 송달하지 아니한다(제270조 제2항).

02 통상의 공판준비절차에 대한 내용으로 옳은 것은 몇 개인가?

> ㉠ 공소장부본이 송달되고 국선변호인 선정절차가 완료되면 법원은 공판기일을 지정하여야 한다.
> ㉡ 공소장부본의 송달, 공판기일의 지정·변경, 공무소에 대한 조회, 피고인의 이익사실 진술 등은 통상의 공판준비절차에 해당한다.
> ㉢ 제1회 공판기일 전 5일의 유예기간을 두지 않는 공소장부본의 송달이 있는 때에는 피고인의 이의신청과 관계없이 법원은 제1회 공판기일의 지정을 취소하거나 이를 변경하여야 한다.
> ㉣ 공판기일은 검사·변호인·보조인에게 통지하여야 하며, 피고인·대표자 또는 대리인은 소환하여야 한다.

① 1개　　　　　② 2개　　　　　③ 3개　　　　　④ 4개

| 해설 | ㉠ × : 재판장이 직권으로 지정한다(제267조 제1항).
㉡ × : 피고인의 이익사실 진술은 공판기일의 절차 중 모두절차에서 이루어지는 내용이다(제286조 제2항).
㉢ × : 피고인이 공소장부본의 송달에 관한 위법에 대하여 이의를 신청하지 않는다면 토지관할위반신청의 경우처럼 이의신청권이 소멸한다(대판 1992.3.10, 91도3272).
㉣ ○ : 공판기일은 검사·변호인·보조인에게 통지하여야 한다(제267조 제3항). 피고인·대표자 또는 대리인은 소환의 대상(제267조 제2항)이지 공판기일 통지의 상대방은 아니다.

03 공판기일의 지정·변경에 관한 설명으로 틀린 것은?

> ㉠ 재판장은 직권으로 공판기일을 변경할 수 있다.
> ㉡ 검사·피고인·변호인은 공판기일의 변경을 신청할 수 있다.
> ㉢ 공판기일은 직권 또는 검사, 피고인이나 변호인의 신청에 의하여 재판장이 지정한다.
> ㉣ 재판장은 여러 공판기일을 일괄하여 지정할 수 있는데, 이때 당사자의 의견청취절차를 거치지 않아도 된다.
> ㉤ 재판장이 부득이한 사정으로 매일 계속 개정하지 못하는 경우 특별한 사정이 없는 한 전회의 공판기일부터 20일 이내로 다음 공판기일을 지정하여야 한다.

① 1개　　　　　② 2개　　　　　③ 3개　　　　　④ 4개

| 해설 | ㉠㉡ ○ : 제270조 제1항
㉢ × : 공판기일지정은 재판장 직권으로 하며 검사나 피고인, 변호인 등에게는 신청권이 없다(제267조 제1항).
㉣ × : 재판장은 여러 공판기일을 일괄하여 지정할 경우에는 검사, 피고인 또는 변호인의 의견을 들어야 한다(규칙 제124조의 2).
㉤ × : 14일 내에 지정하여야 한다(제267조의 2 제4항).

| Answer | 2.① 3.③

04

THEMA 07 피고인소환

의 의	1. 소환이란 피고인에 대하여 일정한 일시에 법원 기타의 지정한 장소에 출석할 것을 명하는 법원의 강제처분을 말한다(제68조). 2. 공판기일에는 피고인, 대표자 또는 대리인을 소환하여야 한다(제267조 제2항). 3. 긴급시에는 재판장이 소환할 수 있고 수명법관으로 하여금 소환하게 할 수 있다(제80조).
절 차	1. 피고인을 소환함에는 소환장을 발부하여야 한다(제73조). 2. 제1회 공판기일의 소환장 송달은 5일 이상의 유예기간을 두어야 하나(제269조), 그 외의 소환은 늦어도 출석일시 12시간 이전에 송달하여야 한다. 다만, 피고인이 이의를 하지 아니한 때에는 그러하지 아니한다(규칙 제45조). 23. 9급 법원직 3. 피고인에 대한 제1회 공판기일 소환장은 공소장부본의 송달 전에는 이를 송달하여서는 안 된다(규칙 제123조). 4. 소환장에는 피고인의 성명·주거·죄명·출석일시·장소와 정당한 이유 없이 출석하지 아니한 때에는 도망할 염려가 있다고 인정하여 구속영장을 발부할 수 있음을 기재하고 재판장 또는 수명법관이 기명날인 또는 서명하여야 한다(제74조). 📩 소환장송달과 동일한 효력이 있는 경우 • 피고인이 기일에 출석한다는 서면을 제출하거나 출석한 피고인에 대하여 다음 기일을 정하여 출석을 명한 때(제76조 제2항) • 법원의 구내에 있는 피고인에 대하여 공판기일을 통지한 때(제268조) 07·10. 9급 법원직 • 구금된 피고인에 대하여는 교도관에게 통지하여 소환하고 피고인이 교도관으로부터 소환 통지를 받은 때(제76조 제4항·제5항) 07·08. 9급 법원직
효 과	유효한 소환을 받은 피고인은 원칙적으로 출석의무를 진다. 정당한 이유 없이 출석하지 아니한 때에는 구속영장을 발부하여 '구인'할 수 있다(제74조).

01 공판기일의 소환과 통지에 관한 설명으로 옳은 것은?

① 소환을 받은 피고인은 출석의무가 없다.

② 통지를 받은 검사·변호인은 출석의무가 있다.

③ 공판기일에는 피고인, 대표자 또는 대리인을 소환해야 한다.

④ 피고인이 소환에 불응하면 구금사유로 된다.

| 해설 | ①② 소환을 당한 자는 출석의무를 부담하나, 통지를 받은 자는 출석의무가 없다.
③ 검사·변호인은 통지의 대상이고, 피고인은 소환의 대상이다.
④ 피고인이 소환에 불응하면 구인사유로 된다.

02 피고인 소환장에 대한 다음 설명 중 가장 옳지 않은 것은? 07. 9급 법원직

① 소환장에는 피고인의 성명·주거·죄명·출석일시 및 장소와 정당한 이유 없이 출석하지 아니하는 때에는 도망할 염려가 있다고 인정하여 구속영장을 발부할 수 있음을 기재하고 재판장 또는 수명법관이 기명날인하여야 한다.

② 소환장은 송달하여야 하므로, 피고인이 기일에 출석한다는 서면을 제출하더라도 이를 소환장의 송달과 동일한 효력이 있다고 할 수 없다.

③ 구금된 피고인에 대하여는 교도관에게 통지하여 소환하고 피고인이 교도관으로부터 소환통지를 받은 때에는 소환장의 송달과 동일한 효력이 있으므로, 굳이 소환장을 발부하여 송달할 필요가 없다.

④ 법원의 구내에 있는 피고인에 대하여 공판기일을 통지한 때에는 소환장송달의 효력이 있는데, 그 통지의 권한은 법관은 물론 법원사무관에게도 인정된다.

┃해설┃ ① 제74조
② 피고인이 기일에 출석한다는 서면을 제출하거나 출석한 피고인에 대하여 차회 기일을 정하여 출석을 명한 때에는 소환장의 송달과 동일한 효력이 있다(제76조 제2항).
③ 제76조 제4항·제5항

03 피고인 소환에 대한 설명으로 잘못된 것은 몇 개인가?

> ㉠ 피고인에 대한 제1회 공판기일 소환장은 공소장부본의 송달 전에 이루어져야 한다.
> ㉡ 재소자에 대한 피고인에 대하여서도 소환장을 송달하여야 한다.
> ㉢ 피고인이 이의를 하지 아니한 때에도 제1회 공판기일의 소환장 송달은 5일 이상의 유예기간을 두어야 한다.
> ㉣ 공소장부본송달 불능보고서가 접수된 때로부터 6월이 경과하도록 소재조사 등의 조치에도 불구하고 피고인의 소재가 확인되지 아니한 때에는 그 후 피고인에 대한 송달은 공시송달방법에 의한다.
> ㉤ 피고인, 증인, 감정인, 통역·번역인, 변호인은 소환의 대상이다.

① 1개 ② 2개 ③ 3개 ④ 4개

┃해설┃ ㉠ × : 피고인에 대한 제1회 공판기일 소환장은 공소장부본의 송달 전에는 이를 송달하여서는 안된다(규칙 제123조).
㉡ × : 구금된 피고인에 대하여는 교도관에게 통지하여 소환하고 피고인이 교도관으로부터 소환통지를 받은 때 소환장 송달과 동일한 효력이 있다.
㉢ × : 제1회 공판기일의 소환장 송달은 5일 이상의 유예기간을 두어야 하나(제269조), 그 외의 소환은 늦어도 출석일시 12시간 이전에 송달하여야 한다. 다만, 피고인이 이의를 하지 아니한 때에는 그러하지 아니하다(규칙 제45조).
㉣ ○ : 소송촉진 등에 관한 특례규칙 제19조 제1항
㉤ × : 피고인(제76조), 증인(제153조), 감정인(제177조), 통역·번역인(제183조)은 소환의 대상이나, 변호인은 통지의 대상이다(제267조 제3항).

┃Answer┃ 2.② 3.④

THEMA 08 증거개시

검사가 보관하고 있는 서류 등의 열람 · 등사	열람 · 등사 · 교부의 대상	1. 피고인 또는 변호인은 검사에게 공소제기된 사건에 관한 서류 또는 물건의 목록과 공소사실의 인정 또는 양형에 영향을 미칠 수 있는 서류 등의 열람 · 등사 또는 서면의 교부를 신청할 수 있다. 09 · 10. 9급 법원직, 15. 순경 3차, 16. 경찰간부, 22. 9급 검찰 · 마약 · 교정 · 보호 · 철도경찰 ▶ 변호인이 있는 경우에는 피고인은 열람만을 신청할 수 있다(제266조의 3 제1항). 12. 순경, 12 · 15. 7급 국가직, 13. 순경 2차 · 9급 국가직 · 변호사시험, 15. 순경 3차, 16. 경찰간부 · 9급 법원직, 13 · 17. 경찰승진, 16 · 19. 순경 1차, 24. 해경간부 2. 증거개시신청은 서면으로 하나(규칙 제123조의 2), 공판준비 또는 공판기일에서는 법원의 허가를 얻어 구두로 신청할 수 있다(규칙 제123조의 5 제1항). ▶ 증거개시 신청의 시기 ⇨ 공소제기 이후에는 언제든지 가능 12. 순경 3차, 15. 7급 국가직, 17. 경찰간부 ▶ 불기소결정서 : 공개의 대상 ○(대판 2012.5.24, 2012도1284) 17. 경찰간부 ▶ 열람 · 등사의 절차 등 상세한 내용의 형성은 입법을 통하여 구체화될 수 있는 것으로서, 형사소송법은 이를 구체화하고 있다(헌재결 2010.6.24, 2009 헌마257). ▶ 증거개시의 대상 : 피고인에게 유리한 증거까지를 포함한 전면적인 증거개시를 원칙으로 한다(헌재결 2010.6.24, 2009헌마257). ▶ 수사기록에 대한 열람 · 등사신청 ⇨ 수사기록을 보관하고 있는 검사에게 직접 하여야 한다(헌재결 1997.11.27, 94헌마60). 09. 7급 국가직
	열람 · 등사권의 제한	1. 검사는 국가안보, 증인보호의 필요성, 증거인멸의 염려, 관련사건의 수사에 장애를 가져올 것으로 예상되는 구체적인 사유 등 열람 · 등사 또는 서면의 교부를 허용하지 아니할 상당한 이유가 있다고 인정하는 때에는 열람 · 등사 또는 서면의 교부를 거부하거나 그 범위를 제한할 수 있다(제266조의 3 제2항). 10. 경찰승진 · 9급 법원직, 13. 순경 2차, 16. 경찰간부 2. 검사는 열람 · 등사 또는 서면의 교부를 거부하거나 그 범위를 제한하는 때에는 지체 없이(7일 이내 ×) 그 이유를 서면(또는 구술 ×)으로 통지하여야 한다(동조 제3항). 12. 순경 3차 · 7급 국가직, 12 · 14. 순경 2차, 14. 경찰간부, 17. 경찰승진 3. 검사가 48시간 이내에 증거개시거부통지를 하지 아니한 때에는 법원에 열람 · 등사의 허용신청을 할 수 있다(동조 제4항). 4. 검사가 서류 등의 열람 · 등사 등을 거부하거나 그 범위를 제한할 수 있는 경우에도, 서류 등의 목록에 대하여는 열람 또는 등사를 거부할 수 없다(동조 제5항). 09. 7급 국가직, 13. 변호사시험, 09 · 16. 9급 법원직, 10 · 17. 경찰승진, 19. 9급 교정 · 보호 · 철도경찰, 24. 해경간부 5. 열람 · 등사를 신청할 수 있는 서류 등은 특수매체를 포함한다(동조 제6항). 13. 변호사시험, 19. 9급 교정 · 보호 · 철도경찰

	법원의 열람·등사에 관한 권한	1. 피고인 또는 변호인은 검사가 서류 등의 열람·등사·교부를 거부하거나 그 범위를 제한하는 때에는 법원에 허용해 줄 것을 신청할 수 있다(제266조의 4 제1항). 22. 9급 검찰·마약·교정·보호·철도경찰 신청은 서면으로 하여야 한다 (규칙 제123조의 4 제1항). 2. 검사에게 열람·등사·교부를 허용할 것을 명할 경우에는 검사에게 의견을 제시할 수 있는 기회를 부여하여야 한다(동조 제3항). 3. 만약 검사가 열람·등사에 관한 법원의 결정을 지체 없이 이행하지 아니한 때에는 해당 증인 및 서류 등에 대한 증거신청을 할 수 없다(동조 제5항). 24. 해경간부 4. 형사소송법 제266조의 4에 따라 법원이 검사에게 수사서류 등의 열람·등사 또는 서면의 교부를 허용할 것을 명한 결정 ▶ 항고의 방법으로 불복할 수 없다(대결 2013.1.24, 2012모1393). 14. 순경 2차, 22. 9급 검찰·마약·교정·보호·철도경찰
피고인 또는 변호인이 보관하고 있는 서류 등의 열람·등사	열람·등사·교부의 대상	검사는 피고인 또는 변호인이 공판기일 또는 공판준비절차에서 현장부재, 심신 상실 또는 심신미약 등 법률상·사실상의 주장을 한 때에는 피고인 또는 변호인에게 주장과 관련된 서류 등의 열람·등사 또는 서면의 교부를 요구할 수 있다 (제266조의 11 제1항). ▶ 공판준비 또는 공판기일에서 법원의 허가를 얻어 구두로 상대방에게 서류 등의 열람·등사를 신청할 수 있다(규칙 제123조의 5 제1항). ▶ ┌ 검사보관서류 : 원칙적으로 전면적 개시 └ 피고인보관 서류 : 일정한 사유를 전제로 한 제한적 개시 11. 순경 2차, 13. 경찰승진
	열람·등사권의 제한	1. 검사가 서류 등의 열람·등사·교부를 거부한 때에는 피고인 또는 변호인도 이를 거부할 수 있다(제266조의 11 제2항). 다만, 법원이 신청을 기각하는 결정을 한 때에는 그러하지 아니하다(동조 제2항 단서). 2. 피고인 또는 변호인이 서류 등의 열람·등사·교부를 거부한 때에는 검사는 법원에 허용할 것을 신청할 수 있다(동조 제3항). 신청은 서면으로 하여야 하며, 법원은 검사의 신청이 있는 경우 즉시 신청서본을 피고인 또는 변호인에게 송부하여야 하고 피고인 또는 변호인은 이에 대한 의견을 제시할 수 있다(규칙 제123조의 4 제4항). 피고인에게 열람·등사·교부를 허용할 것을 명할 경우에는 피고인에게 의견을 제시할 수 있는 기회를 부여하여야 한다 (제266조의 11 제4항).
	법원의 열람·등사에 관한 권한	피고인 또는 변호인이 서류 등의 열람·등사·교부를 거부한 때 검사는 법원에 허용할 것을 신청할 수 있는데, 이 경우 법원의 결정에 관한 절차는 검사의 거부로 피고인측이 그 허용을 신청한 경우에 하는 법원의 결정절차(제266조의 4 제2항 내지 제5항)를 준용한다. ▶ 피고인이나 변호인이 증거개시에 관한 법원의 결정을 지체 없이 이행하지 아니하는 때에는 해당 증인 및 서류 등에 대한 증거신청 불가 10. 경찰승진, 16. 경찰간부

04

01 형사소송법 제266조의 3에서 규정하고 있는 '공소제기 후 검사가 보관하고 있는 서류 등의 열람·등사'에 대한 설명으로 옳은 것은?

19. 9급 교정·보호·철도경찰

① 피고인에게 변호인이 있는 경우에는 피고인은 열람·등사만을 신청할 수 있다.
② 서류 등에는 컴퓨터용 디스크나 그 밖에 정보를 담기 위하여 만들어진 물건으로서 문서가 아닌 특수매체는 포함되지 않는다.
③ 검사는 열람·등사 또는 서면의 교부를 거부하거나 그 범위를 제한하는 때에는 48시간 이내에 그 이유를 서면으로 통지하여야 한다.
④ 검사는 서류 등의 목록에 대하여는 열람 또는 등사를 거부할 수 없다.

> **해설** ① 피고인에게 변호인이 있는 경우에는 피고인은 열람만을 신청할 수 있다(제266조의 3 제1항).
> ② 서류 등에는 컴퓨터용 디스크나 그 밖에 정보를 담기 위하여 만들어진 물건으로서 문서가 아닌 특수매체를 포함한다(제266조의 3 제6항).
> ③ 검사는 열람·등사 또는 서면의 교부를 거부하거나 그 범위를 제한하는 때에는 지체 없이 그 이유를 서면으로 통지하여야 한다(제266조의 3 제3항).
> 피고인 또는 변호인은 검사가 서류 등의 열람·등사 또는 서면의 교부 신청을 받은 때부터 48시간 이내에 통지를 하지 아니하는 때에는 법원에 그 서류 등의 열람·등사 또는 서면의 교부를 신청을 할 수 있다(동조 제4항).
> ④ 제266조의 3 제5항

02 공소제기 후 검사가 보관하는 서류 등의 열람·등사에 대한 설명으로 옳은 것은 모두 몇 개인가?

> ㉠ 법원의 열람·등사 허용 결정이 있음에도 검사가 열람·등사를 거부하는 경우 수사서류 각각에 대하여 헌법재판소는 검사가 열람·등사를 거부할 정당한 사유가 있는지를 심사할 필요가 있고, 그 거부행위 자체로써 청구인들의 기본권을 침해한 것이라고는 볼 수 없다.
> ㉡ 공소제기 후 검사가 보관하고 있는 서류 등에 대하여 피고인의 변호인이 서류 등의 열람·등사를 청구할 때에는 원칙적으로 서면 또는 구두로 할 수 있다.
> ㉢ 피고인 또는 변호인은 검사가 서류 등의 열람·등사 또는 서면의 교부를 거부하거나 그 범위를 제한한 때에는 법원에 그 서류 등의 열람·등사 또는 서면의 교부신청을 서면 또는 구술로 할 수 있다.
> ㉣ 법원이 검사에게 열람·등사·교부를 허용할 것을 명할 경우에는 검사에게 의견을 제시할 수 있는 기회를 부여하여야 한다.
> ㉤ 법원의 개시결정에도 불구하고 검사가 피고인에게 유리한 증거서류의 열람·등사를 거부한 것은 피고인의 신속하고 공정한 재판을 받을 권리와 변호인의 조력을 받을 권리를 침해한 것으로 헌법에 위반된다.
> ㉥ 법원의 수사서류 열람·등사 허용 결정 이후 해당 수사서류에 대한 열람은 허용하고 등사만을 거부하는 경우라면 신속·공정한 재판을 받을 권리 및 변호인의 조력을 받을 권리가 침해되었다고 볼 수는 없다.

① 1개   ② 2개   ③ 3개   ④ 4개

▌해설 ㉠ ✕ : 검사의 열람·등사 거부처분에 대한 정당성 여부가 법원에 의하여 심사된 마당에 헌법재판소가 다시 열람·등사 제한의 정당성 여부를 심사하게 된다면 이는 법원의 결정에 대한 당부의 통제가 되는 측면이 있는 점 등을 고려하여 볼 때, 수사서류에 대한 법원의 열람·등사 허용 결정이 있음에도 검사가 열람·등사를 거부하는 경우 수사서류 각각에 대하여 검사가 열람·등사를 거부할 정당한 사유가 있는지를 심사할 필요 없이 그 거부행위 자체로써 청구인들의 기본권을 침해한다(헌재결 2010.6.24, 2009헌마257).
㉡ ✕ : 사건번호, 사건명, 피고인 신청인 및 피고인과의 관계, 열람 또는 등사할 대상을 기재한 서면으로 하여야 한다(규칙 제123조의 2). 다만, 공판준비 또는 공판기일에서 법원의 허가를 얻어 구두로 상대방에게 법 제266조의 3에 따른 서류 등의 열람 또는 등사를 신청할 수 있다(규칙 제123조의 5 제1항).
㉢ ✕ : 신청은 서면으로 하여야 한다(규칙 제123조의 4 제1항).
㉣ ○ : 제266조의 4 제3항
㉤ ○ : 헌재결 2010.6.24, 2009헌마257
㉥ ✕ : 법원의 수사서류 열람·등사 허용 결정 이후 해당 수사서류에 대한 열람은 허용하고 등사만을 거부하였다 하더라도 신속·공정한 재판을 받을 권리 및 변호인의 조력을 받을 권리가 침해되었다고 보아야 한다(헌재결 2017.12.28, 2015헌마632).

03 증거개시에 대한 설명으로 가장 적절하지 않은 것은?(다툼이 있는 경우 판례에 의함)

19. 순경 1차

① 피고인은 검사에게 공소제기된 사건에 관한 서류 등의 목록과 공소사실의 인정 또는 양형에 영향을 미칠 수 있는 서류 등의 열람·등사 또는 서면의 교부를 신청할 수 있고, 피고인에게 변호인이 있는 경우에도 동일하다.

② 검사는 국가안보, 증인보호의 필요성, 증거인멸의 염려, 관련 사건의 수사에 장애를 가져올 것으로 예상되는 구체적인 사유 등 열람·등사 또는 서면의 교부를 허용하지 아니할 상당한 이유가 있다고 인정하는 때에는 열람·등사 또는 서면의 교부를 거부하거나 그 범위를 제한할 수 있다.

③ 피고인 또는 변호인은 검사가 서류 등의 열람·등사 또는 서면의 교부를 거부하거나 그 범위를 제한한 때에는 법원에 그 서류 등의 열람·등사 또는 서면의 교부를 허용하도록 할 것을 신청할 수 있다.

④ 법원은 열람·등사 또는 서면의 교부를 허용하는 경우에 생길 폐해의 유형·정도, 피고인의 방어 또는 재판의 신속한 진행을 위한 필요성 및 해당 서류 등의 중요성 등을 고려하여 검사에게 열람·등사 또는 서면의 교부를 허용할 것을 명할 수 있다.

▌해설 ① 피고인에게 변호인이 있는 경우에는 피고인은 열람만을 신청할 수 있다(제266조의 3 제1항).
② 제266조의 3 제2항
③ 제266조의 4 제1항
④ 제266조의 4 제2항

04 증거개시에 관한 설명 중 가장 옳지 않은 것은?(다툼이 있는 경우 판례에 의함) 20. 9급 법원직

① 피고인 또는 변호인은 검사에게 공소제기된 사건에 관한 서류 또는 물건의 목록과 공소사실의 인정 또는 양형에 영향을 미칠 수 있는 서류 등의 열람·등사 또는 서면의 교부를 신청할 수 있는데, 피고인에게 변호인이 있는 경우에는 피고인의 열람만을 신청할 수 있다.

② 검사는 국가안보, 증인보호의 필요성 등 열람·등사 또는 서면의 교부를 허용하지 아니할 상당한 이유가 있다고 인정하는 때에는 열람·등사 또는 서면의 교부를 거부하거나 그 범위를 제한할 수 있는데, 이 경우 서류 등의 목록에 대하여는 열람 또는 등사를 거부할 수 없다.

③ 피고인 또는 변호인은 검사가 서류 등의 열람·등사 또는 서면의 교부를 거부하거나 그 범위를 제한한 때에는 법원에 그 서류 등의 열람·등사 또는 서면의 교부를 허용하도록 할 것을 신청할 수 있고, 검사는 열람·등사 또는 서면의 교부에 관한 법원의 결정을 지체 없이 이행하지 아니한 때에는 해당 증인 및 서류 등에 대한 증거신청을 할 수 없다.

④ 피고인 또는 변호인은 검사가 "공소제기 후 검사가 보관하고 있는 서류 등의 열람·등사"를 거부한 때에는 검사의 "피고인 또는 변호인이 보관하고 있는 서류 등의 열람·등사"를 거부할 수 있고, 이는 위 피고인 또는 변호인의 "공소제기 후 검사가 보관하고 있는 서류 등의 열람·등사" 신청을 기각하는 결정을 법원이 한 때에도 그러하다.

▌해설▐ ① 제266조의 3 제1항 ② 제266조의 3 제2항·제5항 ③ 제266조의 4 제1항·제5항
④ 피고인 또는 변호인은 검사가 "공소제기 후 검사가 보관하고 있는 서류 등의 열람·등사"를 거부한 때에는 검사의 "피고인 또는 변호인이 보관하고 있는 서류 등의 열람·등사"를 거부할 수 있다. 다만, 법원이 피고인 또는 변호인의 "공소제기 후 검사가 보관하고 있는 서류 등의 열람·등사" 신청을 기각하는 결정을 한 때에는 그러하지 아니하다(제266조의 11 제2항).

05 피고인(변호인)의 열람·등사신청을 검사가 거부한 경우 피고인(변호인)은 법원에 열람·등사를 허용하도록 할 것을 신청할 수 있다. 이와 관련하여 옳지 못한 것을 모두 고르면?

> ㉠ 법원에 대한 신청은 열람 또는 등사를 구하는 서류 등의 표목과 열람 또는 등사를 필요로 하는 사유를 기재한 서면으로 하며, 검사에게 신청한 신청서 사본 등을 첨부하여야 한다.
> ㉡ 법원은 신청이 있는 경우 48시간 이내에 신청서부본을 검사에게 송부하여야 하고, 검사는 이에 대한 의견을 제시할 수 있다.
> ㉢ 법원은 결정을 하기 전에 검사에게 해당서류 등의 제시를 요구할 수 있고, 피고인이나 그 밖의 이해관계인을 심문하여야 한다.
> ㉣ 법원의 열람·등사 또는 서면의 교부에 관한 결정에 대해 검사는 국가안보, 증인보호의 필요성, 증거인멸의 염려, 관련 사건의 수사에 장애를 가져올 것으로 예상되는 구체적인 사유 등 열람·등사 또는 서면의 교부를 허용하지 아니할 상당한 이유가 있다고 인정하는 때에는 열람·등사 또는 서면의 교부를 거부하거나 그 범위를 제한할 수 있고, 해당 증인 및 서류 등에 대한 증거신청을 할 수 있다.

① ㉠, ㉡, ㉢　　　　　　　　　② ㉠, ㉡, ㉣
③ ㉠, ㉢, ㉣　　　　　　　　　④ ㉡, ㉢, ㉣

┃ 해설 ㉡㉢㉣이 옳지 않은 내용이다.
㉠ 규칙 제123조의 4 제1항·제2항의 내용으로 타당한 지문이다.
㉡ '즉시' 검사에게 송부하여야 한다(제266조의 4 제3항, 규칙 제123조의 4 제3항).
㉢ 법원은 필요하다고 인정하는 때에는 검사에게 해당서류 등의 제시를 요구할 수 있고, 피고인이나 그 밖의 이해관계인을 심문할 수 있다(제266조의 4 제4항).
㉣ 검사는 열람·등사 또는 서면의 교부에 관한 법원의 결정을 지체 없이 이행하지 아니하는 때에는 해당 증인 및 서류 등에 대한 증거신청을 할 수 없다(제266조의 4 제5항).

06 증거개시제도에 대한 설명 중 옳은 것만을 모두 고르면?(다툼이 있는 경우 판례에 의함)

20. 7급 국가직

> ㉠ 검사는 공소사실의 인정 또는 양형에 영향을 미칠 수 있는 서류 등의 열람·등사 또는 서면의 교부를 거부하는 때에도 공소제기된 사건에 관한 서류 등의 목록에 대하여는 열람 또는 등사를 거부할 수 없다.
> ㉡ 검사는 공소사실의 인정 또는 양형에 영향을 미칠 수 있는 서류 등의 열람·등사 또는 서면의 교부를 거부하거나 그 범위를 제한하는 때에는 지체 없이 피고인 또는 변호인에게 그 이유를 서면 또는 구두의 방법으로 통지하여야 한다.
> ㉢ 검사는 피고인 또는 변호인이 공판기일 또는 공판준비 절차에서 현장부재·심신상실 또는 심신미약 등 법률상·사실상의 주장을 한 때에는 피고인 또는 변호인에게 피고인 또는 변호인이 증거로 신청할 서류 등의 열람·등사 또는 서면의 교부를 요구할 수 있다.
> ㉣ 법원이 서류 등의 열람·등사 또는 서면의 교부를 허용할 것을 명한 결정에 대하여는 검사, 피고인 또는 변호인이 즉시 항고를 할 수 있다.

① ㉠, ㉡　　　　　　　　　　② ㉠, ㉢
③ ㉡, ㉣　　　　　　　　　　④ ㉢, ㉣

┃ 해설 ㉠ ○ : 제266조의 3 제5항
㉡ × : 지체 없이 그 이유를 서면으로 통지하여야 한다(제266조의 3 제3항).
㉢ ○ : 제266조의 11 제1항
㉣ × : 법원이 서류 등의 열람·등사 또는 서면의 교부를 허용할 것을 명한 결정은 판결 전의 소송절차에 관한 결정에 해당하므로, 이 결정에 대하여는 즉시항고에 관한 규정을 두고 있지 않으므로 제402조에 의한 항고의 방법으로 불복할 수 없다(대결 2013.1.24, 2012모1393).

07 증거개시에 관한 설명 중 옳지 않은 것은 모두 몇 개인가?(다툼이 있는 경우 판례에 의함)

㉠ 변호인이 없는 피고인은 공소제기 후 검사가 보관하고 있는 서류 등의 열람·등사를 신청할 수 있으며, 증거보전처분에 관한 서류 등의 열람·등사는 기소 전의 피의자도 신청할 수 있다.

㉡ 형사소송법은 검사가 수사서류의 열람·등사에 관한 법원의 허용 결정을 지체 없이 이행하지 아니하는 때에는 해당 증인 및 서류 등에 대한 증거신청을 할 수 없도록 규정하고 있으며, 이는 검사가 그와 같은 불이익을 감수하고 법원의 열람·등사 결정을 따르지 않을 수도 있다는 것을 의미한다.

㉢ 변호인이 검사가 공소제기 후 아직 법원에 증거로 제출되지 않은 서류 등도 열람·등사할 수 있는지, 그 범위는 어디까지인지 등에 대하여는 형사소송법에서 정하고 있지 않아 아직도 해석상의 다툼이 있다.

㉣ 검사의 증거개시는 검사가 신청할 예정인 증거 이외에 피고인에게 유리한 증거를 포함한 전면적 개시를 원칙으로 하며, 이는 공소제기 전후 언제든지 가능하다.

㉤ 증거개시는 공판기일의 집중심리를 가능하게 하는 장치로서 공판준비절차의 일환으로 인정되므로, 증거개시의 신청은 공판준비절차에서만 허용된다.

㉥ 수사기관 내부의 의사결정과정 또는 검토과정에 있는 사항에 관한 문서 기타 그 공개로서 수사에 관한 직무의 수행을 현저하게 곤란하게 하는 것은 증거개시의 대상에서 제외될 수 있으나, 검찰청이 보관하고 있는 불기소처분 기록에 포함된 불기소결정서는 특별한 사정이 없는 한 변호인의 열람·지정에 의한 공개의 대상이 된다.

㉦ 사법경찰관이 피고인 아닌 자의 진술을 기재한 조서를 검사가 증거로 신청하고자 할 때 그 증명력에 관한 서류는 열람·등사 신청의 대상이 된다.

① 1개   ② 2개   ③ 3개   ④ 4개

| 해설 | ㉠ ○ : 제266조의 3 제1항, 제185조

㉡ × : 형사소송법 제266조의 4 제5항은 검사가 수사서류의 열람·등사에 관한 법원의 허용 결정을 지체 없이 이행하지 아니하는 때에는 해당 증인 및 서류 등에 대한 증거신청을 할 수 없도록 규정하고 있다. 그런데 이는 검사가 그와 같은 불이익을 감수하기만 하면 법원의 열람·등사 결정을 따르지 않을 수도 있다는 의미가 아니라, 피고인의 열람·등사권을 보장하기 위하여 검사로 하여금 법원의 열람·등사에 관한 결정을 신속히 이행하도록 강제하는 한편, 이를 이행하지 아니하는 경우에는 증거신청상의 불이익도 감수하여야 한다는 의미로 해석하여야 할 것이므로, 검사로서는 당연히 법원의 그러한 결정에 지체 없이 따라야 할 것이다. 그러므로 법원의 열람·등사 허용 결정에도 불구하고 검사가 이를 신속하게 이행하지 아니하는 경우에는 해당 증인 및 서류 등을 증거로 신청할 수 없는 불이익을 받는 것에 그치는 것이 아니라, 그러한 검사의 거부행위는 피고인의 열람·등사권을 침해하고, 나아가 피고인의 신속·공정한 재판을 받을 권리 및 변호인의 조력을 받을 권리까지 침해하게 되는 것이다(헌재결 2010.6.24, 2009헌마257).

㉢ × : 변호인이 검사가 공소제기 후 아직 법원에 증거로 제출되지 않은 서류 등도 열람·등사할 수 있는지, 그 범위는 어디까지인지 등에 대하여 형사소송법상 명문의 규정이 있다(제266조의 3).

㉣ × : 검찰측 증거개시의 대상은 검사가 신청할 예정인 증거에 한정하지 않고 피고인에게 유리한 증거까지를 포함한 전면적 증거개시를 원칙으로 하며(헌재결 2010.6.24, 2009헌마257), 증거개시는 공소제기 이후에 인정되는 제도이다(제266조의3 제1항).

ⓤ ✕ : 증거개시 신청의 시기제한을 두고 있지 않다(제266조의 3 제1항, 제266조의 11 제1항). 따라서 공판준비절차는 물론 공판기일에서도 가능하다.
ⓗ ○ : 대판 2012.5.24, 2012도1284
ⓢ ○ : 제266조의 3 제1항 제3호

08 증거개시제도에 대한 설명으로 옳지 않은 것은?(다툼이 있는 경우 판례에 의함)

22. 9급 검찰·마약·교정·보호·철도경찰

① 증거개시제도는 실질적인 당사자 대등을 확보하고 피고인의 신속·공정한 재판을 받을 권리를 실현하기 위한 제도로서, 형사소송법은 검사가 보유하고 있는 증거뿐만 아니라 피고인이 보유하고 있는 증거의 개시도 인정하고 있다.
② 검사의 증거개시 대상이 되는 것은 공소제기된 사건에 관한 서류 또는 물건의 목록과 공소사실의 인정 또는 양형에 영향을 미칠 수 있는 서류 또는 물건이다.
③ 피고인 또는 변호인은 검사가 서류 또는 물건의 열람·등사 또는 서면의 교부를 거부하거나 그 범위를 제한한 때에는 법원에 그 서류 또는 물건의 열람·등사 또는 서면의 교부를 허용하도록 할 것을 신청할 수 있다.
④ 법원의 증거개시에 관한 결정에 대하여는 집행정지의 효력이 있는 즉시항고의 방법으로 불복할 수 있다.

| 해설 | ①② 제266조의 3 제1항, 제266조의 11 제1항
③ 제266조의 4 제1항
④ 형사소송법 제402조는 "법원의 결정에 대하여 불복이 있으면 항고를 할 수 있다. 단, 이 법률에 특별한 규정이 있는 경우에는 예외로 한다."고 규정하고, 제403조 제1항은 "법원의 관할 또는 판결 전의 소송절차에 관한 결정에 대하여는 특히 즉시항고를 할 수 있는 경우 외에는 항고하지 못한다."고 규정하고 있다. 그런데 형사소송법 제266조의 4에 따라 법원이 검사에게 수사서류 등의 열람·등사 또는 서면의 교부를 허용할 것을 명한 결정은 피고사건 소송절차에서의 증거개시와 관련된 것으로서 제403조에서 말하는 '판결 전의 소송절차에 관한 결정'에 해당한다 할 것인데, 위 결정에 대하여는 형사소송법에서 별도로 즉시항고에 관한 규정을 두고 있지 않으므로 제402조에 의한 항고의 방법으로 불복할 수 없다고 보아야 한다(대결 2013.1.24, 2012모1393). 따라서 법원의 증거개시에 관한 결정에 대하여는 그 결정이 고지되는 즉시 집행력이 발생한다.

09 증거개시에 대한 설명 중 가장 옳지 않은 것은?(다툼이 있는 경우 판례에 의함) 24. 해경간부

① 피고인 또는 변호인은 검사에게 공소제기된 사건에 관한 서류 또는 물건(이하 "서류 등"
  이라 한다)의 목록과 공소사실의 인정 또는 양형에 영향을 미칠 수 있는 서류 등의 열
  람·등사 또는 서면의 교부를 신청할 수 있는데, 피고인에게 변호인이 있는 경우에는 피
  고인은 열람만을 신청할 수 있다.

② 검사는 국가안보, 증인보호의 필요성 등 열람·등사 또는 서면의 교부를 허용하지 아니
  할 상당한 이유가 있다고 인정하는 때에는 열람·등사 또는 서면의 교부를 거부하거나
  그 범위를 제한할 수 있는데, 이 경우 서류 등의 목록에 대하여는 열람 또는 등사를 거부
  할 수 없다.

③ 피고인 또는 변호인은 검사가 서류 등의 열람·등사 또는 서면의 교부를 거부하거나 그
  범위를 제한한 때에는 법원에 그 서류 등의 열람·등사 또는 서면의 교부를 허용하도록
  할 것을 신청할 수 있고, 검사는 열람·등사 또는 서면의 교부에 관한 법원의 결정을 지
  체 없이 이행하지 아니한 때에는 해당 증인 및 서류 등에 대한 증거신청을 할 수 없다.

④ 피고인 또는 변호인은 검사가 "공소제기 후 검사가 보관하고 있는 서류 등의 열람·등
  사"를 거부한 때에는 검사의 "피고인 또는 변호인이 보관하고 있는 서류 등의 열람·등
  사"를 거부할 수 있고, 이는 위 피고인 또는 변호인의 "공소제기 후 검사가 보관하고 있
  는 서류 등의 열람·등사" 신청을 기각하는 결정을 법원이 한 때에도 그러하다.

┃ 해설 ┃ ① 제266조의 3 제1항
② 제266조의 3 제5항
③ 제266조의 4 제5항
④ 피고인 또는 변호인은 검사가 "공소제기 후 검사가 보관하고 있는 서류 등의 열람·등사"를 거부한 때에
는 검사의 "피고인 또는 변호인이 보관하고 있는 서류 등의 열람·등사"를 거부할 수 있다. 다만, 피고인
또는 변호인의 "공소제기 후 검사가 보관하고 있는 서류 등의 열람·등사" 신청을 기각하는 결정을 법원이
한 때에는 그러하지 아니하다(제266조의 11 제2항).

THEMA 09	공판전 준비절차	

의의	1. 사건의 심리방향을 설정하기 위하여 쟁점을 정리하고 주장 및 입증계획 등을 준비하게 하여 효율적이고 집중적인 심리를 도모하기 위하여 인정 ▶ ┌ 통상사건의 경우 : 임의적 절차 09. 9급 국가직, 10. 7급 국가직, 11. 경찰승진, 12. 순경 3차, 15. 순경 1차·9급 법원직 └ 국민참여재판의 경우 : 필수적 절차 09. 9급 국가직, 10. 7급 국가직, 11·13. 경찰승진, 12. 경찰간부 2. 공판준비절차는 서면으로 준비하도록 하는 방법과 공판준비기일을 여는 방법 중에서 선택할 수 있도록 하였다(제266조의 6, 제266조의 7). 10. 9급 법원직, 15. 순경 1차	
공판 준비 내용	공판준비절차에서 법원은 다음과 같은 행위를 할 수 있다(제266조의 9 제1항).	
	공소장의 보완·변경	1. 공소사실 또는 적용법조를 명확하게 하는 행위 2. 공소사실 또는 적용법조의 추가·철회 또는 변경을 허가하는 행위 10. 7급 국가직, 11. 경찰승진, 12. 9급 검찰·마약수사·9급 법원직
	쟁점 정리	3. 공소사실과 관련하여 주장할 내용을 명확히 하여 사건의 쟁점을 정리하는 행위 4. 계산이 어렵거나 그 밖에 복잡한 내용에 관하여 설명하도록 하는 행위
	증거신청 및 채부	5. 증거신청을 하도록 하는 행위 6. 신청된 증거와 관련하여 입증취지 및 내용 등을 명확하게 하는 행위 7. 증거신청에 관한 의견을 확인하는 행위 8. 증거 채부(採否)의 결정을 하는 행위 9. 증거조사의 순서 및 방법을 정하는 행위 09. 순경
	증거개시에 관한 결정	10. 서류 등의 열람 또는 등사와 관련된 신청의 당부를 결정하는 행위
	기타 준비행위	11. 공판기일을 지정 또는 변경하는 행위 12. 그 밖에 공판절차의 진행에 필요한 사항을 정하는 행위
준비 절차 진행	서면제출에 의한 공판준비	검사, 피고인 또는 변호인은 법률상·사실상 주장의 요지 및 입증취지 등이 기재된 서면을 법원에 제출할 수 있다(제266조의 6 제1항).
	공판준비 기일에 의한 공판준비	지정 및 신청	1. 법원은 검사, 피고인 또는 변호인의 의견을 들어 공판준비기일을 지정할 수 있다(제266조의 7 제1항). 2. 검사, 피고인 또는 변호인은 법원에 대하여 공판준비기일의 지정을 신청할 수 있다. 14. 순경 2차·7급 국가직 이 경우 당해 신청에 관한 법원의 결정에 대하여는 불복할 수 없다(동조 제2항). 11. 순경, 12. 9급 법원직·순경 3차, 14. 순경 2차, 17. 경찰승진, 19. 9급 교정·보호·철도경찰, 14·23. 7급 국가직 3. 검사·피고인 또는 변호인은 부득이한 사유가 있는 경우 공판준비기일의 변경을 신청할 수 있다(규칙 제123조의 10).

04

	검사 및 변호인 출석	1. 법원은 검사, 피고인 및 변호인에게 공판준비기일을 통지하여야 한다(제266조의 8 제3항). 08. 9급 법원직, 11. 순경 2. 법원은 공판준비기일이 지정된 사건에 관하여 변호인이 없는 때에는 직권으로 변호인을 선정하여야 하고(동조 제4항), 09. 9급 국가직, 10. 7급 국가직, 11. 경찰승진, 12. 순경 3차, 14. 9급 교정·보호·철도경찰, 10·15. 9급 법원직, 15. 경찰간부 피고인 및 변호인에게 그 뜻을 고지하여야 한다(규칙 제123조의 11 제1항). ▶ 공판준비기일 ➡ 필요적 국선(서면으로 진행되는 공판준비절차는 필요적 국선 ×) 24. 9급 교정·보호·철도경찰 3. 법원은 필요하다고 인정하는 때에는 피고인을 소환할 수 있으며, 피고인은 법원의 소환이 없는 때에도 공판준비기일에 출석할 수 있다(제266조의 8 제5항). 11. 경찰승진, 12. 9급 법원직, 14. 순경 2차, 16. 순경 1차, 14·21·23. 7급 국가직 4. 재판장은 출석한 피고인에게 진술을 거부할 수 있음을 알려주어야 한다(동조 제6항). 08. 9급 법원직, 14. 순경 2차, 19. 9급 교정·보호·철도경찰 5. 공판준비기일에는 검사 및 변호인이 출석하여야 한다(동조 제1항). 12. 순경 3차, 08·23. 9급 법원직·7급 국가직 ▶ 피고인의 출석은 의무사항 × 6. 법원은 피고인이 출석하지 아니하는 경우 상당하다고 인정하는 때에는 검사와 변호인의 의견을 들어 비디오 등 중계장치에 의한 중계시설을 통하거나 인터넷 화상장치를 이용하여 공판준비기일을 열 수 있으며, 기일은 검사와 변호인이 법정에 출석하여 이루어진 공판준비기일로 본다(제266조의 17 제1항·제2항).
	준비기일 진행	1. 법원은 합의부원으로 하여금 공판준비기일을 진행하게 할 수 있다. 09. 9급 국가직 이 경우 수명법관(수탁판사 ×)은 공판준비기일에 관하여 법원 또는 재판장과 동일한 권한이 있다(제266조의 7 제3항). 09. 9급 법원직, 11. 순경, 21. 7급 국가직 2. 공판준비기일은 공개한다. 다만, 공개하면 절차의 진행이 방해될 우려가 있는 때에는 공개하지 아니할 수 있다(동조 제4항). 09. 7급 국가직, 08·12. 9급 법원직, 12. 순경 3차, 11·16. 순경 1차 3. 검사·피고인 또는 변호인은 특별한 사정이 없는 한 필요한 증거를 공판준비절차에서 일괄하여 신청하여야 한다(규칙 제123조의 8 제2항). 10. 순경 2차
	결과확인	1. 법원은 공판준비기일을 종료하는 때에는 검사, 피고인 또는 변호인에게 쟁점 및 증거에 관한 정리결과를 고지하고, 이에 대한 이의의 유무를 확인하여야 한다(제266조의 10 제1항). 2. 법원은 쟁점 및 증거에 관한 정리결과를 공판준비기일조서에 기재하여야 한다(동조 제2항). 23. 7급 국가직

종결	**종결사유**	1. 법원은 다음의 어느 하나에 해당하는 사유가 있는 때에는 공판준비절차를 종결하여야 한다(제266조의 12). ① 쟁점 및 증거의 정리가 완료된 때 ② 사건을 공판준비절차에 부친 뒤 3개월이 지난 때 ③ 검사·변호인 또는 소환받은 피고인이 출석하지 아니한 때 12. 경찰간부, 13. 경찰승진 2. 다만, 사건을 공판준비절차에 부친 뒤 3개월이 지나거나, 검사·변호인 또는 소환받은 피고인이 출석하지 아니한 경우로서 공판의 준비를 계속하여야 할 상당한 이유가 있는 때에는 그러하지 아니하다(동조 단서).
	종결효과	공판준비기일에서 신청하지 못한 증거 ⇨ 공판기일에 증거신청 ×〔다만, 소송을 현저히 지연시키지 아니하거나 또는 중대한 과실 없이 공판준비기일에 제출하지 못하는 등 부득이한 사유를 소명한 때에는 예외적 신청 가능(제266조의 13 제1항)〕08. 9급 법원직, 12. 경찰간부, 13. 경찰승진, 14·23. 7급 국가직 ▶ 이와 무관하게 법원은 직권으로 공판기일에 증거조사를 할 수 있다(동조 제2항). 09. 7급 국가직, 19. 9급 검찰·마약수사
준용규정	**공판준비 기일재개**	법원은 필요하다고 인정할 때에는 직권 또는 검사, 피고인이나 변호인의 신청에 의하여 결정으로 종결한 공판준비기일의 재개할 수 있다(제266조의 14, 제305조). 12. 경찰간부, 13. 경찰승진, 23. 9급 법원직
	기일간 공판준비절차	법원은 쟁점 및 증거의 정리를 위하여 필요한 경우에는 제1회 공판기일 후에도 사건을 공판준비절차에 부칠 수 있다. 09. 9급 국가직, 12. 경찰간부, 13. 경찰승진, 15. 9급 법원직·순경 1차, 19. 9급 검찰·마약수사 이 경우 기일 전 공판준비절차에 관한 규정을 준용한다(제266조의 15).
공판기일 전 증거조사		1. 법원은 검사, 피고인 또는 변호인의 신청에 의하여 공판준비에 필요하다고 인정되는 경우에는 공판기일 전에 피고인 또는 증인을 신문할 수 있고, 검증·감정·번역을 명할 수 있다(제273조). 2. 검사·피고인 또는 변호인은 공판기일 전에 서류나 물건을 증거로 법원에 제출할 수 있다(제274조). ▶ 공소장 일본주의 원칙상 제1회 공판기일 이후 공판기일 전의 준비절차에서 제273조 및 제274조가 적용될 수 있다고 보아야 한다.

04

01 다음 중 공판준비절차에서 행할 행위에 해당하지 않는 항목의 개수는?

12. 9급 검찰·마약·교정·보호·철도경찰

> ㉠ 서류 등의 열람·등사에 관한 신청의 당부 결정
> ㉡ 증인보전청구의 인용 여부 결정
> ㉢ 증거신청, 입증취지와 내용을 명확하게 하는 것
> ㉣ 압수·수색 영장의 발부에 관한 결정
> ㉤ 증거의 채부 결정
> ㉥ 공판기일 지정 또는 변경
> ㉦ 사건의 쟁점정리
> ㉧ 공소사실의 추가·철회 또는 변경 허가
> ㉨ 검사의 증인신문 청구에 관한 인용 여부 결정

① 2개   ② 3개   ③ 4개   ④ 5개

해설 ㉡㉣㉨ 공판준비절차에서 행할 수 있는 행위가 아니다(제266조의 9 제1항 참고).
▶ ㉡ '증인보전청구'는 '증거보전청구'를 의미하는 것으로 보임.

02 공판준비절차에 관한 설명 중 가장 적절하지 않은 것은?

17. 경찰승진

① 검사, 피고인 또는 변호인은 법원에 대하여 공판준비기일의 지정을 신청할 수 있다. 이 경우 당해 신청에 관한 법원의 결정에 항고할 수 있다.
② 공판준비기일에 신청하지 못한 증거라도 공판기일에 법원은 직권으로 증거조사를 할 수 있다.
③ 법원은 공판준비절차에서 공소사실 또는 적용법조의 추가·철회 또는 변경을 허가하는 행위를 할 수 있다.
④ 법원은 공판준비기일이 지정된 사건에 관하여 변호인이 없는 때에는 직권으로 변호인을 선정하여야 한다.

해설 ① 검사, 피고인 또는 변호인은 법원에 대하여 공판준비기일의 지정을 신청할 수 있다. 이 경우 당해 신청에 관한 법원의 결정에 대해서는 불복할 수 없다(제266조의 7 제2항).
② 제266조의 13 ③ 제266조의 9 제1항 제1호 ④ 제266조의 8 제4항

03 다음 중 공판준비절차의 종결사유가 아닌 것은?

① 쟁점 및 증거의 정리가 완료된 때
② 사건을 공판준비절차에 부친 뒤 3개월이 지난 때
③ 검사, 변호인 또는 소환받은 피고인이 출석하지 아니한 때
④ 사건을 공판준비절차에 부친 뒤 3개월이 지났으나 공판의 준비를 계속하여야 할 상당한 이유가 있는 때

Answer 1.② 2.① 3.④

| 해설 | ①②③은 모두 공판준비절차의 종결사유이다(제266조의 12 각 호). 단, 제2호·제3호에 해당하는 경우로서 공판의 준비를 계속하여야 할 상당한 이유가 있는 때에는 그러하지 아니하다. 따라서 3개월이 경과하였어도 상당한 이유가 있으면 공판준비절차를 종결하지 않아도 되는 것이다.

04 공판준비절차에 관한 설명으로 옳은 것은 몇 개인가?

> ㉠ 법원은 검사, 피고인 및 변호인에게 공판준비기일을 통지하여야 한다. 공판준비기일에는 법원 사무관 등이 참여한다. 공판준비기일은 공개한다. 다만, 검사와 피고인 및 변호인이 공개를 원하지 않거나 공개하면 증거가 인멸되거나 절차진행에 방해될 우려가 있는 때에는 공개하지 아니할 수 있다.
>
> ㉡ 검사, 피고인 또는 변호인은 특별한 사정이 없는 한 필요한 증거를 공판준비절차에서 일괄하여 신청하여야 한다.
>
> ㉢ 법원은 검사, 피고인 또는 변호인에 대하여 법률상·사실상 주장의 요지 및 입증취지 등이 기재된 서면의 제출을 명할 수 있다.
>
> ㉣ 법원은 필요하다고 인정하는 때에는 피고인을 소환할 수 있으며, 피고인은 법원의 소환이 없는 때에도 공판준비기일에 출석할 수 있다. 재판장은 출석한 피고인에게 진술거부권을 고지하여야 한다.
>
> ㉤ 공판준비기일에서 신청하지 못한 증거는 중대한 과실 없이 공판준비기일에 제출하지 못하는 등 부득이한 사유를 소명한 때에는 공판기일에 신청할 수 있다.
>
> ㉥ 법원은 필요하다고 인정하는 경우 직권으로 변론을 재개할 수 있으나 공판준비기일은 재개하지 못한다.

① 1개   ② 2개   ③ 3개   ④ 4개

| 해설 | ㉠ × : 공개하면 절차의 진행이 방해될 우려가 있는 때에 공개하지 아니할 수 있는 것이지, '검사와 피고인이 공개를 원하지 않거나, 공개하면 증거인멸의 우려가 있는 경우'는 비공개사유가 되지 아니한다(제266조의 7 제4항).

㉡ ○ : 집중증거조사를 위해서는 공판준비절차에서 쌍방의 증거가 모두 일괄적으로 신청되어야 하고, 이에 터잡아 향후의 심리계획을 수립할 수 있게 된다(규칙 제123조의 8 제2항).

㉢ × : 서면의 제출을 명할 수 있는 주체는 '재판장'이다. 재판장은 기한을 정하여 서면의 제출을 명할 수 있다(제266조의 6 제1항, 규칙 제123조의 9 제2항). 법원은 서면이 제출된 때에는 그 부본을 상대방에게 송달하여야 한다.

㉣ ○ : 제266조의 8 제5항·제6항

㉤ ○ : 제266조의 13 제1항

㉥ × : 법원은 필요하다고 인정한 때에는 직권 또는 검사, 피고인이나 변호인의 신청에 의하여 결정으로 종결한 공판준비기일을 재개할 수 있다(제266조의 14, 제305조).

05 공판준비절차에 관한 설명으로 가장 옳은 것은?

① 공판준비기일에 당사자가 신청하지 못한 증거에 대해서는 소송이 현저히 지연되지 않는 경우에 한하여 법원이 공판기일에 직권으로 증거조사를 할 수 있다.

② 법원은 검사, 피고인 또는 변호인의 신청에 의하여 공판준비에 필요하다고 인정하는 경우에는 공판기일 전에 피고인 또는 증인을 신문할 수 있으며 검사, 피고인 또는 변호인은 공판기일 전에 서류나 물건을 증거로 법원에 제출할 수 있다.

③ 서면으로 진행되는 공판준비절차를 위해서도 법원은 변호인이 없을 때는 직권으로 변호인을 선임하여야 한다.

④ 법원은 검사, 피고인 또는 변호인에게 공판준비기일을 통지하여야 한다.

┃ **해설** ┃ ① 공판준비기일에서 신청하지 못한 증거는 그 신청으로 인하여 소송을 현저히 지연시키지 아니하는 때, 중대한 과실 없이 공판준비기일에 제출하지 못하는 등 부득이한 사유를 소명한 때 등 어느 하나에 해당하는 경우에 한하여 공판기일에 신청할 수 있다. 그러나 법원은 이러한 제한 없이 직권으로 증거를 조사할 수 있다(제266조의 13).
② 제273조 제1항
③ 서면으로 진행되는 공판준비절차에서는 국선변호인을 선정할 필요가 없다(제266조의 8 제4항 참조).
④ 법원은 검사, 피고인 및 변호인에게 공판준비기일을 통지하여야 한다(제266조의 8 제3항).

06 공판준비기일의 절차에 대한 설명으로 옳은 것은?   19. 9급 교정·보호·철도경찰

① 공판준비기일에 신청하지 못한 증거는 원칙적으로 공판기일에 신청할 수 없으나, 법원은 실체적 진실발견을 위하여 공판절차에서 직권으로 증거를 조사할 수 있다.

② 공판준비기일에 변호인의 출석은 필수요건이지만 피고인의 출석은 필수사항이 아니므로 피고인이 출석한 경우에도 재판장은 피고인에게 진술거부권을 고지할 필요가 없다.

③ 공판준비기일은 공개하지 않지만, 재판의 공정성을 위해서 필요한 경우에는 공개할 수 있다.

④ 검사, 피고인 또는 변호인은 법원에 대하여 공판준비기일의 지정을 신청할 수 있고, 이 경우 당해 신청에 관한 법원의 결정에 대하여는 불복할 수 있다.

┃ **해설** ┃ ① 제266조의 13
② 법원은 필요하다고 인정하는 때에는 피고인을 소환할 수 있으며, 피고인은 법원의 소환이 없는 때에도 공판준비기일에 출석할 수 있다. 공판준비기일에 변호인의 출석은 필수요건이지만 피고인의 출석은 필수사항이 아니나 피고인이 출석한 경우에는 재판장은 피고인에게 진술을 거부할 수 있음을 알려주어야 한다(제266조의 8 제5항·제6항).
③ 공판준비기일은 공개한다. 다만, 공개하면 절차의 진행이 방해될 우려가 있는 때에는 공개하지 아니할 수 있다(제266조의 7 제4항).
④ 검사, 피고인 또는 변호인은 법원에 대하여 공판준비기일의 지정을 신청할 수 있고, 이 경우 당해 신청에 관한 법원의 결정에 대하여는 불복할 수 없다(제266조의 7 제2항).

┃ Answer ┃ 5.②   6.①

07 공판준비절차에 대한 설명으로 옳지 않은 것은? 19. 9급 검찰 · 마약수사

① 피고인이 국민참여재판을 원하는 의사를 표시한 경우에 재판장은 사건을 공판준비절차에 부쳐야 하며, 공판준비기일에는 주장과 증거를 정리하고 심리계획을 수립하기 위해 검사와 변호인 이외에 배심원도 참여시켜야 한다.

② 공판준비기일에 신청하지 못한 증거라도 공판기일에 법원이 직권으로 증거조사를 할 수 있다.

③ 법원은 쟁점 및 증거의 정리를 위하여 필요한 경우에는 제1회 공판기일 후에도 사건을 공판준비절차에 부칠 수 있다.

④ 법원은 공판준비기일을 종료하는 때에는 검사, 피고인 또는 변호인에게 쟁점 및 증거에 관한 정리결과를 고지하고, 이에 대한 이의의 유무를 확인하여야 한다.

| **해설** ① 공판준비기일에는 배심원이 참여하지 아니한다(국민의 형사재판 참여에 관한 법률 제37조 제4항).
② 제266조의 13 제2항
③ 제266조의 15
④ 제266조의 10 제1항

08 공판준비절차에 대한 설명으로 옳은 것은? 21. 7급 국가직

① 법원은 합의부원으로 하여금 공판준비기일을 진행하게 할 수 있고, 이 경우 수탁판사는 공판준비기일에 관하여 법원 또는 재판장과 동일한 권한이 있다.

② 국민참여재판의 경우 배심원이 공판준비기일에 참여한다.

③ 공판준비기일은 검사, 피고인, 변호인의 신청에 따라 법원이 결정한 경우에 한하여 공개할 수 있다.

④ 공판준비기일에 피고인의 출석은 필수적인 요건이 아니다.

| **해설** ① 법원은 합의부원으로 하여금 공판준비기일을 진행하게 할 수 있고, 이 경우 수명법관은 공판준비기일에 관하여 법원 또는 재판장과 동일한 권한이 있다(제266조의 7 제3항).
② 국민참여재판의 경우 배심원이 공판준비기일에 참여하지 아니한다(국민의 형사재판 참여에 관한 법률 제37조 제4항).
③ 공판준비기일은 공개한다. 다만, 공개하면 절차의 진행이 방해될 우려가 있는 때에는 공개하지 아니할 수 있다(제266조의 7 제4항).
④ 제266조의 8 제1항 · 제5항

09 공판준비절차에 대한 설명으로 옳지 않은 것만을 모두 고르면?(다툼이 있는 경우 판례에 의함)

> ㉠ 제1심이 공소장부본을 피고인 또는 변호인에게 송달하지 아니한 채 공판절차를 진행하였다면, 설령 피고인이 제1심 법정에서 이의함이 없이 공소사실에 관하여 충분히 진술할 기회를 부여받았다 하더라도, 이는 형사소송법 제266조(공소장부본의 송달) 위반에 해당하여 위법한 공판절차에서 이루어진 소송행위이므로 판결에 영향을 미친 위법이 있다.
>
> ㉡ 공판준비는 제1회 공판기일 전은 물론 제1회 공판기일 이후에도 행할 수 있으며, 공판준비기일에 검사 및 변호인의 출석은 필수요건이다.
>
> ㉢ 법원의 열람·등사 허용결정은 '판결 전의 소송절차에 관한 결정'에 해당하며, 위 결정에 대해서는 형사소송법에서 별도로 즉시항고에 관한 규정을 두고 있지 아니하므로 형사소송법 제402조에 의한 항고의 방법으로 불복할 수 없고, 그 결과 법원의 열람·등사 허용결정은 그 결정이 고지되는 즉시 집행력이 발생한다.
>
> ㉣ 검사는 국가안보, 증인보호의 필요성, 증거인멸의 염려, 관련사건의 수사에 장애를 가져올 것으로 예상되는 구체적인 사유 등 열람·등사 또는 서면의 교부를 허용하지 아니할 상당한 이유가 있다고 인정하는 때에는 서류, 물건 및 그 목록에 대하여 열람·등사 또는 서면의 교부를 거부하거나 그 범위를 제한할 수 있다.

① ㉠, ㉢　　　　　　　　　　② ㉡, ㉢

③ ㉢, ㉣　　　　　　　　　　④ ㉠, ㉣

┃ 해설 ㉠ ×: 피고인이 공판정에서 공소범죄 사실에 관하여 이를 충분히 알고 진술, 변론하여 그 방어권 행사에 아무런 장애가 없었다면 판결결과에는 아무 영향이 없다(대결 1982.6.8, 81모43).
㉡ ○: 제266조의 8 제1항, 제266조의 15
㉢ ○: 대결 2013.1.24, 2012모1393, 헌재결 2010.6.24, 2009헌마257
㉣ ×: 검사는 국가안보, 증인보호의 필요성, 증거인멸의 염려, 관련사건의 수사에 장애를 가져올 것으로 예상되는 구체적인 사유 등 열람·등사 또는 서면의 교부를 허용하지 아니할 상당한 이유가 있다고 인정하는 때에는 열람·등사 또는 서면의 교부를 거부하거나 그 범위를 제한할 수 있다(제266조의 3 제2항). 검사는 제2항에도 불구하고 서류 등의 목록에 대하여는 열람 또는 등사를 거부할 수 없다(제266조의 3 제5항).

10 공판준비기일 및 공판기일 절차에 관한 다음 설명 중 가장 옳은 것은?(다툼이 있는 경우 판례에 의하고, 전원합의체 판결의 경우 다수의견에 의함)

① 공판준비기일에는 검사 및 피고인, 변호인이 출석하여야 한다.

② 제1회 공판기일은 소환장의 송달 후 5일 이상의 유예기간을 두어야 한다. 다만, 피고인이 이의 없는 때에는 전항의 유예기간을 두지 아니할 수 있다.

③ 공판준비절차가 종결되면 공판절차로 진행하기 때문에 공판준비기일을 재개할 수는 없다.

④ 법원은 공판준비절차에서 증거신청, 증거채부결정 뿐만 아니라 필요하다고 인정하는 경우 증거조사를 할 수 있다.

해설 ① 공판준비기일에는 검사 및 변호인이 출석하여야 한다(제266조의 8 제1항).
② 제269조 제1항·제2항
③ 공판준비기일도 재개할 수는 있다(제266조의 14).
④ 법원은 공판준비절차에서 증거신청, 증거채부결정은 할 수 있으나 증거조사는 할 수 없다.

11 공판준비절차에 대한 설명으로 옳은 것은?
23. 7급 국가직

① 검사, 피고인 또는 변호인은 법원에 대하여 공판준비기일의 지정을 신청할 수 있으며, 이 신청에 관한 법원의 결정에 대하여는 불복할 수 있다.

② 공판준비기일에는 검사 및 변호인이 출석하여야 하지만, 피고인은 법원의 소환이 없는 때에는 공판준비기일에 출석할 수 없다.

③ 공판준비기일에서 신청하지 못한 증거라도 공판기일에 증거신청으로 인하여 소송을 현저히 지연시키지 아니하는 때에는 증거신청을 할 수 있다.

④ 법원은 공판준비기일을 종료한 때에는 쟁점 및 증거에 관한 정리결과를 공판조서에 기재하여야 한다.

해설 ① 검사, 피고인 또는 변호인은 법원에 대하여 공판준비기일의 지정을 신청할 수 있으며, 이 신청에 관한 법원의 결정에 대하여는 불복할 수 없다(제266조의 7 제2항).
② 공판준비기일에는 검사 및 변호인이 출석하여야 하지만, 피고인은 법원의 소환이 없는 때에도 공판준비기일에 출석할 수 있다(제266조의 8 제5항).
③ 제266조의 13 제1항
④ 법원은 공판준비기일을 종료한 때에는 쟁점 및 증거에 관한 정리결과를 공판준비기일조서에 기재하여야 한다(제266조의 10 제2항).

제4절 공판정

THEMA 10 공판정의 구성과 당사자의 출석

의 의	공판기일에는 공판정에서 심리한다(제275조 제1항). 공판정은 판사와 검사, 법원사무관 등이 출석하여 개정한다(동조 제2항). 검사의 좌석과 피고인 및 변호인의 좌석은 대등하며, 법대의 좌우측에 마주보고 위치하고, 증인의 좌석은 법대의 정면에 위치한다. 다만, 피고인신문을 하는 때에는 피고인은 증인석에 좌석한다(동조 제3항). 08. 9급 법원직
피고인의 출석	피고인이 공판기일에 출석하지 아니한 때에는 특별규정이 없으면 개정하지 못한다(제276조). 공판정에서는 피고인의 신체를 구속하지 못하며, 다만 재판장은 피고인이 폭력을 행사하거나 도망할 염려가 있다고 인정한 때에는 피고인의 신체구속을 명하거나 기타 필요한 조치를 할 수 있다(제280조). 피고인은 재정의무가 있으므로 재판장의 허가 없이 퇴정하지 못한다(제281조 제1항).
검사의 출석	검사의 출석은 공판개정 요건이다(제275조 제2항). 이의 위반은 상소이유로 된다. 다만, 공판기일 통지를 2회 이상 받고 출석하지 않거나, 판결만을 선고하는 경우에는 검사의 출석 없이 개정할 수 있다(제278조). 09. 9급 국가직, 08·15. 9급 법원직, 15. 순경 2차 ▶ 제2회에 걸쳐 출석하지 않은 때에는 그 2회의 공판기일에 바로 개정할 수 있다(대판 1966.11.29, 66도1415). 13. 9급 교정·보호·철도경찰
변호인 등의 출석	변호인이나 보조인은 그 출석이 공판개정요건 ×(다만, 필요적 변호사건의 경우에는 변호인의 출석은 공판개정요건) 09. 9급 국가직 ▶ 필요적 변호사건이라도 판결선고시는 출석 불필요

01 다음 중 공판정의 구성에 관한 설명으로 틀린 것은?

① 판사 · 검사 · 법원사무관 · 피고인의 출석은 공판개정 요건이다.

② 피고인은 재판장의 정전에 좌석한다.

③ 피고인의 좌석은 검사와 마주보고 위치한다.

④ 공판정에서는 피고인의 신체를 구속하지 못함이 원칙이다.

┃해설┃ ① 제275조 제2항, 제276조
②③ 검사의 좌석과 피고인 및 변호인의 좌석은 대등하며, 법대의 좌우측에 마주 보고 위치하고, 증인의 좌석은 법대의 정면에 위치한다. 다만, 피고인신문을 하는 때에는 피고인은 증인석에 좌석한다(제275조 제3항, 제276조). 재판기관인 판사의 좌석은 공판정의 단상에 위치한다(법정 좌석에 관한 규칙). 따라서 ④ 공판정에서는 피고인의 신체를 구속하지 못한다. 다만, 재판장은 피고인이 폭력을 행사하거나 도망할 염려가 있다고 인정한 때에는 피고인의 신체구속을 명하거나 기타 필요한 조치를 할 수 있다(제280조).

02 공판정 구성에 관한 설명으로 옳지 않은 것은?(판결만을 선고하는 경우는 제외함)

09. 9급 교정 · 보호 · 철도경찰

① 검사가 공판기일의 통지를 2회 이상 받고도 출석하지 아니한 경우에는 검사의 출석 없이 개정할 수 있다.

② 필요적 변호사건과 국선변호사건에 있어서는 변호인 없이 개정하지 못한다.

③ 다액 500만원 이하의 벌금, 구류 또는 과료에 해당하는 사건에서는 인정신문시에도 피고인의 출석은 공판개정 요건이 아니다.

④ 공소기각 또는 면소의 재판을 할 것이 명백한 사건인 경우에 피고인은 대리인을 출석하게 할 수 있다.

┃해설┃ ① 제278조 ② 제282조, 제283조
③ 다액 500만원 이하의 벌금 또는 과료에 해당하는 사건은 피고인의 출석을 요하지 아니한다(제277조 제1호). 장기 3년 이하의 징역 또는 금고, 다액 500만원을 초과하는 벌금 또는 구류에 해당하는 사건에서 피고인의 불출석허가신청이 있고 법원이 허가한 사건 역시 피고인의 출석을 요하지 아니하나, 제284조에 따른 절차(인정신문)를 진행하거나 판결을 선고하는 공판기일에는 출석하여야 한다(제277조 제3호).
④ 제277조 제2호

03 공판정 구성에 대한 설명으로 옳지 않은 것은?(다툼이 있는 경우 판례에 의함) 11. 7급 국가직

① 피고인과 변호인이 재판장의 허가 없이 퇴정하더라도 필요적 변호사건에서는 피고인과 변호인의 재정 없이 심리 · 판결할 수 없다.

② 피고인의 출석 없이 개정하지 못하는 경우라도 구속된 피고인이 정당한 사유 없이 출석을 거부하고, 교도관에 의한 인치가 불가능하거나 현저히 곤란하다고 인정되는 때에는 피고인의 출석 없이 공판절차를 진행할 수 있다.

┃Answer┃ 1.② 2.③ 3.①

③ 검사가 공판기일의 통지를 2회 이상 받고 출석하지 아니한 때에는 검사의 출석 없이 개정할 수 있다.

④ 항소심에서 피고인이 공판기일에 출정하지 아니한 때에는 다시 기일을 정하여야 하고, 피고인이 정당한 사유 없이 다시 정한 기일에 출정하지 아니한 때에는 피고인의 진술 없이 판결할 수 있다.

┃**해설**┃ ① 필요적 변호사건이라 하여도 피고인이 재판거부의 의사를 표시하고 재판장의 허가 없이 퇴정하고 변호인마저 이에 동조하여 퇴정해 버린 것은 모두 피고인 측의 방어권의 남용 내지 변호권의 포기로 볼 수밖에 없는 것이므로 수소법원으로서는 형사소송법 제330조에 의하여 피고인이나 변호인의 재정 없이도 심리·판결할 수 있다(대판 1991.6.28, 91도865).
② 제277조의 2
③ 제278조
④ 제365조

04 공판기일에 관한 다음 설명 중 가장 옳지 않은 것은?(다툼이 있는 경우 판례에 의함)
15. 9급 법원직

① 피고인이 법인인 경우에는 법인의 대표자 또는 특별대리인이 출석하여야 하고 그의 출석 없이는 개정할 수 없음이 원칙이나, 실무자 등 대리인을 출석시켜 개정할 수도 있다.

② 검사는 제1회 공판기일 이후에는 공판기일 전이라도 서류나 물건을 증거로 법원에 제출할 수 있다.

③ 피고인이 출석하지 아니하면 개정하지 못하는 경우에도 구속된 피고인이 정당한 사유없이 출석을 거부한다면, 교도관에 의한 인치가 불가능하거나 현저히 곤란한 사정이 없다고 하여도, 출석한 검사와 변호인의 동의가 있는 이상 피고인의 출석 없이 공판절차를 진행할 수 있다.

④ 검사가 공판기일의 통지를 2회 이상 받고 출석하지 아니하거나 판결만을 선고하는 때에는 검사의 출석 없이도 개정할 수 있다.

┃**해설**┃ ① 제27조, 제276조
② 제1회 공판기일 전에는 공소장일본주의 원칙상 서류나 물건을 증거로 법원에 제출할 수 없으나, 제1회 공판기일 이후에는 공판기일 전이라도 서류나 물건을 증거로 법원에 제출할 수 있다(제274조, 규칙 제118조 제2항).
③ 피고인이 출석하지 아니하면 개정하지 못하는 경우에 구속된 피고인이 정당한 사유없이 출석을 거부한다면, 교도관에 의한 인치가 불가능하거나 현저히 곤란한 사정이 인정된 때 한하여 피고인의 출석 없이 공판절차를 진행할 수 있다(제277조의 2 제1항). 교도관에 의한 인치가 불가능하거나 현저히 곤란한 사정이 없이 검사와 변호인의 동의만으로 피고인의 출석 없이 공판절차를 진행할 수 없다.
④ 제278조

THEMA 11 피고인의 출석 없이 심판할 수 있는 사유

피고인이 의사무능력자 이거나 법인인 경우	1. 형법의 책임능력에 관한 규정이 적용되지 않는 범죄에서 피고인이 의사무능력자인 때에는 법정대리인 또는 특별대리인이 소송행위를 대리한다(제26조, 제28조). 2. 피고인이 법인인 때에는 그 대표자가 출석한다(제27조 제1항). ▶ 대표자가 없을 때 ⇨ 특별대리인이 임무 수행(제28조) ▶ 대표자, 특별대리인 외에 대리인을 출석하게 할 수 있음(제276조). 08. 순경, 09 · 15. 9급 법원직 ▶ 공판기일에 대리인을 출석하게 할 때에는 그 대리인에게 대리권을 수여한 사실을 증명하는 서면을 법원에 제출하여야 한다(규칙 제126조).
경미한 사건의 경우	1. 다액 500만원 이하의 벌금 또는 과료에 해당하는 사건은 피고인의 출석을 요하지 않는다(제277조 제1호). 00. 7급 · 9급 법원직, 08. 순경, 09. 9급 국가직, 13. 9급 교정 · 보호 · 철도경찰, 15. 경찰승진 ▶ 구류(×) ▶ 피고인은 이 경우에도 출석권을 상실한 것은 아니므로 피고인을 일단 소환하여야 하고, 피고인은 대리인을 출석하게 할 수 있다. 16. 9급 검찰 · 마약수사 2. 장기 3년 이하의 징역 또는 금고, 다액 500만원을 초과하는 벌금 또는 구류에 해당하는 사건에서 피고인의 불출석허가신청이 있고, 법원이 인정하여 허가한 사건은 피고인의 출석을 요하지 아니한다. 다만, 제284조(인정신문)에 따른 절차를 진행하거나 판결을 선고하는 공판기일에는 출석하여야 한다(제277조 제3호). 08. 순경, 09. 교정특채 · 9급 국가직 3. 즉결심판에 의하여 벌금 또는 과료를 선고하는 경우 ⇨ 피고인 출석 불필요(즉결심판에 관한 절차법 제8조의 2).
피고인에게 유리한 재판을 하는 경우	1. 공소기각 또는 면소의 재판을 할 것이 명백한 사건(제277조 제2호) ▶ 선고유예, 집행유예재판 명백 ⇨ 불출석사유(×) 10. 교정특채 2. 피고인이 의사무능력 상태에 있거나, 질병 등으로 출정할 수 없을 때에는 공판절차를 정지(경미사건에서 대리인이 출정할 수 있는 경우 제외 : 제306조 제5항)해야 하나 (제306조 제1항 · 제2항) 무죄, 면소, 형면제, 공소기각재판을 할 것이 명백한 때에는 피고인의 출석 없이 재판할 수 있다(제306조 제4항). 10. 7급 국가직, 15. 경찰승진 · 9급 법원직 ▶ 선고유예, 집행유예 ⇨ 대상 ×
피고인이 퇴정하거나 퇴정명령을 받은 경우	1. 피고인이 재판장의 허가 없이 퇴정, 재판장의 퇴정명령을 받은 경우 ⇨ 피고인의 진술 없이 판결(제330조), 심리 가능(대판 1991.6.28, 91도865) 11. 경찰승진 ▶ 피고인과 변호인의 불출석하에 증거조사 ⇨ 당사자의 증거동의 간주. 단, 대리인 또는 변호인이 출정한 때에는 예외(제318조) 11. 7급 국가직, 24. 9급 검찰 · 마약 · 교정 · 보호 · 철도경찰 2. 피고인을 퇴정하게 한 경우에 증인, 감정인 또는 공동피고인의 진술이 종료한 때에는 퇴정한 피고인을 입정하게 한 후 법원사무관 등으로 하여금 진술의 요지를 고지하게 하여야 한다(동조 제2항). 16. 9급 법원직

04

피고인의 소재불명·불출석	1. 제1심 공판절차에서 피고인에 대한 송달불능보고서가 접수된 때로부터 6개월이 경과하도록 피고인의 소재가 확인되지 아니한 때에는 피고인의 진술 없이 재판할 수 있다. 다만, 사형·무기·장기 10년이 넘는 징역·금고에 해당하는 사건은 제외(소송촉진 등에 관한 특례법 제23조) 95. 9급 법원직 ▶ 피고인에 대한 송달불능보고서가 접수된 때로부터 6월이 경과하도록 소재조사 촉탁 등 조치에도 불구하고 피고인의 소재가 확인되지 아니한 때에는 그 후 피고인에 대한 송달은 공시송달의 방법에 의한다(소송촉진 등에 관한 특례규칙 제19조 제1항). ▶ 피고인이 공시송달방법에 의한 공판기일의 소환을 2회 이상 받고도 출석하지 아니한 때에는 피고인의 진술없이 재판할 수 있다(동규칙 제19조 제2항). 2. 피고인이 출석하지 않으면 개정하지 못하는 경우에 구속된 피고인이 정당한 사유 없이 출석을 거부하고 교도관에 의한 인치가 불가능하거나 현저히 곤란하다고 인정되는 때에는 피고인의 출석 없이 공판절차를 진행할 수 있다(제277조의 2 제1항). 10. 9급 법원직 이 규정에 의하여 공판절차를 진행할 경우에는 출석한 검사 및 변호인의 의견을 들어야 한다(동조 제2항). 이에 따라 피고인 없이 공판절차를 진행한 경우에는 재판장은 공판정에서 소송관계인에게 그 취지를 고지하여야 한다(규칙 제126조의 6).
상소심의 경우	1. 항소심에서 피고인이 공판기일에 출석하지 아니하면 다시 기일을 정해야 하며, 다시 정한 기일에 출석하지 아니한 때에는 피고인의 진술 없이 판결할 수 있다(제365조). 11. 9급 법원직 ▶ 적법한 공판기일 통지를 받고서도 2회 연속으로 정당한 이유 없이 출정하지 않은 경우에 해당하여야 한다. 이때 '적법한 공판기일 통지'란 소환장의 송달(형사소송법 제76조) 및 소환장 송달의 의제(형사소송법 제268조)의 경우에 한정되는 것이 아니라 적어도 피고인의 이름·죄명·출석 일시·출석 장소가 명시된 공판기일 변경명령을 송달받은 경우(형사소송법 제270조)도 포함된다(대판 2022.11.10, 2022도7940). ▶ 검사가 항소한 경우에도 다같이 적용(대판 1967.1.31, 66도1529) 2. 상고심의 경우 피고인의 출석은 요하지 아니한다(피고인도 공판기일 통지서는 송달받지만 소환을 받는 것은 아님).
약식명령에 대한 정식재판절차	1. 약식명령에 대한 정식재판에서 정식재판을 청구한 피고인이 2회 이상 불출석한 경우(제458조 제2항) 2. 약식명령에 대하여 피고인만이 정식재판청구를 하여 판결을 선고하는 사건은 피고인의 출석을 요하지 아니한다(제277조 제4호).

01 피고인의 출석에 관한 다음 설명 중 가장 옳지 않은 것은?(다툼이 있는 경우 판례에 의함)

20. 9급 법원직

① 장기 3년 이하의 징역 또는 금고, 다액 500만원을 초과하는 벌금 또는 구류에 해당하는 사건에서 피고인의 불출석 허가신청이 있어 법원이 허가한 사건은 판결을 선고하는 공판기일에 피고인의 출석을 요하지 아니한다.

② 약식명령에 대하여 피고인만 정식재판을 청구하여 판결을 선고하는 경우에는 피고인의 출석을 요하지 아니하고, 이 경우 피고인은 대리인을 출석하게 할 수 있다.

③ 피고인이 출석하지 아니하면 개정하지 못하는 경우에 피고인의 출석 없이 공판절차를 진행하기 위해서는 단지 구속된 피고인이 정당한 사유 없이 출석을 거부하였다는 것만으로는 부족하고 더 나아가 교도관에 의한 인치가 불가능하거나 현저히 곤란하다고 인정되어야 한다.

④ 약식명령에 대한 정식재판절차의 공판기일에 정식재판을 청구한 피고인이 출석하지 아니한 때에는 다시 기일을 정하고 피고인이 정당한 이유 없이 다시 정한 기일에도 출석하지 아니한 때에는 피고인의 진술 없이 판결할 수 있다.

▌**해설** ▌① 장기 3년 이하의 징역 또는 금고, 다액 500만원을 초과하는 벌금 또는 구류에 해당하는 사건에서 피고인의 불출석 허가신청이 있고, 법원이 허가한 사건은 피고인의 출석을 요하지 아니한다. 다만, 인정신문이나 판결을 선고하는 공판기일에는 피고인의 출석이 필요하다(제277조 제3호).
② 제277조 제4호
③ 대판 2001.6.12, 2001도114
④ 제458조 제2항

02 다음은 당사자의 출석과 관련한 판례의 내용이다. 타당한 것은?

① 피고인과 변호인들이 출석하지 않은 상태에서 증거조사를 할 수밖에 없는 경우에는 형사소송법 제318조 제2항의 규정상 피고인의 진의와는 관계없이 형사소송법 제318조 제1항의 동의가 있는 것으로 간주될 수 없다.

② 제1심이 공소장 부본을 피고인 또는 변호인에게 송달하지 아니하였으나, 공시송달의 방법으로 피고인을 소환한 경우라면 비록 피고인이 공판기일에 출석하지 아니한 가운데 제1심 공판절차가 진행되었더라도 위법하다고 볼 수 없다.

③ 검사가 제1회 공판기일 출석통지를 받고도 출석하지 아니한 결과, 수소법원은 제1회 공판기일에 제2회 공판기일을 고지하였으나, 검사에게는 통지하지 않아 제2회 공판에 검사가 불출석한 경우 검사 없이 개정이 불가능하다.

④ 피고인의 귀책사유에 의하지 않고 공판기일에 피고인이 출석하지 못한 경우에는 피고인이 출석하지 아니한대로 그 진술 없이 판결할 수 없다.

해설 ① 형사소송법 제318조 제1항의 동의가 있는 것으로 간주된다(대판 1991.6.28, 91도865).
② 제1심은 피고인에 대하여 공소장 부본과 공판기일 소환장 등이 송달되지 아니하자 피고인에 대한 소환을 2회 이상 공시송달한 다음(피고인에게 공시송달의 방법으로도 공소장 부본을 송달하지 아니하였음) 피고인의 출석 없이 공판절차를 진행하고 유죄를 선고하였다. 이러한 제1심 공판절차에서 이루어진 소송행위는 효력이 없으므로 항소심으로서는 적법한 절차에 의하여 소송행위를 새로이 한 후 항소심에서의 진술과 증거조사 등 심리결과에 기초하여 다시 판결하였어야 한다(대판 2014.4.24, 2013도9498).
③ 검사가 제1회 공판기일 출석통지를 받고도 출석하지 아니한 결과, 수소법원은 제1회 공판기일에 제2회 공판기일을 고지하고, 검사에게는 통지하지 않아 제2회 공판에도 검사가 불출석한 경우 검사 없이 개정이 가능하며, 합법적인 기일소환 내지 통지아래 적법히 개정된 동 공판에서 다음 기일을 고지한 이상 그 명령을 받은 소송관계인 전원에 대하여 효력이 있다 할 것이다(대판 1967.2.21, 66도1710).
④ 대판 1962.6.14, 62도70

03 법인이 피고인인 경우에 관한 설명 중 틀린 것은?

① 수인이 공동하여 법인을 대표하는 경우에도 소송행위에 관하여는 각자가 이를 대표한다.
② 정리회사의 경우에는 관리인이 대표자가 된다.
③ 법인인 피고인에게 대표자가 없는 때에는 법원은 직권 또는 검사의 청구에 의하여 특별대리인을 선임하여야 한다.
④ 특별대리인은 피고인을 대리 또는 대표하여 소송행위를 할 자가 있을 때까지 그 임무를 행한다.

해설 ② 주식회사에 대하여 회사정리개시결정이 내려져 있는 경우라고 하더라도 적법하게 선임되어 있는 대표이사가 있는 한 그 대표이사가 형사소송법 제27조 제1항에 의하여 피고인인 회사를 대표하여 소송행위를 할 수 있고, 정리회사의 관리인은 일종의 공적 수탁자이므로 관리인이 형사소송에서 피고인인 정리회사의 대표자가 된다고 볼 수 없다(대결 1994.10.28, 94모25).

04 불출석재판에 대한 설명으로 옳지 않은 것은?(다툼이 있는 경우 판례에 의함)

① 공시송달의 방법으로 소환한 피고인이 불출석하는 경우 다시 공판기일을 지정하고 공시송달의 방법으로 피고인을 재소환한 후 그 기일에도 피고인이 불출석하여야 비로소 피고인이 불출석한 상태에서 재판절차를 진행할 수 있다.
② 소송촉진 등에 관한 특례법 제23조에 따라 진행된 제1심의 불출석재판에 대하여 검사만 항소하고, 항소심도 불출석재판으로 진행한 후 제1심 판결을 파기하고 다시 유죄판결을 선고하여 확정된 경우, 비록 피고인에게 불출석의 귀책사유가 없다고 하더라도 항소심 법원에 재심을 청구할 수는 없다.
③ 항소심에서 피고인이 제1회 공판기일에는 소환장을 적법하게 송달받고도 불출석하였다가 제2회 공판기일에는 출석하였으나, 제3회 공판기일에 소환장을 적법하게 송달받고도 다시 불출석하였다면, 피고인의 출석 없이 제3회 공판기일을 개정할 수 없다.

④ 사형, 무기 또는 장기 10년이 넘는 징역이나 금고에 해당하는 사건을 제외하고, 제1심 공판절차에서 피고인에 대한 송달불능보고서가 접수된 후 6월이 경과하도록 피고인의 소재를 확인할 수 없으면 2회 공시송달 후 궐석재판을 진행할 수 있다.

| 해설 ① 대판 2011.5.13, 2011도1094
② 피고인에게 불출석의 귀책사유가 없을 때 피고인은 항소심 법원에 그 유죄판결에 대한 재심을 청구할 수 있다(대판 2015.6.25, 2014도17252 전원합의체).
③ 피고인의 출석 없이 개정하려면 불출석이 2회 이상 계속된 바가 있어야 하기 때문이다(대판 2016.4.2, 2016도2210).
④ 소송촉진에 관한 특례법 제23조, 소송촉진에 관한 특례 규칙 제19조

05 소송관계인의 공판기일 출석에 대한 설명으로 가장 적절하지 않은 것은?(다툼이 있는 경우 판례에 의함)

23. 경찰승진

① 즉결심판사건에서 피고인에게 구류를 선고하는 경우에는 피고인의 출석 없이 심판할 수 있다.
② 검사의 출석은 공판개정의 요건이나, 필요적 변호사건이 아닌 경우 변호인의 출석은 공판개정의 요건이 아니다.
③ 공소기각 또는 면소의 재판을 할 것이 명백한 사건에 관하여는 피고인의 출석을 요하지 아니한다.
④ 소송촉진 등에 관한 특례규칙 제19조 제2항의 규정에 의하면, 공시송달의 방법으로 소환한 피고인이 불출석하는 경우 다시 공판기일을 지정하고 공시송달의 방법으로 피고인을 재소환한 후그 기일에도 피고인이 불출석하여야 비로소 피고인의 불출석 상태에서 재판절차를 진행할 수 있다.

| 해설 ① 즉결심판에서도 원칙적으로 피고인의 출석은 개정요건이다. 따라서 피고인에게 구류를 선고하는 경우에는 피고인의 출석 없이 심판할 수 없다. 그러나 벌금이나 과료에 해당하는 형을 선고하는 경우에는 피고인이 출석하지 아니하더라도 심판할 수 있다(즉결심판절차법 제8조의 2 제1항).
② 제278조, 제282조 참조
③ 제277조 제2호
④ 대판 2011.5.13, 2011도1094

06 소송당사자의 출석에 관한 설명으로 틀린 것은 몇 개인가?

> ⊙ 심신장애로 피치료감호청구인이 공판기일에 출석이 불가능한 경우 피치료감호청구인의 출석 없이 개정할 수 있다.
>
> ⓛ 약식명령에 대해 피고인만이 정식재판을 청구한 사건의 항소심에서, 피고인이 출석한 제1회 공판기일에 변론을 종결하고 선고기일을 지정하여 고지하였는데, 피고인이 출석하지 아니하자 선고기일을 연기하고 다시 제3회 공판기일을 지정하였으나 피고인에게 따로 공판기일 통지는 하지 않았다 하더라도, 항소심에서 2회 이상 불출석시 피고인의 진술없이 판결을 선고할 수 있을 뿐만 아니라, 약식명령에 피고인만이 정식재판을 청구하여 당초 지정한 선고기일에 피고인 출석 없이 판결을 선고할 수 있는 사건이므로 피고인의 출석 없이 판결을 선고한 조치는 적법하다.
>
> ⓒ 2000. 4. 21. 항소심 제4회 공판기일에서 피고인이 출석한 가운데 심리를 종결하고 판결 선고를 위한 제5회 공판기일을 '2000. 5. 12. 09 : 30'으로 지정·고지하고, 그 기일에 피고인이 출석하지 아니하자 다시 제6회 공판기일을 '2000. 5. 26. 09 : 30'으로 지정하는 한편 기일 소환장을 피고인에게 송달하였는데, 그 기일에도 피고인이 출석하지 아니하자 다시 제7회 공판기일을 '2000. 6. 2. 09 : 30'으로 지정하고, 이어 그 기일에 피고인이 출석하지 아니한 상태에서 판결을 선고한 조치는 위법이 있다고 할 수 없다.
>
> ⓔ 피고인이 법인인 경우 및 다액 500만원 이하의 벌금이나 과료에 해당하는 경미사건의 경우에 공판기일에 대리인을 출석하게 할 때에는 그 대리인에게 대리권을 수여한 사실을 증명하는 서면을 법원에 제출하여야 한다.
>
> ⓜ 새로 정한 공판기일 소환장을 받고서도 변호인 선임을 위한 연기신청서만을 제출한 채 기일에 출정하지 아니하여 항소심이 그대로 판결을 선고하였음은 적법하다.

① 1개　　　　② 2개　　　　③ 3개　　　　④ 4개

해설 ⊙ ○ : 치료감호 등에 관한 법률 제9조

ⓛ × : 약식명령에 대해 피고인만이 정식재판을 청구한 사건의 항소심에서, 피고인이 출석한 제1회 공판기일에 변론을 종결하고 제2회 공판기일인 선고기일을 지정하여 고지하였는데, 피고인이 출석하지 아니하자 선고기일을 연기하고 제3회 공판기일을 지정하였으나 피고인에게 따로 공판기일 통지를 하지 않은 사안에서, 제3회 공판기일에 대해서는 적법한 통지가 없었으므로 형사소송법 제365조(2회 이상 불출석시 피고인 진술 없이 판결)가 적용될 수 없고 약식명령에 피고인만이 정식재판을 청구하여 당초 지정한 선고기일에 피고인 출석 없이 판결을 선고할 수 있었으나, 굳이 그 기일을 연기하고 선고기일을 다시 지정한 이상 적법한 기일통지를 해야 하므로, 피고인의 출석 없이 공판기일을 열어 판결을 선고한 조치는 위법하다(대판 2012.6.28, 2011도16166).

ⓒ ○ : 대판 2000.9.26, 2000도2879

ⓔ ○ : 규칙 제126조

ⓜ ○ : 대판 1995.12.22, 95도1289

07 피고인의 공판정출석에 대한 설명으로 옳지 않은 것은? 24. 9급 검찰·마약·교정·보호·철도경찰

① 피고인의 출정없이 증거조사를 할 수 있는 경우, 대리인 또는 변호인이 출정하였더라도 피고인이 출정하지 아니하였다면 증거로 할 수 있음에 동의한 것으로 간주된다.

② 피고인이 공판기일에 출석하지 아니한 때에는 특별한 규정이 없으면 개정하지 못하나, 피고인이 법인인 경우에는 대리인을 출석하게 할 수 있다.

③ 다액 500만원 이하의 벌금 또는 과료에 해당하는 사건인 경우, 피고인의 출석을 요하지 아니하고 피고인은 대리인을 출석하게 할 수 있다.

④ 피고인이 질병으로 출정할 수 없는 경우에도 무죄, 면소, 형의 면제 또는 공소기각의 재판을 할 것으로 명백한 때에는 피고인의 출정없이 재판할 수 있다.

> **| 해설** ① 피고인의 출정없이 증거조사를 할 수 있는 경우에 피고인이 출정하지 아니한 때에는 전항의 동의가 있는 것으로 간주된다. 단, 대리인 또는 변호인이 출정한 때에는 예외로 한다(제318조 제2항).
> ② 제276조
> ③ 제277조 제1호
> ④ 제306조 제4항

04

THEMA 12	소송지휘권
의 의	소송지휘권이란 소송절차를 질서 있게 하고 그 원활한 진행을 도모하기 위하여 행하는 법원의 합목적적 활동을 말한다. ▶ 소송지휘권의 행사 ⇨ 당사자주의와 모순된다. (×) 97. 7급 검찰 ▶ 법정질서유지만을 목적으로 하는 법정경찰권과 구별
재판장의 권한에 속한 소송지휘권	• 공판기일의 지정·변경(제267조, 제270조) 13. 9급 검찰·마약수사 • 인정신문(제284조) • 증인신문순서의 변경(제161조의 2) • 불필요한 변론의 제한(제299조) 13. 9급 검찰·마약수사 • 석명권행사(규칙 제141조) 13. 9급 검찰·마약수사 • 피고인신문시 재정인의 퇴정명령(규칙 제140조의 3) 13. 9급 검찰·마약수사 • 진술거부권 고지(제283조의 2)
법원의 권한에 속한 소송지휘권	• 국선변호인 선임(제283조) • 특별대리인 선임(제28조) • 증거신청에 대한 결정(제295조) • 공소장변경시 공판절차정지신청에 대한 결정(제298조 제4항) • 공소장변경 요구(제298조 제2항), 공소장변경허가(제298조 제1항) • 증거조사에 대한 이의신청의 결정(제296조 제2항) • 재판장의 처분에 대한 이의신청의 결정(제304조 제2항) • 의사무능력 또는 질병을 이유로 한 공판절차 정지(제306조) • 변론의 분리·병합·재개(제300조, 제305조) • 간이공판절차 개시결정(제286조의 2) • 공판기일 전 증거조사(제273조 제1항)
불 복	┌ 재판장의 소송지휘권 행사 : 이의신청(법령위반)(제304조, 규칙 제136조) └ 법원의 소송지휘 행사 　　　┌ 항고나 이의신청 불가(원칙) 　　　└ 예외 　　　　　┌ 증거결정(법령위반) ⇨ 이의신청(제295조, 규칙 제135조의 2 단서) 　　　　　└ 증거조사(법령위반, 상당하지 아니한 경우) ⇨ 이의신청(제296조 제1항, 규칙 제135조의 2 본문)

01 **다음 중 소송지휘권의 행사에 대한 불복과 관련하여 옳은 것은?**

① 검사, 피고인 또는 변호인은 공판절차상 재판장의 처분이 법령에 위반하거나 상당하지 아니한 때에는 이를 이유로 이의신청을 할 수 있다.
② 법원의 소송지휘에 대해서 항고는 가능하나 이의신청은 허용되지 않는다.
③ 법원의 증거조사에 대한 이의신청은 법령위반이 있거나 상당하지 아니함을 이유로 할 수 있다.
④ 법원의 증거결정은 법령위반이 있는 경우에만 이의신청이 가능한 것은 아니다.

┃**해설**┃ ① 재판장의 소송지휘권 행사에 대하여는 언제나 이의신청을 할 수 있는 것이 아니라 법령위반이 있는 경우에 이의신청으로 불복할 수 있다(제304조, 규칙 제136조).
②③④ 법원의 소송지휘에 대해서는 판결 전 소송절차에 관한 결정이므로 원칙적으로 불복할 수 없다. 따라서 항고나 이의신청이 허용되지 아니한다(제403조). 다만, 증거결정에 대해서는 법령위반이 있는 경우에(제295조, 규칙 제135조의2 단서), 증거조사에 대해서는 법령위반이나 상당하지 아니한 경우에 이의신청이 인정된다(제296조 제1항, 규칙 제135조 본문).

02 **다음 중 재판장의 권한(ⓐ)과 법원의 권한(ⓑ)으로 올바르게 짝지어진 것은?**

> ㉠ 공판준비절차를 거칠 것인지 여부
> ㉡ 공판준비절차에서의 공판기일의 지정 또는 변경하는 행위
> ㉢ 공판준비절차를 거치지 않은 경우에 공판기일의 지정 또는 변경
> ㉣ 공소장변경시 공판절차정지신청에 대한 결정
> ㉤ 증거조사에 대한 이의신청의 결정
> ㉥ 진술거부권의 고지
> ㉦ 석명권의 행사

① ⓐ - ㉠㉡㉢　　ⓑ - ㉣㉤㉥㉦
② ⓐ - ㉠㉢㉥㉦　　ⓑ - ㉡㉣㉤
③ ⓐ - ㉡㉢㉣　　ⓑ - ㉠㉤㉥㉦
④ ⓐ - ㉡㉣㉥　　ⓑ - ㉠㉢㉤㉦

┃**해설**┃ ㉠ 공판준비절차를 거칠 것인지 여부에 대한 권한은 재판장의 권한이다(제266조의 5 제1항).
㉡㉢ 공판준비절차에서의 공판기일의 지정 또는 변경하는 행위는 법원의 권한(제266조의 9 제11호)이고, 공판준비절차를 거치지 않은 경우에 공판기일의 지정 또는 변경의 권한은 재판장의 권한이다(제267조, 제270조).
㉣㉤은 법원의 권한이다(제298조 제4항, 제296조 제2항).
㉥㉦은 재판장의 권한이다(제283조의 2, 규칙 제141조).

THEMA 13	**법정경찰권**
의 의	법정경찰권이란 법정질서를 유지하고 심판의 방해를 저지·배제하기 위하여 행하는 법원의 권력작용을 말한다. ▶ 재판장의 권한(법원조직법 제58조 제1항)

내 용	1. 예방조치
	  예 ① 입정금지, 퇴정명령(제281조 제2항)
	    ② 방청권발행과 소지품검사
	    ③ 피고인에 대한 간수명령
	2. 방해배제조치(법원조직법 제60조)

제재조치	20일 이내 감치 또는 100만원 이하의 과태료에 처하거나 이를 병과할 수 있다(법원조직법 제61조 제1항). 📁 형법상 법정모욕죄와의 구별 ┌ 법정경찰권 행사에 의한 감치·과태료의 제재 ⇨ 검사의 공소제기가 불필요한 사법행정상의 질서벌 └ 형법상 법정모욕죄(형법 제138조) ⇨ 검사의 공소제기 필요
한 계	1. 법정경찰권은 현재 절차가 행하여지고 있는 시간 내에 한하여 발동(심리 전후 접착 시간 포함) 2. 법정 내에 미치고(심리와 질서유지에 영향을 미치는 범위에서는 법정 외에서도 미침), 심리와 관계있는 모든 자에게 미친다(따라서 방청인·변호인·검사·법원서기·배석판사도 법정경찰권에 복종하여야 한다).

01 법정경찰권에 관한 설명 중 옳지 않은 것은?

① 재판장의 요구에 의하여 파견된 경찰관은 재판장의 지휘를 받는다.

② 누구든지 법정 내에서는 재판장의 허가 없이 녹화·촬영·중계방송 등의 행위를 하지 못한다.

③ 법정경찰권은 피고사건의 실체심리와 직접 관계되지 않은 사법행정상의 처분이다.

④ 법정경찰권의 적용을 받은 사람은 재판부 구성원을 제외한 공판절차의 진행과 관련이 있는 모든 사람에 미친다.

해설 ④ 법정경찰권은 심리와 관계있는 모든 자에게 미친다. 따라서 재판부 구성원에게도 미친다.

02 소송지휘권과 법정경찰권에 관한 설명으로 옳은 것은 몇 개인가?

> ㉠ 파견된 경찰관은 법정 내외의 질서유지에 관하여 검사의 지휘를 받는다.
> ㉡ 법정에서 재판장의 명령에 따르지 않는 방청객에 대하여는 검사의 구두기소에 의하여 20일 이내의 감치에 처할 수 있다.
> ㉢ 재판장의 법정경찰에 관한 처분에 대하여 검사·피고인·변호인은 법령위반을 이유로 이의신청을 할 수 있다.
> ㉣ 법원의 소송지휘권의 행사는 당사자주의와 모순된다.

① 1개　　　　　② 2개　　　　　③ 3개　　　　　④ 4개

해설 ㉠ ×: 재판장의 지휘를 받는다(법원조직법 제60조).
㉡ ×: 검사의 공소제기 없이 부과하는 사법행정상의 질서벌이다.
㉢ ○: 재판장의 소송지휘권에 대하여는 이의신청을 할 수 있다(제304조). 다만, 이의신청은 법령의 위반이 있는 경우에만 허용된다(규칙 제136조). 이에 반하여 법원의 소송지휘권에 대해서는 원칙적으로 불복방법이 없으나, 증거결정이나 증거조사의 경우에는 이의신청이 가능하다.
㉣ ×: 당사자주의가 아무리 강화되더라도 법원의 소송지휘권이 의미 없게 되는 것은 아니다. 오히려 당사자의 소송활동이 활발하게 될수록 그 지나침과 위반을 방지하기 위하여 법원의 적절한 소송지휘가 필요하게 된다.

제5절 **공판기일의 절차**

THEMA 14 공판기일의 절차

1. 공판준비절차가 끝나면 수소법원은 지정된 공판기일을 열어 피고사건에 대한 실체심리를 하게 된다.
2. 제1심 공판절차는 모두절차, 사실심리절차, 판결선고절차로 나눌 수 있다.

모두절차

진술거부권의 고지
⇩
인정신문
⇩
검사의 모두진술
⇩
피고인의 모두진술
⇩
재판장의 쟁점정리 및 검사·변호인의 증거관계 등에 대한 진술

⇨

사실심리절차

증거조사
⇩
피고인신문
⇩
소송관계인의 의견진술(최후 변론)

⇨

판결선고절차

01 모두진술절차에 관한 설명으로 틀린 것은 몇 개인가?

> ㉠ 재판장은 피고인에게 그 이익되는 사실을 진술할 기회를 주어야 한다.
> ㉡ 재판장은 인정신문이 끝난 이후 검사로 하여금 공소장에 의하여 공소사실, 죄명 및 적용법조를 낭독하게 할 수 있다.
> ㉢ 피고인은 진술거부권을 행사한 경우라도 검사의 모두진술이 끝난 뒤에 공소사실의 인정 여부를 진술하여야 한다.
> ㉣ 피고인은 공소사실을 인정함에 있어서도 진술거부권을 행사할 수 있다.

① 1개   ② 2개   ③ 3개   ④ 4개

| 해설 | ㉠ × : 종전법의 내용이다. 개정법은 재판장이 기회를 주어야 한다는 부분을 삭제하고 '피고인 또는 변호인은 이익이 되는 사실 등을 진술할 수 있다.'라고 규정하여 이익사실진술을 피고인 및 변호인의 권리로 규정하고 있다(제286조).
㉡ × : 종전에는 임의적 사항이었으나, 개정법에서 검사의 모두진술은 '낭독하여야 한다.'라고 함으로써 필수적 사항으로 바뀌었다(제285조).
㉢ × : 진술거부권을 행사한 경우에는 그러하지 아니하다(제286조 제1항 단서).
㉣ ○ : 제286조 제1항, 규칙 제127조의 2

02 공판기일 진행 절차를 원칙에 따라 순서대로 나열한 것은?(피고인, 검사가 모두 출석하여 정상적으로 재판이 진행되는 전제로 함)   16. 9급 법원직

> ㉠ 피고인의 모두진술(공소사실 인정 여부 등 진술)
> ㉡ 검사의 모두진술(공소장에 의해 공소사실 등 낭독)
> ㉢ 인정신문(성명, 주거 등을 물어 출석한 자가 피고인이 맞는지 확인)
> ㉣ 진술거부권 고지
> ㉤ 증거조사
> ㉥ 피고인신문

① ㉣ ⇨ ㉢ ⇨ ㉡ ⇨ ㉠ ⇨ ㉤ ⇨ ㉥
② ㉢ ⇨ ㉣ ⇨ ㉡ ⇨ ㉠ ⇨ ㉤ ⇨ ㉥
③ ㉢ ⇨ ㉣ ⇨ ㉡ ⇨ ㉤ ⇨ ㉠ ⇨ ㉥
④ ㉣ ⇨ ㉢ ⇨ ㉡ ⇨ ㉠ ⇨ ㉥ ⇨ ㉤

| Answer | 1.③   2.①

04

제6절 증거조사

I. 증거조사 절차

THEMA 15 증거조사 절차개관

증거조사 개시절차	당사자 신청	신청권자	검사·피고인 또는 변호인(제294조), 09. 9급 법원직 범죄피해자(제294조의 2). 재판장은 피고인에게 증거조사를 신청할 수 있음을 고지하여야 하나(제293조), 검사에 대해서는 그러한 고지의무가 없다.
		신청시기	제한이 없다. ▶ 공판준비기일에 신청(원칙), 부득이한 사유 소명 ⇨ 공판기일에 신청 가능함(제266조의 13 제1항)
		신청순서	검사 ⇨ 피고인 또는 변호인(규칙 제133조) 10. 순경, 11. 9급 법원직, 13·14. 경찰승진
		신청방식	1. 서면이나 구두에 의할 수 있다. 2. 필요한 증거를 일괄하여 신청(규칙 제132조) 10. 순경, 11. 9급 법원직, 13·14. 경찰승진 3. 검사, 피고인 또는 변호인이 증거신청을 함에 있어서는 그 증거와 증명하고자 하는 사실과의 관계를 구체적으로 명시하여야 한다(규칙 제132조의 2 제1항). 19. 9급 검찰·마약수사, 24. 9급 교정·보호·철도경찰
		증거결정	1. 법원은 증거결정을 내릴 때 필요시 그 증거에 대한 검사·피고인·변호인의 의견을 들을 수 있다(규칙 제134조 제1항). 10·22. 경찰승진 2. 제출자로 하여금 그 서류 또는 물건을 상대방에게 제시하게 하여 상대방이 그 서류 또는 물건의 증거능력 유무에 관한 의견을 진술하도록 하여야 한다(규칙 제134조 제2항). 22. 9급 검찰·마약수사 3. 신청의 당부에 대한 이유를 '신청의 이유가 있다.' 또는 '그 이유가 없다.'고 간단히 밝히면 된다(대결 1996.11.14, 96모94). 4. 각하결정, 기각결정, 채택결정
		증거제출 제한	법원은 증거신청을 기각·각하하거나 증거신청에 대한 결정을 보류한 경우에 증거 신청인으로부터 당해 증거서류나 증거물을 제출받아서는 안된다(규칙 제134조 제4항). 11. 9급 법원직, 13. 9급 검찰·마약·교정·보호·철도경찰·경찰승진
		불 복	증거신청에 대한 법원의 증거채부결정 ⇨ 이의신청 ▶ 증거신청의 결정에 대한 이의신청 ⇨ 법령위반을 이유로 함(규칙 제135조의 2 단서). 13. 9급 검찰·마약·교정·보호·철도경찰
	법원 직권		법원은 직권에 의하여도 증거조사를 할 수 있다(제295조 후단). ▶ 피고인이 철회한 증인을 법원이 직권신문하고 이를 채증하더라도 위법이 아니다(대판 1983.7.12, 82도3216). 10. 경찰승진, 13. 7급 국가직, 21. 9급 검찰·마약수사

증거조사 실시	증거 조사 순서	1. 검사가 신청한 증거를 조사 ⇨ 피고인 또는 변호인이 신청한 증거 조사 ⇨ 법원 직권으로 결정한 증거를 조사(제291조의 2 제1항·제2항) 12. 경찰승진, 16. 경찰간부 2. 법원은 직권 또는 검사, 피고인, 변호인의 신청에 따라 증거조사 순서를 바꿀 수 있다(동조 제3항). 09. 9급 법원직, 13. 9급 검찰·마약·교정·보호·철도경찰, 16. 경찰간부 3. 서류가 피고인의 자백진술을 내용으로 하는 때에는 범죄사실에 관한 다른 증거를 조사한 후에 이를 조사하여야 한다(규칙 제135조). 10. 순경, 11. 9급 법원직, 13. 경찰승진
	증거 조사 방식	┌ 증거서류 : 낭독(내용고지, 열람) │ ▶ 신청에 의한 경우 ⇨ 신청인 낭독, 법원직권 ⇨ 소지인 또는 재판장 낭독 ├ 증거물 : 제시(신청 ⇨ 신청인, 직권 ⇨ 소지인 또는 재판장) └ 증거물인 서면 : 제시+낭독(내용고지, 열람) 17. 9급 교정·보호·철도경찰
증거조사 이의신청		1. 검사·피고인 또는 변호인은 증거조사에 관하여 이의신청을 할 수 있다(제296조 제1항). 2. 이의신청은 증거조사가 법령을 위반한 경우뿐만 아니라 상당하지 아니한 경우에도 할 수 있다(규칙 제135조의 2 본문). ▶ 이의신청은 개개의 행위·처분 또는 결정시마다 그 이유를 간결하게 명시하여 즉시 하여야 한다(규칙 제137조). 3. 이의신청에 대한 결정에 대해서는 다시 이의신청을 할 수 없다(규칙 제140조). ▶ 이의신청에 대한 법원의 결정 ⇨ 항고 ×(제403조) 14. 7급 국가직
증거조사 결과와 피고인 의견		재판장은 피고인에게 각종 증거조사결과에 대한 의견을 묻고 권리를 보호하는 데 필요한 증거조사를 신청할 수 있음을 고지하여야 한다(제293조). ▶ 간이공판절차 ⇨ 제293조 적용 ×

04

01 증거신청 및 증거조사에 관한 설명 중 가장 적절하지 않은 것은? 14. 경찰승진

① 검사 또는 변호인은 증거조사 종료 후에 순차로 피고인에게 공소사실 및 정상에 관하여 필요한 사항을 신문할 수 있다.

② 검사·피고인 또는 변호인은 특별한 사정이 없는 한 필요한 증거를 일괄하여 신청하여야 한다.

③ 증거신청은 검사가 먼저 이를 한 후 다음에 피고인 또는 변호인이 이를 한다.

④ 증거조사는 검사, 피고인 또는 변호인의 신청에 의해서만 할 수 있을 뿐 법원이 직권으로 할 수는 없다.

┃해설┃ ① 제296조의 2 제1항 ② 규칙 제132조 ③ 규칙 제133조
④ 증거조사는 검사, 피고인 또는 변호인의 신청에 의해서 뿐만 아니라, 법원의 직권으로도 할 수 있다(제295조).

02 증거조사에 관한 다음 설명 중 가장 적절한 것은?

① 법원은 증거결정을 함에 있어서 검사, 피고인 또는 변호인의 의견을 들을 수 있다.

② 법원이 증거신청을 기각하는 경우에도 일단 증거신청인으로부터 당해 증거물 등을 제출받아야 한다.

③ 증거조사를 마친 증거가 증거능력이 없음을 이유로 한 이의신청을 이유 있다고 인정할 경우에는 그 증거의 증거조사를 다시 하여야 한다는 취지의 결정을 하여야 한다.

④ 피고인이 출석한 공판기일에서 증거로 함에 부동의한다는 의견을 진술하였다가 그 후 피고인이 출석하지 아니한 공판기일에서 변호인이 출석하여 종전 의견을 번복한 경우 증거동의의 효력이 발생한다.

│ 해설 │ ① 규칙 제134조 제1항 ② 법원이 증거신청을 기각하는 경우에 증거신청인으로부터 당해 증거서류 또는 증거물 등을 제출받아서는 안 된다(규칙 제134조 제4항).
③ 증거조사를 마친 증거가 증거능력이 없음을 이유로 한 이의신청을 이유 있다고 인정할 경우에는 그 증거의 전부 또는 일부를 배제한다는 취지의 결정을 하여야 한다(규칙 제139조 제4항).
④ 피고인이 출석한 공판기일에서 증거로 함에 부동의한다는 의견을 진술하였다가 그 후 피고인이 출석하지 아니한 공판기일에서 변호인이 출석하여 종전 의견을 번복한 경우라도 특별한 사정이 없는 한 효력이 없다 (대판 2013.3.28, 2013도3).

03 증거조사에 대한 설명으로 옳은 것을 모두 고른 것은?(다툼이 있는 경우 판례에 의함)

14. 7급 국가직

> ㉠ 국민참여재판에서는 법원의 직권에 의한 증거조사가 허용되지 않는다.
> ㉡ 법원의 증거신청에 관한 결정에 대한 이의신청은 법령의 위반이 있음을 이유로 하여서만 이를 할 수 있다.
> ㉢ 증거조사에 대한 이의신청은 개개의 행위, 처분 또는 결정시마다 즉시 하여야 한다.
> ㉣ 이의신청에 대한 결정에 의하여 판단이 된 사항에 대해서는 다시 이의신청을 할 수는 없으나, 항고는 허용된다.
> ㉤ 범죄로 인해 사망한 피해자의 직계친족이 피해자 진술을 신청하는 경우 법원은 법률이 정한 예외사유에 해당하지 않는 한 그를 증인으로 신문하여야 하지만, 처벌에 관한 의견을 진술하게 할 수는 없다.

① ㉠, ㉡   ② ㉡, ㉢   ③ ㉢, ㉤   ④ ㉣, ㉤

│ 해설 │ ㉠ × : 법원의 직권에 의한 증거조사가 허용된다(국민의 형사재판 참여에 관한 법률 제4조, 형사소송법 제295조).
㉡ ○ : 규칙 제135조의 2 ㉢ ○ : 규칙 제137조
㉣ × : 이의신청에 대한 결정에 의하여 판단이 된 사항에 대해서는 다시 이의신청을 할 수는 없으며(규칙 제140조), 이에 대한 항고도 허용되지 아니한다(403조 제2항).
㉤ × : 법원은 피해자 등을 신문하는 경우 피해의 정도 및 결과, 피고인의 처벌에 관한 의견, 그 밖에 당해 사건에 관한 의견을 진술할 기회를 주어야 한다(제294조의 2 제2항).

| Answer ☞ **2.① 3.②**

04 증거조사에 대한 설명으로 옳지 않은 것은?(다툼이 있는 경우 판례에 의함)   18. 7급 국가직

① 증거조사를 거치지 아니하였고 피고인이 이를 증거로 사용함에 동의를 한 바도 없기 때문에 증거능력이 인정되지 않는 증거라도 구성요건 사실을 추인하게 하는 간접사실의 인정자료로는 허용된다.

② 법원은 검사, 피고인 또는 변호인의 신청에 의하여 공판준비에 필요하다고 인정한 때에는 공판기일 전에 피고인 또는 증인을 신문할 수 있고, 검증, 감정 또는 번역을 명할 수 있다.

③ 재판부가 당사자의 증거신청을 채택하지 아니하거나 이미 한 증거결정을 취소하였다고 하더라도 그러한 사유만으로는 법관의 기피사유인 '불공평한 재판을 할 염려가 있는 때'에 해당하지 않는다.

④ 형의 양정에 관한 절차는 범죄사실을 인정하는 단계와 달리 취급하여야 하므로 당사자가 직접 수집하여 제출하기 곤란하거나 필요하다고 인정되는 경우, 법원은 직권으로 양형조건에 관한 형법 제51조의 사항을 수집·조사할 수 있다.

| 해설 | ① 구성요건에 해당하는 사실은 엄격한 증명에 의하여 이를 인정하여야 하고, 증거능력이 없는 증거는 구성요건 사실을 추인하게 하는 간접사실이나 구성요건 사실을 입증하는 직접증거의 증명력을 보강하는 보조사실의 인정자료로도 사용할 수 없다(대판 2010.5.27, 2008도2344).
② 제273조 제1항 ▶ 현행법상 공판준비절차에는 증거제출, 증거조사, 피고인신문 등은 금지되어 있다(제266조의 5 이하, 제266조의 15). 다만, 종래부터 유지되어 온 규정인 제273조(법원은 검사, 피고인 또는 변호인의 신청에 의하여 공판준비에 필요하다고 인정되는 경우에는 공판기일 전에 피고인 또는 증인을 신문할 수 있고, 검증·감정·번역을 명할 수 있다) 및 제274조(검사·피고인 또는 변호인은 공판기일 전에 서류나 물건을 증거로 법원에 제출할 수 있다)는 공판준비단계에서 피고사건의 실체심리를 허용하고 있는데, 이러한 조문들과의 관계를 어떻게 해석해야 할 것인가가 문제된다. 이러한 문제에 대한 다양한 논의가 있으나, 공소장 일본주의 원칙상 제1회 공판기일 이후 공판기일 전의 준비절차에서 제273조 및 제274조가 적용될 수 있다고 보아야 한다. ③ 대결 1995.4.3, 95모10 ④ 대판 2010.4.29, 2010도750

05 증거조사에 관한 설명 중 틀린 것은 모두 몇 개인가?

> ㉠ 증거결정에 대한 이의신청의 이유에는 제한이 없다.
> ㉡ 증거조사 신청시기는 제한이 없다.
> ㉢ 피고인이 철회한 증인을 법원이 직권으로 신문하는 것은 당사자주의에 반하는 것으로 위법하다고 할 것이다.
> ㉣ 공판준비절차에서 공무소 등에 대한 조회를 행한 결과 작성되거나 송부서류는 공판정에서 증거조사 할 필요가 없다.
> ㉤ 이의신청은 적시에 하여야 하므로 재판장이 피고인신문을 할 때 진술거부권을 고지하지 아니한 경우, 증거능력이 없는 증거를 동의 없이 조사한 경우, 적법한 증거조사를 하지 아니한 경우 등의 하자는 이의가 없으면 치유된다.
> ㉥ 이의신청은 개개의 행위, 처분 또는 결정시마다 그 이유를 간결하게 명시하여 즉시 이를 하여야 한다.

① 2개   ② 3개   ③ 4개   ④ 5개

Answer 4. ①   5. ③

해설 ㉠ × : 증거결정에 대한 이의신청은 법령위반의 경우에만 할 수 있다(규칙 제135조의 2).
㉡ ○ : 증거조사 신청시기는 제한이 없다. 공판준비기일에 신청함이 원칙이나, 소송을 현저히 지연시키지 아니한 때 또는 중대한 과실 없이 공판준비기일에 제출하지 못하는 등 사유를 소명하면 공판기일에 신청 가능하다(제266조의 13 제1항).
㉢ × : 증인은 법원이 직권에 의하여 신문할 수도 있고 증거의 채부는 법원의 직권에 속하는 것이므로 피고인이 철회한 증인을 법원이 직권신문하고 이를 채증하더라도 위법이 아니다(대판 1983.7.12, 82도3216).
㉣ × : 증거조사는 법원이 심증형성하는 데 중요한 의미를 가지므로 일정한 사실을 증명하기 위하여 제출된 모든 증거가 증거조사의 대상이 된다.
㉤ × : 증거능력이 없는 증거를 동의 없이 조사한 경우 적법한 증거조사를 하지 아니한 경우와 같이 위법이 심리의 실질에 관한 것인 경우에 그 하자는 치유되지 않는다.
㉥ ○ : 규칙 제137조

06 증거의 신청 및 결정에 대한 설명으로 옳은 것은?(다툼이 있는 경우 판례에 의함)

19. 9급 검찰 · 마약수사

① 증거로 할 부분을 특정하여 명시하면 서류나 물건의 일부에 대한 증거신청도 허용된다.
② 검사와 달리 피고인 또는 변호인이 증거신청을 하는 때에는 그 증거와 증명하고자 하는 사실과의 관계를 구체적으로 명시해야 하는 것은 아니다.
③ 범죄로 인한 피해자의 법정대리인은 그 피해자에 대한 증인신문을 신청할 수 없다.
④ 공판심리가 종결된 후에 피고인이 증인신청을 하였다면, 법원은 피고인의 방어권 보장을 위해 변론을 재개하여 증인신문을 하여야 한다.

해설 ① 규칙 제132조의 2 제3항 ② 검사, 피고인 또는 변호인이 증거신청을 하는 때에는 그 증거와 증명하고자 하는 사실과의 관계를 구체적으로 명시하여야 한다(규칙 제132조의 2 제1항).
③ 법원은 범죄로 인한 피해자 또는 그 법정대리인의 신청이 있는 때에는 그 피해자 등을 증인으로 신문하여야 한다(제294조의 2 제1항).
④ 공판심리가 종결된 후에 피고인이 증인신청을 하였다 하여 반드시 공판의 심리를 재개하여 증인신문을 하여야 하는 것은 아니다(대판 2011.1.27, 2010도7947).

07 증거조사의 이의신청에 관한 설명 중 가장 옳지 않은 것은?(다툼이 있는 경우 판례에 의함)

20. 9급 법원직

① 증거조사에 대한 이의신청은 법령의 위반이 있는 경우에만 할 수 있다.
② 이의신청에 대한 결정에 의하여 판단이 된 사항에 대하여는 다시 이의신청을 할 수 없다.
③ 시기에 늦은 이의신청, 소송지연만을 목적으로 하는 것임이 명백한 이의신청은 결정으로 이를 기각하여야 한다.
④ 증거조사를 마친 증거가 증거능력이 없음을 이유로 한 이의신청을 이유있다고 인정할 경우에는 그 증거의 전부 또는 일부를 배제한다는 취지의 결정을 하여야 한다.

해설 ① 증거조사에 대한 이의신청은 법령의 위반이 있거나 상당하지 아니함을 이유로 하여 이를 할 수 있다(규칙 제135조의 2). ② 규칙 제140조 ③ 규칙 제139조 제1항 ④ 규칙 제139조 제4항

Answer 6.① 7.①

08 증거조사절차에 대한 설명으로 옳은 것(○)과 옳지 않은 것(×)을 바르게 연결한 것은?(다툼이 있는 경우 판례에 의함)

21. 9급 검찰 · 마약수사

> ㉠ 피고인이 철회한 증인을 법원이 직권신문하고 이를 채증하는 것은 위법하다.
> ㉡ 법원은 검사, 피고인 또는 변호인의 신청에 의해서 증거조사를 할 수 있지만, 직권으로는 할 수 없다.
> ㉢ 검사, 피고인 또는 변호인이 고의로 증거를 뒤늦게 신청함으로써 공판의 완결을 지연하는 것으로 인정되는 때에도 상대방의 신청이 없는 한 법원이 직권으로 증거신청을 각하할 수 없다.
> ㉣ 형사소송법 제312조 및 형사소송법 제313조에 따라 증거로 할 수 있는 피고인 또는 피고인 아닌 자의 진술을 기재한 조서 또는 서류가 피고인의 자백진술을 내용으로 하는 경우에는 범죄사실에 관한 다른 증거를 조사하기 전에 이를 조사하여야 한다.

① ㉠(○), ㉡(○), ㉢(○), ㉣(○) ② ㉠(○), ㉡(×), ㉢(×), ㉣(○)
③ ㉠(×), ㉡(×), ㉢(○), ㉣(×) ④ ㉠(×), ㉡(×), ㉢(×), ㉣(×)

┃ 해설 ┃ ㉠ × : 증인은 법원이 직권에 의하여 신문할 수도 있고 증거의 채부는 법원의 직권에 속하는 것이므로 피고인이 철회한 증인을 법원이 직권신문하고 이를 채증하더라도 위법이 아니다(대판 1983.7.12, 82도3216).
㉡ × : 법원은 검사, 피고인 또는 변호인의 신청에 의해서 증거조사를 할 수 있으며(제294조 및 제294조의 2), 직권으로도 증거조사를 할 수 있다(제295조).
㉢ × : 법원은 검사, 피고인 또는 변호인이 고의로 증거를 뒤늦게 신청함으로써 공판의 완결을 지연하는 것으로 인정할 때에는 직권 또는 상대방의 신청에 따라 결정으로 이를 각하할 수 있다(제294조 제2항).
㉣ × : 형사소송법 제312조 및 형사소송법 제313조에 따라 증거로 할 수 있는 피고인 또는 피고인 아닌 자의 진술을 기재한 조서 또는 서류가 피고인의 자백진술을 내용으로 하는 경우에는 범죄사실에 관한 다른 증거를 조사한 후에 이를 조사하여야 한다(규칙 제135조).

09 공판기일의 절차에 대한 설명으로 옳지 않은 것은?(다툼이 있는 경우 판례에 의함)

22. 9급 검찰 · 마약수사

① 법원은 서류 또는 물건이 증거로 제출된 경우에 이에 관한 증거결정을 함에 있어서는 제출한 자로 하여금 그 서류 또는 물건을 상대방에게 제시하게 하여 상대방으로 하여금 그 서류 또는 물건의 증거능력 유무에 관한 의견을 진술하게 하여야 한다.
② 증거신청의 채택 여부는 법원의 재량으로서 법원이 필요하지 아니하다고 인정할 때에는 이를 조사하지 아니할 수 있다.
③ 피고인은 검사의 모두 진술이 끝난 뒤에, 진술거부권을 행사하는 경우를 제외하고, 공소사실의 인정 여부를 진술해야 하며, 만일 이 단계에서 피고인이 자백하면 간이공판절차로 이행하는 계기가 된다.
④ 법원의 증거결정에 대해서는 법령 위반이 있음을 이유로 해서 준항고 할 수 있다.

┃ 해설 ┃ ① 규칙 제134조 제2항 ② 대판 2018.3.15, 2017도18706 ③ 제286조 제1항, 제286조의 2
④ 법원의 증거결정에 대해서는 법령 위반이 있음을 이유로 해서만 이의신청을 할 수 있다(제295조, 규칙 제135조의 2 단서).

10 증거조사에 대한 설명으로 가장 적절하지 않은 것은?(다툼이 있는 경우 판례에 의함)

22. 경찰승진

① 증거신청은 검사가 먼저 이를 한 후 다음에 피고인 또는 변호인이 이를 한다.

② 법원은 서류 또는 물건이 증거로 제출된 경우에 이에 관한 증거결정을 함에 있어서는 제출한 자로 하여금 그 서류 또는 물건을 상대방에게 제시하게 하여 상대방으로 하여금 그 서류 또는 물건의 증거능력 유무에 관한 의견을 진술하게 하여야 한다. 다만, 형사소송법 제318조의 3의 규정에 의하여 동의가 있는 것으로 간주되는 경우에는 그러하지 아니하다.

③ 법원은 증거결정을 함에 있어서 필요하다고 인정할 때에는 그 증거에 대한 검사, 피고인 또는 변호인의 의견을 들어야 한다.

④ 법원이 필요하지 않다고 인정할 때에는 증거를 조사하지 않을 수 있는 것이므로, 법원이 검사의 증인신청을 받아들이지 않았다고 하더라도 이를 두고 위법하다고 할 수는 없다.

| 해설 | ① 규칙 제133조 ② 규칙 제134조 제2항
③ 법원은 증거결정을 함에 있어서 필요하다고 인정할 때에는 그 증거에 대한 검사, 피고인 또는 변호인의 의견을 들을 수 있다(규칙 제134조 제1항). ④ 대판 1995.6.13, 95도826

11 공판기일의 절차에 대한 설명으로 가장 적절하지 않은 것은?(다툼이 있는 경우 판례에 의함)

23. 경찰승진

① 법원은 피고인이 철회한 증인을 직권으로 신문하여 이를 채증할 수 있다.

② 원칙적으로 증거의 채부는 법원의 재량에 의하여 판단할 것이지만, 형사사건의 실체를 규명하는 데 가장 직접적이고 핵심적인 증거는 법정에서 증거조사를 하기 곤란하거나 부적절한 경우 또는 다른 증거에 비추어 굳이 추가 증거조사를 할 필요가 없다는 등 특별한 사정이 없는 한 공개된 법정에서 그 증거방법에 가장 적합한 방식으로 증거조사를 해야 한다.

③ 다른 증거나 증인의 진술에 비추어 굳이 추가 증거조사를 할 필요가 없다는 등 특별한 사정이 없고 소재탐지나 구인장 발부가 불가능한 사유가 존재하지 않더라도, 법원은 불출석한 핵심 증인에 대하여 소재탐지나 구인장 발부 없이 증인채택 결정을 취소할 수 있다.

④ 사실심 변론종결 후 검사나 피해자 등에 의해 피고인에게 불리한 새로운 양형조건에 관한 자료가 법원에 제출되었다면, 법원은 변론을 재개하여 그 양형자료에 대하여 피고인에게 의견진술 기회를 주는 등 필요한 양형심리절차를 거침으로써 피고인의 방어권을 실질적으로 보장해야 한다.

| 해설 | ① 대판 1983.7.12, 82도3216 ② 대판 2011.11.10, 2011도11115
③ 다른 증거나 증인의 진술에 비추어 굳이 추가 증거조사를 할 필요가 없다는 등 특별한 사정이 없고, 소재탐지나 구인장 발부가 불가능한 것이 아님에도 불구하고, 불출석한 핵심 증인에 대하여 소재탐지나 구인장 발부 없이 증인채택 결정을 취소하는 것은 법원의 재량을 벗어나는 것으로서 위법하다(대판 2020. 12.10, 2020도2623). ④ 대판 2021.9.30, 2021도5777

12 증거조사의 절차에 대한 설명으로 옳지 않은 것은?   24. 9급 교정 · 보호 · 철도경찰

① 검사, 피고인 또는 변호인은 서류나 물건을 증거로 제출할 수 있고 증인 · 감정인 · 통역인 또는 번역인의 신문을 신청할 수 있다.

② 검사와 달리 피고인 또는 변호인이 증거신청을 하는 때에는 그 증거와 증명하고자 하는 사실과의 관계를 구체적으로 명시해야하는 것은 아니다.

③ 증거신청의 채택 여부는 법원의 재량으로서 법원이 필요하지 않다고 인정할 때에는 이를 조사하지 않을 수 있다.

④ 법원은 증거신청에 대한 결정을 보류하는 경우, 증거신청인으로부터 당해 증거서류 또는 증거물을 제출받아서는 아니 된다.

┃ **해설** ┃ ① 제294조 제1항
② 검사, 피고인 또는 변호인이 증거신청을 하는 때에는 그 증거와 증명하고자 하는 사실과의 관계를 구체적으로 명시해야 한다(규칙 제132조의 2 제1항).
③ 대판 2018.3.15, 2017도18706
④ 규칙 제134조 제4항

04

Ⅱ. 증인신문 · 검증 · 감정 · 통역 · 번역

THEMA 16	증인의 의의와 증인적격	
증인신문의 의의	증인신문이라 함은 증인으로부터 그 체험사실의 진술을 듣는 증거조사절차를 말한다.	
증인적격	**증인의 의의**	증인이란 법원 또는 법관에 대하여 자신이 과거에 체험한 사실을 진술하는 제3자를 말한다(구인 가능). ▶ 감정인 : 구인 ×(감정증인 ⇨ 증인)
	증인 적격	1. 증인적격의 의의 : 증인적격이란 증인으로 될 수 있는 자격을 말한다. 증인적격이 있어야 증인신문을 할 수 있고, 증인적격이 없는 자의 증언은 증거능력이 없다. 형사소송법상 원칙적으로 누구에게나 증인적격이 인정된다(제146조). 　　▶ 형사미성년자도 증인적격자임. 2. 증인적격의 제한 여부 　① 공무원의 증인적격 : 공무원이나 공무원이었던 자가 그 직무에 관하여 알게 된 사실에 관해 본인 또는 당해 공무소가 직무상 비밀에 속한 사항임을 신고한 때에는 그 소속공무소 또는 감독관공서의 승낙이 없이는 증인으로 신문하지 못한다(제147조 제1항). 　② 법관의 증인적격 : 당해 사건을 심판하는 법관이나 공판절차에 관여하고 있는 법원사무관 ⇨ 증인적격 × 　③ 검사의 증인적격 : 부정(다수설). 다만, 공소유지에 관여하지 않는 수사검사는 증인적격을 가지며, 검찰주사나 사법경찰관도 소송당사자가 아니므로 증인적격이 인정된다. 　④ 변호인의 증인적격 : 부정(다수설) 　⑤ 피고인의 증인적격 　　㉠ 피고인 : 증인적격 부정 　　㉡ 공동피고인 ┌ 공범관계가 있는 공동피고인 ⇨ 증인적격 부정(다수설) 　　　　　　　　　　└ 공범관계가 없는 공동피고인 ⇨ 증인적격 인정

01 증인적격과 관련한 설명으로 적절하지 않은 것은 몇 개인가?

> ㉠ 당해사건의 법관, 검사, 변호인일지라도 당해사건에서 물러나면 증인이 될 수 있다.
> ㉡ 감정증인은 증인에 관한 규정이 적용된다.
> ㉢ 책임무능력자나 어린아이, 피고인의 친척도 모두 증인적격이 인정된다.
> ㉣ 공동피고인은 공범 여부를 불문하고 증인적격이 인정된다.
> ㉤ 공무원 또는 공무원이었던 자가 그 직무에 관하여 알게 된 사실에 관하여 본인 또는 당해 공무소가 직무상 비밀에 속한 사항임을 신고한 때에는 그 소속공무소 또는 감독관공서의 승낙 없이는 증인으로 신문하지 못한다.

① 1개 ② 2개 ③ 3개 ④ 4개

| 해설 | ㉠ ○ : 당해사건의 법관, 검사, 변호인일지라도 당해사건에서 물러나면 증인이 될 수 있다.
㉡ ○ : 감정증인은 증인에 관한 규정이 적용된다(제179조).
㉢ ○ : 책임무능력자나 어린아이, 피고인의 친척도 모두 증인적격이 인정된다(제146조).
㉣ × : 공동피고인은 공범인 경우에는 증인적격이 부인되나, 공범이 아닌 경우에는 증인적격이 인정된다.
㉤ ○ : 제147조 제1항

02 증인신문에 대한 설명으로 옳은 것을 모두 고르면?(다툼이 있는 경우 판례에 의함)

13. 7급 국가직

> ㉠ 甲이 공판기일에 증인으로 출석하여 진술한 다음, 당해 사건의 같은 기일에 통역인으로서 증인 乙의 진술을 통역한 경우 甲이 통역한 乙에 대한 증인신문조서는 증거로 할 수 없다.
> ㉡ 특별한 지식에 의하여 알게 된 과거 사실을 신문받는 감정증인에게는 증인에 관한 규정이 적용된다.
> ㉢ 공동피고인과 피고인이 뇌물을 주고 받은 사이로 필요적 공범관계에 있다면 수사상 증거보전의 필요성이 인정되어도 공동피고인을 증인으로 신문할 수는 없다.
> ㉣ 서로 폭행을 했다는 이유로 기소되어 병합심리 중인 공동피고인이 선서 없이 한 법정진술은 피고인이 증거로 함에 동의한 바 없더라도 피고인에 대한 유죄의 증거로 사용할 수 있다.
> ㉤ 사고당시 10세 남짓한 초등학교 5학년생으로서 선서무능력자라고 해도 그 증언의 전후사정으로 보아 의사판단능력이 있다고 인정된다면 증언능력이 있다.

① ㉠, ㉡, ㉢ ② ㉠, ㉡, ㉤
③ ㉡, ㉢, ㉣ ④ ㉢, ㉣, ㉤

| 해설 | ㉠ ○ : 대판 2011.4.14, 2010도13583
㉡ ○ : 제179조
㉢ × : 공동피고인과 피고인이 뇌물을 주고 받은 사이로 필요적 공범관계에 있다고 하더라도 검사는 수사단계에서 피고인에 대한 증거를 미리 보전하기 위하여 필요한 경우에는 판사에게 공동피고인을 증인으로 신문할 것을 청구할 수 있다(대판 1988.11.8, 86도1646).
㉣ × : 유죄의 증거로 사용할 수 없다(대판 1982.9.14, 82도1000).
㉤ ○ : 대판 1984.9.25, 84도619

Answer 1.① 2.②

03 공동피고인의 증인적격 및 증언의 증거능력에 대한 설명 중 옳은 것(○)과 옳지 않은 것(×)을 바르게 표시한 것은?(다툼이 있는 경우 판례에 의함)

> ㉠ 공범인 공동피고인은 소송절차가 분리되어 피고인의 지위에서 벗어나게 되면 다른 공동피고인에 대한 공소 사실에 관하여 증인이 될 수 있다.
> ㉡ 대향범인 공동피고인은 소송절차가 분리되어 피고인의 지위에서 벗어나게 되면 다른 공동피고인에 대한 공소 사실에 관하여 증인이 될 수 있다.
> ㉢ 서로 다른 공동피고인의 범죄사실에 관하여는 증인의 지위에 있다.
> ㉣ 피고인과 별개의 범죄사실로 기소되어 병합심리 중인 공동피고인이 선서 없이 한 법정진술은 피고인의 공소 범죄사실을 인정하는 증거로 할 수 없다.

① ㉠(○), ㉡(○), ㉢(○), ㉣(○)
② ㉠(○), ㉡(×), ㉢(○), ㉣(○)
③ ㉠(○), ㉡(○), ㉢(×), ㉣(×)
④ ㉠(×), ㉡(○), ㉢(×), ㉣(×)

| 해설 | ㉠ ○ : 대판 2008.6.26, 2008도3300
㉡ ○ : 대판 2012.3.29, 2009도11249
㉢ ○ : 대판 2006.1.12, 2005도7601
㉣ ○ : 대판 1979.3.27, 78도1031

04 증인적격이 있는 자만을 모두 고른 것은?(다툼이 있는 경우 판례에 의함)

18. 9급 교정 · 보호 · 철도경찰

> ㉠ 당해 사건에서 압수 · 수색을 집행한 검찰수사관
> ㉡ 별개의 재판에서 이미 당해 사건에 대해 유죄판결이 확정된 공범
> ㉢ 피고인의 배우자

① ㉠　　　　② ㉠, ㉢　　　　③ ㉡, ㉢　　　　④ ㉠, ㉡, ㉢

| 해설 | ㉠ 당사자가 아닌 제3자의 지위에 있는 경우이므로 경찰 공무원의 증인적격을 인정한다 하더라도 적법절차의 원칙에 반한다거나 그 근거조항인 위 법 조항이 합리적이고 정당한 법률이 아니라고 말할 수는 없다(헌재결 2001.11.29, 2001헌바41).
㉡ 피고인과는 별개의 범죄사실로 기소되고, 다만 병합심리된 것뿐인 공동피고인은 피고인에 대한 관계에서는 증인의 지위에 있으며(대판 1979.3.27, 78도1031), 공범이 이미 유죄의 확정판결을 받은 경우에는 일사부재리의 원칙에 의해 그 공범은 다시 처벌되지 아니하므로 증언을 거부할 수 없다(대판 2008.10.23, 2005도10101).
㉢ 피고인의 처도 증인이 될 수 있음은 당연하다(물론 제148조에 의한 증언거부권 행사는 할 수 있다).

05 증인신문에 대한 설명으로 옳은 것은?

24. 9급 검찰·마약수사

① 형사소송법에서 증언거부권의 대상으로 규정한 '공소제기를 당하거나 유죄판결을 받을 사실이 발로될 염려 있는 증언'에는 자신이 범행을 한 것으로 오인되어 유죄판결을 받을 우려가 있는 사실까지 포함되는 것은 아니다.

② 통역인 甲이 제1심 공판기일에 증인으로 출석하여 진술한 다음, 같은 기일에 이 사건의 피해자이자 자신의 사실혼 배우자인 증인 乙의 진술을 통역한 경우, 甲이 통역한 乙의 증인신문조서는 유죄인정의 증거로 사용할 수 있다.

③ 게임장의 종업원 甲이 그 운영자 乙과 함께 게임산업진흥에 관한 법률 위반죄의 공범으로 기소되어 공동피고인으로 재판을 받던 중, 소송절차를 분리한 후 乙에 대한 공소사실에 관한 증인으로 증언하면서 위증을 한 경우에도 甲이 乙과 공범관계에 있는 이상 위증죄가 성립하지 않는다.

④ 공동피고인인 절도범과 그 장물범은 서로 다른 공동피고인의 범죄사실에 관하여는 증인의 지위에 있다.

┃해설┃ ① 증언거부권의 대상으로 규정한 '공소제기를 당하거나 유죄판결을 받을 사실이 발로될 염려 있는 증언'에는 자신이 범행을 한 사실뿐 아니라 범행을 한 것으로 오인되어 유죄판결을 받을 우려가 있는 사실 등도 포함된다고 할 것이다(대판 2012.12.13, 2010도10028).
② 통역인 甲이 제1심 공판기일에 증인으로 출석하여 진술한 다음, 같은 기일에 이 사건의 피해자이자 자신의 사실혼 배우자인 증인 乙의 진술을 통역한 경우, 甲이 통역한 乙의 증인신문조서는 유죄인정의 증거로 사용할 수 없다(대판 2011.4.14, 2010도13583).
③ 게임장의 종업원이 그 운영자와 함께 게임산업진흥에 관한 법률 위반죄의 공범으로 기소되어 공동피고인으로 재판을 받던 중, 운영자에 대한 공소사실에 관한 증인으로 증언한 내용과 관련하여 위증죄로 기소된 사안에서, 소송절차가 분리되지 않은 이상 위 종업원은 증인적격이 없어 위증죄가 성립하지 않는다(대판 2008.6.26, 2008도3300). - 소송절차를 분리한 후 乙에 대한 공소사실에 관한 증인으로 선서하고 증언하면서 위증을 한 경우에는 위증죄가 성립한다.
④ 대판 2006.1.12, 2005도7601

THEMA 17	증인의 의무

출석의무	1. 증인의 소환 : 법원은 소환장의 송달, 전화, 전자우편 그 밖의 상당한 방법으로 증인을 소환한다(제150조의 2 제1항). ▶ 소환장은 늦어도 24시간 이전에 송달(규칙 제70조). 다만, 이미 공판정에 나와 있는 증인 ⇨ 소환하지 않고 신문 가능(제154조) ▶ 소환의 대상 : 피고인, 증인, 감정인, 통역인, 번역인 ▶ 통지의 대상 : 검사, 변호인 ▶ 소환장 ┌ 증인 : 24시간 이내 송달(규칙 제70조) 08. 9급 국가직 　　　　└ 피고인 : 12시간 이내 송달(규칙 제45조) 2. 증인의 동행명령 : 제166조 제1항. 동행명령 거부 ⇨ 구인가능(제166조 제2항) ▶ 과태료나 비용배상 부과 × 3. 출석의무 위반에 대한 제재 ① 구인가능(제152조) ② 소환장을 송달받고 정당한 사유 없이 출석불응 ⇨ 소송비용 부담을 명하고, 500만원 이하의 과태료(과료 ×, 벌금 ×) 부과 가능(제151조 제1항) 08. 7급 국가직, 10. 경찰승진, 11. 9급 법원직 ▶ 소송비용 부담과 과태료 부과 ⇨ 전화나 전자우편 등 간편한 방법으로 증인소환이 이루어진 때에는 해당 ×(제151조 제1항 후단) ▶ 증인의 출석의무 위반에 대한 제재로는 소송비용의 부담과 벌금, 그리고 감치처분이 가능하다. (×) 10. 경찰승진 ③ 과태료 재판을 받고도 정당한 사유 없이 다시 불출석 ⇨ 증인을 7일 이내의 감치에 처함(동조 제2항). 14. 경찰승진 ④ 법원은 감치재판기일에 증인을 소환 후 정당한 사유가 있는지의 여부를 심리하여야 한다(동조 제3항). 감치사유가 발생한 날로부터 20일이 지난 때에는 감치재판개시결정을 할 수 없다(규칙 제68조의 4 제1항). 감치재판절차를 개시 후 감치결정 전에 그 증인이 증언을 하거나 감치가 상당하지 아니한 경우에는 불처벌결정을 하여야 하며, 감치재판개시결정과 불처벌결정에 대해서는 불복할 수 없다(동조 제3항). ⑤ 증인이 감치의 집행 중에 증언을 한 때 ⇨ 즉시 감치결정을 취소 후 증인 석방(동조 제7항). ⑥ 과태료나 감치결정에 대해서 즉시항고 가능(집행정지 ×)(동조 제8항) 10. 9급 국가직, 14. 경찰승진
선서의무	1. 선서절차 ① 신문 전에 증인선서를 하여야 한다(제156조). 13. 순경 1차 단, 법률에 다른 규정이 있는 때에는 예외로 한다. ② 선서는 선서서에 따라야 하며, 재판장은 증인에게 선서를 낭독하게 하고 기명날인하거나 서명하게 하여야 한다(제157조 제3항). 16. 9급 법원직 다만, 증인이 선서를 낭독하지 못하거나 서명을 하지 못하는 경우에는 참여한 법원사무관 등이 대행한다(동조 제3항 단서). 11 · 16. 9급 법원직 ③ 선서는 각 증인마다 하여야 하며(대표선서 ×), 재판장은 선서할 증인에 대하여 선서 전에 위증의 벌을 경고하여야 한다(제158조). ▶ 이 경고를 하지 않고 증언 ⇨ 증언 자체가 무효는 아님

	2. 선서무능력자 ① 선서무능력자 : 16세 미만자(16세는 해당 ×) 또는 선서의 취지를 이해하지 못하는 자 　▶ 선서무능력자에 대하여는 선서를 하지 않고 신문하여야 한다(제159조). 10. 9급 국가 　직, 14. 경찰승진, 11 · 15 · 16. 9급 법원직 ② 선서무능력자에게 선서를 시키고 증언 ⇨ 위증죄는 성립 ×, 15. 경찰승진 증언 자체의 　효력은 인정 **3. 선서거부권의 문제** : 선서능력 있는 증인이 선서 없이 증언한 때 ⇨ 그 증언은 증거능력이 없다(대판). 　▶ 증인의 선서거부권 허용 ×(∴ 증언거부권이 인정되는 자라 할지라도 선서거부권만을 　행사할 수 없다) **4. 선서의무 위반에 대한 제재** : 50만원 이하의 과태료에 처할 수 있으며, 10 · 15. 경찰승진, 15. 경찰간부 이에 대해 즉시항고를 할 수 있다(제161조). 11. 7급 국가직, 15. 경찰간부
증언의무	**1.** 증인은 증언의무를 진다(제157조 제2항). 증인이 증언의무를 수행하려면 그 전제로 증인 에게 증언능력이 있어야 한다(증인적격자라도 증언능력은 없을 수 있음). 　▶ 형사미성년자 ⇨ 증언능력이 있는 경우도 있고, 없는 경우도 있음 **2.** 증언을 거부한 때 ⇨ 50만원 이하의 과태료에 처할 수 있으며(제161조), 이에 대한 즉시항 고가 가능하다(제161조 제2항). 11. 7급 국가직 　▶ 10세 남짓한 국민학교 5학년생 ⇨ 증언능력 인정(대판 1984.9.25, 84도619) 10. 경찰승진, 　13. 7급 국가직, 14. 순경 1차 　▶ 만 3년 3월 남짓 강간치상죄의 피해자 ⇨ 증언능력 인정(대판 1991.5.10, 91도579) 16. 　변호사시험

01 증인신문에 관한 설명으로 옳은 것은?

① 증인은 소환장 송달에 의한 방법으로 소환한다.

② 소환장의 송달 기타의 방법으로 소환받은 증인이 출석의무를 위반한 경우에는 비용부담, 과태료, 감치, 구인 등의 제재가 따른다.

③ 증인이 2인 이상인 경우에는 대표자 1인만 선서할 수도 있다.

④ 증인적격자라도 증언능력은 없을 수 있다.

해설 ① 소환장 송달, 전화, 전자우편, 그 밖의 상당한 방법으로 증인을 소환한다(제150조의 2 제1항).
② 전화나 전자우편 등의 간이한 방법으로 증인소환이 이루어진 경우에는 이러한 제재를 가할 수 없다. 이러한 경우에는 정식의 소환장을 발송하는 등 후속의 조치를 취하게 될 것이다(제150조의 2, 제151조 참조).
③ 선서는 각 증인마다 하여야 한다.

02 증인 또는 증인신문에 관한 설명 중 틀린 것은 몇 개인가?(다툼이 있으면 판례에 의함)

> ㉠ 사고 당시 10세 남짓한 초등학교 5학년생으로서 비록 선서무능력자라 하여도 그 증언 내지 진술의 전후 사정으로 보아 의사판단능력이 있다고 인정된다면 증언능력이 있다.
> ㉡ 피고인은 증인이 아닌 당사자로서 그 법정진술이 직접 자신을 위한 유리한 증거로 사용될 수 있다는 점에서 경찰공무원에 대한 증인적격 인정이 바로 피고인에 대한 증인적격 인정으로 귀결된다고 볼 아무런 근거가 없고, 그 밖에 이 사건 법률조항에 의한 경찰 공무원의 증인적격 인정과 피고인의 진술거부권 침해와의 연관성을 인정할 만한 사정도 없다.
> ㉢ 현행범을 체포한 경찰관의 진술도 범행을 목격한 부분에 관하여는 증거능력이 있다.
> ㉣ 증인이 자기나 친족 또는 이러한 관계에 있었던 사람, 증인의 후견인 또는 증인의 후견을 받은 사람 등 어느 한사람과 현저한 이해관계가 있는 사항에 관하여 신문을 받을 때에는 선서를 거부할 수 있다.
> ㉤ 급속을 요하는 경우를 제외하고는 증인에 대한 소환장은 늦어도 출석할 일시 24시간 전에 송달하여야 한다.
> ㉥ 증인이 법원의 구내에 있는 때에는 소환함이 없이 신문할 수 있으며, 불출석제재규정도 적용되지 아니하므로 과태료부과 대상이 아니다.

① 1개   ② 2개   ③ 3개   ④ 4개

┃ 해설 ┃ ㉠ ○ : 대판 1984.9.25, 84도619
㉡ ○ : 헌재결 2001.11.29, 2001헌바41
㉢ ○ : 대판 1995.5.9, 95도535
㉣ × : 선서무능력자를 제외하고는 출석한 증인은 선서할 의무가 있으므로, 선서를 거부할 수 없다(제156조).
㉤ ○ : 규칙 제70조
㉥ ○ : 제151조, 제153조, 제154조

03 증인신문에 관한 설명 중 옳지 않은 것은?

① 증인은 선서의무가 있으나 감정인은 선서의무가 없다.
② 선서서에는 "양심에 따라 숨김과 보탬이 없이 사실 그대로 말하고 만일 거짓말이 있으면 위증의 벌을 받기로 맹세합니다."라고 기재하여야 하고, 재판장은 증인에게 선서서를 낭독하고 기명날인하거나 서명하게 하여야 한다. 다만, 증인이 선서서를 낭독하지 못하거나 서명을 하지 못하는 경우에는 참여한 법원사무관 등이 대행한다.
③ 책임무능력자나 어린아이, 피고인의 친인척도 모두 원칙적으로 증인적격이 인정된다.
④ 증인의 출석의무 위반에 대한 제재로는 구인, 과태료, 소송비용, 감치처분 등이며, 벌금은 제재수단이 될 수 없다.

┃ 해설 ┃ ① 증인 및 감정인 모두 선서의무가 있다(제156조, 제170조 제1항).
② 제157조 제2항·제3항
③ 법원은 법률에 다른 규정이 없으면 누구든지 증인으로 신문할 수 있다(제146조). 따라서 원칙적으로 모두 증인적격이 인정된다. ④ 제151조, 제152조

┃ Answer ┃ 2.① 3.①

04 증인의 의무위반에 대한 제재 중 잘못 연결된 것은?

① 선서 · 증언거부 - 과태료, 비용배상

② 출석거부 - 과태료, 비용배상, 구인

③ 동행명령거부 - 구인

④ 허위진술 - 위증죄 처벌

| 해설 | ① 증인이 정당한 이유 없이 증언이나 선서를 거부한 때에는 결정으로 50만원 이하의 과태료에 처할 수 있다(제161조 제1항).
② 소환장을 송달받은 증인이 정당한 이유 없이 출석하지 아니한 때에는 결정으로 당해 불출석으로 인한 소송비용을 증인이 부담하도록 명하고, 500만원 이하의 과태료를 부과할 수 있다. 정당한 이유 없이 소환에 응하지 아니하는 증인은 구인할 수 있다(제152조).
③ 동행명령을 거부한 경우에도 구인할 수 있다(제166조 제2항). 그러나 과태료나 비용배상은 부과할 수 없다.
④ 선서한 증인이 허위진술하면 위증죄가 성립한다.

05 공판절차에서의 증인신문에 대한 설명으로 옳지 않은 것은?(다툼이 있는 경우 판례에 의함)

14. 9급 교정 · 보호 · 철도경찰

① 공범인 공동피고인은 당해 소송절차에서 피고인의 지위에 있으므로 소송절차가 분리되지 않으면 다른 공동피고인에 대한 공소사실에 대하여 증인이 될 수 없다.

② 공소제기 전에 피고인을 피의자로 조사했던 사법경찰관의 진술이 피고인의 진술을 내용으로 하는 경우에도 그 사법경찰관을 공판기일에 증인으로 신문할 수 있다.

③ 선서의 취지를 이해하지 못하는 선서무능력자에게 선서를 시키고 증언하게 한 때에는 선서의 효력이 없으므로 의사판단능력의 유무와 관계없이 증언 자체의 효력도 없게 된다.

④ 피고인이 미리 증인신문에 참여하게 해 달라고 신청하였음에도 이를 허가하지 않고 변호인만을 참여시켜 실시한 증인신문은 위법하다.

| 해설 | ① 대판 2008.6.26, 2008도3300
② 피고인이 아닌 자(공소제기 전에 피고인을 피의자로 조사하였거나 그 조사에 참여하였던 자를 포함한다)의 공판준비 또는 공판기일에서의 진술이 피고인의 진술을 그 내용으로 하는 것인 때에는 그 진술이 특히 신빙할 수 있는 상태하에서 행하여졌음이 증명된 때에 한하여 이를 증거로 할 수 있다(제316조 제1항).
③ 선서무능력자에 대하여 선서케 하고 신문한 경우라 할지라도 그 선서만이 무효(위증죄 불성립)가 되고, 그 증언의 효력에 관하여는 영향이 없고 유효하다할 것이다(대판 1957.3.8, 4290형상23).
④ 대판 1969.7.25, 68도1481

06 증인불출석으로 인한 제재 및 그 절차에 대한 설명으로 잘못된 것은?

① 법원은 소환장을 송달받은 증인이 출석하지 아니하여 과태료 재판을 받고도 정당한 사유 없이 다시 출석하지 아니한 때에는 결정으로 증인을 7일 이내의 감치에 처한다.

② 감치에 처하는 재판을 받은 증인이 감치시설에 유치된 경우 당해 감치시설의 장은 즉시 그 사실을 법원에 통보하여야 하고, 법원은 통보를 받은 때에는 지체 없이 증인신문기일 을 열어야 한다.

③ 법원은 감치의 재판을 받은 증인이 감치의 집행 중에 증언을 한 때에는 즉시 감치결정을 취소하고 그 증인을 석방하도록 명하여야 한다.

④ 증인불출석으로 인한 비용부담, 과태료, 감치결정에 대하여 즉시항고를 할 수 있으며, 이 경우 집행정지의 효력도 인정된다.

┃ 해설 ┃ ① 제151조 제2항
② 제151조 제5항 · 제6항
③ 제151조 제5항 · 제7항
④ 증인불출석으로 인한 비용부담, 과태료, 감치결정에 대하여 즉시항고를 할 수 있다. 이 경우 집행정지의 효력이 인정되지 않는다(제151조 제8항).

THEMA 18	증인의 권리	
증인의 소송법상 권리	증언 거부권	1. 의의 : 증언거부권이란 증인이 증언을 거부할 수 있는 권리를 말한다(증언거부권이 있더라도 출석 자체를 거부할 수는 없음). – 증인거부권과 구별 ① 자신에 대한 유죄판결이 확정된 증인 ⇨ 공범에 대한 사건에서 증언을 거부할수 없다(재심 청구 예정인 경우에도 동일)(대판 2011.11.24, 2011도11994). 14. 경찰승진, 15. 9급 검찰·마약수사, 16. 변호사시험, 17. 경찰간부, 21. 순경 1차 ② 증언거부권 불고지 ┌ 증언거부권을 행사하는 데 사실상 장애가 초래 ⇨ 위증죄의 성립을 부정(대판(대판 2010.1.21, 2008도942 전원합의체) 13. 변호사시험, 16. 변호사시험·경찰간부 └ 증인이 선서하고 증언 ⇨ 그 증언은 유효(대판 1957.3.8, 4290형상23) 08. 9급 국가직, 21. 9급 법원직 ③ 증언거부권의 고지 규정(형사소송법 제160조) ⇨ '국회에서의 증언·감정 등에 관한 법률'에 유추 적용 ×(대판 2012.10.25, 2009도13197) ④ 민사소송절차에서 재판장이 증인에게 증언거부권 불고지 ⇨ 절차위반의 위법 × ∴ 선서 후 허위진술을 한 증인에 위증죄가 성립한다(대판 2011.7.28, 2009도14928). 16. 변호사시험 2. 증언거부권이 인정되는 경우 ① 자기나 친족이거나 친족이었던 사람, 법정대리인·후견감독인의 어느 하나에 해당하는 자가 형사소추 또는 공소제기를 당하거나 유죄판결을 받을 사실이 드러날 염려가 있는 경우(제148조) 14. 9급 법원직 ② 변호사·변리사·공증인·공인회계사·세무사·대서업자·의사·한의사·치과의사·약사·약종상·조산사·간호사·종교의 직에 있는 자 또는 이러한 직에 있었던 자가 업무상 알게 된 사실로서 타인의 비밀에 관한 것(제149조) ▶ 제한적 열거(다수설)로서 다른 직업은 적용이 없다. 3. 증언거부권의 행사와 포기 : 증언거부권을 포기하고 증언 가능, 거부하는 경우 거부사유 소명(제150조) 08. 7급 국가직 ▶ 증인이 주신문에 대하여 증언 후 반대신문에 대하여 증언을 거부할 수는 없다.
	비용 청구권	소환받은 증인은 법률이 규정한 바에 의하여 여비·일당·숙박비를 청구할 수 있다(재정증인은 비용청구권 ×). 단, 정당한 사유 없이 선서 또는 증언을 거부한 자는 예외로 한다(제168조).

04

01 증언거부권에 관한 설명으로 틀린 것은?

① 형사소송법 제149조는 증언거부권자를 예시적으로 열거하고 있다.

② 증인이 증언을 거부하는 경우에는 증언거부의 사유를 소명하여야 한다.

③ 증언거부권의 불고지는 증언의 효력에 영향을 미치지 아니한다는 것이 대법원판례의 견해이다.

④ 증언거부권이 인정된 증인일지라도 법정출석 자체를 거부할 수는 없다.

│ 해설 ① 제한적 열거라고 봄이 통설이다. 증언거부권이 인정되는 직업군을 넓힐수록 형사사법의 기능이 더욱 많이 침해되기 때문이다.
② 제150조
③ 피고인에게 증언거부권을 고지함이 없이 선서를 시킨 후 증인신문을 한 경우 그 증언의 효력은 유효하다 (대판 1957.3.8, 4290형상23).
④ 증언거부권이 인정된 증인일지라도 출석을 거부할 수 없다는 점에서 출석의무가 없는 증인거부권과 구별된다.

02 증언거부권에 대한 설명으로 옳은 것은?

① 세무사는 증언거부권자이나 교사는 증언거부권자가 아니며, 사촌형은 친족에 해당하므로 사촌형이 형사소추를 당할 범죄사실이 발로될 염려가 있는 사실은 증언거부사유에 해당한다.

② 면소판결이 확정된 사실, 상습범의 기초될 사실, 구성요건적 사실, 누범가중의 사유가 될 사실, 집행유예판결의 취소사유 등은 모두 증언거부의 대상이다.

③ 증언거부의 사실에는 아직 수사가 개시되지 않은 사실은 포함되지 아니한다.

④ 피고인과 친족, 친족의 관계에 있었던 자는 선서 없이 증언을 할 수 있으나 증언 자체를 거부할 수는 없다.

│ 해설 ① 제148조, 제149조
② 이미 유죄(대판 2011.11.24, 2011도11994), 무죄, 면소판결이 확정되어 더 이상 공소제기나 유죄판결의 가능성 없음이 분명한 경우에는 그 해당하는 사실에 대하여 증언을 거부할 수 없다. 따라서 상습범의 기초될 사실, 구성요건적 사실, 누범가중의 사유가 될 사실, 집행유예판결의 취소사유 등은 모두 증언거부의 대상이 되나 면소판결이 확정된 사실은 증언거부의 대상이 아니다.
③ 공소제기 전후를 불문하며, 아직 수사가 개시되지 아니한 사실도 포함한다.
④ '자기나 친족 또는 친족관계'에 있었던 자는 증언거부권이 인정된다(제148조). 따라서 피고인과 친족, 친족의 관계에 있었던 자는 증언 자체를 거부할 수 있다(형사소송에서는 민사소송과는 달리 선서거부권은 인정하고 있지 않음). 증언거부권을 가진 자라 할 지라도 선서를 하고 증언을 할 수는 있다(대판 1957.3.8, 4290형상23).

03 **증언거부권에 대한 설명으로 옳은 것은?**(다툼이 있으면 판례에 의함)

① 공무원이 직무상 알게 된 비밀과 변호사가 업무상 알게 된 비밀에 대해서는 당해 공무원과 변호사에게 증언거부권이 있으므로 증인으로서 출석을 거부할 수 있다.

② 재판장은 신문 전에 증언거부권을 고지하여야 하고, 증언거부권을 고지하지 않고 신문한 경우에도 증언의 증거능력은 인정된다.

③ 선서한 증인이 증언거부권을 행사하지 아니하고 자신의 범죄가 발각되는 것을 피하기 위하여 허위의 진술을 한 경우에는 위증죄로 처벌된다.

④ 출석한 증인이 정당한 사유 없이 증언을 거부하였다고 하더라도 여비·일당 등의 비용을 청구할 수 있다.

│해설│ ① 공무원이 직무상 알게 된 비밀의 경우 직무상 비밀에 속한 사항임을 신고한 때에는 증인적격이 부정되므로 출석할 필요가 없지만, 변호사의 경우는 증언거부권자에 해당하므로(제149조) 출석거부권은 인정되지 않는다. 따라서 증언거부권자일지라도 일단 출석을 한 후 증언을 거부하여야 한다.
② 증언거부권 있음을 설명하지 아니한 경우라 할지라도 증인이 선서하고 증언한 이상 그 증언의 효력에 관하여는 역시 영향이 없고 유효하다(대판 1957.3.8, 4290형상23).
③ 증언거부권의 고지를 받지 아니한 증인에 대하여 위증죄 성립 여부에 대하여는 전체적·종합적으로 고려하여 판단하여야 한다는 입장이다. 즉, 증언거부권을 고지받았더라도 허위진술을 하였을 것이라고 볼만한 정황이 있었으면 위증죄 성립을 인정하고, 증언거부권을 고지받지 못함으로 인하여 그 증언거부권을 행사하는 데 사실상 장애가 초래되었다고 볼 수 있는 경우에는 위증죄의 성립을 부정하여야 할 것이라고 판시(대판 2010.1.21, 2008도942 전원합의체)함으로써 선서한 증인이 허위진술을 하였다면 증언거부권고지 여부와 무관하게 위증죄로 처벌해야 한다는 종전의 판례(대판 1987.7.7, 86도1724)를 변경하였다.
④ 정당한 사유 없이 선서 또는 증언을 거부한 자는 여비·일당 등의 비용을 청구할 수 없다(제168조).

04 **증언거부와 관련한 다음 설명 중 옳지 않은 것은?**(다툼이 있으면 판례에 의함)

① 증언거부권의 고지를 규정한 형사소송법 제160조 규정이 '국회에서의 증언·감정 등에 관한 법률'에도 유추 적용되는 것으로 인정할 근거가 없다.

② 민사소송절차에서 재판장이 증인에게 증언거부권을 고지하지 아니하였다 하여 절차위반의 위법이 있다고 할 수 없고, 따라서 적법한 선서절차를 마쳤는데도 허위진술을 한 증인에 대해서는 달리 특별한 사정이 없는 한 위증죄가 성립한다고 보아야 한다.

③ 형사소추나 유죄판결 가능성을 새롭게 발생시키는 경우뿐만 아니라 단지 그 가능성을 높이는 경우에도 증언거부권을 행사할 수 있다.

④ 자신에 대한 유죄판결이 확정된 증인이 공범에 대한 피고사건에서 형사소송법 제148조에 의한 증언거부권이 인정된다.

│해설│ ① 대판 2012.10.25, 2009도13197
② 형사소송법은 증언거부권에 관한 규정과 함께 재판장의 증언거부권 고지의무에 관하여도 규정하고 있는 반면, 민사소송법은 증언거부권 제도를 두면서도 증언거부권 고지에 관한 규정을 따로 두고 있지 않다. 더구

나. 민사소송법은 형사소송법과 달리, '선서거부권 제도', '선서면제 제도' 등 증인으로 하여금 위증죄의 위험에서 벗어날 수 있도록 하는 이중의 장치를 마련하고 있어 증언거부권 고지 규정을 두지 아니한 것이 입법의 불비라거나 증언거부권 있는 증인의 침묵할 수 있는 권리를 부당하게 침해하는 입법이라고 볼 수도 없다. 그렇다면 민사소송절차에서 재판장이 증인에게 증언거부권을 고지하지 아니하였다 하여 절차위반의 위법이 있다고 할 수 없고, 따라서 적법한 선서절차를 마쳤는데도 허위진술을 한 증인에 대해서는 달리 특별한 사정이 없는 한 위증죄가 성립한다고 보아야 한다(대판 2011.7.28, 2009도14928).

③ 대판 2012.12.13, 2010도10028

④ 자신에 대한 유죄판결이 확정된 증인이 공범에 대한 피고사건에서 증언할 당시 앞으로 재심을 청구할 예정이라고 하여도, 이를 이유로 증인에게 형사소송법 제148조에 의한 증언거부권이 인정되지는 않는다(대판 2011.11.24, 2011도11994).

05 증언거부권에 관한 설명 중 가장 적절하지 않은 것은?(다툼이 있는 경우 판례에 의함)

14. 경찰승진

① 형사소송법 제148조의 증언거부권은 헌법 제12조 제2항에 정한 불이익 진술의 강요금지 원칙을 구체화한 자기부죄거부특권에 관한 것이다.

② 증언을 거부하는 자는 거부사유를 소명하여야 한다.

③ 자신에 대한 유죄판결이 확정된 증인이 그 확정판결에 대하여 재심을 청구할 예정인 경우에는 공범에 대한 피고사건에서 형사소송법 제148조에 의한 증언거부권이 인정된다.

④ 피고인이 마약류 관리에 관한 법률 위반(향정)죄로 이미 유죄판결을 받아 확정된 후 별건으로 기소된 공범 甲에 대한 공판절차의 증인으로 출석하여 허위의 진술을 한 사안에서 피고인에게 증언을 거부할 권리가 없으므로 증언에 앞서 증언거부권을 고지 받지 못하였더라도 증인신문절차상 잘못이 없다.

해설 ① 대판 2011.11.24, 2011도11994

② 제150조

③ 자신에 대한 유죄판결이 확정된 증인이 재심을 청구한다 하더라도, 이미 유죄의 확정판결이 있는 사실에 대해서는 일사부재리의 원칙에 의하여 거듭 처벌받지 않는다는 점에 변함이 없고, 형사소송법상 피고인의 불이익을 위한 재심청구는 허용되지 아니하며(형사소송법 제420조), 재심사건에는 불이익변경금지원칙이 적용되어 원판결의 형보다 중한 형을 선고하지 못하므로(형사소송법 제439조), 자신의 유죄 확정판결에 대하여 재심을 청구한 증인에게 증언의무를 부과하는 것이 형사소추 또는 공소제기를 당하거나 유죄판결을 받을 사실이 발로될 염려 있는 증언을 강제하는 것이라고 볼 수는 없다. 따라서 자신에 대한 유죄판결이 확정된 증인이 공범에 대한 피고사건에서 증언할 당시 앞으로 재심을 청구할 예정이라고 하여도, 이를 이유로 증인에게 형사소송법 제148조에 의한 증언거부권이 인정되지는 않는다(대판 2011.11.24, 2011도11994).

④ 대판 2011.11.24, 2011도11994

06 증인의 소송법상 권리에 대한 설명으로 옳은 것은 몇 개인가?

> ㉠ 정신질환을 앓고 있지만 일시적으로 정상상태에 있으면 증언능력이 있다.
> ㉡ 새로운 증거결정에 의하여 다시 동일증인을 신문할 때라도 동일심급에서 같은 증인에 대한 선서는 1회로 족하다.
> ㉢ 증언거부권, 비용청구권, 기피신청권, 신변보호청구권, 증인신문조서열람권 등은 증인의 권리이다.
> ㉣ 증인은 여비, 일당, 숙박료, 체당금을 청구할 수 있다.
> ㉤ 구인된 증인이나 재감 중인 증인이 출석한 때에는 비용청구권이 없다.

① 1개 ② 2개 ③ 3개 ④ 4개

해설 ㉠ ○ : 증언능력은 구체적인 경험내용의 개별적인 전달능력을 말하므로 증언 당시 일시적으로 정상상태에 있으면 증언능력이 있다.
㉡ × : 동일한 심급에서 같은 증인에 대한 선서는 1회로 족하나, 새로운 증거결정에 의하여 다시 동일증인을 신문할 때에는 별개의 증인신문이기 때문에 다시 선서하여야 한다.
㉢ × : 증인은 증언거부권(제148조, 제149조), 비용청구권(제168조), 신변보호청구권(특정강력범죄의 처벌에 관한 특례법 제7조 제2항), 증인신문조서열람·등사권(규칙 제84조의 2) 등이 있다. 기피신청권은 증인에게 인정되는 권리가 아니다.
㉣ × : 증인은 여비·일당·숙박료를 청구할 수 있으며(제168조), 체당금(대신 지급한 금액) 청구권은 감정인에게 인정하는 청구권이다(제178조).
㉤ × : 소환받은 증인에게만 비용청구권이 있으므로 이미 공판정에 나와 있는 증인(재정증인)은 비용청구권이 없다. 그러나 구인된 증인이나 재감 중인 증인이 출석한 때에는 비용청구권이 인정된다.

07 증언거부권에 대한 설명으로 가장 적절하지 않은 것은?(다툼이 있는 경우 판례에 의함)

18. 순경 2차

① 법정에 증인으로 출석한 변호사가 증언할 내용이 형사소송법 제149조에서 정한 업무상 위탁을 받은 관계로 알게 된 사실로서 타인의 비밀에 관한 것에 해당하여 증언을 거부한 경우는 형사소송법 제314조의 '그 밖에 이에 준하는 사유로 인하여 진술할 수 없는 때'에 해당하지 아니한다.

② 피고인들이 증·수뢰사건으로 기소되어 공동피고인으로 함께 재판을 받으면서 서로 뇌물을 주고받은 사실이 없다고 다투던 중, 증·수뢰의 상대방인 공동피고인에 대한 사건이 변론 분리되어 뇌물공여 또는 뇌물수수의 증인으로 채택된 경우, 그 증인에게는 증언거부권이 인정되지 않는다.

③ 증언거부권자에게 증언거부권을 고지하지 아니하고 증언하게 한 경우, 증인이 침묵하지 아니하고 진술한 것이 자신의 진정한 의사에 의한 것이 아니라면, 그 진술은 위증죄의 구성요건으로 규정한 '법률에 의하여 선서한 증인'의 진술이 아니므로 그 진술내용이 허위라 하더라도 위증죄로 처벌할 수 없다.

④ 재판장은 증언거부권이 있는 자에게는 신문 전에 증언거부권을 고지하여야 하며, 선서한 증인에게 증언거부권을 고지하지 않고 신문한 경우에도 증언의 증거능력은 인정된다.

해설 ① 대판 2012.5.17, 2009도6788 전원합의체
② 피고인들은 뇌물증·수뢰사건으로 공소제기되어 공동피고인으로 함께 재판을 받으면서 서로 뇌물을 주고받은 사실이 없다고 주장하며 다투던 중 뇌물증·수뢰의 상대방인 공동피고인에 대한 사건이 변론분리되면서 뇌물공여 또는 뇌물수수의 증인으로 채택되어 검사로부터 신문받게 되었고, 이러한 경우 위 피고인들로서는 증인신문과정에서 그들 자신의 뇌물공여 또는 뇌물수수 여부에 관하여 신문을 받게 됨에 따라 유죄판결을 받을 수 있는 범죄사실이 발각될 염려가 있어 증언거부사유가 인정된다(대판 2012.3.29, 2009도11249).
③ 대판 2010.1.21, 2008도942 전원합의체
④ 증인신문에 있어서 증언거부권 있음을 설명하지 아니한 경우라 할지라도 증인이 선서하고 증언한 이상 그 증언의 효력에 관하여는 역시 영향이 없고 유효하다고 해석함이 타당하다(대판 1957.3.8, 4290형상23).

08 甲과 乙은 쌍방 폭행사건으로 기소되어 공동피고인으로 재판을 받고 있으면서, 공판기일에 甲은 자신은 결코 乙을 때린 적이 없으며, 오히려 자신이 폭행의 피해자라고 주장하였다. 그러던 중 乙을 피고인으로 하는 폭행사건이 변론분리되었고, 그 재판에서 법원은 甲을 증인으로 채택하였다. 甲은 증인으로 선서한 후 乙에 대한 폭행 여부에 대하여 신문을 받았는데, 乙에 대한 폭행을 시인하면 자신의 유죄를 인정하는 것이 되기 때문에 증언거부를 할 수 있었고, 乙에 대한 폭행을 부인하면 위증죄로 처벌받을 수도 있는 상황이었다. 이와 같이 甲에게 증언거부사유가 발생하였음에도 재판장은 증언거부권을 고지하지 아니하고 증인신문절차를 진행하였다. 甲은 결코 乙을 때리지 않았으며, 오히려 자신이 피해자라는 종전의 주장을 되풀이하였으나 이후 甲의 증언이 허위임이 밝혀졌다. 이 경우 다음 설명 중 옳은 것은?(다툼이 있는 경우 판례에 의함)   13. 변호사시험

① 변론분리 전 甲과 乙은 공범 아닌 공동피고인의 관계에 있으므로 甲은 乙의 피고사건에 대하여 증인적격이 없고, 따라서 甲은 위증죄의 주체가 될 수 없다.
② 증인 甲에게 증언거부사유가 존재함에도 불구하고 증언거부권을 고지받지 않은 채 허위진술을 한 경우 위증죄가 성립하지 않는 것이 원칙이지만, 증언거부권을 고지받았더라도 증언거부권을 포기하고 허위진술을 하였을 것이라는 점이 인정되는 등 그 진술이 자신의 진정한 의사에 의한 것이라고 볼 수 있는 경우에는 위증죄가 성립한다.
③ 재판장으로부터 증언거부권을 고지받지 않고 행한 甲의 증언은 효력이 없다.
④ 甲이 피고인의 자격에서 행한 법정진술은 乙의 피고사실에 대한 증거로 이를 사용할 수 있다.
⑤ 甲과 乙은 공범인 공동피고인이므로 변론을 분리하면 甲은 피고인의 지위에서 벗어나게 되어 증인적격을 인정할 수 있다.

해설 ① 별개의 범죄사실로 기소되어 병합심리되고 있는 공동피고인은 피고인과의 관계에서는 증인의 지위에 있으므로 위증죄의 주체가 될 수 있다(대판 1982.9.14, 82도1000).
② 대판 2010.2.25, 2007도6273

Answer 8. ②

③ 증언거부권이 있음을 고지받지 아니하였다 할지라도 증인이 선서하고 증언한 이상 증언의 효력은 유효하다(대판 1957.3.8, 4290형상23).

④ 피고인과 별개의 범죄사실로 기소되어 병합심리되고 있던 공동피고인은 피고인에 대한 관계에서는 증인의 지위에 있음에 불과하므로 선서 없이 한 그 공동피고인의 법정 및 검찰진술은 피고인에 대한 공소범죄사실을 인정하는 증거로 할 수 없다(대판 1982.6.22, 82도898).

⑤ 쌍방 폭행한 것이므로 甲과 乙은 공범이 아니다.

09 증언거부권에 대한 설명으로 가장 적절하지 않은 것은?(다툼이 있는 경우 판례에 의함)

22. 경찰승진

① 증언거부권의 고지 제도는 증인에게 증언의무의 이행을 거절할 수 있는 권리의 존재를 확인시켜 침묵할 것인지 아니면 진술할 것인지에 관하여 심사숙고할 기회를 충분히 부여함으로써 침묵할 수 있는 권리를 보장하기 위한 것이다.

② 증언거부권의 대상으로 규정한 '공소제기를 당하거나 유죄판결을 받을 사실이 드러날 염려가 있는 증언'에는 자신이 범행을 한 사실뿐만 아니라 범행을 한 것으로 오인되어 유죄판결을 받을 우려가 있는 사실 등도 포함된다.

③ 형사소송법 제148조의 '형사소추'는 증인이 이미 저지른 범죄 사실에 대한 것 이외에 증인의 증언에 의하여 비로소 범죄가 성립하는 경우도 포함하므로, 후자의 경우에도 그 증언은 증언거부권 고지의 대상이 된다.

④ 자신에 대한 유죄판결이 확정된 증인이 공범에 대한 피고사건에서 증언할 당시 앞으로 재심을 청구할 예정이라고 하여도, 이를 이유로 그 증인에게 형사소송법 제148조에 의한 증언거부권이 인정되지는 않는다.

┃해설┃ ① 대판 2010.1.21, 2008도942 전원합의체

② 대판 2012.12.13, 2010도10028

③ 형사소송법 제148조에서 '형사소추'는 증인이 이미 저지른 범죄사실에 대한 것을 의미한다고 할 것이므로, 증인의 증언에 의하여 비로소 범죄가 성립하는 경우에는 형사소송법 제160조, 제148조 소정의 증언거부권 고지대상이 된다고 할 수 없다(대판 2011.12.8, 2010도2816).

④ 대판 2011.11.24, 2011도11994

10 증언거부권에 관한 다음 설명 중 가장 옳지 않은 것은?(다툼이 있는 경우 판례에 의하고, 전원합의체 판결의 경우 다수의견에 의함)   23. 9급 법원직

① 증언거부사유인 '형사소추·공소제기 당할 염려'에는 증인이 이미 저지른 범죄사실에 대한 경우뿐만 아니라 증인의 증언에 의하여 비로소 범죄가 성립하는 경우도 포함된다.

② 자신에 대한 유죄판결이 확정된 증인이 공범에 대한 피고사건에서 증언할 당시 앞으로 재심을 청구할 예정이라고 하여도, 이를 이유로 증인에게 증언거부권이 인정되지는 않는다.

③ 범행을 하지 아니한 자가 범인으로 공소제기가 되어 피고인의 지위에서 범행사실을 허위자백하고, 나아가 공범에 대한 증인의 자격에서 증언을 하면서 그 공범과 함께 범행하였다고 허위의 진술을 한 경우 그 증언은 자신에 대한 유죄판결의 우려를 증대시키는 것이므로 증언거부권의 대상은 된다고 볼 것이다.

④ 변호사, 변리사, 공증인, 공인회계사, 세무사, 대서업자, 의사, 한의사, 치과의사, 약사, 약종상, 조산사, 간호사, 종교의 직에 있는 자 또는 이러한 직에 있던 자가 그 업무상 위탁을 받은 관계로 알게 된 사실로서 타인의 비밀에 관한 것은 증언을 거부할 수 있다. 단, 본인의 승낙이 있거나 중대한 공익상 필요 있는 때에는 예외로 한다.

▌해설 ① 형사소송법 제148조에서 '형사소추'는 증인이 이미 저지른 범죄사실에 대한 것을 의미한다고 할 것이므로, 증인의 증언에 의하여 비로소 범죄가 성립하는 경우에는 증언거부권 고지대상이 된다고 할 수 없다(대판 2011.12.8, 2010도2816).
② 대판 2011.11.24, 2011도11994
③ 대판 2012.12.13, 2010도10028
④ 제149조

┌🔖**최신판례**

공범인 공동피고인이 소송절차가 분리된 상태에서 **자신에 대한 범죄사실에 대하여** 증언거부권을 행사하지 아니한 채 증언하였다면 위증죄가 성립할 수 있다(대판 2024.2.29, 2023도7528).

THEMA 19	증인신문의 방법
당사자참여권	검사, 피고인 또는 변호인은 증인신문에 참여할 권리를 가지므로(제163조 제1항), 법원은 이들에게 증인신문의 일시와 장소를 미리 통지하여야 한다. 다만, 참여하지 아니한다는 의사를 명시한 때에는 예외로 한다(동조 제2항).
증인에 대한 신문방법	1. 개별신문과 대질 : 증인신문은 각 증인에게 개별적으로 하여야 하며, 신문하지 아니한 증인이 재정한 때에는 퇴정을 명하여야 한다. 그러나 필요한 때에는 다른 증인 또는 피고인과 대질하게 할 수 있다(제162조). ➪ 다른 증인을 퇴정시키느냐 여부는 법원의 자유재량이다(대판 1961.3.15, 4292형상725). 02. 경찰승진 2. 피고인 등의 퇴정 : 재판장은 증인이 피고인 또는 어떤 재정(在廷)인의 면전에서 충분한 진술을 할 수 없다고 인정한 때에는 그를 퇴정하게 하고 진술하게 할 수 있다(이러한 경우에도 피고인의 반대신문권을 배제하는 것은 허용될 수 없음). 14. 9급 검찰·마약·교정·보호·철도경찰 피고인을 퇴정하게 한 경우에 증인의 진술이 종료한 때에는 퇴정한 피고인을 입정하게 한 후 법원사무관 등으로 하여금 진술의 요지를 고지하게 하여야 한다(제297조 제1항·제2항). 16. 9급 법원직 3. 증인의 신문방법 : 구두 원칙(증인이 들을 수 없을 때에는 서면으로 묻고, 말할 수 없을 때에는 서면으로 답하게 할 수 있다 : 규칙 제73조). 증인을 신문함에는 가능한 개별적이고 구체적인 신문에 의하여야 하고(규칙 제74조 제1항), 포괄적이고 막연한 질문은 허용되지 않는다. 4. 증인의 신문방법 : 공개됨이 원칙이다. 따라서 공개금지사유가 없음에도 공개금지결정에 따라 비공개로 진행된 증인신문절차에서의 증언은 증거능력이 없다. 이러한 사정은 변호인의 반대신문권이 보장되었다 하더라도 달리 볼 수 없다(대판 2013.7.26, 2013도2511). 15. 9급 검찰·마약수사
교호신문제도	1. 교호신문의 방식 : 신청한 자가 먼저 행하며, 그 다음에 반대 당사자가 신문하고, 재판장은 당사자의 신문이 끝난 뒤에 신문할 수 있다(제161조의 2 제1항·제2항). 97. 9급 법원직 재판장은 교호신문의 순서를 변경할 수 있으며(동조 제3항), 합의부원은 재판장에 고하고 신문할 수 있다(동조 제5항). 12. 7급 국가직 교호신문제도에 있어서 증인신문은 주신문 ➪ 반대신문 ➪ 재주신문 ➪ 재반대신문의 순서로 행하여진다. ① 주신문 : 원칙적으로 유도신문 금지(규칙 제75조 제2항) ② 반대신문 : 원칙적으로 유도신문 허용(규칙 제76조 제2항). 10. 9급 국가직, 12. 7급 국가직, 13. 순경, 14. 경찰승진 반대신문의 기회에 주신문에 나타나지 아니한 새로운 사항에 관하여 신문하고자 할 때에는 재판장의 허가를 받아야 한다(동조 제4항). 12. 7급 국가직, 13. 순경 이 경우 허가받은 신문은 그 사항에 관하여는 주신문으로 본다(동조 제5항). ③ 재주신문 : 재주신문은 주신문의 예에 의한다(규칙 제78조 제2항). 재주신문의 기회에 반대신문에 나타나지 아니한 새로운 사항에 관하여 신문하고자 할 때에는 재판장의 허가를 얻어야 한다(동조 제3항). ④ 추가신문 : 형사소송규칙에 따르면 교호신문절차는 원칙적으로 재주신문으로 끝난다. 그러나 재주신문이 끝난 후에도 재판장의 허가를 얻어 다시 신문할 수 있는데(규칙 제79조), 02. 법원주사보, 13. 순경 1차 이를 재신문 또는 추가신문이라 한다.

04

	2. 교호신문방식의 제한
	① 재판장은 신문순서를 변경할 수 있다(제161조의 2 제3항).
	② 법원이 직권으로 신문할 증인 또는 피해자의 신청에 의하여 신문할 증인에 대한 신문방식은 재판장이 정하는 방식에 의한다(제161조의 2 제4항).
	▶ 재판장이 신문한 후 검사·피고인 또는 변호인이 신문하는 때에는 반대신문의 예에 의한다(규칙 제81조).
	③ 간이공판절차에서 증인신문방식은 법원이 상당하다고 인정하는 방법에 의한다(제297조의 2). 13. 순경
공판정 외의 증인신문	법원은 증인을 법정 외에 소환하거나 현재지에서 신문할 수 있다(제165조). 이와 같이 공판기일 외에서 행한 증인신문을 법정 외 증인신문이라 한다. 공판기일 외에서 증인신문이 행하여지는 경우에는 증인신문조서가 작성되며 이는 공판기일에 낭독의 방식으로 다시 증거조사가 행하여진다.
비디오 등 중개장치 등에 대한 증인신문	1. 법원은 피고인뿐만 아니라 검사, 변호인, 방청인 등에 대하여도 차폐시설 등을 설치하는 방식으로 증인신문을 할 수 있다(대판 2015.5.28, 2014도18006). 15. 순경 3차
	2. 변호인에 대한 차폐시설의 설치는 특별한 사정이 있는 경우에 예외적으로 허용될 수 있을 뿐이다(대판 2015.5.28, 2014도18006). 15. 순경 3차
	3. 법원은 검사와 피고인 또는 변호인의 의견을 들어 비디오 등 중계장치에 의한 중계시설을 통하여 증인신문할 수 있다(제165조의 2 제2항).
	4. 비디오 등 중계장치에 의한 중계시설은 법원 청사 안에 설치하되, 필요한 경우 법원 청사 밖의 적당한 곳에 설치할 수 있다(규칙 제123조의 13 제2항).
	5. 법원은 비디오 등 중계장치에 의한 중계시설을 통하여 증인신문을 하는 경우, 신뢰관계에 있는 자를 동석하게 할 때에는 증언실에 동석하게 한다(규칙 제84조의 7 제1항).

01 증인신문에 대한 설명으로 옳은 것은?

① 주신문과 반대신문에 있어서는 유도신문이 금지된다.

② 간이공판절차에 있어서도 원칙적으로 교호신문의 방식에 의하여 신문하게 된다.

③ 검사, 피고인 또는 변호인은 주신문, 반대신문 및 재주신문이 끝난 후에도 재판장의 허가를 얻어 다시 신문할 수 있다.

④ 증인의 신문은 공개됨이 원칙이다. 따라서 공개금지사유가 없음에도 공개금지결정에 따라 비공개로 진행된 증인신문절차에서의 증언은 증거능력이 없다. 이러한 사정은 변호인의 반대신문권이 보장되었다면 달리 볼 수 있다.

|■ 해설 | ① 주신문에는 원칙적으로 유도신문이 허용되지 않지만(규칙 제75조 제2항), 반대신문에서는 원칙적으로 유도신문이 허용된다(규칙 제76조 제2항).
② 간이공판절차에 있어서 증인신문 방식은 법원이 상당하다고 인정하는 방법에 의한다(제297조의 2).
③ 규칙 제79조 ④ 증인의 신문은 공개됨이 원칙이다. 따라서 공개금지사유가 없음에도 공개금지결정에 따라 비공개로 진행된 증인신문절차에서의 증언은 증거능력이 없다. 이러한 사정은 변호인의 반대신문권이 보장되었다 하더라도 달리 볼 수 없다(대판 2013.7.26, 2013도2511).

| Answer ⟩ 1. ③

02 증인신문에 관한 내용으로 틀린 것은 몇 개인가?

> ㉠ 피고인 본인 또는 그 변호인이 미리 증인신문에 참여하게 해달라고 신청한 경우 변호인이 참여하였다고 하여도 피고인의 참여 없이 실시한 증인신문은 위법이다.
> ㉡ 재판장이 필요하다고 인정하는 때에는 사전에 신문사항을 기재한 서면의 제출을 명할 수 있는데 명을 받은 자가 신속히 그 서면을 제출하지 아니하는 때에는 증인신문 기일을 연기하여야 한다.
> ㉢ 피고인의 참여 없이 증인신문이 행하여진 경우뿐만 아니라 당사자에게 통지하지 아니한 때에도 공판정에서의 증거조사를 거쳐 당사자가 이의를 하지 아니한 때에는 책문권의 포기로서 하자가 치유된다고 해야 한다.
> ㉣ 법원이 직권에 의하여 증인을 신문할 때 당사자의 신문은 주신문의 예에 의한다.

① 1개　　　　　② 2개　　　　　③ 3개　　　　　④ 4개

┃ 해설 ┃ ㉠ ○ : 대판 1969.7.25, 68도1481
㉡ × : 재판장은 신문사항을 기재한 서면을 사전에 제출할 것을 명할 수 있고, 명을 받은 자가 신속히 그 서면을 제출하지 아니하는 경우에는 증거결정을 취소할 수 있다(규칙 제66조, 규칙 제67조).
㉢ ○ : 대판 1974.1.15, 73도2967
㉣ × : 직권에 의한 증인신문시에는 반대신문의 예에 의한다(규칙 제81조).

03 주신문에 있어서 예외적으로 유도신문이 허용되는 경우는 몇 개인가?

> ㉠ 증인과 피고인과의 관계, 증인의 경력, 교우관계 등 실질적인 신문에 앞서 미리 밝혀둘 필요가 있는 준비적인 사항에 관한 신문의 경우
> ㉡ 검사, 피고인 및 변호인 사이에 다툼이 없는 명백한 사항에 관한 신문의 경우
> ㉢ 증인이 주신문을 하는 자에 대하여 적의 또는 반감을 보일 경우
> ㉣ 증인이 종전의 진술과 상반되는 진술을 하는 때에 그 종전 진술에 관한 신문의 경우

① 1개　　　　　② 2개　　　　　③ 3개　　　　　④ 모두 해당

┃ 해설 ┃ 규칙 제75조

04 甲은 17세의 乙女을 강간한 혐의로 기소되었다. 법원이 피해자인 乙을 증인으로 신문하고자 할 때의 설명과 관련하여 옳은 것은 몇 개인가?

> ㉠ 乙을 증인으로 신문하는 경우 법원은 중계장치를 통하거나 가림시설을 설치하고 신문하여야 한다.
> ㉡ 중계장치를 통한 증인신문 여부의 결정은 대상자의 증인신문 결정시 함께 결정하여야 하며, 증인신문 중에는 중계장치를 통하여 신문할 것을 결정할 수 없다.
> ㉢ 중계장치를 통하여 증인신문을 할 때 상대방을 인식할 수 있는 방법으로 하여야 하나, 재판장은 상대방을 영상으로 인식할 수 있는 장치의 작동을 중지시킬 수 있다.
> ㉣ 乙에 대한 증인신문시 乙은 증인신문의 비공개를 신청할 수 있다.

┃ Answer ┃ 2.②　3.④　4.③

04

ⓜ 증언실은 반드시 법원에 위치하여야 하므로 위 사건으로 乙이 병원에 입원해 있는 경우에도 乙이 입원한 병원 등 적당한 장소를 증언실로 할 수는 없다.

ⓗ 乙의 증언시에 乙의 어머니가 동석할 수 있는 경우라면 중계장치 등을 설치한 증언실에 동석하게 한다.

① 5개　　　　② 4개　　　　③ 3개　　　　④ 2개

해설 ㉠ × : 甲은 청소년의 성보호에 관한 법률 제7조를 위반하였으므로 그 피해자인 乙을 신문하고자 할 때에는 중계장치에 의한 증인신문의 대상이 된다(제165조의 2 제1항 제2호). 그러나 이는 필수적인 것은 아니고, 검사와 피고인 또는 변호인의 의견을 들어 상당하다고 인정하는 때에 중계장치에 의한 신문을 할 수 있다(제165조의 2 제1항).

㉡ × : 증인신문 결정시 함께 하여야 하나, 증인신문 전 또는 증인신문 중에도 비디오 등 중계장치에 의한 신문을 할 것을 결정할 수 있다(규칙 제84조의 4).

㉢ ○ : 원칙적으로 상대방을 인식할 수 있는 장치에 의하여야 하나 증인보호를 위해서는 상대방을 인식할 수 있는 장치의 작동을 중지시킬 수 있다(규칙 제84조의 5 제1항).

㉣ ○ : 규칙 제84조의 6 제2항

㉤ × : 필요한 경우 법원 외의 적당한 장소에 설치할 수 있다(규칙 제84조의 5 제2항).

㉥ ○ : 乙의 어머니는 제163조의 2에 의해 피해자의 법정대리인으로서 신뢰관계 있는 자로서 동석이 가능한 자이고(규칙 제84조의 3 제1항), 중계장치를 설치한 증언실에도 동석하게 한다(규칙 제84조의 7).

05 컴퓨터용 디스크, 음성·영상자료 등에 대한 증거조사에 관하여 틀린 것을 모두 고른 것은?

㉠ 컴퓨터용 디스크 등에 기억된 문자정보를 증거자료로 하는 경우에는 읽을 수 있도록 출력하여 인증한 등본을 낼 수 있다.

㉡ ㉠의 경우에 증거조사를 신청한 당사자는 법원이 명한 경우에만 컴퓨터디스크 등에 입력한 사람과 입력한 일시, 출력한 사람과 출력한 일시를 밝혀야 한다. 따라서 상대방의 요구의 경우에는 컴퓨터디스크 등에 입력 등을 한 사람들의 프라이버시를 존중하는 차원에서 거부할 수 있다.

㉢ 컴퓨터디스크 등에 기억된 정보가 도면·사진 등에 관한 것인 때에는 볼 수 있도록 출력하여 인증한 등본을 낼 수 있다.

㉣ 녹음·녹화매체 등에 대한 증거조사를 신청하는 때에는 음성이나 영상이 녹음·녹화 등을 한 사람 및 녹음·녹화 등을 한 일시·장소를 밝혀야 한다.

㉤ 녹음·녹화매체 등에 대한 증거조사는 녹음·녹화매체 등을 청취하는 방법이 아닌 시청하는 방법으로 한다.

① ㉡, ㉣, ㉤　　② ㉠, ㉢, ㉤　　③ ㉢, ㉤　　④ ㉡, ㉤

해설 ㉠ ○ : 컴퓨터디스크 등에 기억된 문자정보를 증거자료로 하는 경우에는 읽을 수 있도록 출력하여 인증한 등본을 낼 수 있다(규칙 제134조의 7 제1항).

㉡ × : 컴퓨터디스크 등에 기억된 문자정보를 증거로 하는 경우에 증거조사를 신청한 당사자는 법원이 명하거나 상대방이 요구한 때에는 컴퓨터디스크 등에 입력한 사람과 입력한 일시, 출력한 사람과 출력한 일시를 밝혀야 한다(규칙 제134조의 7 제2항).

㉢ ○ : 규칙 제134조의 7 제3항　㉣ ○ : 규칙 제134조의 8 제1항

㉤ × : 녹음·녹화매체 등에 대한 증거조사는 녹음·녹화매체 등을 재생하여 청취 또는 시청하는 방법으로 한다(규칙 제134조의 8 제3항).

종합문제

01 증인신문에 관한 다음 설명 중 가장 옳지 않은 것은?   19. 9급 법원직

① 법원이 공판기일에 증인을 채택하여 다음 공판기일에 증인신문을 하기로 피고인에게 고지하였으나 피고인이 정당한 사유 없이 출석하지 아니한 경우에도 증인에 대한 증거조사를 할 수 있는 방법이 있다.

② 증인이 대면 진술함에 있어 심리적 부담으로 인해 정신의 평온을 현저하게 잃을 우려가 있는 상대방인 경우 차폐시설을 설치하고 신문할 수 있는데, 이러한 신문방식은 증인에 대해 인적보호조치가 취해지는 등 특별한 사정이 있는 때에는 피고인의 변호인에 대하여도 허용될 수 있다.

③ 재판장은 증인이 피고인의 면전에서 충분한 진술을 할 수 없다고 인정한 때에는 피고인을 퇴정하게 하고 증인신문을 진행할 수는 있는데, 이때 변호인이 재정하여 피고인을 위해 증인을 상대로 반대신문을 한 이상 피고인에게 별도로 반대신문의 기회를 줄 필요는 없다.

④ 검사가 제1심 증인신문 과정에서 주신문을 하면서 형사소송규칙상 허용되지 않는 유도신문을 하였다고 볼 여지가 있는 경우라도 그 다음 공판기일에서 피고인과 변호인이 제대로 이의제기하지 않았다면 주신문의 하자는 치유된다.

| 해설 | ① 이미 출석하여 있는 증인에 대하여 공판기일 외의 신문으로서 증인신문을 하고 다음 공판기일에 그 증인신문조서에 대한 서증조사를 하는 것은 증거조사 절차로서 적법하다(대판 2000.10.13, 2000도3265).
② 대판 2015.5.28, 2014도18006
③ 형사소송법 제297조의 규정에 따라 재판장은 증인이 피고인의 면전에서 충분한 진술을 할 수 없다고 인정한 때에는 피고인을 퇴정하게 하고 증인신문을 진행함으로써 피고인의 직접적인 증인 대면을 제한할 수 있지만, 이러한 경우에도 피고인의 반대신문권을 배제하는 것은 허용되지 않는다(대판 2010.1.14, 2009도9344).
④ 대판 2012.7.26, 2012도2937

02 증인신문에 대한 설명으로 옳지 않은 것을 모두 고른 것은?(다툼이 있는 경우 판례에 의함)
                                                                    19. 순경 1차

> ㉠ 형사소송법 제297조에 따라 재판장은 증인이 피고인의 면전에서 충분한 진술을 할 수 없다고 인정한 때에는 피고인을 퇴정하게 하고 증인신문을 진행할 수 있으며, 이러한 경우에는 피고인의 반대신문권을 배제할 수 있다.
>
> ㉡ 상호간 폭행죄로 기소되어 병합심리 중인 공동피고인은 다른 피고인과의 관계에서는 증인의 지위가 인정되므로, 선서 없이 한 공동피고인의 법정진술을 다른 피고인의 공소범죄사실을 인정하는 증거로 할 수 없다.
>
> ㉢ 선서무능력자가 선서를 하고 증언을 한 경우, 그 선서는 무효가 되고 이후의 증인신문도 무효로 되어 증언 자체의 효력이 부정된다.

| Answer | 1.③ 2.③

  ② 간이공판절차에서의 증인신문은 증거조사의 간이화라는 취지에 따라 교호신문방식으로 진행
   해야 한다.
  ⑩ 자신에 대한 유죄판결이 확정된 증인이 공범에 대한 피고사건에서 증언할 당시 앞으로 재심
   을 청구할 예정이라면, 자기부죄(自己負罪)의 강요금지라는 형사소송법 제148조의 취지에 따
   라 증언거부권이 인정된다.

① ㉠, ㉡, ㉢, ㉣, ㉤   ② ㉠, ㉡, ㉣, ㉤
③ ㉠, ㉢, ㉣, ㉤   ④ ㉡, ㉢

│해설│ ㉠ × : 이러한 경우에도 피고인의 반대신문권을 배제하는 것은 허용되지 않는다(대판 2010.1.14, 2009도9344).
 ㉡ ○ : 대판 1982.6.22, 82도898
 ㉢ × : 선서무능력자가 선서를 하고 증언을 한 경우, 그 선서만이 무효가 되고(∴ 위증죄 ×) 증언의 효력에 관해서는 유효하다(대판 1957.3.8, 57도23).
 ㉣ × : 간이공판절차에서의 증인신문은 증거조사의 간이화라는 취지에 따라 법원이 상당하다고 인정하는 방법으로 증거조사를 하면 된다(제297조의 2). 따라서 교호신문방식에 의하지 않고 진행할 수 있다.
 ㉤ × : 이미 유죄의 확정판결을 받은 경우에는 일사부재리의 원칙에 의해 다시 처벌받지 아니하므로 자신에 대한 유죄판결이 확정된 증인은 공범에 대한 사건에서 증언을 거부할 수 없고, 설령 증인이 자신에 대한 형사사건에서 시종일관 범행을 부인하였더라도 그러한 사정만으로 증인이 진실대로 진술할 것을 기대할 수 있는 가능성이 없는 경우에 해당한다고 할 수 없으므로 허위의 진술에 대하여 위증죄 성립을 부정할 수 없다. 한편 자신에 대한 유죄판결이 확정된 증인이 공범에 대한 피고사건에서 증언할 당시 앞으로 재심을 청구할 예정이라고 하여도, 이를 이유로 증인에게 형사소송법 제148조에 의한 증언거부권이 인정되지는 않는다(대판 2011.11.24, 2011도11994).

03 증인에 관한 다음 설명 중 가장 옳은 것은?   21. 9급 법원직
 ① 공범인 공동피고인은 당해 소송절차에서는 피고인의 지위에 있으므로 다른 공동피고인
  에 대한 공소사실에 관하여 증인이 될 수 없으나, 소송절차가 분리되어 피고인의 지위에
  서 벗어나게 되면 다른 공범인 공동피고인에 대한 공소사실에 관하여 증인이 될 수 있다.
 ② 누구든지 자기나 친족 또는 친족관계가 있었던 자가 형사 소추 또는 공소제기를 당하거
  나 유죄판결을 받을 사실이 발로될 염려 있는 증언을 거부할 수 있으며 이 경우 증언을
  거부하는 자는 거부사유를 소명하지 않아도 된다.
 ③ 이미 유죄의 확정판결을 받은 피고인은 공범의 형사사건에서 그 범행에 대한 증언을 거
  부할 수 없을 뿐만 아니라 나아가 사실대로 증언하여야 하나, 만약 피고인이 자신의 형사
  사건에서 시종일관 그 범행을 부인하였다면 피고인에게 사실대로 진술할 것을 기대할
  가능성이 없다고 볼 수 있다.
 ④ 증인신문을 함에 있어서 증언거부권 있음을 설명하지 아니한 경우라면 증인이 선서하고
  증언하였다고 하여도 그 증언의 효력에 관하여는 영향이 있어 무효라고 해석하여야 한다.

│해설│ ① 대판 2008.6.26, 2008도3300
② 증언을 거부하는 자는 거부사유를 소명하여야 한다(제150조).

│Answer│ 3.①

③ 이미 유죄의 확정판결을 받은 경우에는 헌법 제13조 제1항에 정한 일사부재리의 원칙에 의해 다시 처벌받지 아니하므로 자신에 대한 유죄판결이 확정된 증인은 공범에 대한 피고사건에서 증언을 거부할 수 없고, 설령 증인이 자신에 대한 형사사건에서 시종일관 그 범행을 부인하였다 하더라도 그러한 사정만으로 증인이 진실대로 진술할 것을 기대할 수 있는 가능성이 없는 경우에 해당한다고 할 수 없으므로 허위의 진술에 대하여 위증죄의 성립을 부정할 수 없다(대판 2011.11.24, 2011도11994).
④ 선서 무능력자에 대하야 선서케하고 신문한 경우라 할지라도 그 선서만이 무효가 되고 그 증언의 효력에 관하여는 영향이 없고 유효하다. 증언거부권 있음을 설명하지 아니한 경우라 할지라도 증인이 선서하고 증언한 이상 그 증언의 효력에 관하여는 역시 영향이 없고 유효하다(대판 1957.3.8, 4290형상23).

04 증인신문에 대한 설명으로 옳은 것(○)과 옳지 않은 것(×)을 바르게 연결한 것은?(다툼이 있으면 판례에 의함)

> ㉠ 증인신문은 각 증인에 대하여 개별적으로 해야 하며, 신문하지 아니한 증인이 재정한 때에는 퇴정을 명하여야 한다. 다른 증인을 퇴정시키지 않고 증인신문을 행하였더라도 이를 위법이라 할 수는 없다.
> ㉡ 범행을 하지 아니한 자가 범인으로 공소제기가 되어 피고인의 지위에서 범행사실을 허위자백하고, 나아가 공범에 대한 증인의 자격에서 증언을 하면서 그 공범과 함께 범행하였다고 허위의 진술을 한 경우, 이 증언은 증언거부권의 대상이 되지 않는다.
> ㉢ 누구든지 자기가 형사소추 또는 공소제기를 당하거나 유죄판결을 받을 사실이 드러날 염려가 있는 경우에는 증인출석을 거부할 수 있다.
> ㉣ 차폐시설 등을 설치할 경우 법원은 피고인뿐만 아니라 검사, 변호인에 대하여도 차폐시설 등을 설치하는 방식으로 증인신문을 할 수 있다. 그러나 방청인에 대하여까지 차폐시설 등을 설치하는 방식으로 증인신문을 할 수는 없다.
> ㉤ 반대신문에 있어서 필요할 때에는 유도신문을 할 수 있고, 반대신문의 기회에 주신문에 나타나지 아니한 새로운 사항에 관하여 신문하고자 할 때에는 재판장의 허가를 받아야 하는 것은 아니다.
> ㉥ 변호인이 없는 피고인을 일시 퇴정하게 하고 증인신문을 한 다음 피고인에게 실질적인 반대신문의 기회를 부여하지 아니하였다면 증인의 법정진술은 위법한 증거로서 증거능력이 없다고 볼 수 있으나, 그 다음 공판기일에서 재판장이 증인신문 결과 등을 공판조서(증인신문조서)에 의하여 고지하였는데 피고인이 '변경할 점과 이의할 점이 없다.'고 진술하였다면 책문권 포기의사를 명시함으로써 실질적인 반대신문의 기회를 부여받지 못한 하자가 치유되었다고 보아야 한다.

① ㉠(○), ㉡(×), ㉢(×), ㉣(×), ㉤(×), ㉥(○)
② ㉠(×), ㉡(×), ㉢(○), ㉣(○), ㉤(○), ㉥(×)
③ ㉠(○), ㉡(○), ㉢(×), ㉣(×), ㉤(○), ㉥(×)
④ ㉠(○), ㉡(○), ㉢(○), ㉣(×), ㉤(○), ㉥(×)

| 해설 | ㉠ ○: 대판 1961.3.15, 59도725
㉡ ×: 형사소송법에서 위와 같이 증언거부권의 대상으로 규정한 '공소제기를 당하거나 유죄판결을 받을 사실이 발로될 염려 있는 증언'에는 자신이 범행을 한 사실뿐 아니라 범행을 한 것으로 오인되어 유죄판결을

받을 우려가 있는 사실 등도 포함된다고 할 것이다. 따라서 범행을 하지 아니한 자가 범인으로 공소제기가 되어 피고인의 지위에서 범행사실을 허위자백하고, 나아가 공범에 대한 증인의 자격에서 증언을 하면서 그 공범과 함께 범행하였다고 허위의 진술을 한 경우에도 그 증언은 자신에 대한 유죄판결의 우려를 증대시키는 것이므로 증언거부권의 대상은 된다고 볼 것이다(대판 2012.12.13, 2010도10028).
ⓒ × : 증언거부권자는 증언을 거부할 수 있을뿐, 출석까지 거부할 수는 없다.
ⓔ × : 법원은 형사소송법 제165조의 2 제3호의 요건이 충족될 경우 피고인뿐만 아니라 검사, 변호인, 방청인 등에 대하여도 차폐시설 등을 설치하는 방식으로 증인신문을 할 수 있으며, 이는 형사소송규칙 제84조의 9에서 피고인과 증인 사이의 차폐시설 설치만을 규정하고 있다고 하여 달리 볼 것이 아니다(대판 2015.5.28, 2014도18006).
ⓜ × : 반대신문에 있어서 필요할 때에는 유도신문을 할 수 있고, 반대신문의 기회에 주신문에 나타나지 아니한 새로운 사항에 관하여 신문하고자 할 때에는 재판장의 허가를 받아야 한다(규칙 제76조 제4항).
ⓑ ○ : 대판 2010.1.14, 2009도9344

05 증인신문에 관한 다음 설명 중 옳지 않은 것은?
① 증언의 증명력을 다투기 위하여 필요한 사항에 관한 신문은 반대신문에서는 허용되나, 주신문에서는 금지된다.
② 재판장이 신문 전에 증인에게 증언거부권을 고지하지 않은 경우에도 증인이 침묵하지 아니하고 진술한 것이 자신의 진정한 의사에 의한 것인지 여부를 기준으로 위증죄 성립 여부를 판단하여야 한다.
③ 증언거부사유가 있음에도 증인이 증언거부권을 고지받지 못함으로 인하여 그 증언거부권을 행사하는데 사실상 장애가 초래되었다고 볼 수 있는 경우에는 위증죄가 성립하지 않는다.
④ 증인이 피고인의 면전에서 충분한 진술을 할 수 없다고 인정될 때에는 재판장은 피고인을 퇴정하게 하고 진술시킬 수 있다. 그러나 이때에도 증인신문이 종료한 때에는 재판장은 피고인을 입정시켜서 법원사무관 등으로 하여금 진술의 요지를 알려주게 하여야 한다.

| 해설 ① 증언의 증명력을 다투기 위하여 필요한 사항에 관한 신문은 주신문이나 반대신문에서나 모두 가능하다(규칙 제77조 제1항).
②③ 대판 2010.1.21, 2008도942 전원합의체 ④ 제297조

06 증언거부권에 대한 설명으로 적절하지 않은 것은?(다툼이 있는 경우 판례에 의함) 22. 경찰승진
① 증언거부권의 고지 제도는 증인에게 증언의무의 이행을 거절할 수 있는 권리의 존재를 확인시켜 침묵할 것인지 아니면 진술할 것인지에 관하여 심사숙고할 기회를 충분히 부여함으로써 침묵할 수 있는 권리를 보장하기 위한 것이다.
② 증언거부권의 대상으로 규정한 '공소제기를 당하거나 유죄판결을 받을 사실이 드러날 염려가 있는 증언'에는 자신이 범행을 한 사실뿐만 아니라 범행을 한 것으로 오인되어 유죄판결을 받을 우려가 있는 사실 등도 포함된다.

③ 형사소송법 제148조의 '형사소추'는 증인이 이미 저지른 범죄 사실에 대한 것 이외에 증인의 증언에 의하여 비로소 범죄가 성립하는 경우도 포함하므로, 후자의 경우에도 그 증언은 증언거부권 고지의 대상이 된다.

④ 자신에 대한 유죄판결이 확정된 증인이 공범에 대한 피고사건에서 증언할 당시 앞으로 재심을 청구할 예정이라고 하여도, 이를 이유로 그 증인에게 형사소송법 제148조에 의한 증언거부권이 인정되지는 않는다.

> **| 해설** ① 대판 2010.1.21, 2008도942 전원합의체
> ② 대판 2012.12.13, 2010도10028
> ③ 형사소송법 제148조에서 '형사소추'는 증인이 이미 저지른 범죄사실에 대한 것을 의미한다고 할 것이므로, 증인의 증언에 의하여 비로소 범죄가 성립하는 경우에는 형사소송법 제160조, 제148조 소정의 증언거부권 고지대상이 된다고 할 수 없다(대판 2011.12.8, 2010도2816).
> ④ 대판 2011.11.24, 2011도11994

04

07 증인신문에 대한 설명으로 적절하지 않은 것은?(다툼이 있는 경우 판례에 의함)   22. 경찰승진

① 재판장은 증인이 피고인의 면전에서 충분한 진술을 할 수 없다고 인정한 때에는 피고인을 퇴정하게 하고 증인신문을 진행함으로써 피고인의 직접적인 증인 대면을 제한할 수 있지만, 이러한 경우에도 피고인의 반대신문권을 배제하는 것은 허용되지 않는다.

② 증인에 대한 감치재판절차를 개시한 후 감치결정 전에 그 증인이 증언을 하거나 그 밖에 감치에 처하는 것이 상당하지 아니하다고 인정되는 때에는 법원은 불처벌결정을 하여야 하며, 이에 대하여는 불복할 수 있다.

③ 피고인이 신청한 증인에 대하여 재판장이 먼저 신문하였다고 하여 이를 잘못이라 할 수 없다.

④ 공판기일에서 증인을 채택하여 다음 공판기일에 증인신문을 하기로 피고인에게 고지하였는데 그 다음 공판기일에 증인은 출석하였으나 피고인이 정당한 사유 없이 출석하지 아니한 경우, 이미 출석하여 있는 증인에 대하여 공판기일 외의 신문으로서 증인신문을 하고 다음 공판기일에 그 증인신문조서에 대한 서증조사를 하는 것은 증거조사절차로서 적법하다.

> **| 해설** ① 대판 2012.2.23, 2011도15608
> ② 증인에 대한 감치재판절차를 개시한 후 감치결정 전에 그 증인이 증언을 하거나 그 밖에 감치에 처하는 것이 상당하지 아니하다고 인정되는 때에는 법원은 불처벌결정을 하여야 하며, 이에 대하여는 불복할 수 없다(규칙 제68조의 4 제2항·제3항).
> ③ 대판 1971.9.28, 71도1496
> ④ 대판 2000.10.13, 2000도3265

08 증인신문에 대한 설명으로 옳지 않은 것은?   23. 9급 검찰·마약·교정·보호·철도경찰

① 다른 증거나 증인의 진술에 비추어 굳이 추가 증거조사를 할 필요가 없다는 등 특별한 사정이 없고, 소재탐지나 구인장 발부가 불가능한 것이 아님에도 불구하고 법원이 불출석한 핵심 증인에 대하여 소재탐지나 구인장 발부 없이 증인채택 결정을 취소하는 것은 재량을 벗어나는 것으로서 위법하다.

② 피고인의 출석을 요하는 재판에서, 법원이 공판기일에 증인을 채택하여 다음 공판기일에 증인신문을 하기로 피고인에게 고지하였는데 그 다음 공판기일에 증인은 출석하였으나 피고인이 정당한 사유 없이 출석하지 아니한 경우, 법원이 이미 출석하여 있는 증인에 대하여 공판기일 외의 신문으로서 증인신문을 하고 다음 공판기일에 그 증인신문조서에 대한 서증조사를 하는 것은 증거조사절차로서 적법하다.

③ 증인신문에 있어서 변호인에 대한 차폐시설의 설치는 이미 인적 사항에 관하여 비밀조치가 취해진 증인이 변호인을 대면하여 진술함으로써 자신의 신분이 노출되는 것에 대하여 심한 심리적인 부담을 느끼는 등의 특별한 사정이 있는 경우에 예외적으로 허용될 수 있을 뿐이다.

④ 형사소송법 제221조의 2(증인신문의 청구)에 의한 증인신문절차에서는 피고인·피의자 또는 변호인의 참여가 필요적 요건이므로 피고인·피의자나 변호인이 증인신문절차에 참여하지 아니하였다면 위법이다.

> **해설** ① 대판 2020.12.10, 2020도2623
> ② 대판 2000.10.13, 2000도3265 ③ 대판 2015.5.28, 2014도18006
> ④ 제221조의 2 제5항에서 당사자참여권을 보장하고 있으나, 통지받은 피의자 등이 출석을 하여야만 증인신문절차를 개시하여야 한다는 의미는 아니다.

09 반대신문권의 보장에 관한 다음 설명 중 가장 옳지 않은 것은?(다툼이 있는 경우 판례에 의하고, 전원합의체 판결의 경우 다수의견에 의함)   23. 9급 법원직

① 피고인에게 불리한 증거인 증인이 주신문의 경우와 달리 반대신문에 대하여는 답변을 하지 아니하는 등 진술 내용의 모순이나 불합리를 그 증인신문 과정에서 드러내어 이를 탄핵하는 것이 사실상 곤란하였고, 그것이 피고인 또는 변호인에게 책임 있는 사유에 기인한 것이 아닌 경우와 같이 실질적 반대신문권의 기회가 부여되지 아니한 채 이루어진 증인의 법정진술은 특별한 사정이 존재하지 아니하는 이상 위법한 증거로서 증거능력을 인정하기 어렵다.

② 피고인이 일시 퇴정한 상태에서 증인신문을 한 뒤 피고인에게 실질적인 반대신문의 기회를 부여하지 않았더라도, 그 다음 공판기일에서 재판장이 증인신문 결과 등을 공판조서(증인신문조서)에 의하여 고지하면서 이의 여부를 물었고 피고인이 '변경할 점과 이의할 점이 없다'고 진술하였다면 실질적인 반대신문의 기회를 부여받지 못한 하자가 치유된 것으로 볼 수 있다.

③ 실질적인 반대신문의 기회를 부여받지 못한 하자는 책문권 포기로 치유될 수 있으며, 이 때 책문권 포기의 의사는 반드시 명시적인 것일 필요는 없다.

④ 수사기관에서 진술한 참고인이 법정에서 증언을 거부하여 피고인이 반대신문을 하지 못한 경우에는 정당하게 증언거부권을 행사한 것이 아니라도, 피고인이 증인의 증언거부 상황을 초래하였다는 등의 특별한 사정이 없는 한 형사소송법 제314조의 '그 밖에 이에 준하는 사유로 인하여 진술할 수 없는 때'에 해당하지 않는다고 보아야 한다.

| 해설 | ① 대판 2016.3.17, 2016도17054 ② 대판 2010.1.14, 2009도9344
③ 실질적 반대신문권의 기회가 부여되지 아니한 채 이루어진 증인의 법정진술은 위법한 증거로서 증거능력을 인정하기 어렵다. 이 경우 피고인의 책문권 포기로 그 하자가 치유될 수 있으나, 책문권 포기의 의사는 명시적인 것이어야 한다(대판 2016.3.17, 2016도17054).
④ 대판 2019.11.21, 2018도13945 전원합의체

10 증인신문에 관한 설명으로 옳지 않은 것만을 모두 고른 것은?(다툼이 있는 경우 판례에 의함)
24. 소방간부

ⓘ 甲은 10년 전 이혼한 아내인 乙이 형사소추를 당할 염려가 있음을 이유로 증언을 거부할 수는 없다.

ⓛ 법원은 내란수괴 등 피고사건의 재판절차에서 甲과 乙이 내란 및 내란목적살인의 범죄사실의 피해자로서 피해자 진술신청을 한 경우 그 중에서 가장 적합하다고 여겨지는 甲의 신청만을 받아들이고 乙의 신청은 기각할 수 있다.

ⓒ 공범인 공동피고인 甲은 당해 소송절차에서는 피고인의 지위에 있으므로 다른 공동피고인 乙에 대한 공소사실에 관하여 증인이 될 수 없으나, 소송절차가 분리되어 피고인의 지위에서 벗어나게 되면 다른 공동피고인 乙에 대한 공소사실에 관하여 증인이 될 수 있다.

ⓔ 법원은 증인 甲이 불출석하자 과태료를 부과하였고, 그 후 정당한 사유 없이 재차 재판에 불출석하자 증인을 5일의 감치에 처하여 감치시설에 유치하였다. 감치 3일차 되던 날에 甲이 증언을 하였더라도 남은 감치기간이 경과해야만 석방된다.

ⓜ 재판장은 변호인이 없는 피고인 甲을 일시 퇴정하게 하고 甲에게 실질적인 반대신문권의 기회를 부여하지 아니한 채 증인 乙에 대한 증인신문을 진행하였고, 그 다음 공판기일에서 재판장이 甲에게 증인신문 결과 등을 공판조서(증인신문조서)에 의하여 고지하였는데 甲이 '변경할 점과 이의할 점이 없다'고 진술하였다면 실질적인 반대신문의 기회를 부여받지 못한 하자가 치유되었다고 할 것이다.

① ⓘ, ⓒ   ② ⓘ, ⓔ   ③ ⓛ, ⓒ
④ ⓒ, ⓜ   ⑤ ⓔ, ⓜ

| 해설 | ⓘ ×: 이혼한 전처도 증언거부권이 인정된다(제148조).
ⓛ ○: 대결 1996.11.14, 96모94 ⓒ ○: 대판 2012.3.29, 2009도11249
ⓔ ×: 법원은 감치의 재판을 받은 증인이 감치의 집행 중에 증언을 한 때에는 즉시 감치결정을 취소하고 그 증인을 석방하도록 명하여야 한다(제151조 제7항).
ⓜ ○: 대판 2010.1.14, 2009도9344

Answer 10. ②

THEMA 20	피해자의 진술권	
의 의		1. 법원은 범죄로 인한 피해자 또는 그 법정대리인(피해자가 사망한 경우에는 배우자·직계친족·형제자매를 포함한다. 이하 '피해자 등'이라 한다)의 신청이 있는 때에는 아래의 배제사유를 제외하고는 그 피해자 등을 증인으로 신문하여야 한다(제294조의 2 제1항). 04. 행시, 09. 9급 국가직, 12. 경찰승진, 15. 순경 2차, 15·16. 9급 법원직, 23. 7급 국가직 ▶ 종전에는 진술권의 주체를 피해자에 한하였으나, 2007년 개정법에서는 법정대리인 등까지 확대하였다. 09. 7급 국가직, 15. 순경 2차 ▶ 신청이 있는 경우에 재량으로 신문 여부를 결정한다. (×) ▶ 교통사고로 사망한 사람의 부모도 형사피해자의 범주에 속한다(헌재결 1993.3.11, 92헌마48). 14. 순경 1차, 15. 9급 교정·보호·철도경찰 📝 피해자를 증인으로 신문할 필요가 없는 경우 1. 피해자 등 이미 당해사건에 관하여 공판절차에서 충분히 진술하여 다시 진술할 필요가 없다고 인정되는 경우(제294조의 2 제1항 제2호) 04. 9급 법원직 　▶ 수사절차에서 충분히 진술하여 다시 진술할 필요가 없는 경우 ⇨ × 2. 피해자 등의 진술로 인하여 공판절차가 현저하게 지연될 우려가 있는 경우(동조 제1항 제3호) 14. 9급 교정·보호·철도경찰, 15. 순경 1차 　▶ 종전에는 '피해자 아닌 자가 신청한 경우'도 피해자진술권 배제사유였으나 2007년 개정법에서 삭제되었다. 2. 법원은 피해자 등을 신문하는 경우 피해의 정도 및 결과, 피고인의 처벌에 관한 의견, 그 밖에 당해사건에 관한 의견을 진술할 기회를 주어야 한다(동조 제2항). 04. 행시, 09. 9급 국가직, 09·14. 7급 국가직, 14. 순경 1차, 15. 9급 교정·보호·철도경찰 3. 법원은 동일한 범죄사실에서 신청인이 여러 명인 경우에는 진술할 자의 수를 제한할 수 있다(동조 제3항). 04. 법원주사보, 14. 순경 1차, 16. 9급 법원직, 17. 경찰간부, 23. 7급 국가직 4. 신청인이 출석통지를 받고도 정당한 이유 없이 출석하지 아니한 때에는 그 신청을 철회한 것으로 본다(동조 제4항). 14. 순경 1차
피해자 진술방법	증인신문 절차	피해자에 대한 증인신문방법은 재판장이 정하는 방법에 의한다(제161조의 2 제4항). 13. 7급 국가직 📝 증인신문방식 ┌ 원칙 : 교호신문 　　　　　　└ 예외 : 법원직권, 피해자의 신청 ⇨ 재판장이 정하는 방식, 간이공판절차 ⇨ 상당하다고 인정한 방법
	진술의 비공개	1. 법원은 피해자·법정대리인 또는 검사의 신청에 따라 심리를 공개하지 아니할 수 있다(제294조의 3 제1항). 09. 7급 국가직, 10. 9급 국가직, 14. 경찰승진·순경 1차·9급 검찰·마약·교정·보호·철도경찰, 15. 순경 2차, 16. 9급 법원직, 17. 경찰간부 2. 위의 결정은 이유를 붙여 고지한다(동조 제2항). 16. 9급 법원직
	신뢰관계자 동석	1. 직권 또는 피해자·법정대리인·검사의 신청에 따라 피해자와 신뢰관계에 있는 자를 동석하게 할 수 있다(제163조의 2 제1항). 15. 9급 법원직 2. 피해자가 13세 미만이거나 사물을 변별하거나 의사를 결정할 능력이 미약한 경우에 부득이한 경우가 아닌 한 피해자와 신뢰관계에 있는 자를 동석하게 하여야 한다(제163조의 2 제2항). 09. 9급 국가직, 15. 9급 교정·보호·철도경찰

피해자의 정보권	피해자 등이 증인신문절차에서 진술하려면 미리 진술을 준비하여야 하고, 진술을 한 이후에는 자신의 진술이 정확하게 기재되어 있는가를 확인할 필요가 있다. 이 점과 관련하여 형사소송법은 피해자 등에 대한 통지제도, 기록의 열람·등사권 등을 규정하고 있다. 1. 통지제도 : 검사(법원 ×)는 범죄로 인한 피해자 또는 그 법정대리인(피해자가 사망한 경우에는 그 배우자·직계친족·형제자매를 포함한다)의 신청이 있는 때에는 당해사건의 공소제기 여부, 공판의 일시·장소, 재판결과, 피의자·피고인의 구속·석방 등 구금에 관한 사실 등을 신속하게 통지하여야 한다(제259조의 2). 09. 9급 국가직, 14. 9급 교정·보호·철도경찰 2. 기록의 열람·등사권 ① 소송계속 중인 사건의 피해자(피해자가 사망하거나 그 심신에 중대한 장애가 있는 경우에는 그 배우자·직계친족 및 형제자매를 포함한다), 피해자 본인의 법정대리인 또는 이들로부터 위임을 받은 피해자 본인의 배우자·직계친족·형제자매·변호사는 소송기록의 열람 또는 등사를 재판장에게 신청할 수 있다(제294조의 4 제1항). 15. 순경 1차·2차 ② 열람·등사 허가(제294조의 4 제3항)나 등사에 조건을 붙이는(제294조의 4 제4항) 재판에 대하여는 불복할 수 없다(동조 제6항). 15. 9급 교정·보호·철도경찰, 21. 순경 1차
피해자의 증인신문 외 의견진술	1. 법원은 필요하다고 인정하는 경우에는 직권으로 또는 피해자 등의 신청에 따라 피해자 등을 공판기일에 출석하게 하여 범죄사실의 인정에 해당하지 않는 사항에 관하여 증인신문에 의하지 아니하고 의견을 진술하게 할 수 있다(규칙 제134조의 10 제1항). 16. 9급 법원직 ▶ 범죄사실 인정에 해당하는 사항 ⇨ × 23. 7급 국가직 2. 검사, 피고인 또는 변호인은 피해자 등이 의견을 진술한 후 재판장의 허가를 받아 피해자 등에게 질문할 수 있다(동조 제5항). 3. 의견진술·의견진술에 갈음한 서면은 범죄사실의 인정을 위한 증거로 할 수 없다(규칙 제134조의 12). 15. 7급 국가직

최신판례

피해자는 재판 절차 진행 중 수회에 걸쳐 탄원서 등 피해자의 의견을 기재한 서류를 제출하였는바, 이러한 탄원서 등은 결국 피해자가 형사소송규칙 제134조의 10 제1항에 규정된 의견진술에 갈음하여 제출한 서면에 해당하므로 범죄사실의 인정을 위한 증거로 할 수 없다(대판 2024.3.12, 2023도11371).

04

01 피해자의 진술권에 관한 설명으로 가장 적절한 것은?   15. 순경 1차

① 형사피해자의 진술권은 헌법과 형사소송법에 명문으로 규정되어 있는 것은 아니다.

② 법원은 범죄로 인한 피해자 또는 그 법정대리인의 신청이 있는 때에는 그 피해자 등을 증인으로 신문하여야 한다. 다만, 피해자 등 이미 당해 사건에 관하여 공판절차에서 충분히 진술하여 다시 진술할 필요가 없다고 인정되는 경우 또는 피해자 등의 진술로 인하여 공판절차가 현저하게 지연될 우려가 있는 경우에는 그러하지 아니하다.

③ 피해자의 정보권을 보호하기 위하여 피해자 또는 그 법정대리인의 신청이 있는 때에는 당해 사건의 공소제기 여부 등을 통지하여야 하나, 피해자에게 공판기록 열람·등사권은 인정되지 않는다.

④ 피해자의 진술권을 보장하기 위해 필요한 변호인의 도움을 받을 권리나 공판절차와 수사절차에서 신뢰관계자의 동석은 현행법상 인정되지 않는다.

┃해설┃ ① 형사피해자의 진술권은 헌법과 형사소송법에 명문으로 규정되어 있다(헌법 제27조 제5항, 형사소송법 제294조의 2).
② 제294조의 2 제1항
③ 검사는 범죄로 인한 피해자 또는 그 법정대리인(피해자가 사망한 경우에는 그 배우자·직계친족·형제자매를 포함한다)의 신청이 있는 때에는 당해 사건의 공소제기 여부, 공판의 일시·장소, 재판결과, 피의자·피고인의 구속·석방 등 구금에 관한 사실 등을 신속하게 통지하여야 하며(제259조의 2), 소송계속 중인 사건의 피해자(피해자가 사망하거나 그 심신에 중대한 장애가 있는 경우에는 그 배우자·직계친족 및 형제자매를 포함한다), 피해자 본인의 법정대리인 또는 이들로부터 위임을 받은 피해자 본인의 배우자·직계친족·형제자매·변호사는 소송기록의 열람 또는 등사를 재판장에게 신청할 수 있다(제294조의 4 제1항).
④ 피해자의 변호인의 도움을 받을 권리는 성폭력범죄의 처벌 등에 관한 특례법 제27조, 아동·청소년 성보호에 관한 법률 제30조에 규정되어 있으며, 신뢰관계자의 동석제도는 형사소송법 제221조 제3항, 제163조의 2 등에 규정되어 있다.

02 형사피해자와 관련된 다음 설명 중 가장 옳지 않은 것은?(다툼이 있으면 판례에 의함)

① 법원은 범죄로 인한 피해자 등의 신청이 있는 때에는 그 피해자 등을 증인으로 신문하여야 하는데, 동일한 범죄사실에서 진술을 신청한 피해자 등이 여러 명인 경우에는 진술할 자의 수를 제한할 수 있다.

② 영상물에 수록된 '미성년 성폭력범죄 피해자'의 진술에 관하여 조사 과정에 동석하였던 신뢰관계인 내지 진술조력인의 법정진술에 의하여 그 성립의 진정함이 인정된 경우에도 증거능력을 인정할 수 있도록 규정한 부분은 미성년 피해자가 법정 진술과정에서 받을 수 있는 심리적·정서적 충격 등 새로운 추가피해를 방지하기 위한 것으로 그 입법목적이 정당하다.

③ 소송계속 중인 사건의 피해자 등의 소송기록의 열람 또는 등사 청구에 대하여 등사한 소송기록의 사용목적 제한 등 적당한 조건을 붙인 재판장의 허가에 대하여 불복할 수 있다.

┃Answer┃ 1. ② 2. ③

④ 법원은 범죄로 인한 피해자를 증인으로 신문하는 경우 당해 피해자·법정대리인 또는 검사의 신청에 따라 피해자의 사생활의 비밀이나 신변보호를 위하여 필요하다고 인정하는 때에는 결정으로 심리를 공개하지 아니할 수 있다.

| 해설 | ① 제294조의 2 제1항

② 성폭력범죄의 처벌 등에 관한 특례법 제30조 제6항 중 '제1항에 따라 촬영한 영상물에 수록된 피해자의 진술은 공판준비기일 또는 공판기일에 조사 과정에 동석하였던 신뢰관계에 있는 사람 또는 진술조력인의 진술에 의하여 그 성립의 진정함이 인정된 경우에 증거로 할 수 있다' 부분 가운데 19세 미만 성폭력범죄 피해자에 관한 부분은 목적의 정당성 및 적합성은 인정되나, 피해의 최소성과 법익균형성을 갖추지 못하였으므로 과잉금지원칙을 위반하여 공정한 재판을 받을 권리를 침해하여 헌법에 위반된다(헌재결 2021.12.23, 2018헌바524).

③ 소송계속 중인 사건의 피해자 등의 소송기록의 열람 또는 등사 청구에 대하여 등사한 소송기록의 사용목적 제한 등 적당한 조건을 붙인 재판장의 허가에 대하여 불복할 수 없다(제294조의 4 제6항).

④ 심리비공개결정을 할 수 있으며, 심리비공개결정은 이유를 붙여 고지한다(제294조의 3 제1항·제2항).

04

03 증인신문에 관한 다음 설명 중 가장 옳은 것은?

① 검사는 범죄로 인한 피해자 또는 그 법정대리인 등의 신청이 있는 때에는 당해 사건의 공소제기 여부, 공판의 일시, 장소, 재판의 경과, 피의자, 피고인의 구속, 석방 등 구금에 관한 사실 등을 신속하게 통지하여야 한다.

② 신청인이 출석통지를 받고도 정당한 이유 없이 출석하지 아니한 때에는 그 신청을 연기한 것으로 본다.

③ 사법경찰관이 13세 미만의 범죄피해자를 조사하는 경우에 법정대리인의 신청이 있으면 피해자와 신뢰관계에 있는 자의 동석을 거부할 수 없다.

④ 성폭력범죄의 피해자가 19세 미만이거나 신체적인 또는 정신적인 장애로 사물을 변별하거나 의사를 결정할 능력이 미약한 경우에는 피해자의 진술 내용과 조사 과정을 비디오 녹화기 등 영상물 녹화장치로 촬영·보존하여야 한다.

| 해설 | ① 검사는 범죄로 인한 피해자 또는 그 법정대리인 등의 신청이 있는 때에는 당해 사건의 공소제기 여부, 공판의 일시, 장소, 재판의 결과, 피의자, 피고인의 구속, 석방 등 구금에 관한 사실 등을 신속하게 통지하여야 한다(제259조의 2).

② 신청인이 출석통지를 받고도 정당한 이유 없이 출석하지 아니한 때에는 그 신청을 철회한 것으로 본다(동조 제4항).

③ 원칙적으로 동석하게 하여야 하나, 재판에 지장을 초래할 우려가 있는 등 부득이한 경우가 있으면 동석을 거부할 수 있다(제163조의 2 제2항, 제221조 제3항).

④ 성폭력범죄의 처벌 등에 관한 특례법 제30조 제1항

04 신뢰관계에 있는 자의 동석에 관한 설명 중 가장 옳지 않은 것은?(다툼이 있는 경우 판례에 의함)

20. 9급 법원직

① 법원은 범죄로 인한 피해자를 증인으로 신문하는 경우 증인의 연령, 심신의 상태, 그 밖의 사정을 고려하여 증인이 현저하게 불안 또는 긴장을 느낄 우려가 있다고 인정하는 때에는 직권 또는 피해자·법정대리인·검사의 신청에 따라 피해자와 신뢰관계에 있는 자를 동석하게 할 수 있다.

② 법원은 범죄로 인한 피해자가 13세 미만이거나 신체적 또는 정신적 장애로 사물을 변별하거나 의사를 결정할 능력이 미약한 경우에 재판에 지장을 초래할 우려가 있는 등 부득이한 경우가 아닌 한 피해자와 신뢰관계에 있는 자를 동석하게 하여야 한다.

③ 동석한 자는 법원·소송관계인의 신문 또는 증인의 진술을 방해하거나 그 진술의 내용에 부당한 영향을 미칠 수 있는 행위를 하여서는 아니 되며, 재판장은 동석한 자가 부당하게 재판의 진행을 방해하는 때에는 그 행위의 중지를 명할 수 있으나 동석 자체를 중지시킬 수는 없다.

④ 피해자와 동석할 수 있는 신뢰관계에 있는 사람은 피해자의 배우자, 직계친족, 형제자매, 가족, 동거인, 고용주, 변호사, 그 밖에 피해자의 심리적 안정과 원활한 의사소통에 도움을 줄 수 있는 사람을 말한다.

> **해설** ① 제163조의 2 제1항 ② 제163조의 2 제2항
> ③ 재판장은 동석한 자가 부당하게 재판의 진행을 방해하는 때에는 동석을 중지시킬 수 있다(규칙 제84조의 3 제3항). ④ 규칙 제84조의 3 제1항

05 형사절차상 피해자의 권리에 대한 설명으로 가장 적절하지 않은 것은?

21. 순경 1차

① 소송계속 중인 사건의 피해자는 소송기록의 열람 또는 등사를 재판장에게 신청할 수 있다.

② 소송계속 중인 사건의 피해자의 소송기록 등사 신청에 대하여 지방법원 단독판사가 사용목적을 제한하여 등사를 허가하였다면, 피해자는 그 결정에 불복하여 지방법원 본원합의부에 항고할 수 있다.

③ 법원은 범죄로 인한 피해자를 증인으로 신문하는 경우 증인의 연령, 심신의 상태, 그 밖의 사정을 고려하여 증인이 현저하게 불안 또는 긴장을 느낄 우려가 있다고 인정하는 때에는 직권 또는 피해자·법정대리인·검사의 신청에 따라 피해자와 신뢰관계에 있는 자를 동석하게 할 수 있다.

④ 법원에서 비디오 등 중계장치에 의한 중계시설을 통하여 범죄 피해자를 증인으로 신문할 때, 중계장치를 통하여 증인이 피고인을 대면하거나 피고인이 증인을 대면하는 것이 증인의 보호를 위하여 상당하지 않다고 인정되는 경우 재판장은 검사, 변호인의 의견을 들어 증인 또는 피고인이 상대방을 영상으로 인식할 수 있는 장치의 작동을 중지시킬 수 있다.

해설 ① 제294조의 4 제1항 ② 재판장이 등사를 허가하는 경우에 사용목적을 제한하거나 조건을 붙일 수 있다. 열람·등사허가결정이나 제한 및 조건을 붙인 결정에 대하여 불복할 수 없다(제294조의 4 제4항·제6항). ③ 제163조의 2 제1항 ④ 규칙 제84조의 5 제1항

06 범죄피해자와 관련한 내용으로 옳은 설명은 몇 개인가?

㉠ 소송기록의 열람·등사에 대한 피해자 등의 신청이 있는 때에는 재판장은 신청을 받은 날의 다음 날까지 검사, 피고인 또는 변호인에게 그 취지를 통지하여야 한다.

㉡ 사물변별능력이 미약한 성폭력범죄의 피해자조사시 촬영한 영상물에 수록된 '피해자의 진술'은 공판준비 또는 공판기일에서 피해자 또는 조사과정에 동석하였던 신뢰관계에 있는 자의 진술에 의하여 그 성립의 진정함이 인정된 때에는 증거로 할 수 있는데, 증거능력이 인정될 수 있는 것은 영상물에 수록된 '피해자의 진술' 그 자체뿐만 아니라, '피해자에 대한 경찰 진술조서'나 '조사과정에 동석하였던 신뢰관계 있는 자의 공판기일에서의 진술'도 그 대상이 된다.

㉢ 이미 당해사건에 관하여 수사절차에서 충분히 진술하여 다시 진술할 필요가 없는 경우는 피해자를 증인으로 신문할 필요가 없다.

㉣ 촬영한 영상에 피해자가 피해상황을 진술하면서 보충적으로 작성한 메모도 함께 촬영되어 있는 경우, 이는 영상물에 수록된 피해자 진술의 일부와 다름없다.

㉤ 피해자에 대한 증인신문방법은 상당하다고 인정하는 방식에 의한다.

㉥ 위헌결정이 난 성폭력범죄의 처벌 등에 관한 특례법 제30조 제6항 중 '19세 미만 성폭력범죄 피해자에 관한 부분'은 아동·청소년의 성보호에 관한 법률 제26조 제1항의 아동·청소년대상 성범죄에 해당하므로, 아동·청소년의 성보호에 관한 이 규정은 위헌결정의 심판대상이 되지 않았지만 위헌 법률 조항에 대한 위헌결정 이유와 마찬가지로 과잉금지 원칙에 위반될 수 있다.

㉦ 재판절차진술권은 피해자의 사망에 의하여 소멸되므로 교통사고로 사망한 사람의 부모는 재판절차진술권이 인정되는 형사피해자에 해당되지 않는다.

① 1개   ② 2개   ③ 3개   ④ 4개

해설 ㉠ × : 지체 없이 검사, 피고인 또는 변호인에게 그 취지를 통지하여야 한다(제294조의 4 제2항).
㉡ × : 성폭력범죄의 처벌 및 피해자보호 등에 관한 법률 제21조의 3 제3항에 의해 촬영된 영상물에 수록된 '피해자의 진술'은 같은 조 제4항에 의해 공판준비 또는 공판기일에서 피해자 또는 조사과정에 동석하였던 신뢰관계에 있는 자의 진술에 의하여 그 성립의 진정함이 인정된 때에는 증거로 할 수 있다. 그리고 같은 조 제4항의 규정에 의하여 증거능력이 인정될 수 있는 것은 '같은 조 제3항에 의해 촬영된 영상물에 수록된 피해자의 진술' 그 자체일 뿐이고, '피해자에 대한 경찰 진술조서'나 '조사과정에 동석하였던 신뢰관계 있는 자의 공판기일에서의 진술'은 그 대상이 되지 아니한다(대판 2010.1.28, 2009도12048).
㉢ × : 이미 당해사건에 관하여 공판절차에서 충분히 진술하여 다시 진술할 필요가 없다고 인정되는 경우가 피해자 진술 배제사유이다(제294조의 2 제1항 제2호).
㉣ ○ : 대판 2009.12.24, 2009도11575
㉤ × : 피해자에 대한 증인신문방법은 재판장이 정하는 방법에 의한다(제161조의 2 제4항).
㉥ ○ : 대판 2022.4.14, 2021도14530
㉦ × : 교통사고로 사망한 사람의 부모는 자녀가 사망함으로 인해서 극심한 정신적 고통을 받은 법률상 불이익을 입게 된 자임이 명백하므로 재판절차진술권이 인정되는 형사피해자의 범주에 해당한다(헌재결 2002. 10.31, 2002헌마453 전원재판부).

Answer 6. ②

07 피해자나 증인의 위해방지를 위한 형사소송법상 규정과 무관한 것은?

① 피해자의 신체에 해를 가한 경우 필요적 보석이 허용되지 아니한다.

② 증인의 신체에 해를 가한 경우 보석이 취소될 수 있다.

③ 피해자의 재산에 해를 가한 경우 구속취소될 수 있다.

④ 증인의 재산에 해를 가한 경우 보증금납입을 조건으로 한 석방이 허용되지 아니한다.

> **해설** ① 제95조 제6호(필요적 보석 제외사유)
> ② 제102조 제1항(보석 및 구속집행정지 취소)
> ③ 구속취소사유로 규정하고 있지는 않다.
> ④ 제214조의 2 제4항 단서(피의자보석 불허사유) 등에 규정이 있다.

08 다음은 피해자증인신문 외 의견진술에 대한 내용이다. 거리가 먼 것은?

① 법원은 필요하다고 인정하는 경우에는 직권으로 또는 피해자 등의 신청에 따라 피해자 등을 공판기일에 출석하게 하여 범죄사실의 인정에 해당하는 사항에 관하여 증인신문에 의하지 아니하고 의견을 진술하게 할 수 있다.

② 검사, 피고인 또는 변호인은 피해자 등이 의견을 진술한 후 그 취지를 명확하게 하기 위하여 재판장의 허가를 받아 피해자 등에게 질문할 수 있다.

③ 피해자 등의 의견진술에 갈음하는 서면이 법원에 제출된 때에는 검사 및 피고인 또는 변호인에게 그 취지를 통지하여야 한다. 통지는 서면, 전화, 전자우편, 모사전송, 휴대전화 문자전송 그 밖에 적당한 방법으로 할 수 있다.

④ 재판장은 재판의 진행상황, 그 밖의 사정을 고려하여 피해자 등에게 의견진술에 갈음하여 의견을 기재한 서면을 제출하게 할 수 있다.

> **해설** ① 법원은 필요하다고 인정하는 경우에는 직권으로 또는 법 제294조의 2 제1항에 정한 피해자 등의 신청에 따라 피해자 등을 공판기일에 출석하게 하여 법 제294조의 2 제2항에 정한 사항으로서 범죄사실의 인정에 해당하지 않는 사항에 관하여 증인신문에 의하지 아니하고 의견을 진술하게 할 수 있다(규칙 제134조의 10 제1항).
> ② 규칙 제134조의 10 제5항
> ③ 규칙 제134조의 11 제2항 · 제4항
> ④ 규칙 제134조의 11 제1항

09 **범죄피해자의 진술권에 대한 설명으로 옳은 것은?**   23. 7급 국가직

① 법원은 피해자의 신청이 있는 때에는 피해자가 이미 당해 사건에 관하여 공판절차에서 충분히 진술하여 다시 진술할 필요가 없다고 인정되는 경우에도 증인으로 신문하여야 한다.

② 법원은 피해자를 증인으로 신문하는 경우, 당해 피해자·법정대리인 또는 검사의 신청에 따라 피해자의 사생활의 비밀이나 신변보호를 위하여 필요하다고 인정되는 때에도 피고인의 동의가 없으면 심리를 비공개로 할 수 없다.

③ 법원이 피해자로 하여금 증인신문에 의하지 아니하고 의견을 진술하게 한 경우, 그러한 진술은 범죄사실의 인정을 위한 증거로 사용할 수 없다.

④ 법원은 동일한 범죄사실에서 의견진술에 관한 증인신문을 신청한 피해자가 여러 명인 경우에는 모두에게 진술할 기회를 제공하여야 한다.

04

| 해설 | ① 법원은 피해자의 신청이 있는 때에는 피해자가 이미 당해 사건에 관하여 공판절차에서 충분히 진술하여 다시 진술할 필요가 없다고 인정되는 경우에는 증인으로 신문하지 아니할 수 있다(제294조의 2 제1항 제2호).
② 법원은 피해자를 증인으로 신문하는 경우, 당해 피해자·법정대리인 또는 검사의 신청에 따라 피해자의 사생활의 비밀이나 신변보호를 위하여 필요하다고 인정되는 때에는 피고인의 동의와 무관하게 심리를 비공개로 할 수 있다(제294조의 3 제1항).
③ 규칙 제134조의 10 제1항
④ 법원은 동일한 범죄사실에서 의견진술에 관한 증인신문을 신청한 피해자가 여러 명인 경우에는 진술할 자의 수를 제한할 수 있다(제294조의 2 제3항).

THEMA 21 | **법원·법관의 검증**

검증은 수사기관에 의한 경우와 법원 또는 법관이 행하는 경우가 있는바, 전자에 대하여 강제수사편에서 살펴보았으므로 아래에서는 법원 또는 법관이 행하는 검증, 즉 증거조사의 방법으로서의 검증에 대하여 살펴보기로 한다.

의 의	검증이란 법원 또는 법관이 오관의 작용에 의하여 사람의 신체나 물건 또는 장소의 존재 및 상태를 관찰하여 인식하는 증거조사방법을 말한다.
검증의 주체와 영장주의 요부	1. 검증은 원칙적으로 법원이 행한다. 다만, 수명법관이나 수탁판사도 법원의 명이나 촉탁을 받아 검증을 할 수 있다. 한편 증거보전청구를 받은 판사도 증거보전의 일환으로 검증을 할 수 있는데 이 경우 판사는 법원과 동일한 권한을 갖는다. 2. 법원·법관의 검증 ⇨ 영장 필요 ×(수사기관의 검증 ⇨ 영장 필요 ○)
검증의 절차	1. 검사, 피고인 또는 변호인은 검증에 참여할 권리를 가지므로(제145조, 제121조) 재판장은 검증일시·장소를 통지하여야 한다. 다만, 검증참여권자가 참여하지 아니한다는 의사를 명시한 때 또는 긴급을 요하는 때에는 예외로 한다(제145조, 제122조). 04. 법원주사보 2. 공무소, 군사용 항공기 또는 선차 내에서 검증을 실시함에는 그 책임자에게 참여할 것을 통지하여야 한다(제145조, 제123조 제1항). 다만, 검증참여권자가 참여하지 아니한다는 의사를 명시한 때 또는 긴급을 요하는 때에는 예외로 한다(제145조, 제122조). 04. 법원주사보 3. 검증에 필요한 처분 ⇨ 검증을 함에는 신체검사, 사체해부, 분묘발굴, 물건의 파괴 기타 필요한 처분을 할 수 있다(제140조). 4. 일몰 전에 검증에 착수한 때에는 일몰 후라도 검증을 계속할 수 있다(동조 제2항). 5. ┌ 군사상 비밀을 요하는 장소에 대한 검증 ⇨ 책임자의 승낙이 필요, 국가의 중대한 이익을 해하는 경우를 제외하고는 승낙을 거부하지 못한다(제145조, 제110조). ├ 공무소, 군사용 항공기 또는 선박·차량 안에서 검증을 실시 ⇨ 책임자에게 참여할 것을 통지(제145조, 제123조 제1항) └ 타인의 주거, 간수자 있는 가옥, 건조물, 항공기 또는 선박·차량 안에서 검증을 실시 ⇨ 주거주, 간수자 또는 이에 준하는 자를 참여케 하여야 한다. 이러한 자를 참여케 하지 못한 때에는 이웃사람 또는 지방공공단체의 직원을 참여케 하여야 한다(제145조, 제123조 제2항·제3항).
신체 검사에 대한 특칙	1. 신체검사 ⇨ 피고인뿐만 아니라 피고인 아닌 자(증적의 존재를 확인할 수 있는 현저한 사유가 있는 경우)에 대해서도 가능(제141조 제2항) 09. 순경 2. 법원은 신체검사를 위하여 피고인 또는 피고인 아닌 자를 소환할 수 있다(제68조, 제142조). ▶ 소환에 불응한 피고인 ⇨ 구인 가능, 피고인 아닌 자 ⇨ 아무런 강제방법이 없다. 3. 여자의 신체를 검사하는 경우에는 의사나 성년 여자를 참여하게 하여야 한다(제141조 제3항). 09. 순경
검증 조서의 작성	1. 검증에 관하여 검증조서를 작성하여야 한다(제49조 제1항). 다만, 공판정에서의 검증은 별도의 조서에 의하지 않고 공판조서에 기재된다(제51조 제2항). ▶ ┌ 공판기일에 검증 : 바로 증거 └ 공판기일 외에서 검증조서가 작성 : 검증조서에 대한 증거조사가 다시 필요 2. 검증조서는 무조건 증거능력이 있다(수사기관에서 작성한 검증조서는 일정한 요건하에서만 증거능력이 인정됨).

01 수소법원의 검증에 관한 설명으로 틀린 것은?

① 법원의 검증은 증거조사에 해당한다.

② 법원이 검증을 하는 경우에는 검증영장을 발부하여야 한다.

③ 신체검사도 검증의 일종이다.

④ 법원이 검증을 하는 경우에는 그 검증에 참여한 법원사무관 등이 검증조서를 작성하여야 한다.

┃해설┃ ② 법원·법관의 검증은 법원 또는 법관 스스로 직접 오관의 작용에 의하여 행하기 때문에 영장이 없더라도 동일한 보장이 인정되므로 법률상 영장을 필요로 하지 아니한다.

02 검증 및 검증조서에 관한 설명이다. 틀린 것은?   04. 법원주사보

① 검증은 참여권자인 검사·변호인·피고인에 대하여 사전에 일시·장소를 통지하여야 하고, 검사·변호인·피고인 모두 불출석한 경우에는 검증을 개시할 수 없고 연기하여야 한다.

② 검증의 목적물에는 아무런 제한이 없고 물건의 존재·형태·성상이 증거자료로 되는 경우라면 모두 검증의 객체가 된다.

③ 수사보고서에 검증의 결과에 해당하는 기재가 있는 경우 이는 단지 수사의 경위 및 결과를 내부적으로 보고하기 위하여 작성된 서류에 불과하므로 형사소송법 제312조 제6항의 '검사 또는 사법경찰관이 검증의 결과를 기재한 조서'라고 할 수 없다.

④ 법원은 검증실시 중 검증현장에서 필요가 있으면 직접 압수를 할 수 있는데 이 경우에 영장은 발부할 필요가 없다.

┃해설┃ ① 참여권자가 참여하지 아니한다는 의사를 명시한 때 또는 급속을 요한 때에는 통지하지 아니하고 검증을 할 수 있다(제122조, 제145조).
③ 대판 2001.5.29, 2000도2933
④ 수소법원이 직접 강제처분을 행하므로 타기관의 집행을 전제로 한 압수영장은 불필요하기 때문이다.

03 검증에 대한 설명으로 적절한 것은?   09. 순경

① 사법경찰관이 긴급을 요할 때에는 죄를 범하였다고 의심할 만한 상당한 이유만으로도 영장 없이 검증할 수 있다.

② 법원이 행하는 검증에는 영장을 제시할 필요가 없다.

③ 여자의 신체를 검사하는 경우에는 반드시 성년 여자를 참여하게 하여야 한다.

④ 피의자 아닌 자에 대해서는 신체검사를 할 수 없다.

┃해설┃ ① 수사상 검증은 원칙적으로 영장이 필요하며, 제216조, 제217조의 요건을 구비하는 경우에는 영장없이 검증을 할 수 있다. 따라서 긴급을 요할 때에 죄를 범하였다고 의심할 만한 상당한 이유만으로도 영장 없이 검증할 수는 없다.

┃Answer┃ 1.② 2.① 3.②

② 법원의 검증은 영장이 불필요하므로 영장을 제시할 이유도 없다.
③ 의사나 성년 여자를 참여하게 하여야 한다(제141조 제3항).
④ 증적의 존재를 확인할 수 있는 현저한 사유가 있는 경우에는 피고인이나 피의자 아닌 자의 신체를 검사할 수 있다(제141조 제2항, 제219조).

04 **법원의 검증에 관한 다음 기술 중 옳은 것은?**
① 압수·수색의 경우와 같이 어떠한 경우라도 일출 후, 일몰 전에 실시하여야 한다.
② 법원 또는 법관이 작성한 검증조서는 무조건 증거능력이 있다.
③ 검증대상인 물건의 파괴 등 그 현장에 현저한 변경을 가하는 행위를 검증이라 할 수 없다.
④ 검증은 강제처분의 일종이므로 영장이 필요하다.
⑤ 신체를 검사하기 위하여 피고인 아닌 자를 법원에 소환할 수 없다.

> **해설** ① 일출 전, 일몰 후에는 압수·수색영장에 야간집행을 할 수 있는 기재가 없으면 그 영장을 집행하기 위하여 타인의 주거 등에 들어갈 수 없으며, 수사상 검증의 경우도 동일하다(제125조, 제219조). 그러나 법원의 검증은 일출 전, 일몰 후에는 주인이나 간수자 등의 승낙을 얻어 검증할 수 있고, 일몰 전에 검증에 착수한 때에는 일몰 후라 하더라도 검증을 계속할 수 있다(제143조).
> ③ 파괴 기타 필요한 처분이 가능하다(제140조).
> ④ 수사상 검증은 영장이 필요하지만 법원의 검증은 영장이 불필요하다.
> ⑤ 피고인 아닌 자를 법원 기타 지정한 장소에 소환할 수 있다(제142조).

05 **법원의 검증에 관한 다음 기술 중 옳은 것은?**
① 검사, 피고인 또는 변호인은 검증에 참여할 권리를 갖는다.
② 검증과 실황조사는 주체만이 다를 뿐 성질은 동일하다.
③ 검증의 주체, 검증영장의 요부, 검증조서의 작성자, 검증에 필요한 처분 등은 법원의 검증과 수사기관의 검증에 차이가 있다.
④ 법원이 공무소에서 송부받은 서류에 대한 증거조사방법은 감정에 의한다.

> **해설** ① 제145조, 제121조
> ② 실황조사는 수사기관이 물리력을 행사하지 않고 범죄현장 또는 기타 장소에서 그의 오관에 의하여 실황을 조사하는 것으로 임의수사의 일종이라는 점에서 강제처분의 일종인 검증과 구별된다.
> ③ 법원에서 검증을 함에는 신체의 검사, 시체해부, 분묘의 발굴, 물건의 파괴 기타 필요한 처분을 할 수 있으며(제140조), 이 규정을 수사기관의 검증에 준용한다(제219조).
> ④ 법원이 공무소에서 송부받은 서류에 대한 증거조사방법은 검증에 의한다.

THEMA 22 감정

의의	감정이라 함은 전문지식과 그에 따른 경험을 가진 제3자가 그 지식과 경험을 활용하여 얻은 판단을 법원에 보고하는 것을 말하며, 법원으로부터 감정의 명을 받은 자를 감정인이라 한다. 감정은 구인에 관한 규정을 제외하고는 증인신문에 대한 규정을 준용한다(제177조). 다만, 감정증인은 증인에 해당하므로 증인신문의 규정이 적용된다(제179조). ▶ 감정인은 수사기관으로부터 감정을 위촉받은 감정수탁자(제221조)와 구별된다. 감정수탁자는 선서의무가 없고, 허위감정에 대한 제재를 받지 않으며, 감정절차에 소송관계인의 참여권이 인정되지 않는다(감정수탁자는 고유한 의미에서 감정인이 아님).
감정절차	**감정인** 1. 감정인의 선정 : 법원은 학식·경험 있는 자에게 감정을 명할 수 있다(제169조). 2. 감정인적격·감정거부권 : 감정인에 대해서는 증인에 관한 규정이 준용되므로 감정인 적격에 대한 내용은 증인적격의 경우와 같으며, 감정거부권도 증언거부권(제148조)의 규정이 준용된다. 3. 감정인의 소환과 선서 : 법원은 감정인이 선정되면 감정을 실시하기 전에 감정인을 미리 출석시켜 선서를 하게 한 후 감정사항을 고지하고 감정서를 제출하도록 하여야 한다(선서하지 않은 감정인의 감정은 증거능력 없음). 감정인의 소환은 증인소환방법에 의한다(제177조). 다만, 감정인은 증인과는 달리 대체성이 있으므로 감정인의 구인은 허용되지 않는다(과태료, 비용배상은 가능). 4. 비용청구권 : 감정인은 법률이 정하는 바에 의하여 여비, 일당, 숙박비 외에 감정료와 체당금(대신 지급한 금액)의 변상을 청구할 수 있다(제178조). 📁 감정촉탁제도 : 법원은 필요하다고 인정한 때에는 공무소, 학교, 병원 기타 상당한 설비가 있는 단체 또는 기관에 대하여 감정을 촉탁할 수 있다. 이 경우 선서에 관한 규정은 적용하지 않는다(제179조의 2 제1항). ⇨ 따라서 선서 없이 감정 가능 제1항의 경우 법원은 공무소, 학교, 병원, 단체 또는 기관이 지정한 자로 하여금 감정서의 설명을 하게 할 수 있다(제179조의 2 제2항). 감정촉탁제도는 선서가 불가능한 단체나 기관의 감정결과를 증거로 활용하기 위해 신설된 것이다. **감정유치** 감정유치에는 수사상 감정유치와 수소법원이 행하는 감정유치가 있으며, 수소법원이 행하는 감정유치란 피고인의 신체나 정신의 감정이 필요한 때에 법원이 감정유치장을 발부하여 병원 기타 적당한 장소에 피고인을 유치하는 것을 말하며(제172조 제3항·제4항), 대인적 강제처분에 해당한다. **감정인의 권한 및 당사자 참여권** 1. 감정에 필요한 처분 : 감정인은 감정에 필요한 때에는 법원의 허가를 얻어 타인의 주거, 간수자 있는 가옥, 건조물, 항공기, 선차 내에 들어갈 수 있고 신체검사, 사체해부, 분묘발굴, 물건의 파괴를 할 수 있다. 이러한 처분의 허가에는 법원은 허가장을 발부하여야 한다(제173조 제1항 내지 제3항). 2. 열람·등사권 : 감정인은 감정에 관하여 필요한 경우에는 재판장의 허가를 얻어 서류와 증거물을 열람 또는 등사하고 피고인 또는 증인의 신문에 참여할 수 있다(제174조 제1항). 3. 신문권 : 감정인은 재판장에게 피고인 또는 증인의 신문을 구하거나, 재판장의 허가를 얻어 직접 발문할 수 있다(동조 제2항). 4. 참여권 : 검사, 피고인 또는 변호인은 감정에 참여할 수 있다(제176조 제1항).

04

	감정의 보고	1. 감정의 보고 : 감정의 결과는 감정인으로 하여금 서면(감정서)으로 제출하도록 하여야 한다(제171조 제1항). 감정인이 감정서를 제출한 경우에도 법원이 필요하다고 인정한 때에는 감정인에게 설명하게 할 수 있는데(동조 제4항) 이 경우에는 감정인신문이 행하여지게 된다. 2. 증거능력 : 공판기일에 감정인신문이 행하여지면 그 진술은 공판기일의 진술로서 바로 증거가 되지만 공판기일 외에서 이루어지면 그 진술은 감정인신문조서에 기재되며 이는 증거서류로서 공판정에서 다시 증거조사를 행하게 된다.

01 법원의 감정에 관한 설명으로 틀린 것은?

① 수소법원으로부터 감정의 명을 받은 자를 감정인이라고 한다.

② 감정인은 감정 전에 선서를 하여야 한다.

③ 여비·일당·숙박료 외에 감정료와 체당금을 받는다.

④ 감정증인은 감정인에 관한 규정을 적용한다.

│ 해설 │ ④ 증인에 관한 규정을 준용한다(제179조).

02 증인과 감정인에 관한 비교설명 중 맞는 것은?

① 증인은 구인이 불가능하나 감정인은 구인이 가능하다.

② 증인은 기피제도가 없으나 감정인은 기피제도가 있다.

③ 증인과 감정인 모두 선서가 불필요한 경우도 있다.

④ 증인은 비대체적이나 감정인은 대체적이다.

│ 해설 │ 증인과 감정인의 비교정리

구 분	증 인	감정인
차이점	• 판단자료를 제공한다. • 구인이 가능하다. • 대체성이 없다. • 보수를 받을 수 없다. • 예외적으로 선서 불필요	• 판단능력을 보충한다. • 구인이 불가능하다. • 대체성이 있다. • 보수를 받는다. • 반드시 선서를 요한다.
유사점	• 양자 모두 제3자로서 인적 증거이다. • 양자 모두 법원 또는 법관의 명을 받는다. • 양자 모두 선서의무가 있고, 여비·일당을 받는다. • 양자 모두 기피제도가 없다. • 양자 모두 선서 전에 위증의 벌을 경고해야 한다.	

03 형사소송법상 감정과 관련한 다음 설명 중 옳지 않은 것은?(다툼이 있을 경우 판례에 의함)

07. 9급 법원직

① 감정의 경과와 결과는 감정인으로 하여금 서면으로 제출하게 하거나 감정인신문기일에 구술로 진술하게 할 수 있다.

② 피고인의 정신 또는 신체에 관한 감정이 필요한 때에는 법원은 기간을 정하여 병원 기타 적당한 장소에 피고인을 유치하게 할 수 있고 감정이 완료되면 즉시 유치를 해제하여야 하는데, 위와 같은 유치는 미결구금일수의 산입에 있어서는 이를 구속으로 간주한다.

③ 법원은 필요하다고 인정하는 때에는 공무소·학교·병원 기타 상당한 설비가 있는 단체 또는 기관에 대하여 감정을 촉탁할 수 있는데, 이 경우 선서에 관한 규정은 적용하지 아니한다.

④ 특별한 지식에 의하여 알게 된 과거의 사실을 신문하는 경우에는 감정에 관한 규정에 의하지 아니하고 증인신문에 관한 규정에 의한다.

│ 해설 │ ① 감정의 경과와 결과는 감정인으로 하여금 서면으로 제출하게 하여야 하고(제171조 제1항), 구술로써 할 수 없다.
② 제172조
③ 제179조의 2
④ 제179조

│ Answer │ 3. ①

THEMA 23 감정유치

의 의	1. 감정유치에는 수사상 감정유치와 수소법원이 행하는 감정유치가 있으며, 수소법원이 행하는 감정유치란 피고인의 신체나 정신의 감정이 필요한 때에 법원이 감정유치장을 발부하여 병원 기타 적당한 장소에 피고인을 유치하는 것을 말하며(제172조 제3항·제4항), 대인적 강제처분에 해당한다. 2. 감정유치는 보석에 관한 규정을 제외하고는 구속에 관한 규정이 원칙적으로 준용된다.
구속·보석과의 관계	1. 감정유치는 미결구금일수의 산입에서는 구속으로 간주되지만(제172조 제8항), 구속 중인 피고인에 대하여 감정유치장이 집행되었을 때에는 유치되어 있는 동안은 구속은 그 집행이 정지된 것으로 간주한다(제172조의 2 제1항). 따라서 구속기간에는 산입되지 않으므로 결국 구속기간 연장과 같은 결과를 발생시킨다. 감정유치처분이 취소되거나 유치기간이 만료된 때에는 구속의 집행정지가 취소된 것으로 간주한다(동조 제2항). 2. 감정유치는 보석에 관한 규정은 적용되지 아니하므로 감정유치된 자에 대하여 보석은 전혀 인정되지 않는다.

01 감정유치에 관한 설명으로 옳지 않은 것은?

① 감정유치를 함에 있어서는 감정유치장을 발부하여야 한다.
② 미결구금일수의 산입에 있어서 유치기간은 구속으로 간주한다.
③ 감정유치처분이 취소되거나 유치기간이 만료된 때에는 구속의 집행정지가 취소된 것으로 간주한다.
④ 구속된 피고인의 경우 감정유치기간에는 구속이 집행된 것으로 간주한다.

▎해설 ④ 감정유치기간에는 구속집행이 정지된 것으로 간주한다(제172조의 2 제1항).

02 피고인의 정신이나 신체에 대한 감정이 필요한 때 시행되는 감정유치에 대한 설명으로 잘못된 것은?
03. 순경

① 감정유치기간은 미결구금일수에 산입한다.
② 감정유치기간은 법률상 30일 내로 제한되어 있다.
③ 보석은 감정유치에는 인정되지 아니한다.
④ 구속된 피고인에게 감정유치를 한 때에는 그 장소여하를 막론하고 구속의 집행이 정지된 것으로 본다.

▎해설 감정유치기간에는 제한이 없다.

Answer ▷ 1.④ 2.②

03 감정유치에 관한 설명 중 옳지 못한 것은?

03. 경찰승진

① 피고인 또는 피의자의 정신 또는 신체에 관한 감정이 필요한 경우에 행하는 처분이다.

② 법원이 발부한 감정유치장에 의한다.

③ 미결구금일수의 산입에 유치기간 동안 구속되었던 것으로 본다.

④ 감정의 결과는 서면으로 제출하고 판단의 이유를 반드시 설명하게 하여야 한다.

┃ 해설 ┃ ①② 제172조 제3항, 제221조의 3 제2항

③ 제172조 제8항

④ 감정의 경과와 결과는 감정인으로 하여금 서면으로 제출하게 하여야 한다. 또한 감정의 결과에는 그 판단의 이유를 명시하여야 하나 설명은 필요한 때에만 시킬 수 있고 반드시 설명하게 해야 하는 것은 아니다 (제171조 제1항·제4항).

04 피고인이 2008. 1. 8. 구속되고, 동년 1. 24. 14 : 00 감정유치되었다가 동년 1. 30. 10 : 00 감정유치가 만료된 경우 언제까지 법원에서 피고인을 구속할 수 있는가?(구속기간의 갱신이 없음을 전제로 함)

① 2008. 3. 12. ② 2008. 3. 13.

③ 2008. 3. 14. ④ 2008. 3. 15.

┃ 해설 ┃ 법원의 구속기간은 원칙적으로 2개월이므로 구속된 날인 1월 8일부터 기산하여 3월 8일 하루 전인 3월 7일 만료된다. 그러나 감정유치기간은 구속집행이 정지되는 것으로 보기 때문에(제172조의 2 제1항) 구속기간에 넣으면 안 된다. 문제는 감정유치의 초일과 말일을 구속기간으로 볼 것인지, 아니면 감정유치기간으로 볼 것인지의 여부이다. 견해의 대립이 있을 수 있겠으나, 법원실무제요에서는 "감정유치의 기산일과 최종일은 감정유치기간과 구속기간 쌍방에 각각 1일씩 산입한다."라고 하고 있어, 이에 따르면 감정유치에 의한 구속기간 정지는 5일(1. 25~1. 29)이므로 2개월의 구속만기일은 3월 12일이 된다. 따라서 법원실무제 요에 입각하여 정답을 처리해 둔다.

THEMA 24

다음 통역·번역에 관한 설명 중 옳지 않은 것은?

① 통역인이 피해자의 사실혼 배우자라고 하여도 통역인에게 형사소송법 제25조 제1항, 제17조 제2호에서 정한 제척사유가 있다고 할 수 없다.

② 국어에 능통하지 아니한 자의 진술에는 통역인으로 하여금 통역하게 하여야 하며, 외국인이라도 국어에 능통할 때에는 통역을 요하지 아니한다.

③ 감정에 관한 규정은 통역과 번역에 준용된다. 따라서 통역인, 번역인도 사전에 선서가 필요하다.

④ 통역인 甲이 사건의 제1심 공판기일에 증인으로 출석하여 진술한 다음, 같은 기일에 위 사건의 피해자이며 자신의 사실혼 배우자인 증인 乙의 진술을 통역한 경우, 통역인은 제척사유에 해당하지 않는다.

│ 해 설

① 형사소송법 제17조 제2호는 '법관이 피고인 또는 피해자의 친족 또는 친족관계가 있었던 자인 때에는 직무집행에서 제척된다.'고 규정하고 있고, 위 규정은 형사소송법 제25조 제1항에 의하여 통역인에게 준용되나, 사실혼관계에 있는 사람은 민법에서 정한 친족이라고 할 수 없어 형사소송법 제17조 제2호에서 말하는 친족에 해당하지 않으므로, 통역인이 피해자의 사실혼 배우자라고 하여도 통역인에게 형사소송법 제25조 제1항, 제17조 제2호에서 정한 제척사유가 있다고 할 수 없다(대판 2011.4.14, 2010도13583).

② 대판 1966.12.27, 66도1535

③ 감정에 관한 규정은 통역과 번역에 준용된다(제183조). 따라서 통역인, 번역인도 사전에 선서가 필요하다.

④ 통역인 甲이 피고인들에 대한 사건의 제1심 공판기일에 증인으로 출석하여 진술한 다음, 같은 기일에 위 사건의 피해자이며 자신의 사실혼 배우자인 증인 乙의 진술을 통역한 경우, 통역인은 제17조 제4호, 제25조 제1항에 의한 제척사유에 해당하는 경우이므로, 제척사유 있는 甲이 통역한 乙의 증인신문조서는 유죄인정의 증거로 사용할 수 없다(대판 2011.4.14, 2010도13583). 》④

THEMA 25 전문심리위원제도

의의 및 취지	첨단산업분야, 지적재산권, 국제금융 기타 전문적인 지식이 필요한 사건에서 법관이 전문가의 조력을 받아 재판절차를 보다 충실하게 진행할 수 있도록 전문심리위원회 제도가 도입되었다.
법원의 참여결정	법원은 직권으로 또는 검사, 피고인 또는 변호인의 신청에 의하여 결정으로 전문심리위원을 지정하여 공판준비 및 공판기일 등 소송절차에 참여하게 할 수 있다(제279조의 2 제1항). 11 · 14. 9급 교정 · 보호 · 철도경찰, 17. 순경 1차, 23. 9급 검찰 · 마약 · 교정 · 보호 · 철도경찰
전문심리위원의 지정	1. 전문심리위원을 소송절차에 참여시키는 경우 법원은 검사, 피고인 또는 변호인의 의견을 들어 각 사건마다 1인 이상의 전문심리위원을 지정한다(제279조의 4 제1항). 13. 경찰승진 2. 전문심리위원에게는 수당을 지급하고, 그 밖의 여비, 일당 및 숙박료를 지급할 수 있다(제279조의 4 제2항).
전문심리위원의 제척 · 기피	1. 법관에 대한 제척(제17조) · 기피(제18조부터 제20조 및 제23조)의 규정은 전문심리위원에게 준용한다(제279조의 5 제1항). 13. 경찰승진, 24. 9급 검찰 · 마약 · 교정 · 보호 · 철도경찰 ▶ 회피(제24조) 적용 × 2. 제척 또는 기피 신청이 있는 전문심리위원은 그 신청에 관한 결정이 확정될 때까지 소송절차에 참여할 수 없다. 09. 9급 법원직
전문심리위원의 참여활동	1. 전문심리위원은 전문적인 지식에 의한 설명 또는 의견을 기재한 서면을 제출하거나 기일에 전문적인 지식에 의하여 설명이나 의견을 진술할 수 있다. 다만, 재판의 합의에는 참여할 수 없다(제279조의 2 제2항). 15. 9급 교정 · 보호 · 철도경찰, 17. 순경 1차 2. 전문심리위원은 기일에 재판장의 허가를 받아 피고인 또는 변호인, 증인 또는 감정인 등 소송관계인에게 소송관계를 분명하게 하기 위하여 필요한 사항에 관하여 직접 질문할 수 있다(제279조의 2 제3항). 09 · 13. 9급 법원직, 13. 경찰승진, 17. 순경 1차 3. 법원은 전문심리위원이 제출한 서면이나 전문심리위원의 설명 또는 의견의 진술에 관하여 검사, 피고인 또는 변호인에게 구술 또는 서면에 의한 의견진술의 기회를 주어야 한다(제279조의 2 제4항). 4. 재판장이 기일 외에서 전문심리위원에 대하여 설명 또는 의견을 요구한 사항이 소송관계를 분명하게 하는 데 중요한 사항일 때에는 법원사무관 등은 검사, 피고인 또는 변호인에게 그 사항을 통지하여야 한다(규칙 제126조의 8). 5. 전문심리위원이 설명이나 의견을 기재한 서면을 제출한 경우에는 법원사무관 등은 검사, 피고인 또는 변호인에게 그 사본을 보내야 한다(규칙 제126조의 9). 6. 전문심리위원이 공판준비기일 또는 공판기일에 참여한 때에는 조서에 그 성명을 기재하여야 한다(규칙 제126조의 12 제1항). 09. 9급 법원직 7. 전문심리위원이 재판장, 수명법관 또는 수탁판사의 허가를 받아 소송관계인에게 질문을 한 때에는 조서에 그 취지를 기재하여야 한다(규칙 제126조의 12 제2항).

04

전문심리위원의 취소결정	1. 법원은 상당하다고 인정하는 때에는 검사, 피고인 또는 변호인의 신청이나 직권으로 제279조의 2 제1항에 따른 결정을 취소할 수 있다(제279조의 3 제1항). 2. 법원은 검사와 피고인 또는 변호인이 합의하여 전문심리위원 지정 결정을 취소할 것을 신청한 때에는 그 결정을 취소하여야 한다(제279조의 3 제2항). 13. 경찰승진·9급 법원직 3. 법 제279조의 2 제1항에 따른 결정의 취소 신청은 기일에서 하는 경우를 제외하고는 서면으로 하여야 한다(규칙 제126조의 13 제1항). 4. 전문심리위원 지정 결정의 취소 신청을 할 때에는 신청 이유를 밝혀야 한다. 다만, 검사와 피고인 또는 변호인이 동시에 신청할 때에는 그러하지 아니하다(규칙 제126조의 13 제2항). 09. 9급 법원직

01 전문심리위원의 공판준비 및 공판기일 등 소송절차 참여에 대한 설명으로 옳지 않은 것은?(다툼이 있는 경우 판례에 의함) 20. 7급 국가직

① 법원은 검사, 피고인 또는 변호인의 신청이 있는 경우에는 전문심리위원을 지정하여 소송절차에 참여하게 하여야 한다.

② 전문심리위원은 소송절차에 참여하여 전문적인 지식에 의한 설명 또는 의견을 기재한 서면을 제출하거나 공판기일에 전문적인 지식에 의하여 설명이나 의견을 진술할 수 있지만 재판의 합의에는 참여할 수 없다.

③ 법원은 전문심리위원과 관련된 절차 진행 등에 관한 사항을 당사자에게 적절한 방법으로 적시에 통지하여 당사자의 참여 기회가 실질적으로 보장될 수 있도록 세심한 배려를 하여야 한다.

④ 검사와 피고인 또는 변호인이 합의하여 전문심리위원의 소송절차 참여 결정을 취소할 것을 신청한 때에는 법원은 그 결정을 취소하여야 한다.

해설 ① 법원은 직권 또는 검사, 피고인 또는 변호인의 신청에 의하여 결정으로 전문심리위원을 지정하여 소송절차에 참여하게 할 수 있다(제279조의 2 제1항).
② 제279조의 2 제2항 ③ 대판 2019.5.30, 2018도19051 ④ 제279조의 3 제2항

02 다음 기술 중 옳지 않은 것은 모두 몇 개인가?

㉠ 전문심리위원이 공판준비기일 또는 공판기일에 참여한 때에도 조서에 그 성명을 기재할 필요는 없다.
㉡ 검사와 피고인 또는 변호인이 동시에 전문심리위원 참여 결정의 취소를 신청할 때에는 신청 이유를 밝히지 않아도 된다.

ⓒ 법관의 제척 및 기피에 관한 형사소송법 제17조부터 제20조까지 및 제23조는 전문심리위원에게 준용한다.

ⓔ 전문심리위원을 소송절차에 참여시키는 경우 법원은 검사, 피고인 또는 변호인의 의견을 들어 각 사건마다 2인 이상의 전문심리위원을 지정한다.

ⓜ 수소법원이 심판에 필요한 자료의 수집·조사 등의 업무를 담당하는 법원 소속 조사관에게 양형의 조건이 되는 사항을 수집·조사하여 제출하게 하고, 이를 피고인에 대한 정상관계 사실과 함께 참작하여 형을 선고하는 것은 위법하다.

① 1개　　　　　② 2개　　　　　③ 3개　　　　　④ 4개

| 해설 | ㉠ × : 조서에 그 성명을 기재하여야 한다(규칙 제126조의 12)

ⓛ ○ : 규칙 제126조의 13 제2항 단서

ⓒ ○ : 제279조의 5 제1항

ⓔ × : 법원은 검사, 피고인 또는 변호인의 의견을 들어 각 사건마다 1인 이상의 전문심리위원을 지정한다(제279조의 4 제1항).

ⓜ × : 제1심 법원이 법원조직법 제54조의 3에 의하여 심판에 필요한 자료의 수집·조사 등의 업무를 담당하는 법원 소속 조사관에게 양형의 조건이 되는 사항을 수집·조사하여 제출하게 하고, 이를 피고인에 대한 정상 관계 사실과 함께 참작하여 피고인에게 유죄를 선고한 사안에서, 조사관에 의한 양형조사가 현행법상 위법이라거나 양형조사가 위법하게 행하여졌다고 볼 수 없다(대판 2010.4.29, 2010도750).

03 **전문심리위원에 대한 설명으로 옳지 않은 것은?**　　　23. 9급 검찰·마약·교정·보호·철도경찰

① 전문심리위원은 공판기일에 한하여 재판장의 허가를 받아 피고인 또는 변호인, 증인 또는 감정인 등 소송관계인에게 소송관계를 분명하게 하기 위하여 필요한 사항에 관하여 의견을 진술하거나 직접 질문할 수 있지만 재판의 합의에 참여하는 것은 허용되지 않는다.

② 법원은 전문심리위원이 제출한 서면이나 전문심리위원의 설명 또는 의견의 진술에 관하여 검사, 피고인 또는 변호인에게 구술 또는 서면에 의한 의견진술의 기회를 주어야 한다.

③ 제척 또는 기피 신청이 있는 전문심리위원은 그 신청에 관한 결정이 확정될 때까지 그 신청이 있는 사건의 소송절차에 참여할 수 없다. 이 경우 전문심리위원은 해당 제척 또는 기피 신청에 대하여 의견을 진술할 수 있다.

④ 법원은 전문심리위원에 관한 규정들을 지켜야 하고, 이를 준수함에 있어서도 전문심리위원과 관련된 절차 진행 등에 관한 사항을 당사자에게 적절한 방법으로 적시에 통지하여 당사자의 참여 기회가 실질적으로 보장될 수 있도록 세심한 배려를 하여야 한다.

| 해설 | ① 전문심리위원은 기일에 재판장의 허가를 받아 피고인 또는 변호인, 증인 또는 감정인 등 소송관계인에게 소송관계를 분명하게 하기 위하여 필요한 사항에 관하여 의견을 진술하거나 직접 질문할 수 있지만 재판의 합의에 참여하는 것은 허용되지 않는다(제279조의 2 제2항·제3항). 전문심리위원이 참여하는 절차는 공판기일에 한정되는 것이 아니라, 공판준비 및 공판기일 등 소송절차를 의미한다(제279조의 2 제1항).

② 제279조의 2 제4항 ③ 제279조의 5 제2항

④ 대판 2019.5.30, 2018도1905

04

제7절 피고인신문

THEMA 26 피고인신문

의 의	피고인신문이란 피고인에 대하여 공소사실과 그 정상에 관하여 필요한 사항을 신문하는 절차를 말한다.
순 서	1. 검사 또는 변호인은 증거조사 종료 후에 순차로 피고인에게 공소사실 및 정상에 관하여 필요한 사항을 신문할 수 있다. 14. 경찰승진 다만, 재판장은 필요하다고 인정할 때에는 증거조사가 완료하기 전이라도 이를 허가할 수 있다(제296조의 2 제1항). 09. 9급 법원직 2. 재판장은 필요하다고 인정한 때에는 피고인을 신문할 수 있다(동조 제2항). 3. 피고인신문은 증인신문의 방식이 준용되므로 검사·변호인 순으로 신문하고, 재판장은 그 신문이 끝난 뒤에 신문하지만 필요하다고 인정하면 어느 때나 신문순서를 변경할 수 있다(제296조의 2 제3항).
방 법	1. 피고인신문시 피고인은 증인석에 좌석케 한다(제275조 제3항 단서). 09. 9급 법원직 2. 피고인신문의 범위는 공소사실과 정상에 관한 필요한 사항이다. 3. 재판장은 피고인이 어떤 재정인의 면전에서 충분한 진술을 할 수 없다고 인정한 때에는 그 재정인을 퇴정시키고 진술하게 할 수 있다(규칙 제140조의 3). 09. 9급 법원직, 13. 9급 검찰·마약수사 4. 재판장 또는 법관은 피고인을 신문하는 경우에 피고인이 ① 신체적 또는 정신적 장애로 사물을 변별하거나 의사를 결정·전달할 능력이 미약한 경우 또는 ② 피고인의 연령·성별·국적 등의 사정을 고려하여 그의 심리적 안정의 도모와 원활한 의사소통을 위하여 필요한 경우에는 직권 또는 피고인·법정대리인·검사의 신청에 따라 피고인과 신뢰관계에 있는 자를 동석하게 할 수 있다(제276조의 2).

01 피고인신문에 관한 설명 중 옳지 않은 것은 몇 개인가?

> ㉠ 변호인은 재판장의 허가를 얻어 피고인을 신문할 수 있다.
> ㉡ 검사 또는 변호인은 증거조사 종료 후에 순차로 피고인에게 공소사실 및 정상에 관하여 필요한 사항을 신문할 수 있다. 다만, 재판장은 필요하다고 인정하는 때에는 증거조사가 완료되기 전이라도 이를 허가할 수 있다.
> ㉢ 피고인신문시 피고인은 증인석에 좌석한다.
> ㉣ 피고인이 다른 공동피고인 또는 그 밖의 어떤 재정인의 면전에서 충분한 진술을 할 수 없다고 인정될 때에는 재판장은 다른 공동피고인 또는 재정인을 퇴정하게 하고 진술시킬 수 있다.
> ㉤ 검사와 변호인만이 피고인을 신문할 수 있다.

Answer 1. ②

① 1개   ② 2개   ③ 3개   ④ 4개

| 해설 | ㉠ × : 검사와 변호인은 재판장의 허가없이 직접 피고인을 신문할 수 있다(제262조의 2 제1항).
㉡ ○ : 제296조의 2 제1항 ㉢ ○ : 제275조 제3항 단서 ㉣ ○ : 규칙 제140조의 3
㉤ × : 재판장도 필요하다고 인정한 때에는 피고인을 신문할 수 있다(제296조의 2 제2항).

02 다음 중 피고인신문에 관련된 내용으로 잘못된 것은 몇 개인가?

> ㉠ 검사의 출석 없이 개정한 경우에는 검사의 피고인신문을 재판장이 대신한다.
> ㉡ 피고인신문은 검사, 변호인, 재판장의 순서로 행하며, 재판장은 피고인신문의 순서를 변경할 수 있다.
> ㉢ 피고인이 사물을 변별하거나 의사를 결정할 능력이 미약한 경우 직권 또는 피고인·법정대리인·검사의 신청에 따라 피고인과 신뢰관계에 있는 자를 동석하게 할 수 있다.
> ㉣ 피고인신문도 증인신문에 준하여 교호신문의 방식으로 진행된다.
> ㉤ 증인, 감정인 등의 진술이 종료한 때에는 퇴정한 피고인을 입정하게 한 후 법원사무관 등으로 하여금 진술의 요지를 고지하게 하여야 한다.

① 1개   ② 2개   ③ 3개   ④ 4개

| 해설 | ㉠ × : 규칙 제129조는 삭제되었다.
㉡ ○ : 제296조의 2 제1항·제3항 ㉢ ○ : 제276조의 2 제1항
㉣ ○ : 제296조의 2 제3항 ㉤ ○ : 제297조 제2항

03 피고인신문에 관한 다음 설명 중 옳지 않은 것은?   21. 9급 법원직

① 재판장은 소송관계인의 진술 또는 신문이 중복된 사항이거나 그 소송에 관계없는 사항인 때에는 소송관계인의 본질적 권리를 해하지 아니하는 한도에서 이를 제한할 수 있다.
② 검사 또는 변호인은 항소심의 증거조사가 종료한 후 항소 이유의 당부를 판단함에 필요한 사항에 한하여 피고인을 신문할 수 있다.
③ 항소심 재판장은 검사 또는 변호인이 피고인 신문을 실시하는 경우에도 제1심의 피고인신문과 중복되거나 항소이유의 당부를 판단하는 데 필요 없다고 인정하는 때에는 그 신문의 전부 또는 일부를 제한할 수 있다.
④ 항소심 재판장이 피고인신문을 하겠다는 의사를 표시한 변호인에게 일체의 피고인신문을 허용하지 않는 것은 변호인의 피고인신문권에 관한 본질적 권리를 해하는 것에 해당하지 않는다.

| 해설 | ① 제299조 ②③ 규칙 제156조의 6 제1항·제2항
④ 항소심 재판장이 피고인신문을 하겠다는 의사를 표시한 변호인에게 일체의 피고인신문을 허용하지 않는 것은 변호인의 피고인신문권에 관한 본질적 권리를 해하는 것으로서 소송절차의 법령위반에 해당한다(대판 2020.12.24, 2020도10778).

| Answer | 2.①   3.④

THEMA 27	최종변론

의 의	증거조사와 피고인신문이 끝나면 당사자의 의견진술(최종변론)이 행하여진다. 다만, 재판장은 필요하다고 인정하는 경우에 검사, 피고인 또는 변호인의 본질적인 권리를 해치지 아니하는 범위 내에서 의견진술의 시간을 제한할 수 있다(규칙 제145조). 의견진술은 검사, 변호인, 피고인의 순으로 진행된다.
검사의 의견진술	1. 검사는 사실과 법률적용에 관한 의견진술을 하여야 한다. 이러한 검사의 의견진술을 검사의 논고라 하며, 특히 양형에 관한 의견을 구형이라고 한다. 단, 검사의 출석 없이 개정한 경우에는 공소장의 기재사항에 의하여 의견진술이 있는 것으로 간주한다(제302조). 2. 법원은 검사에게 의견진술의 기회를 부여하면 족하며, 검사가 의견진술을 하지 않더라도 공판절차가 무효로 되는 것은 아니다(대판 1977.5.10, 74도3293). 11. 9급 법원직, 12. 경찰간부 3. 법원은 검사의 구형에 구속되지 않으므로 검사의 구형을 초과하는 형을 선고할 수 있다 (판례).
피고인과 변호인의 의견진술	1. 재판장은 검사의 의견을 들은 후 피고인과 변호인에게 최종진술의 기회를 부여하여야 한다(제303조). 기회를 주었는데 기회를 활용하지 않는 것은 무방하나 이들에게 최종진술의 기회를 주지 않는 상태에서 법원이 심리를 종결함은 위법이며 상소이유에 해당한다. ▶ 필요적 변호사건이라 하여도 피고인이 재판거부의사를 표하고 변호인도 이에 동조하여 퇴정하면 변호인의 최후진술 없이 심리·판결할 수 있다(대판 1990.6.12, 90도672). ▶ 필요적 변호사건이 아닌 일반사건의 경우에 변호인이 공판기일통지서를 받고도 공판기일에 출석하지 아니하여 변호인 없이 심리가 종결된 경우에는 변호인에게 변론의 기회를 주지 않았다고 볼 수 없다(대판 1977.2.22, 76도4376). 2. 피고인측의 의견진술이 끝나는 시점을 구두변론의 종결이라 하며 실무상 결심이라 부른다 (법원은 결정으로 종결한 변론을 재개할 수 있음).

01 피고인의 최후진술에 관한 설명으로 틀린 것은?

① 피고인이 최후진술을 하지 않고 끝내 불응하면 변론을 종결하지 못한다.

② 재판장은 피고인의 최후진술을 제한할 수 있다.

③ 변호인이 피고인을 위하여 최종변론을 한 경우에도 피고인에게 최후진술의 기회를 주어야 한다.

④ 피고인은 최후진술을 포기할 수 있다.

┃해설┃ ① 피고인이 진술하지 아니하거나 재판장의 허가 없이 퇴정하거나 재판장의 질서유지를 위한 퇴정 명령을 받은 때에는 피고인의 진술 없이 판결할 수 있다(제330조).
② 재판장은 소송관계인의 진술 또는 신문이 중복된 사항이거나 그 소송에 관계없는 사항인 때에는 소송관계인의 본질적 권리를 해하지 아니하는 한도에서 이를 제한할 수 있다(제299조).
③④ 재판장은 검사의 의견을 들은 후 피고인과 변호인에게 최종의 의견을 진술할 기회를 주어야 한다(제303조). 기회를 주었는데 기회를 활용하지 않는 것은 무방하므로 피고인은 최후진술을 포기할 수 있다.

02 피고인측의 최종변론에 관하여 설명한 다음 보기 중 옳은 것은?

① 변호인이 공판기일통지서를 받고도 공판기일에 출석하지 않아 변호인의 진술 없이 공판이 종결된 경우라면 변호인에게 변론의 기회를 주지 않았다고 할 수 없다.

② 검사의 의견진술과 피고인의 최후진술은 재판장이 재량으로 그 기회를 부여할 수 있다.

③ 피고인은 재판장의 신문에 대하여 답변을 거부하지 못한다.

④ 검사의 의견진술은 법원을 기속하므로 법원은 검사의 구형량보다 더 높은 형을 선고할 수 없다.

┃해설┃ ① 대판 1977.9.22, 76도4376
② 검사·변호인·피고인의 의견진술기회는 반드시 주어져야 한다(제302조, 제303조).
③ 진술거부권이 있다.
④ 법원은 검사의 구형에 구속되지 않는다. 따라서 구형을 초과하는 형을 선고할 수 있다(대판 1984.4.24, 83도1789).

04

03 증거조사 후 공판절차에 관한 다음 설명 중 옳지 않은 것은?(다툼이 있는 경우 판례에 의함)

11. 9급 법원직

① 재판장은 필요하다고 인정하는 경우 검사, 피고인 또는 변호인의 본질적인 권리를 해치지 아니하는 범위 내에서 증거조사 후 검사의 의견진술과 피고인의 최후 진술의 시간을 제한할 수 있다.

② 피고인과 변호인에게 최종의견 진술의 기회를 주지 않은 채 심리를 마치고 판결을 선고한 것은 위법이고, 이는 판결에 영향을 미친 법률 위반이 있는 경우에 해당한다.

③ 공판기일에 재판장이 피고인신문과 증거조사가 종료되었음을 선언한 후 검사에게 의견진술의 기회를 주었는데 검사가 양형에 관한 의견진술을 하지 않았다면 이로써 판결에 영향을 미친 법률 위반이 있는 경우에 해당한다.

④ 검사의 출석 없이 개정한 경우에는 공소장의 기재사항에 의하여 검사의 의견진술이 있는 것으로 간주한다.

┃해설┃ ① 규칙 제145조
② 대판 1975.11.11, 75도1010
③ 판결에 영향을 미친 법률 위반이 있는 경우에 해당한다고 할 수 없다(대판 2001.11.30, 2001도5225).
④ 제302조

THEMA 28 판결의 선고

1. 피고사건에 대한 심판의 합의는 공개하지 않는다(법원조직법 제65조).

2. 판결의 선고는 재판장이 하는데 주문을 낭독하고 이유의 요지를 설명하여야 한다(제43조). 다만, 변론을 종결하는 기일에 판결을 선고하는 경우에는 판결선고 후에 판결서를 작성할 수 있다(제318조의 4 제2항). 이 경우에는 선고 후 5일 이내에 판결서를 작성하여야 한다(규칙 제146조).

3. 재판장은 판결을 선고할 때 피고인에게 이유의 요지를 말이나 판결서 등본 또는 판결서 초본의 교부 등 적절한 방법으로 설명하고, 판결을 선고하면서 피고인에게 적절한 훈계를 할 수 있으며(규칙 제147조), 재판장은 보호관찰, 사회봉사 또는 수강을 명하는 경우에는 그 취지 및 필요하다고 인정하는 사항이 적힌 서면을 교부하여야 한다(규칙 제147조의 2 제1항).

4. 형을 선고하는 경우에는 재판장은 피고인에게 상소기간과 상소법원을 고지하여야 한다(제324조). 판결의 선고에 의하여 당해 심급의 공판절차가 종결되고 상소기간이 진행된다.

5. 판결서에는 법률에 다른 규정이 없으면 재판을 받은 자의 성명, 연령, 직업과 주거를 기재하여야 하고, 기소한 검사와 공판에 관여한 검사의 관직, 성명과 변호인의 성명을 기재하여야 한다(제40조).
   ▶ 기소한 검사의 관직, 성명(2011. 7. 18. 개정시 추가)

6. 판결의 선고는 반드시 공개하여야 한다(심리를 비공개로 한 경우라도 판결선고는 공개).

7. 판결의 선고는 변론을 종결한 기일에 하여야 한다. 다만, 특별한 사정이 있는 때에는 따로 선고기일을 정할 수 있다(제318조의 4 제1항). 이 경우 선고기일은 변론종결 후 14일 이내로 지정되어야 한다(동조 제3항).
   ▶ 판결선고기간(소송촉진 등에 관한 특례법 제21조) ⇨ 제1심(공소제기일로부터 6개월 이내), 항소심 및 상고심(기록송부를 받은 날로부터 각각 4개월 이내), 단 선거범의 경우 2심·3심은 전심의 판결의 선고가 있은 날부터 각각 3월 이내(공직선거법 제270조)

8. 판결을 선고하는 공판기일에도 피고인이 출석하여야 한다. 다만, 피고인이 진술하지 아니하거나, 재판장의 허가 없이 퇴정하거나, 재판장의 질서유지를 위한 퇴정명령을 받은 때에는 피고인의 출석 없이 판결할 수 있다(제330조). 피고인의 출석 없이 개정할 수 있는 경우에도 같다.

9. 판결선고 후에도 법원은 소송기록이 상소법원에 도달하기 전까지는 피고인의 구속, 구속기간 갱신, 구속취소, 보석, 보석의 취소, 구속집행정지 등에 대한 결정을 하여야 한다(제105조, 규칙 제57조).

10. 판결선고기일 : 검사, 변호인(필요적 변호사건 포함) 출석 불필요

11. 판결을 선고한 때에는 선고일로부터 7일 이내에 판결서등본을 피고인에게 송달하여야 한다(규칙 제148조). 다만, 불구속피고인과 구속영장의 효력이 상실된 구속피고인에 대하여는 피고인이 송달을 신청한 경우에 한하여 송달한다(동조 단서).

12. 판결이 선고되면 선고를 한 법원도 이를 철회 변경할 수 없다.
   ▶ 재판장이 선고기일에 법정에서 '피고인을 징역 1년에 처한다'는 주문을 낭독한 뒤, 상소기간 등에 관한 고지를 하던 중 피고인이 난동을 부리자 다시 피고인에게 '징역 3년'을 선고한 경우 이는 위법하다(대판 2022.5.13, 2017도3884).

01 판결의 선고에 관한 내용으로 옳지 않은 것은?

① 판결선고는 변론을 종결한 기일에 하여야 하고, 선고 후 14일 이내에 판결서를 작성하여야 한다.

② 변론종결기일에 선고하지 않는 경우에는 선고기일은 변론종결 후 14일 이내로 지정되어야 한다.

③ 판결선고에 의해 당해 심급의 공판절차는 종결되고, 상소기간이 진행된다.

④ 법원은 피고인에게 판결을 선고한 때에는 선고일로부터 7일 이내에 판결서등본을 송달하여야 한다.

해설 ① 5일 이내에 작성하여야 한다(규칙 제146조). ② 제318조의 4 ④ 규칙 제148조

02 피고인이 구속되어 있지 않은 사건에 있어서의 판결선고기간으로 틀린 것은?　　99. 경찰승진

① 항소심에 있어서는 기록의 송부를 받은 날로부터 4개월 내

② 상고심에 있어서는 상고가 제기된 날로부터 3개월 내

③ 제1심에 있어서는 공소가 제기된 날로부터 6개월 내

④ 약식절차에 있어서는 약식명령의 청구가 있은 날로부터 14일 내

해설 판결의 선고는 제1심에서는 공소가 제기된 날로부터 6개월 이내에, 항소심 및 상고심에서 기록의 송부를 받은 날로부터 각 4개월 이내에 하여야 한다(소송촉진 등에 관한 특례법 제21조). 약식명령은 그 청구가 있은 날로부터 14일 이내에 하여야 한다(동법 제22조).

03 판결의 선고와 관련한 다음 설명 중 옳지 않은 것은 몇 개인가?(다툼이 있으면 판례에 의함)

> ㉠ 판결서에는 법률에 다른 규정이 없으면 재판을 받은 자의 성명, 연령, 직업과 주거를 기재하여야 하고, 공판에 관여한 검사의 관직, 성명과 변호인의 성명을 기재하여야 하나 기소한 검사의 관직, 성명은 기재사항이 아니다.
>
> ㉡ 변론을 종결하는 기일에 판결을 선고하는 경우에는 판결선고 후에 판결서를 작성할 수 있다. 이 경우에는 선고 후 5일 이내에 판결서를 작성하여야 한다.
>
> ㉢ 판결을 선고한 공판기일에도 피고인은 출석하여야 한다. 다만, 피고인이 진술하지 아니하거나 재판장의 허가 없이 퇴정하거나 퇴정명령을 받은 때에는 피고인 출석 없이 판결할 수 있다.
>
> ㉣ 판결선고기일에는 검사의 출석 없이 개정할 수 있으며, 필요적 변호사건의 경우라도 변호인의 출석을 요하지 아니한다.
>
> ㉤ 재판장이 선고기일에 법정에서 '피고인을 징역 1년에 처한다'는 주문을 낭독한 뒤, 상소기간 등에 관한 고지를 하던 중 피고인이 난동을 부리자 다시 피고인에게 '징역 3년'을 선고한 경우 이는 선고절차가 아직 종료되지 않았으므로, 변경 선고가 적법하다.

① 1개　　　　② 2개　　　　③ 3개　　　　④ 4개

Answer 1.① 2.② 3.②

04

| 해설 | ㉠ ×: 기소한 검사와 공판에 관여한 검사의 관직, 성명과 변호인의 성명을 기재하여야 한다(제40조 제3항).

㉡ ○: 제318조의 4 제2항, 규칙 제146조

㉢ ○: 제330조

㉣ ○: 제278조, 제282조

㉤ ×: 최초 낭독한 주문 내용에 잘못이 있다거나 재판서에 기재된 주문과 이유를 잘못 낭독하거나 설명하는 등 변경 선고가 정당하다고 볼 만한 특별한 사정이 발견되지 않으므로 위법하다(대판 2022.5.13, 2017도3884).

최신판례

변론종결시 고지되었던 선고기일을 피고인과 변호인에게 사전에 통지하는 절차를 거치지 않은 채 급박하게 변경하여 판결을 선고한 것은 피고인의 방어권과 이에 관한 변호인의 변호권을 침해하여 판결에 영향을 미친 잘못이 있다(대판 2023.7.13, 2023도4371).

| 제8절 | 공판절차의 특수문제 |

Ⅰ. 간이공판절차

04

THEMA 29	간이공판절차

의 의	간이공판절차란 피고인이 공판정에서 자백한 경우에 형사소송법이 규정한 증거조사를 간이화하고 증거능력에 대한 제한을 완화함으로써 심리를 신속하게 진행할 수 있도록 하는 공판절차를 말한다(제286조의 2).
절차 개시요건	1. 간이공판절차는 지방법원 또는 지원의 제1심 관할사건에 한한다(다수설). 따라서 항소나 상고심에서는 허용되지 않는다. 14. 9급 검찰·마약·교정·보호·철도경찰 2. 단독사건은 물론이고 합의부사건에 대해서도 간이공판절차를 할 수 있다(제286조의 2). 　08·12·13·15·21. 9급 법원직, 12·13. 경찰승진, 14. 경찰간부, 13·14·16. 순경 2차 3. 피고인이 공판정에서 공소사실을 자백한 경우에만 간이공판절차에 의한 심판이 가능하다(제286조의 2). 　▶ 자백이란 공소장에 기재된 공소사실을 전부 인정하고 위법조각이나 책임조각을 다투지 않는 경우를 말한다(다만, 위법성조각사유나 책임조각사유의 부존재는 사실상 추정되는 것이므로 명시적으로 자인하는 진술이 있을 필요는 없다). 22. 경찰승진 　▶ 피고인이 공소사실은 인정하였으나, 죄명이나 적용법조만을 다투거나 형면제원인이 되는 사실을 주장하는 경우 ⇨ 간이공판절차의 개시를 위한 자백에 해당 07. 9급 법원직 4. 자백은 피고인 본인이 공판정에서 행하여야 한다(제286조의 2). 02. 9급 검찰 　▶ 변호인에 의한 자백, 대리인이 출석하여 자백 ⇨ 간이공판절차개시 × 07. 9급 법원직 　▶ 피고인이 법인인 경우에 그 대표자가 자백, 피고인이 의사무능력자인 경우에 법정대리인이나 특별대리인 자백 ⇨ 간이공판절차개시 ○ 　▶ 공판준비절차에서 자백 ⇨ 간이공판절차개시 × 12. 9급 국가직, 14. 순경 2차 5. ┌ 경합범 : 일부를 자백하더라도 그 자백 부분에 대하여 간이공판절차에 의한 심리 가능 　　01. 법원사무관, 10. 9급 국가직, 11. 경찰승진 　└ 과형상 1죄, 포괄1죄, 공소사실의 예비적·택일적 기재의 일부에 대하여 자백한 경우 자백부분만 간이공판절차로 심리 불가능 07·14. 9급 법원직 6. 자백의 장소·시기 : 자백은 공판정에서 해야 한다. 따라서 수사절차나 공판준비절차에서의 자백으로는 간이공판절차를 개시할 수 없다. 12. 9급 국가직
개시결정	1. 간이공판절차의 요건이 구비된 경우에는 법원은 간이공판절차에 의하여 심판할 것을 결정할 수 있다(제286조의 2). 12. 순경 3차·9급 국가직, 12·13. 9급 법원직, 14. 순경 2차, 13·17. 경찰승진 2. 간이공판절차의 개시결정은 판결 전의 소송절차에 관한 결정이므로 이에 불복하여 항고할 수 없다(제403조 제1항). 10. 9급 국가직, 12. 순경 3차, 15. 7급 국가직 그러나 요건을 갖추지 못하였음에도 불구하고 간이공판절차에 의하여 심판한 경우라면 판결에 영향을 미친 법령위반에 해당하므로 상소이유가 된다(제361조의 5 제1호).

간이공판
절차내용
	1. 간이공판절차에 있어서는 증거능력과 증거조사에 대한 특칙만이 인정되고, 03. 101단, 10.
	9급 국가직 이외에는 공판절차에 대한 일반규정이 그대로 준용된다(간이공판절차에서도
	공소장변경이 가능하며, 재판서의 작성에 있어서도 간이한 방식은 인정되지 않는다).
	2. 간이공판절차의 특칙
	  ┌ 증거능력 : 전문법칙에 따라 증거능력이 부정되는 증거라도 소송관계인의 동의가 있는
	    것으로 간주되어 증거능력이 인정된다. 14·16. 순경 2차 그러나 검사, 피고인 또는 변호
	    인의 이의가 있는 때에는 그러하지 아니하다(제318조의 3). 16. 변호사시험·9급 법원직,
	    21. 9급 검찰·마약·교정·보호·철도경찰, 24. 경찰승진
	      ▶ 자백배제법칙, 위법수집증거배제법칙, 자백보강법칙 ⇨ 그대로 적용 12. 9급 법원직,
	        14. 경찰간부·9급 검찰·교정·보호·철도경찰, 15. 7급 국가직, 14·16. 순경 2차, 13·24. 경찰승진
	  └ 증거조사 방식 : 증거조사를 생략할 수는 없지만, 법원이 상당하다고 인정하는 방법으
	    로 증거조사를 하면 족하다(제297조의 2). 13. 순경 1차·2차
	  📂 간소화 되는 증거조사방식
	  1. 교호신문의 방식이 아닌 상당한 방식으로 증인신문 가능(제161조의 2 비적용)
	  2. 증거조사를 재판장의 쟁점정리 등이 끝난 뒤에 하여야 할 필요는 없음(제290조 비적용).
	  3. 서류나 물건의 증거조사시에 개별적으로 지시·설명할 필요가 없다(제291조 비적용).
	  4. 서류나 물건의 증거조사방법도 반드시 제시나 낭독 등의 형식을 취할 필요가 없다
	    (제292조 비적용).
	  5. 증거조사 종료시에 재판장은 피고인에게 증거조사 결과에 대한 의견을 묻거나, 증
	    거신청권이 있음을 알려줄 필요가 없다(제293조 비적용). 08·13. 9급 법원직, 12. 경찰
	    승진, 13. 변호사시험
	  6. 증인·감정인·공동피고인을 신문할 때 피고인을 퇴정시킬 필요가 없다(제297조 비
	    적용).
	    ▶ 증인선서(제156조), 당사자의 증거조사참여권(제163조), 당사자의 증거신청권(제
	      294조), 증거조사에 대한 이의신청권(제296조), 피고인신문(제296조의 2) 등은 간이
	      공판절차에서도 그대로 인정됨.
	    간이공판절차에서도 공소장변경이 가능하며 유죄판결, 무죄판결은 물론 공소기각,
	    관할위반 등 형식재판도 가능함.

간이공판 절차의 취소	1. 피고인의 자백이 신빙할 수 없다고 인정되거나, 간이공판절차로 심판함이 현저히 부당하 다고 인정하는 때에는 검사의 의견(동의 ×)을 들어 그 결정을 취소하여야 한다(제286조 의 3). 03. 101단, 09. 전의경, 13·21. 9급 법원직, 17·24. 경찰승진 2. 간이공판절차의 결정이 취소된 때에는 원칙적으로 공판절차를 갱신하여야 한다(제301 조의 2). 09. 전의경, 10. 9급 국가직 단, 검사, 피고인 또는 변호인의 이의가 없는 때에는 갱신 을 필요로 하지 않는다(동조 단서). 17. 9급 법원직

01 간이공판절차에 대한 설명으로 가장 적절하지 않은 것은?(다툼이 있는 경우 판례에 의함)

18. 순경 1차

① 피고인이 공소사실에 대하여 검사가 신문을 할 때에는 공소사실을 모두 사실과 다름없다고 진술하였으나 변호인이 신문을 할 때에는 범의나 공소사실을 부인하였다면 그 공소사실은 간이공판절차에 의하여 심판할 대상은 아니다.

② 피고인이 공판준비절차에서 공소사실에 대하여 자백한 경우는 간이공판절차가 허용된다.

③ 간이공판절차의 결정의 요건인 공소사실의 자백이라 함은 공소장 기재사실을 인정하고 나아가 위법성이나 책임조각사유가 되는 사실을 진술하지 아니하는 것으로 충분하고 명시적으로 유죄를 자인하는 진술이 있어야 하는 것은 아니다.

④ 국민참여재판에는 간이공판절차에 관한 규정을 적용하지 아니한다.

> **해설** ① 대판 1998.2.27, 97도3421
> ② 피고인이 공판기일에 공판정에서 자백한 경우에 간이공판절차로 나갈 수 있는 것이지 공판준비절차에서 자백한 경우는 간이공판절차가 허용되지 아니한다.
> ③ 대판 1987.8.18, 87도1269
> ④ 국민의 형사재판 참여에 관한 법률 제43조

02 간이공판절차에 관한 다음 설명 중 옳은 것은?

① 간이공판절차에서도 증거조사결과에 대하여 피고인의 의견을 물을 필요가 있다.

② 제1심 관할사건인 때에는 사형·무기 또는 단기 1년 이상의 징역에 해당하는 사건에 대하여는 간이공판절차를 할 수 없다.

③ 피고인의 출석 없이 개정할 수 있는 사건에 대하여 법원이 피고인의 출석 없이 개정하는 경우 피고인이 수사기관에서 자백하였다면 간이공판절차에 의하여 심판할 수 있다.

④ 간이공판절차에서도 임의성 없는 자백은 증거로 할 수 없다.

> **해설** ① 간이공판절차에서는 증거조사 종료시에 재판장은 피고인에게 증거조사 결과에 대한 의견을 묻거나, 증거신청권이 있음을 알려줄 필요가 없다(제293조, 제297조의 2).
> ② 간이공판절차는 지방법원 또는 지원의 제1심 관할사건이면 단독사건은 물론이고 합의사건도 가능하다.
> ③ 간이공판절차는 피고인 본인이 공판정에서 자백한 경우에 한한다(제286조의 2). 수사절차나 공판준비절차에서 자백으로는 간이공판절차를 개시할 수 없다. 따라서 변호인에 의한 자백이나 피고인의 출석 없이 개정할 수 있는 사건에서 대리인이 출석하여 자백한 경우에도 간이공판절차에 의하여 심판할 수 없다.
> ④ 간이공판절차에서 증거능력의 제한이 완화된 것은 전문법칙에 한하므로 이외의 증거법칙, 즉 위법수집증거배제법칙(제308조의 2), 자백배제법칙(제309조), 자백보강법칙(제310조)은 간이공판절차에서도 그대로 인정된다.

04

03 간이공판절차에 대한 설명으로 옳은 것만을 모두 고르면?(다툼이 있는 경우 판례에 의함)

⊙ 간이공판절차는 제1심 단독판사의 관할사건에 대하여만 인정되고, 제1심 합의부 관할사건, 항소심 또는 상고심에서는 인정되지 않는다.
ⓒ 제1심 법원이 간이공판절차에 의하여 상당하다고 인정하는 방법으로 적법하게 증거조사를 한 이상, 항소심에 이르러 피고인이 범행을 부인하더라도, 제1심 법원에서 증거로 할 수 있었던 증거는 항소법원에서도 증거로 할 수 있다.
ⓒ 검사가 공소사실에 대하여 신문을 할 때에는 피고인이 '모두 사실과 다름없다.'라고 진술하였다면, 변호인이 신문을 할 때에 범의나 공소사실을 부인하더라도 그 공소사실은 간이공판절차에 의하여 심판할 대상에 해당한다.
ⓔ 간이공판절차 결정의 요건인 '공소사실에 대한 자백'은 공소장 기재사실을 인정하고 위법성이나 책임의 조각사유가 되는 사실을 진술하지 아니하는 것으로 충분하고, 명시적으로 유죄를 자인하는 진술이 있어야 하는 것은 아니다.

① ㉠, ㉡   ② ㉠, ㉢   ③ ㉡, ㉣   ④ ㉢, ㉣

│ 해설│ ㉠ × : 제1심의 사건인 이상 단독판사 사건은 물론 합의부사건도 간이공판절차에 의하여 심판할 수 있다(제286조의 2 참조). 항소심에서도 간이공판절차에 의한 재판을 허용할 수 있는가에 대하여 이를 인정한 판례(대판 2007.7.12, 2007도2191)가 있기는 하나, 제1심 절차에서만 인정된다는 견해가 다수설의 입장이다. 각종 교과서나 기출문제 지문에서는 주로 다수설의 입장에서 언급되고 있으나, 심급에 있어서 간이공판절차 인정문제는 상황에 따라 상대적으로 처리해야 할 것으로 보인다. ㉠ 지문과 관련하여 항소심 또는 상고심에서의 간이공판절차 인정 여부는 별론으로 하더라도 합의부사건은 간이공판절차가 인정되지 않는다는 표현은 틀린 내용이다.
ⓒ ○ : 대판 2005.3.11, 2004도8313
ⓒ × : 검사가 공소사실에 대하여 신문을 할 때에는 피고인이 '모두 사실과 다름없다.'라고 진술하였으나, 변호인이 신문을 할 때에 범의나 공소사실을 부인하였다면 그 공소사실은 간이공판절차에 의하여 심판할 대상이 아니다(대판 1998.2.27, 97도3421).
ⓔ ○ : 대판 1981.11.24, 81도2422

04 간이공판절차에 관한 다음 설명 중 옳지 않은 것은?

① 피고인이 공판정에서 공소사실에 대하여 자백한 경우 법원은 간이공판절차에 의하여 심판할 것을 결정할 수 있다. 피고인이 여러 개의 공소사실 중 일부는 자백하고 나머지를 부인하는 경우에는 그 자백부분에 한하여 간이공판절차로 심리할 수 있다.
② 간이공판절차는 공판절차를 간이화함으로써 소송경제와 재판의 신속을 기하고자 하는 제도로서, 중죄에 해당하는 합의부 심판사건에는 적용되지 않는다.
③ 간이공판절차에 있어서는 전문법칙이 적용되는 증거에 대하여 형사소송법 제318조의 동의가 있는 것으로 간주한다.
④ 법원은 피고인의 자백이 신빙할 수 없다고 인정되거나 간이공판절차로 심판하는 것이 현저히 부당하다고 인정할 때에는 검사의 의견을 들어 그 결정을 취소하여야 한다.

| 해설 | ① 제286조의 2
② 합의부사건도 간이공판절차에 의해 심판할 수 있다(제286조의 2).
③ 제318조의 3 ④ 제286조의 3

05 간이공판절차에 대한 설명으로 옳지 않은 것은?
21. 9급 검찰 · 마약 · 교정 · 보호 · 철도경찰

① 피고인이 공판정에서 공소사실에 대하여 자백한 때에는 법원은 그 공소사실에 한하여 간이공판절차에 의하여 심판할 것을 결정할 수 있다.

② 법원은 간이공판절차에 의하여 심판할 것을 결정한 사건에 대하여 피고인의 자백이 신빙할 수 없다고 인정되거나 간이공판절차로 심판하는 것이 현저히 부당하다고 인정할 때에는 검사의 의견을 들어 그 결정을 취소하여야 한다.

③ 간이공판절차 개시결정이 있는 경우 전문법칙이 적용되는 증거에 대하여 동의가 있는 것으로 간주되므로 피고인 또는 변호인은 이를 증거로 함에 이의를 제기할 수 없다.

④ 간이공판절차 개시결정이 취소된 때에는 공판절차를 갱신하여야 하지만 검사, 피고인 또는 변호인이 이의가 없는 때에는 그러하지 아니하다.

| 해설 | ① 제286조의 2 ② 제286조의 3
③ 간이공판절차 개시결정이 있는 경우 전문법칙이 적용되는 증거에 대하여 동의가 있는 것으로 간주한다. 다만, 검사, 피고인 또는 변호인의 이의가 있는 때에는 그러하지 아니하다(제318조의 3). 따라서 동의간주에 대하여 이의를 제기할 수 있다.
④ 제301조의 2

06 간이공판절차에 관한 다음 설명 중 옳은 것은?

① 피고인이 법정에서 '공소사실은 모두 사실과 다름없다.'고 하면서 술에 만취되어 기억이 없다는 취지로 진술한 경우에, 법원은 간이공판절차에 의하여 심판할 수 있다.

② 간이공판절차의 결정이 취소된 때에는 공판절차를 갱신하여야 한다. 단, 검사, 피고인 또는 변호인이 이의가 없는 때에는 그러하지 아니하다.

③ 피고인이 공소사실을 인정하더라도 죄명이나 적용법조를 다투거나 형면제의 원인되는 사실을 주장하는 경우에는 자백으로 볼 수 없어 간이공판절차를 개시할 수 없다.

④ 법원의 간이공판개시결정에 대하여 즉시항고는 할 수 없으나 보통항고는 가능하다.

| 해설 | ① 피고인은 적어도 공소사실을 부인하거나 심신상실의 책임조각사유를 주장하고 있는 것으로 볼 여지가 충분하므로 간이공판절차에 의하여 심판할 대상에 해당하지 아니한다(대판 2004.7.9, 2004도 2116).
② 제301조의 2
③ 자백으로 볼 수 있어 간이공판절차로 나갈 수 있다.
④ 법원의 간이공판개시결정은 판결 전 소송절차에 관한 결정이므로 항고하지 못한다(제403조 제1항).

07 간이공판절차에 대한 설명으로 가장 적절하지 않은 것은?(다툼이 있는 경우 판례에 의함)

22. 경찰승진

① 간이공판절차의 결정의 요건인 '공소사실의 자백'이란 공소장 기재사실을 인정하고 나아가 위법성이나 책임조각사유가 되는 사실을 진술하지 아니하는 것으로 충분하고, 명시적으로 유죄를 자인하는 진술이 있어야 하는 것은 아니다.

② 피고인이 공소사실에 대하여 검사가 신문을 할 때에는 공소사실을 모두 사실과 다름 없다고 진술하였으나 변호인이 신문을 할 때에는 범의나 공소사실을 부인하였다면 그 공소사실은 간이공판절차에 의하여 심판할 대상이 아니다.

③ 간이공판절차에 따라 제1심 법원이 제1심 판결 명시의 증거들을 증거로 함에 피고인 또는 변호인의 이의가 없어 형사소송법 제318조의 3의 규정에 따라 증거능력이 있다고 보고 상당하다고 인정하는 방법으로 증거조사를 하였더라도, 피고인이 항소심에 이르러 범행을 부인하였다면 제1심 법원에서 증거로 할 수 있었던 증거는 항소법원에서 증거로 할 수 없다.

④ 간이공판절차의 증거조사에서 증거방법을 표시하고 증거조사 내용을 '증거조사함'이라고 표시하는 방법으로 하였다면, 이는 법원이 채택한 상당한 증거조사방법이라고 인정할 수 있다.

| 해설 ① 대판 1987.8.18, 87도1269 ② 대판 1998.2.27, 97도3421
③ 항소심에 이르러 범행을 부인하였다고 하더라도 제1심 법원에서 증거로 할 수 있었던 증거는 항소법원에서도 증거로 할 수 있는 것이므로 제1심 법원에서 이미 증거능력이 있었던 증거는 항소심에서도 증거능력이 그대로 유지되어 심판의 기초가 될 수 있고 다시 증거조사를 할 필요가 없다(대판 2005.3.11, 2004도8313).
④ 대판 1980.4.22, 80도333

08 간이공판절차에 관한 설명으로 옳은 것은 몇 개인가?(다툼이 있으면 판례에 의함)

㉠ 공판정에서 피고인이 공소사실 중 정범에 대하여 종범임을 주장하거나 기수에 대하여 미수를 주장하는 경우, 장애미수에 대하여 중지미수를 주장하는 경우는 공소사실에 대하여 자백하는 것으로 보아 간이공판절차에 의하여 심리한다.

㉡ 간이공판절차의 경우에는 증거동의가 의제되어 전문법칙이 적용되지 않지만, 당사자의 증거신청권, 증거조사에 대한 이의신청권, 자백배제법칙, 자백보강법칙 등은 그대로 적용된다.

㉢ 간이공판절차가 개시되면 증거조사의 필요성이 없어지고 법관은 양형판단을 하여 유죄를 선고하면 된다.

㉣ 재판서 작성도 간이한 방법이 인정된다.

㉤ 제1심 제1회 공판기일에서 공소사실을 인정하였고, 정식재판을 청구한 이유에 대하여 "카파라치에게 당한 것이 억울하고, 벌금이 과다하기 때문입니다."라고 하였다면, 이 사건 공소사실에 대하여 간이공판절차에 의하여 심판하기로 결정한 것은 정당하지 못하다.

㉥ 과형상 일죄나 포괄적 일죄 또는 예비적·택일적으로 기재된 공소사실 중 일부에 대하여 자백하고 나머지를 부인하는 경우에는 자백 부분만 특정하여 간이공판절차로 심리하는 것은 부적합하다.

① 1개   ② 2개   ③ 3개   ④ 4개

| 해설 | ㉠ × : 피고인이 공판정에서 공소사실을 자백하여야 하므로, 정범에 대하여 종범임을 주장하거나 기수에 대해 미수를 주장하는 경우는 공소사실에 대한 자백으로 볼 수 없으며(구성요건이 상이), 마찬가지로 장애미수에 대해 중지미수를 주장하는 경우도 이를 자백으로 보아 간이공판절차에서 심판할 수는 없다.
㉡ ○ : 제318조의 3, 제297조의 2 참조
㉢ × : 간이공판절차에서도 증거조사를 생략할 수는 없다. 그러나 이 경우에도 정식의 증거조사방식에 의할 필요는 없고 법원이 상당하다고 인정하는 방법으로 하면 된다. 간이공판절차에서 유죄판결 외에 공소기각이나 관할위반의 재판은 물론 무죄판결도 선고할 수 있다.
㉣ × : 간이공판절차에서는 증거조사에 관한 특례를 인정하는 데 그치기 때문에 재판서 작성에 간이한 방법이 인정되지는 않는다.
㉤ × : 제1심 제1회 공판기일에서 공소사실을 인정하였고, 정식재판을 청구한 이유에 대하여 "카파라치에게 당한 것이 억울하고, 벌금이 과다하기 때문입니다."라고 하였을 뿐이고, 위법성ㆍ책임성조각사유에 관한 사실을 진술하지 않았음을 알 수 있다. 따라서 이 사건 공소사실에 대하여 간이공판절차에 의하여 심판하기로 결정한 것은 정당하다(대판 2010.10.28, 2009도5569).
㉥ ○ : 절차의 분리가 심리를 어렵게 하므로 그 부분만을 특정하여 간이공판절차에 의하여 심판할 수 없다는 견해가 다수설이다.

09 간이공판절차에 관한 설명으로 가장 적절하지 않은 것은?(다툼이 있는 경우 판례에 의함)

24. 경찰승진

① 법원은 간이공판절차로 심판하는 것이 현저히 부당하다고 인정할 때에는 검사의 의견을 들어 간이공판절차의 개시결정을 취소해야 한다.

② 간이공판절차로 진행된 제1심법원에서 증거로 할 수 있었던 증거는 항소법원에서 증거로 할 수 있으므로 제1심법원에서 이미 증거능력이 있었던 증거는 항소심에서도 증거능력이 그대로 유지되어, 항소심에서 피고인의 범행을 부인하더라도 다시 증거조사를 할 필요가 없다.

③ 간이공판절차는 피고인이 공판정에서 자백하는 경우에 증거조사를 간편하게 하고 증거능력의 제한을 완화하여 심리를 신속하게 진행하는데 그 의의가 있으며, 이에 따라 위법수집증거배제법칙을 제외한 전문법칙이나 자백배제법칙에 의한 증거능력의 제한은 완화되어 적용된다.

④ 간이공판절차 개시결정이 있는 경우 전문법칙이 적용되는 증거에 대하여 동의가 있는 것으로 간주되지만, 피고인 또는 변호인은 이를 증거로 함에 이의를 제기할 수 있다.

| 해설 | ① 제286조의 3
② 대판 2005.3.11, 2004도8313
③ 간이공판절차는 증거조사 간이화와 전문법칙 적용 완화의 특칙 이외는 일반 공판절차와 동일하다. 따라서 위법수집증거배제법칙, 자백배제법칙, 자백보강법칙 등은 그대로 적용된다.
④ 제318조의 3

Answer 9. ③

Ⅱ. 공판절차의 정지와 갱신

THEMA 30	공판절차의 정지
의 의	공판절차의 정지란 심리를 진행할 수 없을 만큼 중대한 사유가 발생한 경우에 법원이 결정으로 그 사유가 없어질 때까지 공판절차를 진행할 수 없도록 하는 것을 말한다(피고인의 방어권을 보장하려는 데 기본취지가 있음).
공판절차의 정지사유	1. 피고인의 심신상실과 질병 　① 심신상실이 있을 때에는 검사와 변호인의 의견을 들어서 결정으로 그 상태가 계속되는 기간 공판절차를 정지하여야 한다(제306조 제1항). 10. 7급 국가직 　② 질병으로 출정할 수 없는 때에도 법원은 검사와 변호인의 의견을 들어서 공판절차를 정지하여야 한다(제306조 제2항). 　③ 이들의 경우에 의사의 의견도 들어야 한다(동조 제3항). 15. 9급 법원직 　④ 무죄·면소·형면제·공소기각의 재판을 할 것이 명백한 때 ⇨ 피고인이 심신상실이나 질병상태에 있어도 공판절차를 정지하지 않고 피고인의 출정 없이 재판할 수 있다(동조 제4항). 10. 7급 국가직, 15. 9급 법원직 　⑤ 경미사건(제277조)에 대하여 대리인이 출정 ⇨ 심신상실, 질병의 경우에도 공판절차를 정지 ×(제306조 제5항) 2. 공소장변경 : 공소장변경이 피고인의 불이익을 증가할 염려가 있다고 인정한 때에는 법원은 직권 또는 피고인이나 변호인의 청구에 의하여 공판절차를 정지할 수 있다(제298조 제4항). 10. 순경 1차·9급 국가직, 15. 9급 법원직 3. 기피신청 : 기피신청이 있으면 원칙적으로 소송진행을 정지하여야 한다(제22조). 09. 순경 4. 병합심리신청 등 : 법원은 계속 중인 사건에 관하여 토지관할의 병합심리신청, 09. 순경 1차 관할지정신청, 관할이전신청이 제기된 경우에는 그 신청에 대한 결정이 있을 때까지 소송절차를 정지하여야 한다(규칙 제7조). 5. 재심청구의 경합 : 재심청구가 경합된 경우 상소법원은 하급법원의 소송절차가 종료될 때까지 소송절차를 정지하여야 한다(규칙 제169조). 6. 위헌법률심판의 제청 : 법원이 법률의 위헌 여부에 관한 심판을 헌법재판소에 제청한 때에는 당해사건의 재판은 헌법재판소의 위헌 여부 결정이 있을 때까지 정지된다(헌법재판소법 제42조 제1항).
정지의 효과	기피신청, 공소장변경, 심신상실 및 질병으로 인하여 공판절차가 정지된 기간은 피고인에 대한 구속기간에 산입되지 않는다(제92조 제3항).

01 **공판절차의 정지에 관한 설명 중 옳지 않은 것은?**(다툼이 있는 경우 판례에 의함) 15. 9급 법원직

① 법원은 공소사실이 변경된 경우에는 검사와 변호인의 의견을 들어서 결정으로 상당한 기간을 정하여 공판절차를 정지하여야 한다.

② 피고인이 질병으로 인하여 출정할 수 없는 때에는 법원은 검사와 변호인의 의견을 들어서 결정으로 출정할 수 있을 때까지 공판절차를 정지하여야 한다. 이 경우 공판절차를 정지하기 전에 의사의 의견을 들어야 한다.

③ 피고인이 사물을 변별하거나 의사를 결정할 능력이 없더라도, 피고사건에 대하여 무죄, 면소, 형의 면제 또는 공소기각의 재판을 할 것으로 명백한 때에는 피고인의 출정 없이 재판할 수 있다.

④ 피고인이 사물을 변별하거나 의사를 결정할 능력이 없어 공판절차가 정지되었다가, 그 정지사유가 소멸한 후에 공판절차를 다시 진행하는 경우에는 공판절차를 갱신하여야 한다.

┃**해설**┃ ① 법원은 공소사실이 변경된 경우에는 직권 또는 피고인이나 변호인의 청구에 의하여 공판절차를 정지할 수 있다(제298조 제4항). 공판절차 정지 여부는 법원의 재량이므로 검사와 변호인의 의견을 들을 필요는 없다. ② 제306조 제2항·제3항 ③ 제306조 제4항 ④ 규칙 제143조

02 **공판절차 정지에 대한 설명으로 옳지 않은 것은 몇 개인가?**

> ㉠ 피고인이 질병으로 인하여 출정할 수 없는 때에는 법원은 검사와 변호인 그리고 의사의 의견을 들어서 결정으로 출정할 수 있을 때까지 공판절차를 정지하여야 한다.
> ㉡ 피고사건에 대하여 무죄, 면소, 형의 면제 또는 공소기각, 선고유예의 재판을 할 것으로 명백한 때에는 심신상실상태나 질병으로 인하여 출정할 수 없는 경우에도 피고인의 출정없이 재판할 수 있다.
> ㉢ 피고인 불출석사유(제277조)가 있어 피고인의 대리인이 출정한 경우에도 심신상실상태나 질병으로 인하여 피고인이 출정할 수 없는 경우에는 공판절차 정지 없이 재판을 진행해서는 안된다.
> ㉣ 경합범으로 기소되었던 수개의 범죄사실을 상습범으로 공소장을 변경한 정도라면 이는 공판절차를 정지할 정도에 해당하므로, 피고인들의 방어권행사에 불이익을 초래하는 것이라 할 수 있어 공소장변경허가를 한 후 공판기일을 상당기간 연기하지 않은 위법이라고 할 수 있다.
> ㉤ 기피신청에 의한 공판절차의 정지, 관할이전신청에 의한 공판절차의 정지 기간은 구속기간에 산입하지 아니한다.

① 1개   ② 2개   ③ 3개   ④ 4개

┃**해설**┃ ㉠ ○ : 제306조 제2항 ㉡ × : 피고사건에 대하여 무죄, 면소, 형의 면제 또는 공소기각의 재판을 할 것으로 명백한 때에는 심신상실상태나 질병으로 인하여 출정할 수 없는 경우에도 피고인의 출정없이 재판할 수 있다(제306조 제4항). ㉢ × : 피고인 불출석사유(제277조)가 있어 피고인의 대리인이 출정한 경우에는 심신상실 상태나 질병으로 인하여 출정할 수 없는 경우에도 공판절차 정지 없이 재판할 수 있다(제306조 제5항). ㉣ × : 경합범으로 기소되었던 수개의 범죄사실을 상습범으로 공소장을 변경한 정도라면 이는 공판절차를 정지할 정도로 피고인들의 방어권행사에 불이익을 초래하는 것이라 할 수 없어 공소장변경허가를 한 후 공판기일을 상당기간 연기하지 않은 것이라든지 사선변호인의 출정없이 공판한 것이 위법이라고 할 수 없다(대판 1985.8.13. 85도1193). ㉤ × : 기피신청에 의한 공판절차의 정지기간은 구속기간에 산입하지 아니하나(제92조 제3항), 관할의 이전신청에 의한 공판절차 정지기간은 피고인 구속기간에 이를 산입한다.

┃**Answer**┃ 1.①   2.④

THEMA 31	공판절차 갱신사유
의 의	공판절차의 갱신이란 법원이 피고사건에 대해 이미 진행한 공판절차를 판결선고 이전에 다시 진행하는 것을 말한다. 따라서 상급법원의 파기환송에 의하여 하급법원이 다시 공판절차를 진행하는 경우는 공판절차의 갱신이 아니다. 10. 경찰승진
갱신사유	1. 판사의 경질 : 공판개정 후 판사의 경질이 있는 때에는 공판절차를 갱신하여야 한다 (제301조 본문). 그러나 내부적으로 이미 재판이 성립하여 판결의 선고만을 기다리고 있는 경우에는 갱신을 요하지 않는다(동조 단서). 12 · 16. 9급 법원직, 14. 순경 2차 2. 간이공판절차의 취소 : 간이공판절차의 결정이 취소된 때에는 공판절차를 갱신하여야 한다(제301조의 2). 다만, 검사와 피고인 또는 변호인의 이의가 없는 때(양측 모두)에 는 갱신을 요하지 않는다(동조 단서). 12 · 14. 9급 법원직, 14. 순경 2차 3. 심신상실로 인한 공판절차의 정지 : 그 정지사유가 소멸한 후의 공판기일에 공판절차 를 갱신하여야 한다(규칙 제143조). 12. 9급 법원직 ▶ 질병에 의한 정지 ⇨ 갱신 × 14. 순경 2차

01 공판절차 정지사유와 공판절차 갱신사유가 되는 것은 각각 몇 개인가? 09. 순경

> ㉠ 토지관할의 병합심리신청
> ㉡ 판사의 경질
> ㉢ 재정신청
> ㉣ 피고인의 심신상실
> ㉤ 공소장변경
> ㉥ 기피신청
> ㉦ 간이공판절차결정의 취소
> ㉧ 증인의 출석거부
> ㉨ 국민참여재판에 있어 새로 재판에 참여하는 예비배심원이 있는 때

① 공판절차 정지사유 - 2개, 공판절차 갱신사유 - 4개
② 공판절차 정지사유 - 4개, 공판절차 갱신사유 - 3개
③ 공판절차 정지사유 - 4개, 공판절차 갱신사유 - 4개
④ 공판절차 정지사유 - 5개, 공판절차 갱신사유 - 3개

| 해설 | • **정지사유** : ㉠ 규칙 제7조, ㉣ 제306조 제1항(심신상실로부터 회복한 후 공판절차를 갱신하는 규칙 제143조와는 구별을 요함), ㉤ 제298조 제4항, ㉥ 제22조
• **갱신사유** : ㉡ 제301조, ㉦ 제301조의 2, ㉨ 국민의 형사재판 참여에 관한 법률 제45조 제1항

02 다음 중 공판절차의 갱신사유가 아닌 것은?

10. 경찰승진

① 파기환송 후 원심법원이 공판절차를 다시 진행하는 경우
② 공판 개정 후 판사의 경질이 있을 때
③ 간이공판절차의 결정이 취소된 때
④ 피고인의 심신상실로 인해 공판절차가 정지되었다가 정지사유 소멸 후 재개된 경우

| 해설 | ① 공판절차 정지나 갱신사유에 해당하지 않는다.
② 제301조 ③ 제301조의 2 ④ 규칙 제143조

03 공판절차의 갱신에 관한 다음 설명 중 옳지 않은 것은?

12. 9급 법원직

① 공판개정 후 판사의 경질이 있을 때에는 공판절차를 갱신하여야 하나, 판결의 선고만을 하는 경우에는 공판절차를 갱신할 필요가 없다.
② 판사가 경질되었음에도 공판절차를 갱신하지 않으면 절대적 항소이유가 된다.
③ 간이공판절차의 결정이 취소된 때에는 공판절차를 갱신하여야 하고, 이는 검사, 피고인 또는 변호인의 이의가 없더라도 마찬가지이다.
④ 피고인의 심신상실로 인하여 공판절차가 정지된 경우에는 그 정지사유가 소멸한 후에 재개된 공판기일에 공판절차를 갱신하여야 한다.

| 해설 | ① 제301조 ② 제361조의 5 제8호
③ 간이공판절차의 결정이 취소된 때에는 공판절차를 갱신하여야 한다. 단, 검사, 피고인 또는 변호인의 이의가 없는 때에는 그러하지 아니하다(제301조의 2). ④ 규칙 제143조

04 공판절차의 갱신에 대한 설명으로 옳지 않은 것은 모두 몇 개인가?

> ㉠ 항소심에서도 공판심리 중 판사가 경질된 때에는 공판절차를 갱신하여야 한다.
> ㉡ 인정신문 또는 공판기일의 변경에 그친 경우라도 판사의 경질이 있으면 공판절차를 갱신하여야 한다.
> ㉢ 갱신절차에서는 재판장의 인정신문은 생략할 수 있다.
> ㉣ 합의부사건이 단독판사로 이송된 경우에 종전 합의부 구성원이었던 판사가 심리하는 때에는 공판절차를 갱신할 필요가 없다.

① 1개 ② 2개 ③ 3개 ④ 4개

| 해설 | ㉠ ○ : 제370조
㉡ × : 공판개정 후 판사의 경질이 있는 때에는 공판절차를 갱신하여야 하지만, 아직 실체심리에 들어가지 아니한 경우에는 판사의 경질이 있어도 공판절차의 갱신을 요하지 않는다. 따라서 인정신문 또는 공판기일의 변경에 그친 경우에는 판사의 경질이 있어도 갱신할 필요가 없다.
㉢ × : 갱신절차에서도 피고인에게 진술거부권을 고지한 후 인정신문을 하여 피고인임에 틀림없음을 확인해야 한다(규칙 제144조 제1항 제1호). ㉣ ○

| Answer | 2.① 3.③ 4.②

05 공판절차 갱신에 관한 설명으로 타당하지 않은 것은 몇 개인가?

> ㉠ 공판절차의 갱신에 따라 증거조사를 새로이 하게 되는바, 갱신 전의 공판조서 중 피고인, 증인, 감정인 등의 각 진술이나 법원의 검증결과를 기재한 부분에 관하여 증거조사를 하여야 한다.
> ㉡ 재판장은 갱신 전의 공판기일에서 증거조사된 서류 또는 물건에 관하여는 반드시 다시 증거조사를 하여야 한다.
> ㉢ 재판장은 서류 또는 물건에 관하여 증거조사를 함에 있어서 검사, 피고인 및 변호인의 동의가 있는 때에는 그 전부 또는 일부에 관하여 상당하다고 인정하는 방법으로 이를 할 수 있다.
> ㉣ 재판장은 검사로 하여금 공소장 또는 공소장변경허가신청서에 의하여 공소사실, 죄명 및 적용법조를 낭독하게 하거나 그 요지를 진술하게 할 수 있다.
> ㉤ 재판장은 피고인에게 공소사실의 인정 여부 및 정상에 관하여 진술할 기회를 주어야 한다.

① 1개   ② 2개   ③ 3개   ④ 4개

| 해설 | ㉠ ○ : 규칙 제144조 제1항 제4호
㉡ × : 재판장은 갱신 전의 공판기일에서 증거조사된 서류 또는 물건에 관하여 다시 증거조사를 하여야 한다. 다만, 증거능력 없다고 인정되는 서류 또는 물건과 증거로 함이 상당하지 아니하다고 인정되고 검사, 피고인 및 변호인이 이의를 하지 아니하는 서류 또는 물건에 대하여는 그러하지 아니하다(규칙 제144조 제1항 제5호).
㉢ ○ : 규칙 제144조 제2항
㉣ × : 재판장은 검사로 하여금 공소장 또는 공소장변경허가신청서에 의하여 공소사실, 죄명 및 적용법조를 낭독하게 하거나 그 요지를 진술하게 하여야 한다(규칙 제144조 제1항 제2호).
㉤ ○ : 규칙 제144조 제1항 제3호

Ⅲ. 변론의 병합·분리·재개

THEMA 32	변론의 병합·분리·재개
변론의 병합·분리	1. 법원은 필요하다고 인정하는 때에는 직권 또는 검사, 피고인이나 변호인의 신청에 의하여 결정으로 변론을 분리하거나 병합할 수 있다(제300조). 2. 변론의 병합이란 수개의 사건이 동일한 법원 내의 동일한 또는 별개의 재판부에 계속되어 있는 경우에 하나의 재판부가 하나의 공판절차에 수개 사건을 병합하여 동시에 심리하는 것을 말한다. 그러나 여러 사건들이 관할을 달리한 경우에는 관할의 병합(제5조, 제6조, 제9조, 제10조)만이 문제된다. 그리고 변론의 분리는 병합된 수개의 사건을 분리하여 별개의 절차에서 심리하는 것을 말한다.
변론의 재개	1. 법원은 필요하다고 인정하는 때에는 직권 또는 검사, 피고인이나 변호인의 신청에 의하여 결정으로 이미 종결한 변론을 다시 재개할 수 있다(제305조). 2. 변론의 재개란 일단 종결한 변론을 다시 여는 것을 말하며, 변론이 재개되면 검사의 의견진술(제302조) 이전상태로 돌아가게 되므로 필요한 심리를 마치고 다시 변론을 종결한 때에는 검사의 의견진술, 변호인·피고인의 최후진술이 다시 행해지게 된다. 3. 변론이 재개되면 소송은 변론종결 전의 상태로 돌아가며 변론재개 전 심리절차는 무효로 되지 아니하므로 변론을 재개한 후에는 공판절차를 갱신할 필요가 없다. ▶ 변론의 재개 ⇨ 일단 종결된 변론을 다시 여는 것(연기된 변론을 다시 여는 것 ×)

01 변론의 병합·분리에 관한 설명으로 옳은 것은?

① 변론의 병합이란 관할이 다른 수개법원에 계속된 수개사건에 대한 심리를 병합하는 것을 말한다.

② 변론의 재개는 연기된 변론을 다시 여는 것을 말한다.

③ 변론의 재개 여부는 법원의 재량에 속한다.

④ 변론을 재개한 경우에는 공판절차를 갱신하여야 한다.

│해설│ ① 변론의 병합이란 수개의 사건이 동일한 법원 내의 동일한 또는 별개의 재판부에 계속되어 있는 경우에 하나의 재판부가 하나의 공판절차에 수개 사건을 병합하여 동시에 심리하는 것을 말한다.
② 변론의 재개란 일단 종결한 변론을 다시 여는 것을 말한다.
③ 대판 1987.6.23, 87도706
④ 변론이 재개되면 변론종결 이전의 상태로 돌아가 이미 행한 변론과 일체를 이루게 되므로 변론을 재개한 이후에 공판절차를 갱신할 필요가 없다.

│Answer│ 1. ③

02 변론의 분리 · 병합 · 재개에 관한 설명 중 가장 적절하지 않은 것은?(다툼이 있으면 판례에 의함)

11. 순경

① 변론병합의 신청이 있는 경우에 변론을 병합하느냐의 여부는 법원의 재량에 속한다.

② 종결한 변론을 재개하느냐의 여부는 법원의 전권에 속한다.

③ 적법한 변론종결 후 검사가 변론재개신청과 함께 공소장변경신청을 한 경우, 법원이 반드시 변론을 재개하여 공소장변경을 허가하여야 하는 것은 아니다.

④ 동일한 피고인에 대하여 각각 별도로 2개 이상의 사건이 공소제기되었을 경우 반드시 병합심리하여 동시에 판결을 선고하여야 한다.

해설 ① 대판 1987.6.23, 87도706

② 대판 1983.12.13, 83도2279

③ 대판 2000.4.11, 2000도565

④ 동일한 피고인에 대하여 각각 별도로 2개 이상의 사건이 공소제기되었을 경우 반드시 병합심리하여 동시에 판결을 선고하여야만 되는 것은 아니다(대판 1994.11.4, 94도2354).

03 변론의 병합 · 분리 · 재개에 관한 설명으로 옳지 않은 것은 몇 개인가?

㉠ 변론의 병합은 소송경제를 도모하기 위해 마련된 제도로서 피고인의 이익과는 무관하다.

㉡ 적법한 변론종결 후 변론재개신청과 함께 공소장변경신청을 한 경우 법원은 반드시 변론을 재개하여 공소장변경을 허가하여야 한다.

㉢ 변론재개 후에 필요한 심리를 마치고 다시 변론을 종결하는 경우에는 다시 검사의 의견진술과 피고인 및 변호인의 최종진술을 들어야 한다.

㉣ 변론종결 후에 선임된 변호인의 변론재개신청을 받아들이지 않아도 위법한 것은 아니다.

㉤ 사실심 변론종결 후 검사나 피해자 등에 의해 피고인에게 불리한 새로운 양형조건에 관한 자료가 법원에 제출되었다면, 사실심 법원으로서는 변론을 재개하여 그 양형자료에 대하여 피고인에게 의견진술 기회를 주는 등 필요한 양형심리절차를 거침으로써 피고인의 방어권을 실질적으로 보장해야 한다.

① 1개 ② 2개 ③ 3개 ④ 4개

해설 ㉠ × : 변론의 병합은 소송경제를 도모하는 제도인 동시에 피고인의 입장에서 보면 특히 경합범의 양형규정(형법 제38조)이 적용됨으로써 이익을 얻을 수 있는 제도이다.

㉡ × : 반드시 변론을 재개하여 공소장변경을 허가하여야 하는 것은 아니다(대판 2000.4.11, 2000도565).

㉢ ○ : 변론이 재개되면 검사의 의견진술 이전의 상태로 돌아가게 되므로 필요한 심리를 마치고 변론을 종결할 때에는 다시 검사의 논고와 피고인측의 최종진술이 행해지게 된다.

㉣ ○ : 대판 1986.6.10, 86도769

㉤ ○ : 대판 2021.9.30, 2021도5777

제9절 국민참여재판

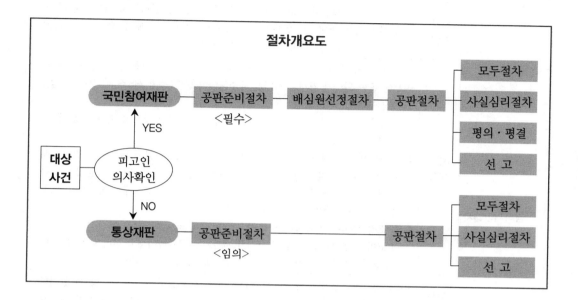

절차개요도

THEMA 33	국민참여재판 또는 통상절차 회부		
국민참여재판 대상사건	1. 합의부심판사건(합의부에서 심판할 것으로 결정한 사건 포함) ▶ 민사사건에 관하여는 대법원규칙으로 정하는 사건 및 지방법원판사에 대한 제척·기피사건은 제외 2. 위 합의부사건의 미수죄·교사죄·방조죄·예비죄·음모죄에 해당하는 사건 3. 위 1. 2. 사건과 관련사건으로서 병합하여 심리하는 사건		
관 할	**심 급**	국민의 참여재판은 제1심절차(지방법원 본원 합의부, 지방법원 지원 합의부사건)에 한한다. 14. 경찰간부	
	지원 관할 사건	1. 피고인이 국민참여재판을 원하는 표시를 한 경우 지방법원 지원 합의부는 국민참여재판 회부결정을 하여 사건을 지방법원 본원 합의부로 이송하여야 한다(국민의 형사재판 참여에 관한 법률 제10조 제1항). 14. 변호사시험·9급 법원직 2. 지방법원 지원 합의부 관할 사건에 대해서는 지방법원 본원 합의부가 국민참여재판 관할권을 가진다(동조 제2항).	
	공소장 변경의 경우	1. 공소장변경으로 대상사건에 해당하지 아니하게 된 경우 ⇨ 국민참여재판을 계속 진행한다(동법 제6조 제1항). 12. 변호사시험·순경, 12·13. 경찰승진, 13. 순경 2차, 14·16. 경찰간부, 16. 9급 법원직, 17. 9급 검찰·마약·교정·보호·철도경찰 2. 적당하지 아니하다고 인정하는 때에는 국민참여재판에 의하지 아니하고 심판하게 할 수 있다(동법 제6조 제1항 단서). 15. 순경 3차 이 결정에 대해서는 불복할 수 없으며(동법 제6조 제2항), 12·15. 순경 3차 결정 전에 행한 소송행위는 그 결정 후에도 효력에 영향이 없다(동법 제6조 제4항). 15. 순경 3차	

필요적 국선		국민참여재판에 관하여 변호인이 없는 때에는 법원은 직권으로 변호인을 선임하여야 한다(동법 제7조). 09. 순경, 16. 경찰간부
참여재판절차 회부	의사 확인	법원은 대상사건의 피고인에 대하여 국민참여재판을 원하는지 여부에 관한 의사를 서면 등의 방법으로 반드시 확인하여야 한다(동법 제8조 제1항). 12. 변호사시험, 13. 경찰승진·7급 국가직·순경, 15. 9급 법원직
	서면 제출	피고인은 공소장부본을 송달받은 날부터 7일 이내에 국민참여재판을 원하는지 여부에 관한 의사가 기재된 서면을 제출하여야 한다(동법 제8조 제2항). 11. 경찰승진·7급 국가직, 11·13. 순경 ▶ 서면을 제출 × ⇨ 국민참여재판을 원하지 아니하는 것으로 본다(동법 제8조 제3항). 09. 순경 ▶ 피고인의 의사에 따라 국민참여재판으로 진행함에 있어 별도의 국민참여재판 개시결정을 할 필요는 없고, 그에 관한 이의가 있어 제1심 법원이 국민참여재판으로 진행하기로 하는 결정에 이른 경우 위 결정에 대하여는 항고할 수 없다(대결 2009.10.23, 2009모1032). ▶ 공소장 부본을 송달받은 날부터 7일 이내에 의사확인서를 제출하지 아니한 피고인도 제1회 공판기일이 열리기 전까지는 국민참여재판 신청을 할 수 있다(대결 2009.10.23, 2009모1032). 23. 9급 법원직, 24. 경찰승진
	의사 철회	피고인은 배제결정(동법 제9조 제1항) 또는 회부결정(제10조 제1항)이 있거나 공판준비기일이 종결되거나 제1회 공판기일이 열린 이후에는 종전의 의사를 바꿀 수 없다(동법 제8조 제4항).
	배제 결정	1. 법원은 공소제기 후부터 공판준비기일이 종결된 다음 날까지(종결한 날 ×)(동법 제9조 제1항) 08·11. 순경, 11·17. 경찰승진, 19. 9급 교정·보호·철도경찰 2. 법원은 배제결정을 하기 전에 검사·피고인 또는 변호인의 의견을 들어야 한다(동법 제9조 제2항). 09. 순경 3. 배제결정에 대하여는 즉시항고를 할 수 있다(동법 제9조 제3항). 11. 순경·7급 국가직, 15. 순경 3차
통상절차 회부		1. 법원은 피고인의 질병 등으로 공판절차가 장기간 정지되거나 피고인에 대한 구속기간의 만료, 성폭력범죄 피해자의 보호, 그 밖에 심리의 제반사정에 비추어 국민참여재판을 계속 진행하는 것이 부적절하다고 인정하는 경우에는 직권 또는 검사·피고인·변호인이나 성폭력범죄 피해자 또는 법정대리인의 신청에 따라 결정으로 사건을 지방법원 본원 합의부가 국민참여재판에 의하지 아니하고 심판하게 할 수 있다(국민의 형사재판 참여에 관한 법률 제11조 제1항). 12. 변호사시험, 13. 경찰승진, 17. 경찰간부 2. 법원은 통상절차회부결정을 하기 전에 검사·피고인 또는 변호인의 의견을 들어야 한다(동법 제11조 제2항). 3. 법원의 통상절차회부결정에 대하여는 불복할 수 없다(동조 제3항). 4. 통상절차회부결정이 있는 경우에는 당해 재판에 참여한 배심원과 예비배심원은 해임된 것으로 보며 통상절차 회부결정 전에 행한 소송행위는 그 결정 이후에도 효력에 영향이 없다(동조 제4항). 15. 순경 3차

01 국민참여재판의 여부를 결정하는 피고인의 의사의 확인에 대한 설명으로 옳은 것을 모두 고르면 몇 개인가?

> ㉠ 피고인은 공소장부본을 송달받은 날부터 7일 이내에 국민참여재판을 원하는지에 관한 서면을 제출하여야 하며, 법원은 대상사건의 피고인에 대하여 국민참여재판을 원하는지 여부에 관한 의사를 반드시 서면의 방법으로 확인하여야 한다.
> ㉡ 교도소 또는 구치소에 있는 피고인이 서면을 교도소장·구치소장 또는 그 직무를 대리하는 자에게 제출한 때에 법원에 제출한 것으로 본다.
> ㉢ 피고인이 서면을 제출하지 아니한 때에는 국민참여재판을 원하는 것으로 본다.
> ㉣ 피고인이 제1회 공판기일이 열린 이후 종전의 의사를 변경하는 경우 그에 따라야 한다.

① 1개   ② 2개   ③ 3개   ④ 4개

해설 ㉠ × : 국민참여재판을 원하는지 여부에 관한 의사는 반드시 서면으로 제출하여야 하나(국민의 형사재판 참여에 관한 법률 제8조 제2항), 법원의 확인은 반드시 서면에 의하는 것은 아니다. 즉, 서면 등의 방법으로 반드시 확인하여야 하나(동법 제8조 제1항), 서면만으로 확인할 수 없는 때에는 법원은 심문기일을 정하여 피고인을 심문하거나 서면 기타 상당한 방법으로 피고인의 의사를 확인하여야 한다(국민의 형사재판 참여에 관한 규칙 제4조 제1항).
㉡ ○ : 동법 제8조 제2항
㉢ × : 원하지 않는 것으로 본다(동법 제8조 제3항).
㉣ × : 피고인은 배제결정 또는 회부결정이 있거나 공판준비기일이 종결되거나 제1회 공판기일이 열린 이후에는 종전의 의사를 바꿀 수 없다(동법 제8조 제4항).

02 다음 중 국민참여재판 배제결정사유가 아닌 것은?

① 배심원, 예비배심원, 배심원후보자 또는 그 친족의 생명·신체·재산에 대한 침해 또는 침해의 우려가 있어서 출석의 어려움이 있거나 이 법에 따른 직무를 공정하게 수행하지 못할 염려가 있다고 인정되는 경우
② 공범관계에 있는 피고인들 중 일부가 국민참여재판을 원하지 아니하여 국민참여재판의 진행에 어려움이 있다고 인정되는 경우
③ 그 밖에 국민참여재판으로 진행하는 것이 적절하지 아니하다고 인정되는 경우
④ 사건을 공판준비절차에 부친 뒤 3개월이 지난 때

해설 ④는 공판준비절차의 종결사유이다(제266조의 12). 나머지는 국민참여재판 배제결정사유에 해당한다(참여법률 제9조).

03 국민참여재판 배제결정에 관한 내용으로 잘못된 것은?

① 국민참여재판 배제결정을 하기 전에 검사·피고인 또는 변호인의 의견을 들어야 한다.

② 국민참여재판 배제결정에는 즉시항고할 수 없다.

③ 법원은 배제결정을 하기 전에 검사·피고인 또는 변호인에게 배제결정에 대한 의견을 제출하도록 통지하여야 한다.

④ 배제결정에 대한 의견은 서면으로 하여야 하나, 단 심문기일이나 공판준비기일을 연 경우에는 구술로 할 수 있다.

> **해설** ① 참여법률 제9조 제2항
> ② 국민참여재판 배제결정에는 즉시항고할 수 있다(동법 제9조 제3항).
> ③ 참여규칙 제6조 제1항
> ④ 참여규칙 제6조 제2항

04 국민참여재판에 대한 설명으로 옳지 않은 것은?(다툼이 있는 경우 판례에 의함)

① 국민참여재판의 대상사건이라도 법원이 국민참여재판을 하지 아니하기로 하는 배제결정을 할 때에는 국민참여재판을 하지 아니하지만, 피고인이 국민참여재판을 원하지 아니하더라도 법원이 국민참여재판을 할 필요가 있다고 판단할 때에는 국민참여재판으로 진행할 수 있다.

② 법원은 국민참여재판 의사확인을 위한 심문기일을 정한 때에는 검사, 피고인 또는 변호인, 피고인을 구금하고 있는 관서의 장에게 심문기일과 장소를 통지하여야 하고 피고인을 구금하고 있는 관서의 장은 위 심문기일에 피고인을 출석시켜야 한다.

③ 국민참여재판을 원하는지에 관한 의사가 기재된 서면을 제출하지 아니한 이상 국민참여재판을 원하지 아니하는 것으로 간주하므로, 피고인에 대한 제1심 재판이 국민참여재판으로 이루어지지 않은 것에 아무런 위법이 없다.

④ 법원은 공소사실의 일부 철회 또는 변경으로 인하여 대상사건에 해당하지 아니하게 된 경우에도 국민참여재판을 계속 진행한다. 다만, 법원은 심리의 상황이나 그 밖의 사정을 고려하여 국민참여재판으로 진행하는 것이 적당하지 아니하다고 인정하는 때에는 결정으로 당해 사건을 지방법원 본원 합의부가 국민참여재판에 의하지 아니하고 심판하게 할 수 있다.

> **해설** ① 피고인이 국민참여재판을 원하더라도 법원의 배제결정에 의하여 국민참여재판을 하지 아니할 수 있으나(국민의 형사재판 참여에 관한 법률 제5조 제2항), 피고인이 국민참여재판을 원하지 않는다면 필요하다고 해서 법원이 직권으로 국민참여재판으로 진행할 수는 없다.
> ② 국민의 형사재판 참여에 관한 규칙 제4조 제2항
> ③ 대판 2014.1.23, 2013도9690
> ④ 국민의 형사재판 참여에 관한 법률 제6조 제1항

> **Answer** 3. ② 4. ①

05 국민참여재판에 관한 설명 중 옳지 않은 것은?(다툼이 있는 경우 판례에 의함) 18. 경찰간부

① 제1심 법원이 국민참여재판 대상사건임을 간과하여 피고인의 의사를 확인하지 않고 통상의 공판절차로 재판을 진행하였다면, 항소심에서 피고인이 국민참여재판을 원하지 않는다고 하면서 절차적 위반을 문제삼지 아니할 의사를 명백히 표시한 경우에도 그 하자는 치유되지 않으며 제1심 공판절차는 전체로서 위법하다.

② 피고인이 국민참여재판을 신청하였으나 법원이 배제결정도 하지 않은 채 통상의 공판절차로 진행하는 것은 국민참여재판을 받을 권리 및 배제결정에 대한 항고권 등의 중대한 절차적 권리를 침해하는 것으로서 위법하고, 공판절차에서 이루어진 소송행위는 무효이다.

③ 피고인이 공소장 부본을 송달받은 날부터 7일 이내에 의사확인서를 제출하지 아니한 경우에도 제1회 공판기일이 열리기 전까지는 국민참여재판을 신청할 수 있다.

④ 국민참여재판에 관하여 변호인이 없는 때에는 법원은 직권으로 변호인을 선정하여야 한다.

┃ **해설** ┃ ① 피고인이 항소심에서 국민참여재판을 원하지 아니한다고 하면서 위와 같은 제1심의 절차적 위법을 문제삼지 아니할 의사를 명백히 표시하는 경우에는 그 하자가 치유되어 제1심 공판절차는 전체로서 적법하게 된다고 봄이 상당하다. 다만, 피고인에게 국민참여재판절차 등에 관한 충분한 안내가 이루어지고 그 희망 여부에 관하여 숙고할 수 있는 상당한 시간이 사전에 부여되어야 한다(대판 2012.4.26, 2012도1225).
② 대판 2011.9.8, 2011도7106
③ 대결 2009.10.23, 2009모1032
④ 국민의 형사재판 참여에 관한 법률 제7조

06 국민참여재판에서 통상절차로 회부하는 것에 관한 설명으로 틀린 것을 모두 고르면?

> ㉠ 법원은 피고인의 질병 등으로 공판절차가 장기간 정지되거나 피고인에 대한 구속기간의 만료, 그 밖에 심리의 제반상황에 비추어 국민참여재판을 계속 진행하는 것이 부적절하다고 인정하는 경우에는 직권 또는 검사·피고인 또는 변호인의 신청에 따라 사건을 지방법원 본원 합의부가 국민참여재판에 의하지 아니하고 심판하게 할 수 있다.
> ㉡ 당사자의 신청이 있는 경우 법원은 그 취지를 상대방에게 통지하여야 하고, 신청인의 상대방은 통지를 받은 날부터 48시간 이내에 의견서를 법원에 제출하여야 한다.
> ㉢ 당사자가 통상절차 회부신청을 하는 경우 서면으로 하는 것이 원칙이나 법정에서는 구술로 그 사유를 주장하여 통상회부신청을 할 수 있다.
> ㉣ 통상회부결정에 대해서는 즉시항고 할 수 있다.
> ㉤ 통상회부결정이 있어도 결정 전에 한 소송행위의 효력에는 영향이 없다.

① ㉠, ㉤   ② ㉡, ㉢   ③ ㉡, ㉣   ④ ㉢, ㉣

┃ **해설** ┃ ㉠ ○ : 참여법률 제11조 제1항
㉡ × : 상대방은 통지를 받은 날로부터 3일 이내에 의견서를 법원에 제출하여야 한다(규칙 제8조 제3항).
㉢ ○ : 동법 규칙 제8조 제1항·제5항
㉣ × : 불복할 수 없다(동법 제11조 제3항).
㉤ ○ : 동법 제11조 제4항

THEMA 34	배심원	
배심원의 권한· 의무		1. 배심원은 국민참여재판을 하는 사건에 관하여 사실의 인정, 법령의 적용 및 형의 양정에 관하여 의견을 제시할 권한이 있다(국민의 형사재판 참여에 관한 법률 제12조 제1항). 2. 배심원은 법령을 준수하고 독립하여 성실히 직무를 수행하여야 한다(동조 제2항).
배심원의 수		1. 법정형이 사형·무기징역 또는 무기금고에 해당하는 대상사건 ⇨ 9인 그 외의 대상사건 ⇨ 7인, 공소사실의 주요내용을 인정한 때 ⇨ 5인의 배심원(동법 제13조 제1항) 10. 순경, 16. 순경 2차 2. 법원은 사건의 내용에 비추어 특별한 사정이 있다고 인정되고 검사·피고인 또는 변호인 의 동의가 있는 경우에 한하여 결정으로 배심원의 수를 7인과 9인 중에서 제1항과 달리 정할 수 있다(동법 제13조 제2항). 3. 5인 이내의 예비배심원을 둘 수 있다(동법 제14조 제1항).
배심원의 자격요건	연 령	대한민국 국적을 가진 만 20세 이상인 자(동법 제16조) 10. 순경, 12. 변호사시험, 22. 9급 교정·보호·철도경찰
	배심원 부적격 사유	배심원의 업무수행의 난이도 및 공공성을 고려하고 공정한 재판을 담보할 수 있도 록 하기 위하여 배심원으로 선정될 수 없는 사유를 결격사유(동법 제17조), 직업에 의한 제외사유(동법 제18조), 제척사유(동법 제19조), 면제사유(동법 제20조) 등으 로 구분하여 규정하고 있다.
배심원의 선정절차	후보 예정자 명부작성	1. 지방법원장은 배심원후보예정자명부를 작성하기 위하여 행정안전부장관(법무 부장관 ×)에게 매년 그 관할구역 내에 거주하는 만 20세 이상 국민의 주민등록 정보에서 일정한 수의 배심원후보예정자의 성명·생년월일·주소 및 성별에 관한 주민등록정보를 추출하여 전자파일의 형태로 송부하여 줄 것을 요청할 수 있다(동법 제22조 제1항). 11. 경찰승진 2. 지방법원장의 요청을 받은 행정안전부장관은 30일 이내에 주민등록자료를 지 방법원장에게 송부하여야 한다(동법 제22조 제2항). 3. 지방법원장은 매년 주민등록자료를 활용하여 배심원후보예정자명부를 작성한 다(동법 제22조 제3항). 08. 순경, 11. 경찰승진
	배심원 후보자 결정· 출석통지	1. 법원은 배심원후보예정자명부 중에서 필요한 수의 배심원후보자를 무작위추 출 방식으로 정하여 배심원과 예비배심원의 선정기일을 통지하여야 한다(동 법 제23조 제1항). 2. 선정기일통지를 받은 배심원후보자는 선정기일에 출석하여야 한다(동법 제23 조 제2항).
	질문표	법원은 배심원후보자에 대한 질문과 기피신청(동법 제28조 제1항)에서 정하는 사유에 해당하는지의 여부를 판단하기 위하여 질문표를 사용할 수 있다(동법 제 25조 제1항).
	후보자 명부송부	1. 법원은 선정기일의 2일 전까지 검사와 변호인에게 배심원후보자의 성명·성 별·출생연도가 기재된 명부를 송부하여야 한다(동법 제26조 제1항). 2. 법원은 선정절차에 질문표를 사용하는 때에는 선정기일을 진행하기 전에 배 심원후보자가 제출한 질문표 사본을 검사와 변호인에게 교부하여야 한다(동 법 제26조 제2항).

04

선정 기일의 진행	통지 · 출석		1. 법원은 검사·피고인 또는 변호인에게 선정기일을 통지하여야 한다 (동법 제27조 제1항). 2. 검사와 변호인은 선정기일에 출석하여야 하며, 피고인은 법원의 허가를 받아 출석할 수 있다(동법 제27조 제2항). 3. 법원은 변호인이 선정기일에 출석하지 아니한 경우 국선변호인을 선정 하여야 한다(동법 제27조 제3항). 12. 순경
	진행 방법		1. 법원은 합의부원으로 하여금 선정기일의 절차를 진행하게 할 수 있다. 이 경우 수명법관은 선정기일에 관하여 법원 또는 재판장과 동일한 권 한이 있다(동법 제24조 제1항). 2. 선정기일은 공개하지 아니한다(동법 제24조 제2항).
	선정 결정 및 불선정 결정		1. 법원은 출석한 배심원후보자 중에서 당해 재판에서 필요한 배심원과 예비배심원의 수에 해당하는 배심원후보자를 무작위로 뽑고 이들을 대 상으로 직권, 기피신청 또는 무이유부기피신청에 따른 불선정결정을 한다(제31조 제1항). 제1항의 불선정결정이 있는 경우에는 그 수만큼 제1항의 절차를 반복한다(제31조 제2항). 📂 무이유부 기피신청 검사와 변호인은 ① 배심원이 9인인 경우는 5인 17. 9급 검찰·마약·교정· 보호·철도경찰 ② 배심원이 7인인 경우는 4인 ③ 배심원이 5인인 경우는 3인의 범위 내에서 배심원후보자에 대하여 이유를 제시하지 아니하는 기피신청을 할 수 있으며, 13. 순경, 17. 경찰승진, 22. 해경승진 무이유부 기피 신청이 있는 경우에는 법원은 당해 배심원후보자를 배심원으로 선정할 수 없다(동법 제30조 제1항·제2항). 08. 순경, 09. 전의경, 11. 경찰승진, 16. 순경 2차 ▶ 국민의 형사재판 참여에 관한 법률에 따르면 변호인은 배심원후보자 에 대하여 이유를 제시하지 아니하는 기피신청을 할 수 있으나, 검사는 이를 할 수 없다. (×) 18. 순경 3차 2. 법원은 배심원후보자가 제17조부터 제20조까지의 사유에 해당하는지 여부 또는 불공평한 판단을 할 우려가 있는지 여부 등을 판단하기 위하 여 배심원후보자에게 질문을 할 수 있다. 검사·피고인 또는 변호인은 법원으로 하여금 필요한 질문을 하도록 요청할 수 있고, 법원은 검사 또는 변호인으로 하여금 직접 질문하게 할 수 있다(제28조 제1항). 3. 법원은 배심원후보자가 제17조부터 제20조까지의 사유에 해당하거나 불 공평한 판단을 할 우려가 있다고 인정되는 때에는 직권 또는 검사·피고 인·변호인의 기피신청에 따라 당해 배심원후보자에 대하여 불선정결정 을 하여야 한다. 검사·피고인 또는 변호인의 기피신청을 기각하는 경우 에는 이유를 고지하여야 한다(제28조 제3항). 4. 기피신청을 기각하는 결정에 대하여는 즉시 이의신청을 할 수 있다(제 29조 제1항) 이의신청에 대한 결정은 기피신청 기각결정을 한 법원이 하며, 이의신청에 대한 결정에 대하여는 불복할 수 없다(제29조 제2 항·제3항).

| | | 5. 제31조 제1항·제2항의 절차를 거쳐 필요한 수의 배심원과 예비배심원 후보자가 확정되면 법원은 무작위의 방법으로 배심원과 예비배심원을 선정한다. 예비배심원이 2인 이상인 경우에는 그 순번을 정하여야 한다 (제31조 제3항). |
| | | 6. 법원은 배심원과 예비배심원에게 누가 배심원으로 선정되었는지 여부를 알리지 아니할 수 있다(제31조 제4항). |

01 국민참여재판제도와 관련하여 올바른 내용은?

① 배심원은 관할구역에 거주하는 만 20세 이상인 자 중에서 지방법원장이 지명한다.

② 법정형이 사형·무기징역·무기금고에 해당하는 사건은 9명의 배심원이 참여한다.

③ 행정안전부장관은 매년 주민등록자료를 활용하여 배심원후보예정자명부를 작성한다.

④ 공판준비절차에서도 배심원의 참여가 필요하나, 공판준비기일은 비공개로 하여야 한다.

| 해설 | ① 무작위추출 방식으로 정한다(참여법률 제31조).
② 법정형이 사형·무기징역·무기금고에 해당하는 사건에는 9명, 그 외의 사건은 7명이 참여한다(동법 제13조).
③ 지방법원장으로부터 요청을 받은 행정안전부장관은 30일 이내에 주민등록자료를 지방법원장에게 송부하여야 하며(동법 제22조 제2항), 지방법원장은 매년 주민등록자료를 활용하여 배심원후보예정자명부를 작성한다(동법 제22조 제3항).
④ 공판준비절차에서는 배심원의 참여가 불필요하며, 공판준비기일을 공개한다(동법 제37조).

02 다음 중 옳은 것은?

① 법원은 배심원후보자에게 질문할 수 있고, 검사와 변호인은 법원으로 하여금 필요한 질문을 하도록 요청할 수 있을 뿐 직접 질문할 수는 없다.

② 법원은 배심원후보자가 결격사유가 있거나, 제척·기피·면제사유가 있는 경우에는 당해 배심원후보자에 불선정결정을 할 수 있으나, 불공평한 판단을 할 우려가 있다고 해서 불선정결정을 할 수는 없다.

③ 검사·피고인·변호인의 기피신청을 기각하는 경우에는 그 이유를 고지하여야 한다.

④ 배심원의 기피신청을 기각하는 결정에 대해서는 즉시항고할 수 있다.

| 해설 | ① 법원은 검사, 피고인 또는 변호인으로 하여금 직접 질문하게 할 수 있다(참여법률 제28조 제1항).
② 불공평한 판단을 할 우려가 있다고 인정되는 때에는 직권으로 불선정결정을 하여야 한다(동법 제28조 제3항).
③ 동법 제28조 제3항
④ 즉시 이의신청을 할 수 있고, 이의신청에 대한 결정에 대하여는 불복할 수 없다(동법 제29조).

03 배심원선정시의 무이유부 기피신청에 대한 설명으로 틀린 것은?

① 검사와 변호인은 각자 배심원이 9인인 경우에는 5인, 배심원이 7인인 경우에는 4인, 배심원이 5인인 경우에는 3인의 범위 내에서 배심원후보자에 대해 이유를 제시하지 아니하는 기피신청을 할 수 있다.

② 법원은 피고인이 2인 이상인 때에는 피고인별로 ①의 무이유부 기피신청을 할 수 있는 범위 내에서 무이유부 기피신청을 할 수 있는 인원을 정할 수 있다.

③ 무이유부 기피신청이 있는 때에도 법원은 상당하다고 인정하는 때에는 당해 배심원후보자를 배심원으로 선정할 수 있다.

④ 법원은 검사, 피고인 또는 변호인에게 순서를 바꿔가며 무이유부 기피신청을 할 수 있는 기회를 주어야 한다.

| 해설 | ① 참여법률 제30조 제1항
② 동법 규칙 제21조 제2항, 이때 검사는 법원이 정한 피고인별 무이유부 기피신청 인원을 합한 총수의 범위 내에서 무이유부 기피신청할 수 있다(동법 규칙 제21조 제3항).
③ 무이유부 기피신청이 있는 때에는 법원은 당해 배심원후보자를 배심원으로 선정할 수 없다(동법 제30조 제2항).
④ 동법 제30조 제3항

04 배심원선정절차에 관한 내용으로 틀린 것은?

① 법원은 선정기일의 2일 전까지 검사와 변호인에게 배심원 후보자의 성명·성별·출생년도가 기재된 명부를 송부하여야 한다.

② 법원은 배심원후보예정자 명부 중에서 필요한 수의 배심원후보자를 무작위추출방식으로 정하여 배심원과 예비배심원의 선정기일을 통지하여야 한다.

③ 배심원선정기일에 검사·피고인 또는 변호인은 출석하여야 한다.

④ 법원은 변호인이 선정기일에 출석하지 아니한 경우 국선변호인을 선정하여야 한다.

| 해설 | ① 참여법률 제26조 제1항
② 동법 제23조 제1항
③ 배심원선정기일에 검사·변호인은 출석하여야 하며, 피고인은 법원의 허가를 받아 출석할 수 있다(동법 제27조 제2항).
④ 동법 제27조 제3항

THEMA 35 배심원 불선정사유

결격사유 (제17조)	다음의 어느 하나에 해당하는 사람은 배심원으로 선정될 수 없다. 11. 경찰승진 • 피성년후견인 또는 피한정후견인 11. 경찰승진 • 파산자로서 복권되지 아니한 사람 11. 경찰승진, 15. 9급 법원직 • 금고 이상의 실형을 선고받고 그 집행이 종료(종료된 것으로 보는 경우를 포함)되거나 집행이 면제된 후 5년을 경과하지 아니한 사람 17. 경찰승진 • 금고 이상의 형의 집행유예를 선고받고 그 기간이 완료된 날부터 2년을 경과하지 아니한 사람 14. 경찰승진, 15. 순경 3차, 16. 순경 2차 • 금고 이상의 형의 선고유예를 받고 그 선고유예기간 중에 있는 사람 • 법원의 판결에 의하여 자격이 상실 또는 정지된 사람 11. 경찰승진
직업에 따른 제외사유 (제18조)	다음의 어느 하나에 해당하는 사람을 배심원으로 선정하여서는 아니 된다. 10. 순경 • 대통령 • 국회의원·지방자치단체의 장 및 지방의회의원 16. 순경 2차 • 입법부·사법부·행정부·헌법재판소·중앙선거관리위원회·감사원의 정무직 공무원 • 법관·검사 • 변호사·법무사 • 법원·검찰 공무원 • 경찰·교정·보호관찰 공무원 • 군인·군무원·소방공무원 또는 '예비군법'에 따라 동원되거나 교육훈련의무를 이행 중인 예비군
제척사유 (제19조)	다음의 어느 하나에 해당하는 사람은 당해사건의 배심원으로 선정될 수 없다. • 피해자 • 피고인 또는 피해자의 친족이나 이러한 관계에 있었던 사람 • 피고인 또는 피해자의 법정대리인 • 사건에 관한 증인·감정인·피해자의 대리인 • 사건에 관한 피고인의 대리인·변호인·보조인 • 사건에 관한 검사 또는 사법경찰관의 직무를 행한 사람 • 사건에 관하여 전심재판 또는 그 기초가 되는 조사·심리에 관여한 사람
면제사유 (제20조)	법원은 직권 또는 신청에 따라 다음의 어느 하나에 해당하는 사람에 대하여 배심원 직무의 수행을 면제할 수 있다(면제하여야 한다. ×). 11. 경찰승진 • 만 70세 이상인 사람 10. 순경, 11·14. 경찰승진 • 과거 5년 이내에 배심원후보자로서 선정기일에 출석한 사람 12. 순경, 11·14. 경찰승진 • 금고 이상의 형에 해당하는 죄로 기소되어 사건이 종결되지 아니한 사람 10. 순경, 11·14. 경찰승진 • 법령에 따라 체포 또는 구금되어 있는 사람 11·14. 경찰승진 • 배심원 직무의 수행이 자신이나 제3자에게 위해를 초래하거나 직업상 회복할 수 없는 손해를 입게 될 우려가 있는 사람 11. 경찰승진 • 중병·상해 또는 장애로 인하여 법원에 출석하기 곤란한 사람 11·14. 경찰승진 • 그 밖의 부득이한 사유로 배심원 직무를 수행하기 어려운 사람

01 다음 중 국민의 형사재판 참여에 관한 법률상 국민참여 재판의 배심원으로 선정될 수 있는 자는?

21. 순경 1차

① 현직 경찰 공무원

② 파산선고를 받고 복권되지 아니한 만 20세의 자

③ 피해자의 이혼한 배우자

④ 징역 10년의 실형을 선고받고 그 집행이 종료된 후 5년이 경과한 자

| 해설 | ① 참여법률 제18조 제7호 ② 동법 제17조 제2호 ③ 동법 제19조 제2호
④ 금고 이상의 실형을 선고받고 그 집행이 종료되거나 집행이 면제된 후 5년을 경과하지 아니한 사람이
결격사유이다(동법 제17조 제3호). 징역 10년의 실형을 선고받고 그 집행이 종료된 후 5년이 경과하였으므로
이는 배심원 결격사유가 아니다.

04

02 다음 중 옳은 것은?

① 서울시장 甲은 배심원이 될 수 있다.

② 예비군에 동원된 乙은 배심원이 될 수 없다.

③ 법무사인 丙은 배심원이 될 수 있다.

④ 감사원의 정무직 공무원인 丁은 배심원이 될 수 있다.

| 해설 | ①②③④ 모두 배심원이 될 수 없는 자에 해당한다.

🔖 **배심원이 될 수 없는 자**(참여법률 제18조)

1. 대통령
2. 국회의원·지방자치단체의 장 및 지방의회의원
3. 입법부·사법부·행정부·헌법재판소·중앙선거관리위원회·감사원의 정무직 공무원
4. 법관·검사
5. 변호사·법무사
6. 법원·검찰 공무원
7. 경찰·교정·보호관찰 공무원
8. 군인·군무원·소방공무원 또는 '예비군법'에 따라 동원되거나 교육훈련의무를 이행 중인 예비군

03 사건과의 일정한 관계 때문에 배심원으로 선정될 수 없고 제척되어야 하는 경우는 모두 몇
개인가?

> ㉠ 피고인 또는 피해자의 친족이나 이러한 관계에 있었던 사람
> ㉡ 당해 사건의 증인·감정인·피해자의 대리인
> ㉢ 사건에 관한 검사 또는 사법경찰관의 직무를 행한 사람
> ㉣ 사건에 관하여 전심재판 또는 그 기초가 되는 조사·심리에 관여한 사람

① 모두 제척대상   ② 1개   ③ 2개   ④ 3개

│ 해설 │ **제척사유(참여법률 제19조)**

1. 피해자
2. 피고인 또는 피해자의 친족이나 이러한 관계에 있었던 사람
3. 피고인 또는 피해자의 법정대리인
4. 사건에 관한 증인·감정인·피해자의 대리인
5. 사건에 관한 피고인의 대리인·변호인·보조인
6. 사건에 관한 검사 또는 사법경찰관의 직무를 행한 사람
7. 사건에 관하여 전심재판 또는 그 기초가 되는 조사·심리에 관여한 사람

04 배심원의 자격과 관련된 국민의 형사재판 참여에 관한 법률 제17조 결격사유와 제20조 면제사유를 구분한 개수로 옳은 것은?   11. 경찰승진

> ㉠ 피성년후견인 또는 피한정후견인
> ㉡ 만 70세 이상인 사람
> ㉢ 파산자로서 복권되지 아니한 사람
> ㉣ 과거 5년 이내에 배심원후보자로서 선정기일에 출석한 사람
> ㉤ 법령에 따라 체포 또는 구금되어 있는 사람
> ㉥ 금고 이상의 실형을 선고받고 그 집행이 종료(종료된 것으로 보는 경우를 포함한다)되거나 집행이 면제된 후 5년을 경과하지 아니한 사람
> ㉦ 중병·상해 또는 장애로 인하여 법원에 출석하기 곤란한 사람
> ㉧ 법원의 판결에 의하여 자격이 상실 또는 정지된 사람
> ㉨ 금고 이상의 형에 해당하는 죄로 기소되어 사건이 종결되지 아니한 사람
> ㉩ 배심원 직무의 수행이 자신이나 제3자에게 위해를 초래하거나 직업상 회복할 수 없는 손해를 입게 될 우려가 있는 사람

① 결격사유 4개, 면제사유 6개   ② 결격사유 5개, 면제사유 5개
③ 결격사유 6개, 면제사유 4개   ④ 결격사유 7개, 면제사유 3개

│ 해설 │ **결격사유(참여법률 제17조)** ⇨ ㉠㉢㉥㉧㉨, **면제사유(동법 제20조)** ⇨ ㉡㉣㉤㉦㉩

05 다음 중 국민참여재판 배심원 면제사유에 해당하는 사람은 모두 몇 명인가?   14. 경찰승진

> ㉠ 금고 이상의 형에 해당하는 죄로 기소되어 사건이 종결되지 아니한 사람
> ㉡ 법령에 따라 체포 또는 구금되어 있는 사람
> ㉢ 만 70세 이상인 사람
> ㉣ 금고 이상의 형의 집행유예를 선고 받고 그 기간이 완료된 날부터 2년을 경과하지 아니한 사람
> ㉤ 중병·상해 또는 장애로 인하여 법원에 출석하기 곤란한 사람
> ㉥ 과거 5년 이내에 배심원후보자로서 선정기일에 출석한 사람

① 3명   ② 4명   ③ 5명   ④ 6명

│ 해설 │ **면제사유(참여법률 제20조)** ⇨ ㉠㉡㉢㉤㉥, **결격사유(참여법률 제17조)** ⇨ ㉣

│ Answer │ **4.**① **5.**③

THEMA 36	배심원 해임·사임 등	
배심원 해임·사임 등	해임	1. 법원은 배심원 또는 예비배심원이 배심원해임사유(동법 제32조 각 호)에 해당하는 때에는 직권 또는 검사·피고인·변호인의 신청에 따라 해임하는 결정을 할 수 있다(동법 제32조 제1항). 2. 해임의 결정을 함에 있어서는 검사·피고인 또는 변호인의 의견을 묻고 출석한 당해 배심원 또는 예비배심원에게 진술기회를 부여하여야 한다(동법 제32조 제2항). 3. 해임의 결정에 대하여는 불복할 수 없다(동법 제32조 제3항). 12. 순경
	사임	1. 배심원과 예비배심원은 직무를 계속 수행하기 어려운 사정이 있는 때에는 법원에 사임을 신청할 수 있다(동법 제33조 제1항). 2. 사임 결정을 함에 있어서는 검사·피고인 또는 변호인의 의견을 들어야 한다(동법 제33조 제3항). 3. 사임 결정에 대하여는 불복할 수 없다(동법 제33조 제4항).
	추가 선정	1. 배심원이 부족하게 된 경우 예비배심원은 미리 정한 순서에 따라 배심원이 된다. 이때 배심원이 될 예비배심원이 없는 경우 배심원을 추가로 선정한다(동법 제34조 제1항). 2. 추가선정이 부적절한 경우 ⇨ 1인의 배심원이 부족한 때에는 검사·피고인 또는 변호인의 의견을 들어야 하고, 2인 이상의 배심원이 부족한 때에는 검사·피고인 또는 변호인의 동의를 받아 남은 배심원만으로 계속하여 국민참여재판을 진행하는 결정을 할 수 있다(동법 제34조 제2항). ▶ 남은 배심원이 5인 미만인 경우 ⇨ 배심원을 추가 선정하여야 함(동법 제34조 제2항 단서).
배심원 임무종료		배심원과 예비배심원의 임무는 종국재판을 고지한 때, 심리상황이나 그 밖의 사정을 고려하여 국민참여재판을 진행하는 것이 적당하지 아니하다고 인정한 때(동법 제6조 제1항 단서) 또는 통상절차 회부결정(제11조)을 고지한 때에 종료한다(동법 제35조). 16. 경찰간부

01 배심원의 해임 또는 사임에 관련된 설명으로 옳은 것은?

① 배심원의 해임은 법원의 직권사항이고, 당사자가 해임을 신청하는 것은 허용되지 않는다.

② 배심원의 해임은 서면으로 신청해야 하며, 해임사유는 소명하여야 한다.

③ 법원이 해임결정을 함에는 검사·피고인 또는 변호인의 의견을 묻고 출석한 당해 배심원에게 진술기회를 부여하여야 한다. 이때 의견을 진술한 의견서는 법원이 통지한 다음 날까지 제출하여야 한다.

④ 배심원이 직무를 계속 수행하기 어려운 사정이 있는 때에는 법원에 사임을 신청할 수 있으나 이는 서면으로 해야 한다.

⑤ 배심원의 해임 또는 사임에 대한 해임의 결정에 대해서는 즉시항고할 수 있다.

┃ 해설 ┃ ① 법원은 배심원 또는 예비배심원이 해임사유가 있는 경우 직권 또는 검사·피고인·변호인의 신청에 따라 배심원 또는 예비배심원을 해임하는 결정을 할 수 있다(참여법률 제32조 제1항).

┃Answer┃ 1. ②

② 동규칙 제25조 제1항·제2항
③ 동법 제32조 제1항·제2항. 법원은 신청이 있는 경우 그 취지를 상대방에게 통지하고 신청인의 상대방은 통지를 받은 날부터 3일 이내에 의견서를 법원에 제출하여야 한다(규칙 제25조 제3항).
④ 사임신청은 사임사유 등을 적은 서면으로 해야 하나, 공판정에서는 구술로 할 수 있다(규칙 제26조). 구술로 신청하는 경우에는 그 사유를 공판조서에 기재하여야 한다(동법 규칙 제26조 제3항).
⑤ 해임 또는 사임에 대한 해임결정에 대해서는 불복할 수 없다(동법 제32조 제3항, 제33조 제4항).

02 다음 중 배심원 해임사유에 해당하는 것은 몇 개인가?

> ㉠ 배심원 또는 예비배심원이 선서를 하지 아니한 때
> ㉡ 배심원 또는 예비배심원이 출석의무를 위반하고 계속하여 그 직무를 행하는 것이 적당하지 아니한 때
> ㉢ 배심원 또는 예비배심원에게 결격사유 등(제17조~제20조)의 사유에 해당하는 사실이 있거나 불공평한 판단을 할 우려가 있는 때
> ㉣ 배심원 또는 예비배심원이 질문표에 거짓 기재를 하거나 선정절차에서의 질문에 대하여 정당한 사유 없이 진술을 거부하거나 거짓의 진술을 한 것이 밝혀지고 계속하여 그 직무를 행하는 것이 적당하지 아니한 때
> ㉤ 배심원 또는 예비배심원이 법정에서 재판장이 명한 사항을 따르지 아니하거나 폭언 또는 그 밖의 부당한 언행을 하는 등 공판절차의 진행을 방해한 때

① 3개   ② 4개   ③ 5개   ④ 없 음

│해설│ 모두 해임사유이다(참여법률 제32조).

03 배심원 추가선정과 임무종료에 관한 설명으로 가장 바르지 못한 것은?

① 1인의 배심원이 부족한 때에는 검사·피고인 또는 변호인의 의견을 들어 남은 배심원만으로 계속하여 국민참여재판을 진행할 수 있다.
② 국민참여재판 도중 심리의 진행 정도에 비추어 배심원을 추가선정하여 재판에 관여하게 하는 것이 부적절하다고 판단되는 경우 배심원이 5인 미만이 되는 경우에도 남은 배심원만으로 계속하여 국민참여재판을 진행하는 결정을 할 수 있다.
③ 배심원과 예비배심원의 임무는 종국재판을 고지한 때, 심리상황이나 그 밖의 사정을 고려하여 국민참여재판을 진행하는 것이 적당하지 아니하다고 인정한 때 또는 통상절차 회부결정을 고지한 때에 종료한다.
④ 2인 이상의 배심원이 부족한 때에는 검사·피고인 또는 변호인의 동의를 받아 남은 배심원만으로 계속하여 국민참여재판을 진행하는 결정을 할 수 있다.

│해설│ ① 참여법률 제34조 제2항 제1호
② 남은 배심원이 5인 미만인 경우에는 배심원을 추가 선정하여야 한다(동법 제34조 제2항 단서).
③ 동법 제6조 제1항 단서, 동법 제11조, 동법 제35조 ④ 동법 제34조 제2항 제2호

│Answer│ 2.③ 3.②

THEMA 37	**국민참여재판**	
공판준비		1. 국민참여재판에서는 제1회 공판기일 이전에 반드시 공판 전 준비절차를 거쳐야 한다(국민의 형사재판 참여에 관한 법률 제36조 제1항). 11. 9급 법원직·7급 국가직 ▶ 통상의 절차에서는 임의적 사항 2. 다만, 공판준비절차에 부치기 전에 배제결정이 있는 때에는 반드시 공판 전 준비절차를 필요로 하지는 않는다(동법 제36조 제1항 단서). 3. 공판준비절차에 부친 이후 피고인이 국민참여재판을 원하지 아니하는 의사를 표시하거나 국민참여재판 배제결정(제9조 제1항)이 있는 때에는 공판준비절차를 종결할 수 있다(동법 제36조 제2항). 4. 법원은 주장과 증거를 정리하고 심리계획을 수립하기 위하여 공판준비기일을 지정하여야 한다(동법 제37조 제1항). 5. 공판준비기일은 원칙적으로 공개한다(동법 제37조 제3항). 6. 공판준비기일에는 배심원이 참여하지 아니한다(동법 제37조 제4항). 12. 경찰승진 7. 법원은 배심원 선정기일 이전에 공판준비절차를 마쳐야 한다. 다만, 형사소송법 제266조의 15에 따라 공판기일 사이에 공판준비기일을 진행한 때에는 그러하지 아니한다(참여규칙 제27조).
공판절차	**통지·출석**	1. 공판기일은 배심원과 예비배심원에게 통지하여야 한다(국민의 형사재판 참여에 관한 법률 제38조). 2. 공판정은 판사·배심원·예비배심원·검사·피고인 및 변호인이 출석하여 개정한다(동법 제39조 제1항).
	좌석	1. 검사와 피고인 및 변호인은 대등하게 마주 보고 위치한다. 다만, 피고인신문을 하는 때에는 피고인은 증인석에 위치한다(동법 제39조 제2항). 2. 배심원과 예비배심원은 재판장과 검사·피고인 및 변호인의 사이 왼쪽에 위치한다(동법 제39조 제3항). 3. 증인석은 재판장과 검사·피고인 및 변호인의 사이 오른쪽에 배심원과 예비배심원을 마주 보고 위치한다(동법 제39조 제4항).
	속기·녹취	법원은 특별한 사정이 없는 한 공판정에서의 심리를 속기사로 하여금 속기하게 하거나 녹음장치 또는 영상녹화장치를 사용하여 녹음 또는 영상녹화하여야 한다(동법 제40조 제1항).
	선서·설명	1. 배심원과 예비배심원은 선서를 하여야 한다(동법 제42조 제1항). 2. 재판장은 배심원과 예비배심원에 대하여 필요한 사항을 설명하여야 한다(동법 제42조 제2항).
	권리	1. 배심원과 예비배심원은 피고인·증인에 대하여 필요한 사항을 신문하여 줄 것을 재판장에게 요청(직접 질문 ×)하는 행위를 할 수 있다(동법 제41조 제1항 제1호). 08. 7급 국가직 2. 재판장의 허가를 받아 각자 필기를 하여 이를 평의에 사용하는 행위를 할 수 있다(동법 제41조 제1항 제2호).

04

기 타	간이공판 절차배제	국민참여재판에는 간이공판절차에 회부할 수 없다(동법 제43조). 11. 순 경, 10 · 11. 7급 국가직 · 경찰승진, 13. 순경 2차, 14 · 17. 9급 교정 · 보호 · 철도경찰, 17. 9급 검찰 · 마약수사
	증거능력 판단배제	배심원 또는 예비배심원은 법원의 증거능력에 관한 심리에 관여할 수 없다 (동법 제44조). 08. 7급 국가직, 14. 9급 교정 · 보호 · 철도경찰, 17. 9급 법원직
	공판절차 갱신	1. 공판절차가 개시된 후 새로 재판에 참여하는 배심원 또는 예비배심원 이 있는 때에는 공판절차를 갱신하여야 한다(동법 제45조 제1항). 11. 9급 법원직, 16. 9급 검찰 · 마약 · 교정 · 보호 · 철도경찰, 17. 경찰승진 2. 국민참여재판에 관하여 변호인이 없는 때에는 법원은 직권으로 변호 인을 선정하여야 한다(동법 제7조). 09 · 11. 순경

01 다음 중 국민참여재판의 절차에 대한 특칙에 해당하지 않는 것은?

① 공판정에는 판사 · 배심원 · 예비배심원 · 검사 · 변호인이 출석한다.

② 국민참여재판절차에는 간이공판절차규정이 배제된다.

③ 국민참여재판에서는 공판준비절차를 거치지 않아도 된다. 즉, 임의적 절차이다.

④ 공판절차가 개시된 후 새로 재판에 참여하는 배심원이 있는 때에는 공판절차를 갱신하여
야 한다.

해설 ③ 국민참여재판에서는 제1회 공판기일 이전에 반드시 공판 전 준비절차를 거쳐야 한다(필요적
절차).

02 다음 중 국민참여재판 절차와 관련하여 틀린 내용은 몇 개인가?

⊙ 공판절차가 개시된 후 새로 재판에 참여하는 배심원 또는 예비배심원이 있는 있는 경우에는
재판장은 이제까지의 소송경과를 설명해야 하나, 공판절차를 갱신할 필요는 없다.

ⓒ 재판장은 피고인의 인정신문이 끝난 후 배심원과 예비배심원에게 선서하게 하여야 한다.

ⓒ 공판준비기일에는 배심원이 참여하지 아니한다.

ⓔ 검사와 피고인 및 변호인은 대등하게 마주보고 위치한다. 다만, 피고인신문을 하는 때에는 피
고인은 재판장과 검사, 변호인의 사이 왼쪽에 좌석한다.

ⓜ 법원은 공판정 외에서 검증, 증인신문 등 증거조사가 이루어지는 경우에 배심원과 예비배심원
에게 증거조사기일의 일시와 장소를 통지하여야 하며, 배심원과 예비배심원은 위 통지를 받은
경우에도 출석하여야 된다.

ⓗ 피고인이 공소사실을 인정하고 있는 경우에는 국민참여재판으로 진행할 수 없다.

ⓢ 배심원 또는 예비배심원은 법원의 증거능력에 관한 심리에 관여할 수 없다.

ⓞ 국민참여재판의 공판준비기일은 원칙적으로 공개한다.

① 2개 　　　　② 3개 　　　　③ 4개 　　　　④ 없음

│ 해설 │ ㉠ ×: 공판절차가 개시된 후 새로 재판에 참여하는 배심원 또는 예비배심원이 있는 때에는 공판절차를 갱신하여야 한다(국민의 형사재판 참여에 관한 법률 제45조).
㉡ ×: 배심원의 선서는 피고인에게 진술거부권을 고지하기 전(즉, 인정신문을 하기 전)에 선서하도록 하여야 한다(국민의 형사재판 참여에 관한 규칙 제35조 제1항). 선서 ⇨ 진술거부권고지 ⇨ 인정신문
㉢ ○: 국민의 형사재판 참여에 관한 법률 제37조 제4항
㉣ ×: 피고인신문으로 하는 때에는 피고인은 증인석에 위치한다(동법 제39조 제1항).
㉤ ○: 국민의 형사재판 참여에 관한 규칙 제36조 제1항·제2항
㉥ ×: 피고인이 공소사실을 인정하고 있는가의 여부는 문제되지 아니한다.
㉦ ○: 국민의 형사재판 참여에 관한 법률 제44조
㉧ ○: 동법 제37조 제3항

03 다음 중 옳은 설명은?

① 국민참여재판에서 법원은 공판정에서의 심리를 속기사로 하여금 속기하게 하거나 녹음장치 또는 영상녹화장치를 사용하여 녹음 또는 영상녹화할 수 있다.
② 국민참여재판의 공판조서에도 통상재판과 동일한 사항을 기재한다.
③ 판사, 검사 및 변호인은 신속하고 이해하기 쉽게 심리를 진행하여 배심원과 예비배심원의 부담을 최소화하도록 노력하여야 한다.
④ 배심원과 예비배심원은 피고인·증인에게 필요한 사항을 검사·변호인의 신문이 끝난 후 질문할 수 있다.

│ 해설 │ ① 국민참여재판에서 법원은 특별한 사정이 없는 한 공판정에서의 심리를 속기사로 하여금 속기하게 하거나 녹음장치 또는 영상녹화장치를 사용하여 녹음 또는 영상녹화하여야 한다(참여법률 제40조). 즉, 녹음 또는 영상녹화가 필수적이다. 이에 따른 속기록·녹음테이프 또는 비디오테이프는 공판조서와는 별도로 보관되어야 하며, 검사·피고인 또는 변호인은 비용을 부담하고 속기록·녹음테이프 또는 비디오테이프의 사본을 청구할 수 있다(동법 동조 제2항).
② 국민참여재판의 공판조서에는 통상절차에 기재할 사항(제51조 제2항) 이외에 법원이 배심원과 예비배심원에게 부여한 번호와 그 출석 여부를 기재하여야 한다.
③ 동법 규칙 제28조
④ 배심원과 예비배심원은 피고인·증인에 대하여 필요한 사항을 신문하여 줄 것을 재판장에게 요청하는 행위를 할 수 있으나 직접 질문할 수는 없다(동법 제41조 제1항, 동법 규칙 제33조 제1항).

THEMA 38 평의·평결 및 판결선고

평의와 평결	1. 재판장은 변론이 종결된 후 법정에서 배심원에게 공소사실의 요지와 적용법조, 피고인과 변호인 주장의 요지, 증거능력 그 밖에 유의할 사항에 관하여 설명하여야 한다. 이 경우 필요한 때에는 증거의 요지에 관하여 설명할 수 있다(국민의 형사재판 참여에 관한 법률 제46조 제1항). 2. 배심원은 유·무죄에 관하여 평의하고, 전원의 의견이 일치하면 그에 따라 평결한다. 다만, 배심원 과반수의 요청이 있으면 심리에 관여한 판사의 의견을 들을 수 있다(동법 제46조 제2항). 3. 배심원은 유·무죄에 관하여 전원의 의견이 일치하지 아니하는 때에는 평결을 하기 전에 심리에 관여한 판사의 의견을 들어야 한다. 이 경우 유·무죄의 평결은 다수결의 방법으로 한다. 09. 7급 국가직, 11. 순경, 15. 9급 법원직, 17. 순경 1차, 24. 경찰승진 심리에 관여한 판사는 평의에 참석하여 의견을 진술한 경우에도 평결에는 참여할 수 없다(동조 제3항). 4. 만장일치 또는 다수결의 평결이 유죄인 경우 배심원은 심리에 관여한 판사와 함께 양형에 관하여 토의하고 그에 관한 의견을 개진한다(동조 제4항). 5. 평결과 양형의견은 법원을 기속하지 아니한다(동조 제5항). 10. 경찰승진, 17. 9급 법원직
판결 선고	1. 판결의 선고는 변론을 종결한 기일에 하여야 한다. 다만, 특별한 사정이 있는 때에는 따로 선고기일을 지정할 수 있다(동법 제48조 제1항). 2. 재판장은 판결선고시 피고인에게 배심원의 평결결과를 고지하여야 하며, 배심원의 평결결과와 다른 판결을 선고하는 때에는 피고인에게 그 이유를 설명하여야 한다(동조 제4항). 23. 9급 법원직, 24. 해경간부 3. 판결서에는 배심원이 재판에 참여하였다는 취지를 기재하여야 하고, 배심원의 의견을 기재할 수 있다(동법 제49조 제1항). 17. 순경 1차 4. 배심원의 평결결과와 다른 판결을 선고하는 때에는 판결서에 그 이유를 기재하여야 한다(동조 제2항). 08. 7급 국가직, 11. 순경·7급 국가직, 12. 경찰승진, 17. 9급 법원직

01 다음은 배심원의 평의 및 평결에 대한 내용이다. 틀린 것은?

① 배심원단은 유·무죄에 관하여 전원일치로 평결한다.

② 배심원은 판사와 함께 양형에 관하여 토의하고 의견을 개진할 수 있다.

③ 배심원의 평결과 의견개진은 법원을 기속한다.

④ 전원의 의견이 일치하지 아니한 때에는 다수결의 방법으로 평결한다.

| 해설 ③ 법원을 기속하지 아니한다(참여법률 제46조 제5항).

02 국민참여재판의 판결선고와 관련된 설명으로 옳지 않은 것은?

① 판결의 선고는 변론을 종결한 기일에 하여야 한다. 다만, 특별한 사정이 있는 때에는 따로 선고기일을 지정할 수 있다.

② ①의 경우 선고기일을 따로 지정한 경우에는 배심원의 출석 없이 개정할 수 있다.

③ 판결서에는 배심원이 재판에 참여하였다는 취지를 기재하여야 하고, 배심원의 의견을 기재할 수 있으며, 배심원의 평결결과와 다른 판결을 선고하는 때에는 판결서에 그 이유를 기재하여야 한다.

④ 배심원이 만장일치로 한 평결을 받아들여 제1심에서 무죄로 판단하였더라도 항소심에서는 전혀 구속받지 않고 다른 판단을 내릴 수 있다.

| 해설 | ① 이때 선고기일은 변론종결 후 14일 이내로 정하여야 한다(참여법률 제48조 제1항·제3항).
② 선고기일을 따로 지정한 경우에는 배심원의 출석 없이 개정할 수 있다(동법 규칙 제43조).
③ 동법 제49조 ④ 국민참여재판으로 진행된 제1심에서 배심원이 만장일치로 한 평결 결과를 받아들여 강도상해의 공소사실을 무죄 판단하였으나, 항소심에서는 피해자에 대하여만 증인신문을 추가로 실시한 다음 제1심의 판단을 뒤집어 이를 유죄로 인정하였다면, 이는 공판중심주의와 실질적 직접심리주의 원칙의 위반 및 증거재판주의에 관한 법리오해의 위법이 있다(대판 2010.3.25, 2009도14065).

03 배심원의 의무와 권리에 대한 설명으로 옳은 것은 모두 몇 개인가?

> ㉠ 배심원은 피고인·증인에 대하여 필요한 사항을 신문하여 줄 것을 재판장에게 요청하는 행위를 할 수 있다.
> ㉡ ㉠의 신문요청은 피고인 또는 증인에 대한 신문이 종료된 직후 서면에 의하여 하여야 한다. 신문요청이 있는 경우 재판장은 요청된 사항을 질문하여야 한다.
> ㉢ 배심원은 필요하다고 인정되는 경우 재판장의 허가를 받아 각자 필기를 하여 이를 평의에 사용하는 행위를 할 수 있다. 재판장은 허용한 필기를 다시 금지할 수는 없다.
> ㉣ 배심원과 예비배심원은 심리도중에 법정을 떠나거나 평의·평결 또는 토의가 완결되기 전에 재판장의 허락 없이 평의·평결 또는 토의 장소를 떠나는 행위를 할 수 없다.
> ㉤ 배심원과 예비배심원은 재판의 진행을 방해하지 않는 한도 내에서 평의가 시작되기 전에도 당해 사건에 관한 자신의 견해를 밝히거나 의논하는 행위를 할 수 있다.

① 없 음   ② 1개   ③ 2개   ④ 3개

| 해설 | ㉠ ○ : 참여법률 제41조 제1항 제1호
㉡ × : 신문요청은 피고인 또는 증인에 대한 신문이 종료된 직후 서면에 의하여 하여야 한다. 재판장은 공판의 원활한 진행을 위하여 필요한 때에는 배심원 또는 예비배심원에 의하여 요청된 신문사항을 수정하여 신문하거나 신문하지 아니할 수 있다(동법 규칙 제33조).
㉢ × : 필기를 하는 행위는 동법 제41조 제1항 제2호에 의해 인정되나, 재판장은 필요하다고 인정되는 때에는 허용한 필기를 언제든지 다시 금지할 수 있다(동법 규칙 제34조 제1항).
㉣ ○ : 동법 제41조 제2항 ㉤ × : 배심원 또는 예비배심원은 평의가 시작되기 전에 당해 사건에 관한 자신의 견해를 밝히거나 의논하는 행위를 할 수 없다(동법 제41조 제2항 제2호).
■ 배심원이 하여서는 아니 될 의무(동법 제41조 제2항)
1. 심리 도중에 법정을 떠나거나 평의·평결 또는 토의가 완결되기 전에 재판장의 허락 없이 평의·평결 또는 토의 장소를 떠나는 행위
2. 평의가 시작되기 전에 당해 사건에 관한 자신의 견해를 밝히거나 의논하는 행위
3. 재판절차 외에서 당해 사건에 관한 정보를 수집하거나 조사하는 행위
4. 이 법에서 정한 평의·평결 또는 토의에 관한 비밀을 누설하는 행위

| Answer | 3. ③

종합문제

01 국민의 형사재판 참여에 대한 설명으로 가장 적절하지 않은 것은?(다툼이 있으면 판례에 의함)

① 국민의 형사재판 참여에 관한 법률은 재판장의 공판기일에서의 최초 설명의무를 규정하고 있는데, 원칙적으로 그 설명의 대상에 검사가 아직 공소장에 의하여 낭독하지 아니한 공소사실 등이 포함된다고 볼 수 없다.

② 법원은 국민참여재판으로 진행하는 것이 적당하지 아니하다고 인정하는 때에는 결정으로 당해 사건을 지방법원 본원 합의부가 국민참여재판에 의하지 아니하고 심판하게 할 수 있다. 이러한 결정에 대하여는 불복할 수 없으며, 결정 전에 행한 소송행위는 결정 이후 그 효력이 소급적으로 소멸한다.

③ 법원은 공소제기 후부터 공판준비기일이 종결된 다음 날까지 공범 관계에 있는 피고인들 중 일부가 국민참여재판을 원하지 아니하여 국민참여재판의 진행에 어려움이 있다고 인정되는 경우에는 국민참여재판을 하지 아니하기로 하는 결정을 할 수 있으며, 이에 대하여는 즉시항고를 할 수 있다.

④ 배심원들 사이에 유·무죄에 관하여 전원의 의견이 일치하지 아니하는 때에는 평결을 하기 전에 심리에 관여한 판사의 의견을 들은 다음 다수결의 방법으로 유·무죄의 평결을 한다.

> **해설** ① 국민의 형사재판 참여에 관한 법률은 제42조 제2항에서 "재판장은 배심원과 예비배심원에 대하여 배심원과 예비배심원의 권한·의무·재판절차, 그 밖에 직무수행을 원활히 하는 데 필요한 사항을 설명하여야 한다."라고 하여 재판장의 공판기일에서의 최초 설명의무를 규정하고 있는데, 이러한 재판장의 최초 설명은 재판절차에 익숙하지 아니한 배심원과 예비배심원을 배려하는 차원에서 국민의 형사재판 참여에 관한 규칙 제35조 제1항에 따라 피고인에게 진술거부권을 고지하기 전에 이루어지는 것으로, 원칙적으로 설명의 대상에 검사가 아직 공소장에 의하여 낭독하지 아니한 공소사실 등이 포함된다고 볼 수 없다(대판 2014.11.13, 2014도8377).
> ② 법원은 심리의 상황이나 그 밖의 사정을 고려하여 국민참여재판으로 진행하는 것이 적당하지 아니하다고 인정하는 때에는 결정으로 당해 사건을 지방법원 본원 합의부가 국민참여재판에 의하지 아니하고 심판하게 할 수 있다. 결정 전에 행한 소송행위는 그 결정 이후에도 그 효력에 영향이 없다(국민의 형사재판 참여에 관한 법률 제6조 제1항·제4항).
> ③ 국민의 형사재판 참여에 관한 법률 제9조 제1항·제3항 ④ 동법 제46조 제3항

02 국민참여재판에 대한 설명으로 가장 적절하지 않은 것은?(다툼이 있는 경우 판례에 의함)

19. 경찰승진

① 국민의 형사재판 참여에 관한 법률에 의하면 제1심 법원이 국민참여재판 대상사건을 피고인의 의사에 따라 국민참여재판으로 진행함에 있어 별도의 국민참여재판 개시결정을 할 필요는 없고, 그에 관한 이의가 있어 제1심 법원이 국민참여재판으로 진행하기로 하는 결정에 이른 경우 이는 판결 전의 소송절차에 관한 결정에 해당하며, 그에 대하여 특별히 즉시항고를 허용하는 규정이 없으므로 그 결정에 대하여는 항고할 수 없다.

② 헌법과 법률이 정한 법관에 의한 재판을 받을 권리는 직업법관에 의한 재판을 주된 내용으로 하는 것으로, 국민참여재판을 받을 권리는 헌법 제27조 제1항에서 규정한 재판을 받을 권리의 보호범위에 속한다.

③ 피고인이 공소장 부본을 송달받은 날부터 7일 이내에 의사확인서를 제출하지 아니한 경우에도 제1회 공판기일이 열리기 전까지는 국민참여재판 신청을 할 수 있고, 법원은 그 의사를 확인하여 국민참여재판으로 진행할 수 있다.

④ 국민의 형사재판 참여에 관한 법률은 제42조 제2항에서 '재판장은 배심원과 예비배심원에 대하여 배심원과 예비배심원의 권한·의무·재판절차, 그 밖에 직무수행을 원활히 하는 데 필요한 사항을 설명하여야 한다.'라고 하여 재판장의 공판기일에서의 최초 설명의무를 규정하고 있는데, 원칙적으로 설명의 대상에 검사가 아직 공소장에 의하여 낭독하지 아니한 공소사실 등이 포함된다고 볼 수 없다.

| 해설 | ①③ 대결 2009.10.23, 2009모1032
② 헌법과 법률이 정한 법관에 의한 재판을 받을 권리는 직업법관에 의한 재판을 주된 내용으로 하는 것이므로, 국민참여재판을 받을 권리가 헌법 제27조 제1항에서 규정한 재판을 받을 권리의 보호범위에 속한다고 볼 수 없다(헌재결 2015.7.30, 2014헌바447).
④ 대판 2014.11.13, 2014도8377

03 국민참여재판절차에 있어서 불복할 수 없는 것은 몇 개인가?

㉠ 배제결정	㉡ 통상절차 회부결정
㉢ 배심원후보자 기피신청 기각결정	㉣ 배심원 해임결정
㉤ 공소장변경으로 국민참여재판에 의하지 아니한다는 결정	

① 1개　　　　　② 2개　　　　　③ 3개　　　　　④ 4개

| 해설 | 불복할 수 없는 것은 ㉡㉣㉤이다.
㉠ 즉시항고할 수 있다(참여법률 제9조 제3항).
㉡ 불복할 수 없다(동법 제11조 제3항).
㉢ 즉시 이의신청을 할 수 있다(동법 제29조 제1항).
㉣ 불복할 수 없다(동법 제32조 제3항).
㉤ 불복할 수 없다(동법 제6조 제2항).

04 국민참여재판에 대한 설명으로 가장 적절한 것은?(다툼이 있는 경우 판례에 의함) 19. 순경 1차

① 제1심 법원이 국민참여재판의 대상이 되는 사건임을 간과하여 이에 관한 피고인의 의사를 확인하지 아니한 채 통상의 공판절차로 재판을 진행한 경우, 피고인이 항소심에서 국민참여재판 절차를 안내받고 그 희망 여부에 관하여 숙고할 수 있는 시간이 부여된 상황에서 위와 같은 제1심의 절차적 위법을 문제삼지 아니할 의사를 명백히 표시하였더라도 제1심 법원의 하자는 치유되지 않는다.

| Answer | 3. ③　4. ②

② 피고인이 제1심 법원에 국민참여재판을 신청하였음에도 불구하고 제1심 법원이 이에 대한 배제결정도 하지 않은 채 통상의 공판절차로 재판을 진행한 경우, 이러한 제1심 법원의 소송절차상의 하자는 직권조사사유에 해당하므로 피고인이 이러한 점을 항소사유로 삼고 있지 않다 하더라도 항소심 법원은 직권으로 제1심 판결을 파기하여야 한다.

③ 배심원의 평결은 전원의 의견이 일치하여야 하므로 전원의 의견이 일치하지 않는 경우에는 새로이 배심원단을 구성한 후 공판절차를 진행한다.

④ 국민참여재판의 피고인이 공판정에서 자백한 경우, 법원은 그 공소사실에 한하여 간이공판절차에 의하여 심판하도록 결정할 수 있다.

> **해설** ① 제1심 법원이 국민참여재판 대상이 되는 사건임을 간과하여 이에 관한 피고인의 의사를 확인하지 아니한 채 통상의 공판절차로 재판을 진행하였더라도, 피고인이 항소심에서 국민참여재판을 원하지 아니한다고 하면서 위와 같은 제1심의 절차적 위법을 문제삼지 아니할 의사를 명백히 표시하는 경우에는 하자가 치유되어 제1심 공판절차는 전체로서 적법하게 된다고 보아야 한다(대판 2012.4.26, 2012도1225).
> ② 대판 2011.9.8, 2011도7106
> ③ 배심원은 유·무죄에 관하여 전원의 의견이 일치하지 아니하는 때에는 평결을 하기 전에 심리에 관여한 판사의 의견을 들어야 한다. 이 경우 유·무죄의 평결은 다수결의 방법으로 한다. 심리에 관여한 판사는 평의에 참석하여 의견을 진술한 경우에도 평결에는 참여할 수 없다(국민의 형사재판 참여에 관한 법률 제46조 제3항).
> ④ 국민참여재판에는 간이공판절차 규정의 적용이 배제된다(동법 제43조).

05 국민참여재판에 관한 설명으로 옳은 것은 모두 몇 개인가?(다툼이 있는 경우 판례에 의함)

> ⊙ 법원은 원칙적으로 배심원 선정기일 이전에 공판준비절차를 마쳐야 한다.
> ⓛ 예비배심원은 배심원과는 달리 피고인에 대하여 필요한 사항을 신문하여 줄 것을 재판장에게 요청할 수 없다.
> ⓒ 법원은 배심원과 예비배심원에게 번호를 부여하여 그 순서에 따라 착석하도록 하고, 배심원과 예비배심원은 반드시 구분하여야 한다.
> ② 평의·평결 및 양형에 관한 토의는 변론이 종결된 후 연속하여 진행하여야 하나 재판장은 필요하다고 인정하는 때에는 변론 종결일로부터 5일 이내의 범위 내에서 평의·평결 및 양형에 관한 토의를 위한 기일을 따로 지정할 수 있다.
> ⓜ 유·무죄의 평결은 법원을 기속하지 않으나 유죄인 경우 양형에 대한 의견은 법원을 기속한다.
> ⓗ 배심원과 예비배심원은 재판장의 허가를 받아 각자 필기를 하여 이를 평의에 사용할 수 있다. 다만, 이 경우에도 재판장은 배심원과 예비배심원에게 평의 도중을 제외한 어떤 경우에도 자신의 필기 내용을 다른 사람이 알 수 없도록 할 것을 주지시켜야 한다.
> ⓢ 국민참여재판 대상사건을 피고인의 의사에 따라 국민참여재판으로 진행함에 있어 별도의 국민참여재판 개시결정을 할 필요는 없고, 그에 관한 이의가 있어 제1심 법원이 국민참여재판으로 진행하기로 하는 결정에 이른 경우 이 결정에 대하여는 항고할 수 없다.
> ⓞ 국민참여재판에서 배심원이 만장일치 의견으로 내린 무죄의 평결을 존중하여 제1심 법원이 무죄판결을 내린 경우, 검사는 항소를 제기할 수 없다.

① 1개   ② 2개   ③ 3개   ④ 4개

해설 ㉠ ○ : 법원은 배심원 선정기일 이전에 공판준비절차를 마쳐야 한다. 다만, 공판기일 사이에 공판준비기일을 진행하는 때에는 그러하지 아니하다(국민의 형사재판 참여에 관한 규칙 제27조).
㉡ × : 배심원·예비배심원 모두 요청할 수 있다(국민의 형사재판 참여에 관한 법률 제41조 제1항 제1호).
㉢ × : 법원은 배심원과 예비배심원에게 번호를 부여하여 그 순서에 따라 착석하도록 하고, 필요하다고 인정되는 경우에는 변론이 종결될 때까지 배심원과 예비배심원을 따로 구분하지 아니할 수 있다(동법 규칙 제30조 제1항).
㉣ × : 평의·평결 및 양형에 관한 토의는 변론이 종결된 후 연속하여 진행하여야 한다. 다만, 재판장은 평의 등에 소요되는 시간 등을 고려하여 필요하다고 인정하는 때에는 변론 종결일로부터 3일 이내의 범위 내에서 평의·평결 및 양형에 관한 토의를 위한 기일을 따로 지정할 수 있다(동법 규칙 제39조 제1항).
㉤ × : 평결과 의견은 법원을 기속하지 아니한다(동법 제46조 제5항).
㉥ ○ : 동법 제41조 제1항 제2호, 동법 규칙 제34조 제2항
㉧ ○ : 대결 2009.10.23, 2009모1032
㉨ × : 이 경우에도 검사는 항소를 제기할 수 있다(대판 2010.3.25, 2009도14065).

06 **국민참여재판에 관한 설명 중 가장 옳은 것은?**(다툼이 있는 경우 판례에 의함)   20. 9급 법원직

① 피고인은 공소장 부본을 송달받은 날부터 7일 이내에 국민참여재판을 원하는지 여부에 관한 의사가 기재된 서면을 제출하여야 한다. 이 경우 피고인이 서면을 우편으로 발송한 때에는 법원에 도착한 날 법원에 제출한 것으로 본다.

② 국민참여재판 대상이 되는 사건임에도 법원에서 피고인이 국민참여재판을 원하는지에 관한 의사 확인절차를 거치지 아니한 채 통상의 공판절차로 재판을 진행하였다면, 그 절차는 위법하고 이러한 위법한 공판절차에서 이루어진 소송행위도 무효이다.

③ 제1심 법원이 국민참여재판 대상이 되는 사건임을 간과하여 이에 관한 피고인의 의사를 확인하지 아니한 채 통상의 공판절차로 재판을 진행하였다면, 피고인이 항소심에서 국민참여재판을 원하지 아니한다고 하면서 위와 같은 제1심의 절차적 위법을 문제삼지 아니할 의사를 명백히 표시하여도 그 하자가 치유되지는 않는다.

④ 법원은 공소제기 후부터 공판준비기일이 종결된 다음 날까지 성폭력범죄의 처벌 등에 관한 특례법의 성폭력범죄 피해자가 국민참여재판을 원하지 아니하는 경우에 국민참여재판을 하지 아니하기로 하는 결정을 할 수 있는데 위 결정에 대하여 피고인은 불복할 수 없다.

해설 ① 피고인은 공소장 부본을 송달받은 날부터 7일 이내에 국민참여재판을 원하는지 여부에 관한 의사가 기재된 서면을 제출하여야 한다. 이 경우 피고인이 서면을 우편으로 발송한 때에는 교도소 또는 구치소에 있는 피고인이 서면을 교도소장 또는 구치소장 또는 직무를 대리하는 자에게 제출한 때에 법원에 제출한 것으로 본다(국민의 형사재판 참여에 관한 법률 제8조 제2항).
② 대판 2013.1.31, 2012도13896
③ 피고인이 항소심에서 국민참여재판을 원하지 아니한다고 하면서 위와 같은 제1심의 절차적 위법을 문제삼지 아니할 의사를 명백히 표시한 경우에는 그 하자가 치유된다(대판 2013.1.31, 2012도13896).
④ 대판 1983.7.12, 82도3216

Answer 6. ②

07 국민참여재판절차에 대한 설명으로 옳지 않은 것은?(다툼이 있는 경우 판례에 의함)

21. 9급 검찰 · 마약수사

① 국민참여재판에 관하여 변호인이 없는 때에는 법원은 직권으로 변호인을 선정하여야 한다.
② 국민참여재판에서 배심원은 사실의 인정, 법령의 적용 및 형의 양정에 관한 의견을 제시할 권한은 있으나, 법원의 증거능력에 관한 심리에 관여할 수는 없다.
③ 피고인의 국민참여재판 불희망 의사를 확인하였다고 하더라도, 국민참여재판 안내서 등을 피고인에게 교부하거나 사전에 송달하는 등의 국민참여재판절차에 관한 충분한 안내를 하지 않았거나 그 희망 여부에 관한 상당한 숙고시간을 부여하지 않았다면, 그 의사의 확인절차를 적법하게 거쳤다고 볼 수는 없다.
④ 법원이 국민참여재판 대상사건을 피고인의 의사에 따라 국민참여재판으로 진행함에 있어서는 별도의 국민참여재판 개시결정을 하여야 한다.

┃ **해설** ┃ ① 참여법률 제7조
② 동법 제12조 제1항, 제44조
③ 대판 2012.4.26, 2012도1225
④ 국민의 형사재판 참여에 관한 법률에 의하면 제1심 법원이 국민참여재판 대상사건을 피고인의 의사에 따라 국민참여재판으로 진행함에 있어 별도의 국민참여재판 개시결정을 할 필요는 없고, 그에 관한 이의가 있어 제1심 법원이 국민참여재판으로 진행하기로 하는 결정에 이른 경우 이는 판결 전의 소송절차에 관한 결정에 해당하며 그에 대하여 특별히 즉시항고를 허용하는 규정이 없으므로 위 결정에 대하여는 항고할 수 없다(대결 2009.10.23, 2009모1032).

08 국민참여재판에 대한 설명으로 옳지 않은 것은?(다툼이 있는 경우 판례에 의함)

22. 9급 교정 · 보호 · 철도경찰

① 배심원의 평결과 의견은 법원을 기속하지 아니한다.
② 국민참여재판에 관하여 변호인이 없는 때에는 법원은 직권으로 변호인을 선정하여야 한다.
③ 피고인이 법원에 국민참여재판을 신청하였음에도 불구하고 법원이 이에 대한 배제결정도 하지 않은 채 통상의 공판절차로 재판을 진행하는 것은 피고인의 국민참여재판을 받을 권리 및 법원의 배제결정에 대한 항고권 등의 중대한 절차적 권리를 침해한 것으로 위법하다.
④ 배심원은 만 19세 이상의 대한민국 국민 중에서 선정된다.

┃ **해설** ┃ ① 국민의 형사재판 참여에 관한 법률 제46조 제5항
② 국민의 형사재판 참여에 관한 법률 제7조
③ 대판 2011.9.8, 2011도7106
④ 배심원은 만 20세 이상의 대한민국 국민 중에서 선정된다(국민의 형사재판 참여에 관한 법률 제16조).

09 국민참여재판에 관한 다음 설명 중 가장 옳지 않은 것은?(다툼이 있는 경우 판례에 의하고, 전원합의체 판결의 경우 다수의견에 의함)

23. 9급 법원직

① 피고인은 공소장 부본을 송달받은 날부터 7일 이내에 국민참여재판을 원하는지 여부에 관한 의사가 기재된 서면을 제출하여야 하나, 공소장 부본을 송달받은 날부터 7일 이내에 의사확인서를 제출하지 아니한 피고인도 제1회 공판기일이 열리기 전까지는 국민참여재판 신청을 할 수 있고, 법원은 그 의사를 확인하여 국민참여재판으로 진행할 수 있다.

② 국민참여재판 대상 사건의 피고인이 국민참여재판을 신청하였는데도 법원이 이에 대한 배제결정을 하지 않은 채 통상의 공판절차로 재판을 진행하는 것은 위법하고, 이와 같이 위법한 공판절차에서 이루어진 소송행위는 무효라고 보아야 한다.

③ 피고인은 국민참여재판을 받을 것인지에 대한 의사를 번복할 수 있으나, 공판준비기일이 종결되거나 제1회 공판기일이 열린 이후에는 종전의 의사를 바꿀 수 없다.

④ 배심원의 평결과 양형에 관한 의견은 법원을 기속하지 않으므로, 재판장은 판결선고시 피고인에게 배심원의 평결결과를 고지하거나 평결결과와 다른 판결을 선고하는 이유를 설명할 필요가 없다.

| 해설 ① 대결 2009.10.23, 2009모1032 ② 대판 2011.9.8, 2011도7106
③ 국민의 형사재판 참여에 관한 법률 제8조 제4항
④ 재판장은 판결선고시 피고인에게 배심원의 평결결과를 고지하여야 하며, 배심원의 평결결과와 다른 판결을 선고하는 때에는 피고인에게 그 이유를 설명하여야 한다(국민의 형사재판 참여에 관한 법률 제48조 제4항).

10 국민의 형사재판 참여에 관한 법률(이하 '국민참여재판법'이라 함)에 대한 다음 설명 중 가장 옳지 않은 것은?(다툼이 있는 경우 판례에 의함)

24. 해경간부

① 배심원 또는 예비배심원은 법원의 증거능력에 관한 심리에 관여할 수 없다.

② 배심원의 평의와 평결은 전원의 의견이 일치하면 그에 따라 평결하며, 배심원의 과반수의 요청이 있으면 심리에 관여한 판사의 의견을 들을 수 있다.

③ 배심원이 유·무죄에 관해 전원의 의견이 일치하지 않는 때에는 평결을 하기 전에 심리에 관여한 판사의 의견을 들어야 하고, 이 경우 유·무죄의 평결은 다수결의 방법으로 한다. 심리에 관여한 판사는 평의에 참석하여 의견을 진술한 경우에도 평결에는 참여할 수 없다.

④ 재판장은 판결선고시 배심원의 평결결과와 다른 판결을 선고하는 때에는 배심원에게 그 이유를 설명해야 하고, 판결서에도 배심원의 평결결과와 다른 이유를 기재하여야 한다.

| 해설 ① 참여법률 제44조 ② 동법률 제46조 제2항 ③ 동법률 제46조 제3항
④ 재판장은 판결선고시 배심원의 평결결과와 다른 판결을 선고하는 때에는 피고인(배심원 ×)에게 그 이유를 설명해야 하고(제48조 제4항), 판결서에도 배심원의 평결결과와 다른 이유를 기재하여야 한다(제49조 제2항).

Answer 9. ④ 10. ④

11 국민참여재판에 관한 설명으로 가장 적절하지 않은 것은?(다툼이 있는 경우 판례에 의함)

24. 경찰승진

① 국민참여재판 대상이 되는 사건임에도 법원에서 피고인이 국민참여재판을 원하는지에 관한 의사 확인절차를 거치지 아니한 채 통상의 공판절차로 재판을 진행하였다면, 그 절차는 위법하고 이러한 위법한 공판절차에서 이루어진 소송행위도 무효이다.

② 헌법과 법률이 정한 법관에 의한 재판을 받을 권리는 직업법관에 의한 재판을 주된 내용으로 하는 것이므로, 국민참여재판을 받을 권리가 헌법 제27조 제1항에서 규정한 재판을 받을 권리의 보호범위에 속한다고 볼 수 없다.

③ 피고인이 공소장 부본을 송달받은 날부터 7일이 경과한 후에는 국민참여재판 신청을 할 수 없다.

④ 배심원은 유·무죄에 관하여 전원의 의견이 일치하지 아니하는 때에는 평결을 하기 전에 심리에 관여한 판사의 의견을 들은 다음 다수결 방법으로 유·무죄의 평결을 한다.

| 해설 ① 대판 2012.4.26, 2012도1225
② 헌재결 2009.11.26, 2008헌바12
③ 공소장 부본을 송달받은 날부터 7일 이내에 의사확인서를 제출하지 아니한 피고인도 제1회 공판기일이 열리기 전까지는 국민참여재판 신청을 할 수 있고, 법원은 그 의사를 확인하여 국민참여재판으로 진행할 수 있다고 봄이 상당하다(대결 2009.10.23, 2009모1032).
④ 참여법률 제46조 제3항

ADVICE

증거편은 형사소송법 중에서 가장 출제빈도가 높은 분야이며, 이해하기 어려운 대목이기도 하다. 특히 개정된 부분과 판례정리에 유념하면서 하나하나 모두 중요하다고 생각하고 열심히 공부하기 바란다.

관련조문

제307조【증거재판주의】 ① 사실의 인정은 증거에 의하여야 한다.

② 범죄사실의 인정은 합리적인 의심이 없는 정도의 증명에 이르러야 한다.

제308조【자유심증주의】 증거의 증명력은 법관의 자유판단에 의한다.

제308조의 2【위법수집증거의 배제】 적법한 절차에 따르지 아니하고 수집한 증거는 증거로 할 수 없다.

제309조【강제 등 자백의 증거능력】 피고인의 자백이 고문, 폭행, 협박, 신체구속의 부당한 장기화 또는 기망 기타의 방법으로 임의로 진술한 것이 아니라고 의심할 만한 이유가 있는 때에는 이를 유죄의 증거로 하지 못한다.

제310조【불이익한 자백의 증거능력】 피고인의 자백이 그 피고인에게 불이익한 유일의 증거인 때에는 이를 유죄의 증거로 하지 못한다.

제310조의 2【전문증거와 증거능력의 제한】 제311조 내지 제316조에 규정한 것 이외에는 공판준비 또는 공판기일에서의 진술에 대신하여 진술을 기재한 서류나 공판준비 또는 공판기일 외에서의 타인의 진술을 내용으로 하는 진술은 이를 증거로 할 수 없다.

제311조【법원 또는 법관의 조서】 공판준비 또는 공판기일에 피고인이나 피고인 아닌 자의 진술을 기재한 조서와 법원 또는 법관의 검증의 결과를 기재한 조서는 증거로 할 수 있다. 제184조 및 제221조의 2의 규정에 의하여 작성한 조서도 또한 같다.

제312조【검사 또는 사법경찰관의 조서 등】 ① 검사가 작성한 피의자신문조서는 적법한 절차와 방식에 따라 작성된 것으로서 공판준비, 공판기일에 그 피의자였던 피고인 또는 변호인이 그 내용을 인정할 때에 한정하여 증거로 할 수 있다. <개정 2020.2.4>

② 삭제 <2020. 2. 4>

③ 검사 이외의 수사기관이 작성한 피의자신문조서는 적법한 절차와 방식에 따라 작성된 것으로서 공판준비 또는 공판기일에 그 피의자였던 피고인 또는 변호인이 그 내용을 인정할 때에 한하여 증거로 할 수 있다.

④ 검사 또는 사법경찰관이 피고인이 아닌 자의 진술을 기재한 조서는 적법한 절차와 방식에 따라 작성된 것으로서 그 조서가 검사 또는 사법경찰관 앞에서 진술한 내용과 동일하게 기재되어 있음이 원진술자의 공판준비 또는 공판기일에서의 진술이나 영상녹화물 또는 그 밖의 객관적인 방법에 의하여 증명되고, 피고인 또는 변호인이 공판준비 또는 공판기일에 그 기재 내용에 관하여 원진술자를 신문할 수 있었던 때에는 증거로 할 수 있다. 다만, 그 조서에 기재된 진술이 특히 신빙할 수 있는 상태 하에서 행하여졌음이 증명된 때에 한한다.

⑤ 제1항부터 제4항까지의 규정은 피고인 또는 피고인이 아닌 자가 수사과정에서 작성한 진술서에 관하여 준용한다.

⑥ 검사 또는 사법경찰관이 검증의 결과를 기재한 조서는 적법한 절차와 방식에 따라 작성된 것으로서 공판준비 또는 공판기일에서의 작성자의 진술에 따라 그 성립의 진정함이 증명된 때에는 증거로 할 수 있다.

제313조【진술서 등】 ① 전2조의 규정 이외에 피고인 또는 피고인이 아닌 자가 작성한 진술서나 그 진술을 기재한 서류로서 그 작성자 또는 진술자의 자필이거나 그 서명 또는 날인이 있는 것(피고인 또는 피고인 아닌 자가 작성하였거나 진술한 내용이 포함된 문자·사진·영상 등의 정보로서 컴퓨터용 디스크, 그 밖에 이와 비슷한 정보저장매체에 저장된 것을 포함한다)은 공판준비나 공판기일에서의 그 작성자 또는 진술자의 진술에 의하여 그 성립의 진정함이 증명된 때에는 증거로 할 수 있다. 단, 피고인의 진술을 기재한 서류는 공판준비 또는 공판기일에서의 그 작성자의 진술에 의하여 그 성립의 진정함이 증명되고 그 진술이 특히 신빙할 수 있는 상태하에서 행하여진 때에 한하여 피고인의 공판준비 또는 공판기일에서의 진술에 불구하고 증거로 할 수 있다.

② 제1항 본문에도 불구하고 진술서의 작성자가 공판준비나 공판기일에서 그 성립의 진정을 부인하는 경우에는 과학적 분석결과에 기초한 디지털포렌식 자료, 감정 등 객관적 방법으로 성립의 진정함이 증명되는 때에는 증거로 할 수 있다. 다만, 피고인 아닌 자가 작성한 진술서는 피고인 또는 변호인이 공판준비 또는 공판기일에 그 기재 내용에 관하여 작성자를 신문할 수 있었을 것을 요한다.

③ 감정의 경과와 결과를 기재한 서류도 제1항 및 제2항과 같다.

규칙 제135조【자백의 조사 시기】 법 제312조 및 법 제313조에 따라 증거로 할 수 있는 피고인 또는 피고인 아닌 자의 진술을 기재한 조서 또는 서류가 피고인의 자백 진술을 내용으로 하는 경우에는 범죄사실에 관한 다른 증거를 조사한 후에 이를 조사하여야 한다.

제314조【증거능력에 대한 예외】 제312조 또는 제313조의 경우에 공판준비 또는 공판기일에 진술을 요하는 자가 사망·질병·외국거주·소재불명 그 밖에 이에 준하는 사유로 인하여 진술할 수 없는 때에는 그 조서 및 그 밖의 서류(피고인 또는 피고인 아닌 자가 작성하였거나 진술한 내용이 포함된 문자·사진·영상 등의 정보로서 컴퓨터용디스크, 그 밖에 이와 비슷한 정보저장매체에 저장된 것을 포함한다)를 증거로 할 수 있다. 다만, 그 진술 또는 작성이 특히 신빙할 수 있는 상태하에서 행하여졌음이 증명된 때에 한한다.

제315조【당연히 증거능력이 있는 서류】 다음에 게기한 서류는 증거로 할 수 있다.

1. 가족관계기록사항에 관한 증명서, 공정증서등본 기타 공무원 또는 외국공무원의 직무상 증명할 수 있는 사항에 관하여 작성한 문서
2. 상업장부, 항해일지 기타 업무상 필요로 작성한 통상문서
3. 기타 특히 신용할 만한 정황에 의하여 작성된 문서

제316조【전문의 진술】 ① 피고인이 아닌 자(공소제기 전에 피고인을 피의자로 조사하였거나 그 조사에 참여하였던 자를 포함한다. 이하 이 조에서 같다)의 공판준비 또는 공판기일에서의 진술이 피고인의 진술을 그 내용으로 하는 것인 때에는 그 진술이 특히 신빙할 수 있는 상태하에서 행하여졌음이 증명된 때에 한하여 이를 증거로 할 수 있다.

② 피고인 아닌 자의 공판준비 또는 공판기일에서의 진술이 피고인 아닌 타인의 진술을 그 내용으로 하는 것인 때에는 원진술자가 사망, 질병, 외국거주, 소재불명 그 밖에 이에 준하는 사유로 인하여 진술할 수 없고, 그 진술이 특히 신빙할 수 있는 상태하에서 행하여졌음이 증명된 때에 한하여 이를 증거로 할 수 있다.

제317조【진술의 임의성】 ① 피고인 또는 피고인 아닌 자의 진술이 임의로 된 것이 아닌 것은 증거로 할 수 없다.

② 전항의 서류는 그 작성 또는 내용인 진술이 임의로 되었다는 것이 증명된 것이 아니면 증거로 할 수 없다.

③ 검증조서의 일부가 피고인 또는 피고인 아닌 자의 진술을 기재한 것인 때에는 그 부분에 한하여 전2항의 예에 의한다.

제318조【당사자의 동의와 증거능력】 ① 검사와 피고인이 증거로 할 수 있음을 동의한 서류 또는 물건은 진정한 것으로 인정한 때에는 증거로 할 수 있다.

② 피고인의 출정없이 증거조사를 할 수 있는 경우에 피고인이 출정하지 아니한 때에는 전항의 동의가 있는 것으로 간주한다. 단, 대리인 또는 변호인이 출정한 때에는 예외로 한다.

제318조의 2【증명력을 다투기 위한 증거】 ① 제312조부터 제316조까지의 규정에 따라 증거로 할 수 없는 서류나 진술이라도 공판준비 또는 공판기일에서의 피고인 또는 피고인이 아닌 자(공소제기 전에 피고인을 피의자로 조사하였거나 그 조사에 참여하였던 자를 포함한다. 이하 이 조에서 같다)의 진술의 증명력을 다투기 위하여 증거로 할 수 있다.

② 제1항에도 불구하고 피고인 또는 피고인이 아닌 자의 진술을 내용으로 하는 영상녹화물은 공판준비 또는 공판기일에 피고인 또는 피고인이 아닌 자가 진술함에 있어서 기억이 명백하지 아니한 사항에 관하여 기억을 환기시켜야 할 필요가 있다고 인정되는 때에 한하여 피고인 또는 피고인이 아닌 자에게 재생하여 시청하게 할 수 있다.

규칙 제134조의 5【기억 환기를 위한 영상녹화물의 조사】 ① 법 제318조의 2 제2항에 따른 영상녹화물의 재생은 검사의 신청이 있는 경우에 한하고, 기억의 환기가 필요한 피고인 또는 피고인 아닌 자에게만 이를 재생하여 시청하게 하여야 한다.

② 제134조의 2 제3항부터 제5항까지와 제134조의 4는 검사가 법 제318조의 2 제2항에 의하여 영상녹화물의 재생을 신청하는 경우에 준용한다.

제318조의 3【간이공판절차에서의 증거능력에 관한 특례】 제286조의 2의 결정이 있는 사건의 증거에 관하여는 제310조의 2, 제312조 내지 제314조 및 제316조의 규정에 의한 증거에 대하여 제318조 제1항의 동의가 있는 것으로 간주한다. 단, 검사, 피고인 또는 변호인이 증거로 함에 이의가 있는 때에는 그러하지 아니하다.

제1절　증거법 일반

I. 증거의 의의 및 종류

THEMA 39	증거의 종류
직접증거 · 간접증거	직접증거란 범죄사실을 직접적으로 증명하는 증거를 말하고(🖾 범행목격자, 위조통화), 간접증거란 범죄사실을 간접적으로 추측케 하는 증거를 말한다. 간접증거를 정황증거라고도 한다. 직접증거와 간접증거는 증명력 그 자체에 우열이 있는 것은 아니다. 🖾 간접증거의 예 1. 어떤 자가 사건 당일 범죄현장에서 배회하고 있었던 사실 2. 어떤 자가 피해자에 대하여 며칠 전부터 원한을 품고 있었던 사실 3. 범죄현장에 남겨진 지문 01. 행시, 08. 9급 국가직 4. 상해사건에서 피해자진단서 12. 경찰간부
인적 증거 · 물적 증거 · 서증	1. 인증이란 사람의 진술내용이 증거로 되는 것을 말하며 증인의 증언, 감정인의 진술, 피고인의 진술 등이 이에 해당한다. 2. 물증이란 물건의 존재 또는 상태가 증거로 되는 것을 말하며 증거물이라고도 한다. 범행에 사용된 흉기 등이 해당된다. 3. 서증이란 증거서류와 증거물인 서면을 합하여 서증이라 한다.
진술증거 · 비진술증거	1. 진술증거란 사람의 진술이 증거로 되는 경우를 말한다. 여기에는 진술(🖾 피고인진술, 증인의 증언)과 진술이 기재된 서면(🖾 피의자신문조서, 진술조서)이 포함된다. 이에 대하여 단순한 증거물이나 사람의 신체상태 등이 증거로 되는 경우가 비진술증거이다. 2. 진술증거는 다시 원본증거(범죄사실에 관한 사실을 체험한 사람이 직접 법원에 진술하는 것 ⇨ 본래증거)와 전문증거(직접 체험한 자의 진술이 서면이나 타인의 진술을 통하여 간접적인 방법으로 법원에 전달되는 증거)로 나눌 수 있다.
본증 · 반증	1. 거증책임을 부담하는 자가 제출하는 증거가 본증이며, 본증에 의하여 증명하려는 사실의 존재를 부인하기 위하여 제출하는 증거를 반증이라 한다. 2. 현행법상 거증책임은 원칙적으로 검사가 지고 있으므로 검사가 제출하는 증거를 본증, 피고인이 제출하는 증거를 반증이라 할 수 있다.
실질증거 · 보조증거	1. 실질증거란 주요사실의 존부를 직접 · 간접적으로 증명하기 위해 사용되는 증거를 말하고, 실질증거의 증명력을 다투기 위하여 사용되는 증거를 보조증거라 한다. 2. 보조증거에는 보강증거(실질증거의 증명력이 불충분한 경우 그 증명력을 증강하기 위한 증거)와 탄핵증거(실질증거의 증명력을 감쇄하기 위한 증거)가 있다.

01 다음은 증거에 관한 설명이다. 이 중 틀린 것은?

① 범행현장에서 배회하는 것을 보았다는 목격자의 증언은 직접증거이다.
② 범행현장에 있는 범인의 지문은 정황증거이다.
③ 증거서류와 증거물인 서면을 합하여 서증이라 한다.
④ 피고인이 제출하는 증거를 반증이라 한다.

│해설│ ① 간접증거이다.
④ 거증책임을 부담하는 자가 제출하는 증거가 본증이며 본증에 의하여 증명하려 하는 사실의 존재를 부인하기 위하여 제출한 증거를 반증이라 한다. 현행법상 거증책임은 원칙적으로 검사가 지고 있으므로 검사가 제출하는 증거를 본증, 피고인이 제출하는 증거를 반증이라 할 수 있다.

02 증거에 관한 설명으로 옳은 것은 몇 개인가?

> ㉠ 범죄현장을 목격한 목격자의 진술은 직접증거이면서 본래의 증거이다.
> ㉡ 피고인의 옷에 묻은 혈흔은 직접증거에 해당하나, 상해진단서 등은 직접증거에 해당한다.
> ㉢ 직접증거와 간접증거의 분류는 요증사실과의 관련에 의한 분류이다.
> ㉣ 원칙적으로 피고인이 제출한 증거가 반증이다.
> ㉤ 절도사건에서 피고인이 장물을 소지하고 있는 것을 보았다는 내용의 증언은 직접증거에 해당한다.
> ㉥ 증인의 증언은 증거방법에 해당한다.

① 1개   ② 2개   ③ 3개   ④ 4개

│해설│ ㉠ ○ : 범죄현장을 목격한 목격자의 진술은 증인이 직접 체험한 사실을 중간매체를 거치지 않고 직접 법원에 진술하는 경우이므로 본래의 증거이다. 그리고 범죄사실을 직접 증명하는 증거에 해당하므로 직접증거이기도 하다.
㉡ × : 모두 간접증거에 해당한다.
㉢ ○ : 요증사실(증명을 요하는 사실)을 직접 증명하는 증거가 직접증거이며, 간접적으로 추측하게 할 수 있는 증거가 간접증거이므로 요증사실과 관련한 증거의 종류이다.
㉣ ○ : 본증이란 거증책임자가 제출한 증거를 말하고 그 반대자가 제출한 증거가 반증이다. 주로 거증책임은 검사에게 있으므로 원칙적으로 피고인이 제출한 증거는 반증이라고 할 수 있다.
㉤ × : 간접증거이다.
㉥ × : 증거자료이다.

03 간접증거에 대한 설명으로 옳은 것은?(다툼이 있는 경우 판례에 의함)   12. 경찰간부

① 유죄의 심증은 반드시 직접증거에 의하여 형성되어야만 하는 것은 아니고 경험칙과 논리법칙에 위반되지 아니하는 한 간접증거에 의하여 형성되어도 되는 것이다.
② 범행에 관한 간접증거는 존재하고 있으나, 범인으로 지목되고 있는 자에게 범행을 저지를 만한 동기가 발견되지 않는다면, 만연히 무엇인가 동기가 분명히 있는데도 이를 범인이 숨기고 있다고 단정할 것이다.

│Answer│ 1.① 2.③ 3.①

214 페이지 제4편 공판

③ 간접증거가 개별적으로 완전한 증명력을 가지지 못한다면 종합적으로 고찰하여 증명력이 있는 것으로 판단되더라도 그에 의하여 범죄사실을 인정할 수 없다.

④ 간접증거와 직접증거의 구분은 증거법정주의보다는 자유심증주의에서 더욱 의미를 갖는다.

해설 ① 대판 2008.11.27, 2007도4977

② 범행에 관한 간접증거만이 존재하고 더구나 그 간접증거의 증명력에 한계가 있는 경우, 범인으로 지목되고 있는 자에게 범행을 저지를 만한 동기가 발견되지 않는다면, 만연히 무엇인가 동기가 분명히 있는데도 이를 범인이 숨기고 있다고 단정할 것이 아니라 반대로 간접증거의 증명력이 그만큼 떨어진다고 평가하는 것이 형사증거법의 이념에 부합하는 것이라 할 것이다(대판 2006.3.9, 2005도8675).

③ 간접증거가 개별적으로 완전한 증명력을 가지지 못한다면 종합적으로 고찰하여 증명력이 있는 것으로 판단되면 그에 의하여 범죄사실을 인정할 수 있다(대판 2000.11.10, 2000도2524).

④ 직접증거와 간접증거의 구별은 직접증거에 대하여 보다 높은 증명력을 인정하였던 증거법정주의 아래에서 커다란 의미를 가지고 있었다. 그러나 증명력판단에 제한을 두지 않는 자유심증주의하에서는 직접증거와 간접증거의 구별은 큰 의미가 없다.

04 다음 중 판례의 태도로 가장 적절하지 않은 것은?　　　　　14. 경찰승진

① 형사재판에서 이와 관련된 다른 형사사건의 확정판결에서 인정된 사실은 특별한 사정이 없는 한 유력한 증거자료가 되는 것이나 당해 형사재판에서 제출된 다른 증거 내용에 비추어 관련 형사사건 확정판결의 사실판단을 그대로 채택하기 어렵다고 인정될 경우에는 이를 배척할 수 있다.

② 부검의(剖檢醫)가 사체에 대한 부검을 실시한 후 어떤 것을 유력한 사망원인으로 지시한다고 하여 그 밖의 다른 사인이 존재할 가능성을 가볍게 배제하여서는 아니 되고, 특히 형사재판에서 부검의의 소견에 주로 의지하여 유죄의 인정을 하기 위해서는 다른 가능한 사망원인을 모두 배제하기 위한 치밀한 논증의 과정을 거치지 않으면 아니 된다.

③ 상해죄의 피해자가 제출하는 상해진단서는 일반적으로 의사가 당해 피해자의 진술을 토대로 상해의 원인을 파악한 후 의학적 전문지식을 동원하여 관찰·판단한 상해의 부위와 정도 등을 기재한 것으로서 거기에 기재된 상해가 곧 피고인의 범죄행위로 인하여 발생한 것이라는 사실을 직접 증명하는 증거가 되기에 충분하다.

④ 형사재판에서 범죄사실의 인정은 법관으로 하여금 합리적인 의심을 할 여지가 없을 정도의 확신을 가지게 하는 증명력을 가진 엄격한 증거에 의하여야 하므로 검사의 증명이 위와 같은 확신을 가지게 하는 정도에 충분히 이르지 못한 경우에는 비록 피고인의 주장이나 변명이 모순되거나 석연치 않은 면이 있는 등 유죄의 의심이 간다고 하더라도 피고인의 이익으로 판단하여야 한다.

해설 ① 대판 2012.6.14, 2011도156 ② 대판 2012.6.28, 2012도231

③ 상해죄의 피해자가 제출하는 상해진단서는 상해가 곧 피고인의 범죄행위로 인하여 발생한 것이라는 사실을 직접 증명하는 증거가 되기에 부족한 것이지만, 그 상해진단서는 피해자의 진술과 더불어 피고인의 상해 사실에 대한 유력한 증거가 되고, 합리적인 근거 없이 그 증명력을 함부로 배척할 수 없다(대판 2011.1.27, 2010도12728). ④ 대판 2013.3.28, 2012도16086

Answer 4.③

Ⅱ. 증거재판주의

THEMA 40

형사소송법 제307조의 "사실의 인정은 증거에 의하여야 한다."는 취지에 맞지 않는 것은?
① 사실이라 함은 공소범죄사실을 말한다.
② 사실은 피고인에게 관련된 모든 사실을 말한다.
③ 사실은 증거능력 있고 적법한 증거조사를 거친 증거에 의하여 인정하여야 한다.
④ 공소범죄사실이 아닌 것은 엄격한 증명까지는 필요하지 않다.

| 해설

제307조의 핵심적 규율대상은 엄격한 증명을 요하는 사실의 범위를 획정하는 일이고, 형사절차에서 피고인을 보호한다는 관점에서 보면 피고사건과 관련되는 모든 사실의 인정은 엄격한 증명에 의하도록 하는 것이 바람직할 것이다. 그러나 형사절차가 지나치게 번잡하게 되어 소송경제의 관점에서도 바람직하지 않고 절차의 지연으로 오히려 피고인에게 불이익이 초래되는 경우도 있으므로 엄격한 증명의 대상을 제한할 필요가 있다. 》②

04

01 증거법의 기본원칙에 관한 설명 중 옳지 않은 것은? 　　01. 7급 검찰
① 형사소송법 제307조의 "사실의 인정은 증거에 의하여야 한다."라는 규정은 증거재판주의의 근거조항이라 할 수 있다.
② 형법 제263조의 "독립행위가 경합하여 상해의 결과를 발생하게 한 경우에 있어서 원인된 행위가 판명되지 아니한 때에는 공동정범의 예에 의한다."라는 규정은 증거재판주의의 예외조항이라 할 수 있다.
③ 형사소송법 제308조의 "증거의 증명력은 법관의 자유판단에 의한다."라는 규정은 자유심증주의의 근거조항이라 할 수 있다.
④ 형사소송법 제310조의 "피고인의 자백이 그 피고인에게 불이익한 유일의 증거일 때에는 이를 유죄의 증거로 하지 못한다."라는 규정은 자유심증주의의 예외조항이라 할 수 있다.

| 해설 형법 제263조는 "독립행위가 경합하여 상해의 결과를 발생하게 한 경우에 원인된 행위가 판명되지 아니한 때에는 공동정범의 예에 의한다."고 규정하고 있으므로, 상해죄의 동시범의 경우에 피고인이 자신의 행위로 상해의 결과가 발생하지 않았다는 점을 증명하지 못하면 공동정범의 예에 따라 처벌되게 된다. 이 경우에는 예외적으로 거증책임이 피고인에게 전환된다고 보는 것이 다수설의 입장이다. 따라서 형법 제263조는 거증책임의 전환에 관한 규정이지 증거재판주의의 예외조항으로 볼 수는 없다.

THEMA 41 엄격한 증명, 자유로운 증명, 불요증사실

엄격한 증명

1. 의의 : 엄격한 증명이란 어떤 사실을 증명하는 데 있어서 법률상 증거능력이 있고 적법한 증거조사를 거친 증거에 의하여야 하는 증명을 말한다.

2. 대상 : 형사소송법 제307조의 '사실'은 엄격한 증명의 대상이 되는 사실이다. 어떠한 사실이 엄격한 증명을 요하느냐에 관하여 항목별로 살펴보기로 한다.

① 공소범죄사실

　ㄱ 구성요건해당사실 : 구성요건에 해당하는 사실은 객관적 구성요건요소인가, 주관적 구성요건요소인가를 불문하고 엄격한 증명의 대상이 된다.

　　📖 범의(犯意)에 대한 증명

　　• 범의는 범죄사실을 구성하는 것으로서 이를 인정하기 위해서는 엄격한 증명이 요구된다(대판 2002.3.12, 2001도2064).

　　• 범의는 간접사실을 증명하는 방법에 의하여 이를 입증할 수밖에 없다(대판 2002. 3.12, 2001도2064).

　　• 공연성은 명예훼손죄의 구성요건으로서, 특정 소수에 대한 사실적시의 경우 공연성이 부정되는 유력한 사정이 될 수 있으므로, 전파될 가능성에 관하여는 검사의 엄격한 증명이 필요하다(대판 2021.10.14, 2020도11004). 23. 순경 2차

　ㄴ 위법성과 책임에 관한 사실 : 구성요건에 해당하는 사실이 증명되면 위법성과 책임은 사실상 추정된다. 그러나 이러한 추정을 깨는 피고인의 위법성조각사유 또는 책임조각사유의 주장이 있을 경우, 이에 대한 부존재는 엄격한 증명의 대상이다.

　ㄷ 처벌조건 : 처벌조건은 공소범죄 사실 자체는 아니지만 형벌권 발생에 직접 관련되는 사실이므로 엄격한 증명을 요한다. 📖 파산범죄에서 파산선고확정, 친족상도례에 있어 일정한 친족관계

② 형벌권의 범위에 관한 사실

　ㄱ 법률상 형의 가중·감면의 이유되는 사실 : 범죄사실은 아니나 형벌권의 범위에 관한 사실이므로 엄격한 증명을 요한다.

　　▶ 판례는 범행 당시 정신상태가 심신상실이냐 심신미약이냐의 문제는 엄격한 증명을 요하지 않고 자유로운 증명으로 족하다고 한다(대판 1971.3.31, 71도212).

　ㄴ 몰수 및 추징에 관한 사유 : 판례는 자유로운 증명으로 족하다고 하나(대판 1993. 6.22, 91도3346), 24. 해경승진 다수설은 엄격한 증명을 요한다고 한다.

③ 간접사실, 보조사실, 경험법칙, 법규

　ㄱ 간접사실 : 간접사실은 주요사실의 존부를 간접적으로 추인케 하는 사실을 말하며, 주요사실이 엄격한 증명을 요할 경우 간접사실도 엄격한 증명의 대상이 된다. 03. 순경, 05. 9급 국가직, 22. 경찰승진 📖 알리바이(현장부재)증명은 주요사실에 대한 간접적인 반대증거가 될 수 있는 간접사실이다.

　ㄴ 보조사실 : 보조사실이란 증거의 증명력에 영향을 미치는 사실로서 증거의 증명력을 탄핵하는 사실과 보강하는 사실로 구별할 수 있다. 증거의 증명력을 탄핵하는 사실은 자유로운 증명으로 족하다고 하여야 하지만, 주요사실을 인정하는 증거의 증명력을 보강하는 자료가 되는 사실은 그 주요사실이 엄격한 증명이 되는 이상 엄격한 증명을 요한다고 하여야 한다.

	ⓒ 경험법칙 : 경험법칙이란 사실 자체가 아니고 사실판단의 전제가 되는 지식을 말한다. 경험법칙에는 일반인 누구나 알고 있는 일반적 경험법칙과 특정한 사람에게만 알려져 있는 특별한 경험법칙이 있다. 일반적 경험법칙은 일종의 공지의 사실이라 할 수 있기 때문에 증명을 요하지 않는다. 그러나 특별한 경험법칙은 엄격한 증명을 요구하는 사실인정에 기초가 될 경우에는 엄격한 증명이 필요하다. ⓓ 법규 : 피고사건에 대한 법규와 존재와 내용은 법원의 직권조사 사항이므로 증명의 대상이 되지 않는다. 그러나 외국법, 관습법, 자치법규와 같이 법규의 내용이 명백하지 아니한 때에는 엄격한 증명을 요한다. 14. 순경 1차
자유로운 증명	1. 의의 : 자유로운 증명은 증거능력의 제한이나 적법한 증거조사로부터 해방되어 증거조사가 법원의 재량에 의하여 행하여지는 점에 특색이 있다. 즉, 증거능력이 있고 적법한 증거조사를 거친 증거에 의한 증명(엄격한 증명)을 요하지 않고 자유로운 증명으로 족한 경우를 말한다. 2. 대 상 ① 정상에 관한 사실 : 양형의 기초가 되는 정상에 관한 사실은 자유로운 증명으로 족하다. ⓔ 형법 제51조(피고인의 성격, 경력, 환경, 범죄 후의 정황) ② 소송법적 사실 : 소송조건의 존부 등 소송법적 사실은 자유로운 증명으로 충분하다. ⓔ 친고죄 고소유무, 22. 7급 국가직 관할권 존재, 피고인 구속기간, 임의성, 특신상태
불요증 사실	1. 의의 : 엄격한 증명은 물론 자유로운 증명조차 필요 없는 사실을 말한다. 2. 공지의 사실 : 공지의 사실이란 일반적으로 알려져 있는 사실을 말하며 증명을 요하지 않는다. 반면에 공지의 사실과 구별되는 법원에 현저한 사실, 즉 법원이 직무상 명백히 알고 있는 사실(ⓔ 법원의 판결)에 대하여는 증명이 필요하다고 보는 견해가 우세하다. 3. 추정된 사실 ① 법률상 추정된 사실 : 전제 사실이 증명되면 다른 사실을 인정하도록 법률에 규정되어 있는 것을 말하며 이러한 사실은 증명을 요하지 않는다. ② 사실상 추정된 사실 : 어떤 전제사실이 증명되면 다른 사실에 대하여 특별한 의심이 없는 한 그 존재를 추정하는 것을 말하며 이러한 사실은 증명을 요하지 않는다. ⓔ 검사가 구성요건 해당사실을 증명하면 그 행위의 위법성과 책임은 사실상 추정된다.

04

01 증명에 관한 설명 중 옳은 것(○)과 옳지 않은 것(×)을 올바르게 조합한 것은?(다툼이 있으면 판례에 의함)

> ㉠ '민간인이 군(軍)에 입대하여 군인신분을 취득하였는가의 여부' 판단은 엄격한 증명이 필요하다.
> ㉡ 폭력행위 등 처벌에 관한 법률 제4조 제1항 소정의 범죄단체의 구성·가입행위 인정은 엄격한 증명이 필요하다.
> ㉢ 횡령한 재물의 가액이 특정경제범죄법의 적용 기준이 되는 하한 금액을 초과한다는 점은 엄격한 증거에 의하여 증명되어야 할 필요는 없다.
> ㉣ 뇌물죄의 수뢰액은 그 다과에 따라 범죄구성요건이 되나, 자유로운 증명으로 충분하다는 것이 판례의 입장이다.
> ㉤ 유죄의 자료가 되는 것으로 제출된 증거의 반대증거 서류에 대하여는 그것이 유죄사실을 인정하는 증거가 되는 것이 아닌 이상 반드시 그 진정성립이 증명되지 아니하거나 이를 증거로 함에 있어서 상대방의 동의가 없다고 하더라도 증거판단의 자료로 할 수 있다.
> ㉥ 배임죄의 고의는 이와 상당한 관련성이 있는 간접사실을 증명하는 방법에 의하여 입증할 수 있다.

① ㉠(○), ㉡(×), ㉢(○), ㉣(○), ㉤(○), ㉥(○)
② ㉠(○), ㉡(○), ㉢(×), ㉣(×), ㉤(○), ㉥(○)
③ ㉠(×), ㉡(×), ㉢(×), ㉣(○), ㉤(○), ㉥(○)
④ ㉠(○), ㉡(×), ㉢(○), ㉣(×), ㉤(○), ㉥(○)

해설 ㉠ ○ : 대판 1970.10.30, 70도1936
㉡ ○ : 구성요건해당사실은 엄격한 증명의 대상이다.
㉢ × : 횡령한 재물의 가액이 특정경제범죄법의 적용 기준이 되는 하한 금액을 초과한다는 점도 다른 구성요건 요소와 마찬가지로 엄격한 증거에 의하여 증명되어야 한다(대판 2017.5.30, 2016도9027).
㉣ × : 뇌물죄에서의 수뢰액은 그 다과에 따라 범죄구성요건이 되므로 엄격한 증명의 대상이 된다(대판 2011.5.26, 2009도2453).
㉤ ○ : 대판 1981.12.22, 80도1547
㉥ ○ : 대판 2002.3.12, 2001도2064

02 엄격한 증명과 자유로운 증명에 대한 다음 설명(㉠~㉣) 중 옳고 그름이 표시(○, ×)가 바르게 된 것은?
20. 순경 1차

> ㉠ 내란선동죄에서 국헌문란의 목적은 초과주관적 위법요소로서 엄격한 증명사항에 속하므로 확정적 인식임을 요한다.
> ㉡ 법원은 재심청구 이유의 유무를 판단함에 필요한 경우에는 사실을 조사할 수 있으며, 공판절차에 적용되는 엄격한 증거조사 방식에 따라야 한다.
> ㉢ 공모관계를 인정하기 위해서는 엄격한 증명이 요구되지만 피고인이 공모관계를 부인하는 경우에는 상당한 관련성이 있고 간접사실 또는 정황사실을 증명하는 방법으로 이를 증명할 수밖에 없다.

Answer 1.② 2.④

> ② 목적범의 목적은 내심의 의사로서 이를 직접 증명하는 것이 불가능하므로 고의 등과 같이 내심의 의사를 인정하는 통상적인 방법에 따라 정황사실 또는 간접사실 등에 의하여 이를 증명하여야 한다.

① ㉠(○), ㉡(○), ㉢(○), ㉣(×)　　② ㉠(○), ㉡(×), ㉢(○), ㉣(○)

③ ㉠(×), ㉡(○), ㉢(×), ㉣(×)　　④ ㉠(×), ㉡(×), ㉢(○), ㉣(○)

| 해설 | ㉠ × : 국헌문란의 목적은 범죄 성립을 위하여 고의 외에 요구되는 초과주관적 위법요소로서 엄격한 증명사항에 속하나, 확정적 인식임을 요하지 아니하며, 다만 미필적 인식이 있으면 족하다(대판 2015. 1.22, 2014도10978 전원합의체).
㉡ × : 재심의 청구를 받은 법원은 재심청구 이유의 유무를 판단함에 필요한 경우 사실을 조사할 수 있고(형사소송법 제37조 제3항), 공판절차에 적용되는 엄격한 증거조사 방식에 따라야만 하는 것은 아니다(대결 2019.3.21, 2015모2229 전원합의체).
㉢ ○ : 공모관계를 인정하기 위해서는 엄격한 증명이 요구되지만, 피고인이 범죄의 주관적 요소인 공모관계를 부인하는 경우에는 사물의 성질상 이와 상당한 관련성이 있는 간접사실 또는 정황사실을 증명하는 방법으로 이를 증명할 수밖에 없다. 이때 무엇이 상당한 관련성이 있는 간접사실에 해당할 것인지는 정상적인 경험칙에 바탕을 두고 치밀한 관찰력이나 분석력으로 사실의 연결 상태를 합리적으로 판단하는 방법으로 하여야 한다(대판 2018.4.19, 2017도14322 전원합의체).
㉣ ○ : 대판 2015.1.22, 2014도10978 전원합의체

03 **증명에 대한 설명으로 옳은 것만을 모두 고르면?**(다툼이 있는 경우 판례에 의함) 21. 7급 국가직

> ㉠ 검사는 체포영장의 유효기간을 연장할 필요가 있다고 인정하는 때에는 그 사유를 증명하여 다시 체포영장을 청구하여야 하지만, 그 증명은 자유로운 증명으로 족하다.
> ㉡ 탄핵증거는 범죄사실을 인정하는 증거가 아니므로 엄격한 증거조사를 거쳐야 할 필요가 없다.
> ㉢ 친고죄에서 적법한 고소가 있었는지 여부는 자유로운 증명의 대상이 된다.
> ㉣ 교통사고로 인하여 업무상과실치상죄 또는 중과실치상죄를 범한 운전자에 대하여 피해자의 명시한 의사에 반하여 공소를 제기할 수 있도록 하고 있는 교통사고처리 특례법 제3조 제2항 단서의 각 호에서 규정한 신호위반 등의 예외사유는 같은 법 제3조 제1항 위반죄의 구성요건 요소에 해당하므로 엄격한 증명을 필요로 한다.

① ㉠, ㉣　　② ㉡, ㉢

③ ㉡, ㉢, ㉣　　④ ㉠, ㉡, ㉢, ㉣

| 해설 | ㉠ × : 검사는 체포영장의 유효기간을 연장할 필요가 있다고 인정하는 때에는 그 사유를 소명(증명 ×)하여 다시 체포영장을 청구하여야 한다(규칙 제96조의 4). 증명까지는 불필요하다.
㉡ ○ : 대판 2005.8.19, 2005도2617
㉢ ○ : 대판 2011.6.24, 2011도4451
㉣ × : 교통사고로 인하여 업무상 과실치상죄 또는 중과실치상죄를 범한 운전자에 대하여 피해자의 명시한 의사에 반하여 공소를 제기할 수 있도록 하고 있는 교통사고처리특례법 제3조 제2항 단서의 각 호에서 규정한 신호위반 등의 예외사유는 같은 법 제3조 제1항 위반죄의 구성요건 요소가 아니라 그 공소제기의 조건에 관한 사유일 뿐이다(대판 2007.4.12, 2006도4322). ▶ 소송법적 사실이므로 자유로운 증명의 대상이다는 취지

| Answer | 3. ②

04 증명에 관한 설명 중 가장 적절하지 아니한 것은?(다툼이 있으면 판례에 의함)

① 적재량 측정요구가 있었다는 점은 범죄사실을 구성하는 중요부분으로서 이를 인정하기 위하여는 엄격한 증명이 요구된다.

② 형사재판에서 엄격한 증명이 요구되는 대상에는 검사가 공소장에 기재한 구체적 범죄사실 모두가 포함되고, 특히 공소사실에 특정된 범죄의 일시는 범죄의 성격상 특수한 사정이 있는 경우가 아닌 한 엄격한 증명을 통하여 인정되어야 한다.

③ 주취 정도의 계산을 위한 위드마크 공식의 경우 그 적용을 위한 자료로는 음주량, 음주시각, 체중, 평소의 음주정도 등이 필요하며 그런 전제사실에 대하여는 자유로운 증명으로 족하다.

④ 목적과 용도를 정하여 위탁한 금전을 수탁자가 임의로 소비하면 횡령죄를 구성할 수 있으나, 이 경우 피해자가 목적과 용도를 정하여 금전을 위탁한 사실 및 그 목적과 용도가 무엇인지는 엄격한 증명의 대상이다.

> **해설** ① 대판 2005.6.24, 2004도7212 ② 대판 2013.9.26, 2012도3722
> ③ 범죄구성요건 사실의 존부를 알아내기 위해 과학공식(예 위드마크 공식) 등의 경험칙을 이용하는 경우에는 그 법칙 적용의 전제가 되는 개별적이고 구체적인 사실에 대하여는 엄격한 증명을 요한다(대판 2003.4.25, 2002도6762). ④ 대판 2013.11.14, 2013도8121

05 증거재판주의에 대한 설명으로 가장 적절하지 않은 것은?(다툼이 있는 경우 판례에 의함)

22. 경찰승진

① 구성요건에 해당하는 사실은 엄격한 증명에 의하여 이를 인정하여야 하지만, 증거능력이 없는 증거는 구성요건 사실을 추인하게 하는 간접사실이나 구성요건 사실을 입증하는 직접증거의 증명력을 보강하는 보조사실의 인정자료로는 사용할 수 있다.

② 법원은 범죄의 구성요건이나 법률상 규정된 형의 가중·감면의 사유가 되는 경우를 제외하고는, 법률이 규정한 증거로서의 자격이나 증거조사방식에 구애됨이 없이 상당한 방법으로 조사하여 양형의 조건이 되는 사항을 인정할 수 있다.

③ 공연히 사실을 적시하여 사람의 명예를 훼손한 행위가 형법 제310조의 규정에 따라서 위법성이 조각되어 처벌대상이 되지 않기 위하여는 그것이 진실한 사실로서 오로지 공공의 이익에 관한 때에 해당된다는 점을 행위자가 증명하여야 하나, 그 증명은 유죄의 인정에 있어 요구되는 것과 같이 법관으로 하여금 의심할 여지가 없을 정도의 확신을 가지게 하는 증명력을 가진 엄격한 증거에 의하여야 하는 것은 아니다.

④ 탄핵증거는 범죄사실을 인정하는 증거가 아니므로 엄격한 증거조사를 거쳐야 할 필요가 없지만, 법정에서 이에 대한 탄핵증거로서의 증거조사는 필요하다.

> **해설** ① 구성요건에 해당하는 사실은 엄격한 증명에 의하여 이를 인정하여야 하고, 증거능력이 없는 증거는 구성요건 사실을 추인하게 하는 간접사실이나 구성요건 사실을 입증하는 직접증거의 증명력을 보강하는 보조사실의 인정자료로도 사용할 수 없다(대판 2015.1.22, 2014도10978 전원합의체).
> ② 대판 2010.4.29, 2010도750 ③ 대판 1996.10.25, 95도1473 ④ 대판 2005.8.19, 2005도2617

06 엄격한 증명과 자유로운 증명에 대한 설명으로 가장 적절하지 않은 것은?(다툼이 있는 경우 판례에 의함)

23. 경찰승진

① 범죄구성요건에 해당하는 사실을 증명하기 위한 근거가 되는 과학적인 연구결과는 엄격한 증명을 요한다.

② 증거조사를 거치지 아니하였고 피고인이 이를 증거로 사용함에 동의를 한 바도 없기 때문에 증거능력이 인정되지 않는 증거라도 구성요건 사실을 추인하게 하는 간접사실의 인정자료로는 허용된다.

③ 대한민국 영역 외에서 대한민국 국민에 대하여 범죄를 저지른 외국인에 대하여 우리나라 형법을 적용하여 처벌함에 있어 행위지의 법률에 의하여 범죄를 구성하는지는 엄격한 증명을 요한다.

④ 공모관계를 인정하기 위해서는 엄격한 증명이 요구되지만, 피고인이 범죄의 주관적 요소인 공모관계를 부인하는 경우에는 사물의 성질상 이와 상당한 관련성이 있는 간접사실 또는 정황사실을 증명하는 방법으로 이를 증명할 수밖에 없다.

해설 ① 대판 2010.2.11, 2009도2338 ② 구성요건에 해당하는 사실은 엄격한 증명에 의하여 이를 인정하여야 하고, 증거능력이 없는 증거는 구성요건 사실을 추인하게 하는 간접사실이나 구성요건 사실을 입증하는 직접증거의 증명력을 보강하는 보조사실의 인정자료로도 사용할 수 없다(대판 2010.5.27, 2008도2344). ③ 대판 2008.7.24, 2008도4085 ④ 대판 2018.4.19, 2017도14322 전원합의체

07 증명의 대상과 방법에 관한 설명 중 가장 적절하지 않은 것은?(다툼이 있는 경우 판례에 의함)

23. 순경 1차 · 전의경경채

① 형법 제6조 단서에 따라 "행위지의 법률에 의하여 범죄를 구성"하는가 여부는 법원의 직권조사사항이므로 증명의 대상이 될 수 없다.

② 출입국사범 사건에서 지방출입국 · 외국인관서의 장의 적법한 고발이 있었는지 여부가 문제되는 경우에 법원은 증거조사의 방법이나 증거능력의 제한을 받지 아니하고 제반 사정을 종합하여 적당하다고 인정되는 방법에 의하여 자유로운 증명으로 그 고발 유무를 판단하면 된다.

③ 공동정범에 있어 공모관계를 인정하기 위해서는 엄격한 증명이 요구되지만, 피고인이 범죄의 주관적 요소인 공모관계를 부인하는 경우에는 사물의 성질상 이와 상당한 관련성이 있는 간접사실 또는 정황사실을 증명하는 방법으로 이를 증명할 수밖에 없다.

④ 형사소송법 제313조 제1항 단서의 특신상태는 증거능력의 요건에 해당하므로 검사가 그 존재에 대하여 구체적으로 주장 · 입증하여야 하는 것이지만, 이는 소송상의 사실에 관한 것이므로, 엄격한 증명을 요하지 아니하고 자유로운 증명으로 족하다.

해설 ① 행위지의 법률에 의하여 범죄를 구성하는가의 여부는 엄격한 증명에 의하여 검사가 이를 입증하여야 한다(대판 2008.7.24, 2008도4085). ② 대판 2021.10.28, 2021도404 ③ 대판 2018.4.19, 2017도14322 전원합의체 ④ 대판 2001.9.4, 2000도1743

Answer 6.② 7.①

08 증명에 관한 설명으로 가장 적절한 것은?(다툼이 있는 경우 판례에 의함)   24. 경찰승진

① 구성요건에 해당하는 사실은 엄격한 증명에 의하여 이를 인정하여야 하나, 증거능력이 인증되지 않는 증거라도 구성요건 사실을 입증하는 직접증거의 증명력을 보강하는 보조사실의 인정자료로서는 허용된다.

② 공모공동정범에 있어서 공모나 모의를 인정하기 위하여는 엄격한 증명에 의하여야 하고, 그 증거는 판결에 표시되어야 한다.

③ 의사에게 의료행위로 인한 업무상 과실치상죄가 문제되는 사안에서 공소사실에 기재된 업무상 과실의 존재와 그러한 업무상 과실로 인하여 환자에게 상해의 결과가 발생한 점은 자유로운 증명의 대상이다.

④ 친고죄에서 고소 유무에 대한 사실은 자유로운 증명의 대상이나, 반의사불벌죄에서 피고인 또는 피의자의 처벌불원 의사표시 또는 처벌희망 의사표시 철회의 유무나 그 효력 여부에 관한 사실은 엄격한 증명의 대상이다.

> **해설** ① 구성요건에 해당하는 사실은 엄격한 증명에 의하여 이를 인정하여야 하고, 증거능력이 없는 증거는 구성요건 사실을 추인하게 하는 간접사실이나 구성요건 사실을 입증하는 직접증거의 증명력을 보강하는 보조사실의 인정자료로도 사용할 수 없다(대판 2006.12.8, 2006도6356).
> ② 대판 1989.9.13, 88도1114
> ③ 의사에게 의료행위로 인한 업무상 과실치사상죄를 인정하기 위해서는, 의료행위 과정에서 공소사실에 기재된 업무상 과실의 존재는 물론 그러한 업무상 과실로 인하여 환자에게 상해·사망 등 결과가 발생한 점에 대하여도 엄격한 증거에 따라 합리적 의심의 여지가 없을 정도로 증명이 이루어져야 한다(대판 2023.1.12, 2022도11163).
> ④ 반의사불벌죄의 경우에 피고인 또는 피의자의 처벌을 희망하지 않는다는 의사표시 또는 처벌희망 의사표시 철회의 유무나 그 효력 여부에 관한 사실은 자유로운 증명의 대상이다(대판 2010.10.14, 2010도5610).

09 다음 중 증명에 대한 설명으로 가장 옳지 않은 것은?(다툼이 있는 경우 판례에 의함)

24. 해경승진

① 공직선거법상 허위사실공표죄에서 의혹을 받을 사실이 존재한다고 적극적으로 주장하는 피고인은 그러한 사실의 존재를 수긍할 만한 소명자료를 제시할 부담을 지고, 검사는 제시된 그 자료의 신빙성을 탄핵하는 방법으로 허위성을 증명할 수 있다.

② 몰수나 추징의 대상이 되는지 여부는 자유로운 증명으로 가능하나 추징액의 인정은 엄격한 증명이 필요하다.

③ 형법 제310조의 '진실한 사실로서 오로지 공공의 이익에 관한 때'에 해당한다는 점은 피고인이 증명하여야 하나, 엄격한 증명을 요하는 것은 아니다.

④ 수사기관이 영장발부의 사유로 된 범죄혐의사실과 무관한 별개의 증거를 압수한 후에 피압수자에게 환부하고 이를 임의제출 받아 다시 압수한 경우, 그 제출에 임의성이 있다는 점에 관하여는 검사가 합리적 의심을 배제할 수 있을 정도로 증명하여야 한다.

| 해설 | ① 대판 2018.9.28, 2018도10447
② 몰수·추징의 대상이 되는지 여부나 추징액의 인정은 엄격한 증명을 필요로 하지 아니한다(대판 1993.6.22, 91도3346).
③ 대판 1996.10.25, 95도1473
④ 대판 2016.3.10, 2013도11233

10 증명에 관한 설명으로 옳지 않은 것은?(다툼이 있는 경우 판례에 의함) 24. 소방간부

① 증거능력이 없는 증거는 구성요건사실을 추인하게 하는 간접사실이나 구성요건사실을 입증하는 직접증거의 증명력을 보강하는 보조사실의 인정자료로서도 허용되지 아니한다.

② 공연히 사실을 적시하여 사람의 명예를 훼손한 행위가 형법 제310조의 규정에 따라서 위법성이 조각되어 처벌대상이 되지 않기 위하여는 그것이 진실한 사실로서 오로지 공공의 이익에 관한 때에 해당된다는 점을 증명하여야 하며 그 증명은 엄격한 증거에 의하여야 한다.

③ 뇌물죄에서 수뢰액은 다과에 따라 범죄구성요건이 되므로 엄격한 증명의 대상이 되고, 특정범죄 가중처벌 등에 관한 법률에서 정한 범죄구성요건이 되지 않는 단순 뇌물죄의 경우에도 몰수·추징의 대상이 되는 까닭에 역시 증거에 의하여 인정되어야 하며, 수뢰액을 특정할 수 없는 경우에는 가액을 추징할 수 없다.

④ 출입국사범사건에서 지방출입국·외국인관서의 장의 적법한 고발이 있었는지 여부가 문제 되는 경우에 법원은 증거조사의 방법이나 증거능력의 제한을 받지 아니하고 제반 사정을 종합하여 적당하다고 인정되는 방법에 의하여 자유로운 증명으로 그 고발 유무를 판단하면 된다.

⑤ 횡령죄에 있어 불법영득의사를 실현하는 행위로서의 횡령행위가 있다는 점에 대한 입증은 법관으로 하여금 합리적인 의심을 할 여지가 없을 정도의 확신을 생기게 하는 증명력을 가진 엄격한 증거에 의하여야 한다.

| 해설 | ① 대판 2010.5.27, 2008도2344
② 공연히 사실을 적시하여 사람의 명예를 훼손한 행위가 형법 제310조의 규정에 따라서 위법성이 조각되어 처벌대상이 되지 않기 위하여는 그것이 진실한 사실로서 오로지 공공의 이익에 관한 때에 해당된다는 점을 행위자가 증명하여야 하며 그 증명은 엄격한 증거에 의하여야 하는 것은 아니라 할 것이다(대판 1996.10.25, 95도1473).
③ 대판 2009.8.20, 2009도4391
④ 대판 2021.10.28, 2021도404
⑤ 대판 2002.9.4, 2000도637

11 증거에 관한 설명으로 가장 적절하지 않은 것은?(다툼이 있는 경우 판례에 의함)　　24. 순경 1차

① 형사소송법이 수사기관에서 작성된 조서 등 서면증거에 대하여 일정한 요건을 충족하는 경우에 증거능력을 인정하는 것은 실체적 진실발견의 이념과 소송경제의 요청을 고려하여 예외적으로 허용하는 것일 뿐이므로 증거능력 인정 요건에 관한 규정은 엄격하게 해석·적용하여야 한다.

② 수사기관은 영장 발부의 사유로 된 범죄 혐의사실과 관계가 없는 증거를 압수할 수 없고, 별도의 영장을 발부받지 아니하고서는 압수물 또는 압수한 정보를 그 압수의 근거가 된 압수·수색영장 혐의사실과 관계가 없는 범죄의 유죄 증거로 사용할 수 없다.

③ 법원은 범죄의 구성요건이나 법률상 규정된 형의 가중·감면의 사유가 되는 경우를 제외하고는, 법률이 규정한 증거로서의 자격이나 증거 조사방식에 구애됨이 없이 상당한 방법으로 조사하여 양형의 조건이 되는 사항을 인정할 수 있다. 다만, 당사자가 직접 수집하여 제출하기 곤란하다고 하여 직권으로 양형조건에 관한 형법 제51조의 사항을 수집·조사할 수 있는 것은 아니다.

④ 자백에 대한 보강증거는 범죄사실의 전부 또는 중요 부분을 인정할 수 있는 정도가 되지 않더라도, 피고인의 자백이 가공적인 것이 아닌 진실한 것임을 인정할 수 있는 정도만 되면 충분하다. 또한 직접증거가 아닌 간접증거나 정황증거도 보강증거가 될 수 있고, 자백과 보강증거가 서로 어울려서 전체로서 범죄사실을 인정할 수 있으면 유죄의 증거로 충분하다.

> **해설** ① 대판 2022.6.16, 2022도364
> ② 대판 2023.6.1, 2018도18866
> ③ 양형의 조건에 관하여 규정한 형법 제51조의 사항은 널리 형의 양정에 관한 법원의 재량사항에 속한다고 해석되므로 법원은 범죄의 구성요건이나 법률상 규정된 형의 가중·감면의 사유가 되는 경우를 제외하고는, 법률이 규정한 증거로서의 자격이나 증거조사방식에 구애됨이 없이 상당한 방법으로 조사하여 양형의 조건이 되는 사항을 인정할 수 있다. 나아가 형의 양정에 관한 절차는 범죄사실을 인정하는 단계와 달리 취급하여야 하므로, 당사자가 직접 수집하여 제출하기 곤란하거나 필요하다고 인정되는 경우 등에는 직권으로 양형조건에 관한 형법 제51조의 사항을 수집·조사할 수 있다(대판 2010.4.29, 2010도750).
> ④ 대판 2002.1.8, 2001도1897

최신판례

임의로 제출된 물건을 압수하는 경우, 그 제출에 임의성이 있다는 점에 관하여는 검사가 합리적 의심을 배제할 수 있을 정도로 증명하여야 하고, 임의로 제출된 것이라고 볼 수 없는 경우에는 증거능력을 인정할 수 없다(대판 2023.6.1, 2020도2550).

Ⅲ. 거증책임

THEMA 42	거증책임

서 설	거증책임은 실질적 거증책임(객관적 거증책임)과 형식적 거증책임(입증의 부담)으로 구분되며, 전자가 원래 의미의 거증책임에 해당한다.
실질적 거증책임	1. 의의 : 실질적 거증책임이라 함은 어느 사실의 존부가 증명되지 아니한 경우에 당사자의 일방이 최종적으로 받게 될 불이익을 말한다(거증책임은 소송의 개시부터 종결시까지 고정되어 있음). ▶ 거증책임은 법원이 확실한 심증을 얻지 못한 경우에 증명곤란으로 인한 불이익을 소송관계인의 어느 일방에게 부담시킴으로써 재판불능상태를 방지하기 위한 제도임. 2. 소송구조와 실질적 거증책임 : 직권주의나 당사자주의적 소송구조 모두 거증책임이 문제로 될 수 있다(다수설). 3. 거증책임의 분배 ① 원칙 : 거증책임의 분배란 증명불능으로 인한 불이익을 누구에게 부담시킬 것인가를 정하는 문제이다. 무죄추정은 형사소송법의 기본원칙이며, 의심스러울 때에는 피고인의 이익으로(indubio pro reo) 판단하여야 하므로 거증책임은 원칙적으로 검사가 부담한다. ㉠ 공소범죄사실 : 공소범죄사실, 즉 구성요건해당성, 위법성 그리고 책임의 존재에 대한 거증책임은 검사에게 있다. 따라서 피고인이 위법성조각사유 또는 책임조각사유의 존재를 주장하면 검사는 부존재에 대한 거증책임을 진다. ㉡ 처벌조건인 사실 : 인적 처벌조각사유이건 객관적 처벌조건사유이건 불문하고 형벌권 발생요건이 되는 사실이므로 검사가 거증책임을 진다. ㉢ 형의 가중·감면사유가 되는 사실 : 형의 가중사유(예 누범전과 사실)가 되는 사실뿐만 아니라 형의 감면사유도 형벌권의 범위에 영향을 미치는 사유이므로 부존재에 관하여 검사가 거증책임을 진다(통설). ㉣ 소송법적 사실 ⓐ 소송조건인 사실의 존재에 관하여 검사가 거증책임을 부담한다. ⓑ 증거능력 인정을 위한 기초사실의 존재에 관해서는 그 증거를 제출한 당사자가 거증책임을 부담한다. 예 의사의 진단서를 검사가 증거로 제출한 경우는 검사가 거증책임을 지며, 자백의 임의성 존재에 관하여 역시 검사가 거증책임을 진다(대판 2000.1.21, 99도4940). ㉤ 알리바이 : 알리바이에 대한 거증책임이 누구에게 있느냐에 대하여 독일판례는 피고인에게, 미국판례는 검사에게 인정하고 있으나, 알리바이의 주장이 구성요건 해당사실의 존재에 대한 다툼이므로 검사가 알리바이의 부존재에 대하여 입증해야 함이 타당하다. ② 예외(거증책임의 전환) : 원칙적으로 거증책임은 검사가 지나, 예외적으로 피고인이 부담하는 경우가 있는데 이를 거증책임의 전환이라 한다. 이와 관련된 문제로는 다음과 같다.

04

	㉠ 상해죄의 동시범(형법 제263조) : 통설은 거증책임의 전환으로 보고 있다. 즉, 피고인은 상해의 결과에 대하여 인과관계 없음을 증명할 거증책임을 지며 이를 증명하지 못한 때에는 공동정범의 예에 의하여 처벌된다는 것이다. ㉡ 명예훼손죄의 공익성·진실성(형법 제310조) : 판례는 거증책임의 전환규정으로 본다. 따라서 피고인이 거증책임을 진다. 다만, 자유로운 증명 허용(대판 1996.10. 25, 95도1473) 24. 소방간부
형식적 거증책임 (입증의 부담)	1. 의의 : 형식적 거증책임이란 어느 사실이 증명되지 아니함으로써 불이익한 판단을 받을 염려가 있는 당사자가 그 불이익을 면하기 위하여 당해사실을 증명할 증거를 제출할 부담을 말하며, 입증의 부담이라고도 한다. 2. 입증의 정도 : 피고인의 경우에는 입증의 정도가 법관에게 확신을 갖게 할 것을 요하지 않고 그러한 사유가 있지 않은가라는 의심을 갖게 할 정도, 즉 법관의 심증을 방해할 정도이면 족하다. 따라서 법관에게 유죄의 확신을 갖게 할 정도의 입증부담을 지는 검사의 경우와 차이가 있다. ⬟ 검사가 구성요건해당성을 입증하면 위법성조각사유의 존재나 책임조각사유의 존재에 관해서는 피고인이 입증의 부담을 진다. ▶ 실질적 거증책임은 고정되어 있음에 반하여, 형식적 거증책임은 유동적이다. ▶ 직권주의적 형사소송절차에 있어서는 법원의 직권에 의한 입증활동에 의해서 주로 입증이 행하여지므로 입증의 부담은 별로 중요한 의미를 갖지 않으나 당사자주의적 공판절차에서는 당사자의 입증활동이 중요하므로 입증의 부담은 중요한 의미를 지닌다.

01 거증책임에 관한 설명으로 틀린 것은?

① 어느 사실이 증명되지 않기 때문에 불이익한 판단을 받을 우려가 있는 당사자가 그 불이익을 면하기 위하여 당해사실을 증명할 증거를 제출하여야 할 부담을 입증의 부담 또는 형식적 거증책임이라고 한다.
② 거증책임은 실질적 거증책임과 형식적 거증책임으로 구분할 수 있다.
③ 소송범죄사실의 존재에 관해서는 검사가 거증책임을 부담한다.
④ 상해의 동시범인 경우에는 인과관계의 존재에 관하여 검사가 거증책임을 부담한다.

해설 ④ 상해죄의 동시범인 제263조의 법적 성질에 대하여 통설은 거증책임의 전환으로 보고 있다. 즉, 피고인은 상해의 결과에 대하여 인과관계 없음을 증명할 거증책임을 지며 이를 증명하지 못한 때에는 공동정범의 예에 의하여 처벌된다는 것이다.

02 **거증책임에 대한 설명으로 옳지 않은 것은?**(다툼이 있는 경우 판례에 의함) 13. 9급 검찰 · 마약수사

① 형사재판에 있어서 공소가 제기된 범죄사실에 대한 입증책임은 검사에게 있고, 유죄의 인정은 법관으로 하여금 합리적인 의심을 할 여지가 없을 정도로 공소사실이 진실한 것이라는 확신을 가지게 하는 증명력을 가진 증거에 의하여야 한다.

② 횡령죄에 있어서 불법영득의 의사에 관한 입증책임은 검사에게 있으므로 불법영득의 의사를 인정할 수 있는 사정을 검사가 입증하여야 한다.

③ 명예훼손죄의 위법성조각사유인 적시한 사실의 진실성과 공익성에 대하여도 그 부존재를 검사가 엄격한 증명의 방식으로 입증하여야 한다.

④ 검사 작성의 피의자신문조서에 기재된 진술의 임의성에 다툼이 있을 때에는 그 임의성을 의심할 만한 합리적이고 구체적인 사실을 피고인이 증명할 것이 아니라 검사가 그 임의성의 의문점을 없애는 증명을 하여야 한다.

| 해설 | ① 대판 2001.2.9, 2000도4946 ② 대판 2010.6.24, 2007도5899
③ 공연히 사실을 적시하여 사람의 명예를 훼손한 행위가 형법 제310조의 규정에 따라서 위법성이 조각되어 처벌대상이 되지 않기 위해서는 그것이 진실한 사실로서 오로지 공공의 이익에 관한 때에 해당된다는 점을 행위자가 증명하여야 하며, 그 증명은 엄격한 증거에 의하여야 하는 것은 아니다(대판 1996.10.25, 95도1473).
④ 대판 2008.7.10, 2007도7760

03 **거증책임과 관련한 설명으로 틀린 것은 몇 개인가?**

> ㉠ 거증책임은 당사자주의 소송구조에서 필요할 뿐 직권주의 소송구조에서는 필요 없는 개념이다.
> ㉡ 구성요건 해당사실은 검사에게 거증책임이 있으나, 위법성과 책임의 존재에 대해서는 거증책임이 없다.
> ㉢ 알리바이에 대해서 독일판례에서는 검사에게 거증책임이 없다고 한다.
> ㉣ 미국판례에서는 알리바이에 대해서 검사에게 거증책임이 있다고 한다.
> ㉤ 입증의 부담은 당사자주의적 공판절차에서는 별 의미가 없다.

① 1개　　　　　② 2개　　　　　③ 3개　　　　　④ 4개

| 해설 | ㉠ × : 직권주의하에서도 거증책임은 인정될 수 있다. 왜냐하면 직권에 의한 증거의 수집과 조사를 행한다고 하더라도 증명불가능의 현상은 당연히 발생할 수 있을 것이고 이 경우에 당사자의 어느 일방에게 불이익으로 인정할 수 있는가의 원칙은 존재해야 하기 때문이다.
㉡ × : 검사는 구성요건에 해당하는 사실뿐만 아니라 위법성과 책임의 존재에 대하여도 거증책임을 진다.
㉢㉣ ○ : 알리바이에 대한 거증책임이 누구에게 있느냐에 대하여는 나라에 따라 판례의 태도에 차이가 있다. 독일은 의심스러운 경우에 피고인의 이익으로라는 원칙은 알리바이 증명에는 적용되지 않는다고 판시하고 있음에 대하여, 미국의 연방대법원은 알리바이에 대한 거증책임을 피고인에게 부담시키는 것은 적법절차에 위배된다고 판시하였다. 우리나라 학설은 알리바이 증명에 대한 거증책임을 검사에게 인정하는 견해와 피고인에게 인정하는 견해가 대립되어 있다.
㉤ × : 입증부담은 직권주의의 색체가 강한 형사소송절차에서는 거의 무용한 것이나 당사자주의 소송절차에서는 의미를 갖는다.

04 거증책임에 관한 설명으로 가장 적절하지 않은 것은?(다툼이 있는 경우 판례에 의함)

23. 순경 2차

① 법위반에 대한 정당한 사유가 없다는 사실은 범죄구성요건 이므로 검사가 증명해야 하는데, 다만 진정한 양심의 부존재와 같은 사실을 증명하는 것은 사회통념상 불가능한 반면 그 존재를 주장·증명하는 것이 좀 더 쉬우므로 이러한 사정은 검사가 증명책임을 다하였는지 판단할 때 고려해야 한다.

② 진술증거의 증거능력 인정 여부와 관련하여 진술의 임의성에 다툼이 있을 때에는 그 임의성을 의심할 만한 합리적이고 구체적인 사실을 피고인이 증명할 것이 아니고 검사가 그 임의성의 의문점을 없애는 증명을 하여야 한다.

③ 공직선거법상 허위사실공표죄에서 공표된 사실이 실제로 존재한다고 주장하는 자는 그러한 사실의 존재를 수긍할 만한 소명자료를 제시할 부담을 지고, 이때 제시하여야 할 소명자료는 적어도 허위성에 관한 검사의 증명활동이 현실적으로 가능할 정도의 구체성은 갖추어야 한다.

④ 공연성은 명예훼손죄의 구성요건으로서, 특정 소수에 대한 사실적시의 경우 공연성이 부정되는 유력한 사정이 될 수 있으므로 전파될 가능성에 관하여는 검사에게 증명의 책임이 있음이 원칙이나, 전파될 가능성은 특정되지 않은 기간과 공간에서 아직 구체화되지 않은 사실이므로 그 증명의 정도는 자유로운 증명으로 족하다.

| 해설 | ① 대판 2020.11.26, 2018도14411
② 대판 1986.11.25, 83도1718
③ 대판 2018.9.28, 2018도10447
④ 공연성은 명예훼손죄의 구성요건으로서, 특정 소수에 대한 사실적시의 경우 공연성이 부정되는 유력한 사정이 될 수 있으므로, 전파될 가능성에 관하여는 검사의 엄격한 증명이 필요하다(대판 2020.11.19, 2020도5813 전원합의체).

최신판례

학문적 연구에 따른 의견 표현을 명예훼손죄에서 사실의 적시로 평가하는 데에는 신중할 필요가 있다. 학문적 표현을 그 자체로 이해하지 않고, 표현에 숨겨진 배경이나 배후를 섣불리 단정하는 방법으로 암시에 의한 사실 적시를 인정하는 것은 허용된다고 보기 어렵다. 형사재판에서 공소가 제기된 범죄의 구성요건을 이루는 사실은 그것이 주관적 요건이든 객관적 요건이든 그 증명책임이 검사에게 있으므로, 해당 표현이 학문의 자유로서 보호되는 영역에 속하지 않는다는 점은 검사가 증명하여야 한다(대판 2023.10.26, 2017도18697).

제2절 증거능력

| THEMA 43 | 증거능력 |

의 의	증거능력이란 증거가 엄격한 증명의 자료로서 사용될 수 있는 법률상의 자격, 즉 증거가 공소범죄사실 등 형사소송에 있어서 중요한 사실의 증명에 사용될 수 있는 법률상의 자격을 말한다. 따라서 자유로운 증명의 자료로 사용하기 위하여는 증거능력을 필요로 하지 않는다. 증거능력이 없는 증거는 공판정에 증거로서 제출하여 증거조사를 하는 것도 허용되지 아니한다.
증명력과의 관계	증거의 증거능력은 증명력과는 구별해야 한다. 증거의 증명력은 어떤 사실을 입증할 수 있는 증거의 실질적 가치를 말하고 그 가치판단은 법관의 자유로운 판단에 맡기고 있다. 증거의 증거능력의 유무는 미리 법률에 의하여 형식적으로 정해져 있으므로 법관의 자유로운 판단은 허용되지 아니한다. 따라서 증거의 실질적 가치(증명력)가 있는 증거라도 증거능력이 없는 것은 사실인정의 자료로 삼을 수 없다.

양자는 엄격하게 구별되는 개념이지만, 증거능력은 증명력 평가의 전제가 된다는 점에서 서로 무관하게 독립적으로 판단되어진다고 볼 수는 없다.

01 증거능력에 관한 다음 설명 중 옳은 것은?

① 증거능력과 증명력은 결국 같은 말이다.
② 증거능력과 증명력은 엄격히 구별되는 개념이므로 양자는 서로 무관하게 독립적으로 판단된다.
③ 증거능력의 유무는 법관의 자유로운 판단에 의하여 결정한다.
④ 증거능력이 없는 증거는 유죄의 증거로 사용할 수 없다.

02 증거능력에 관한 설명 중 틀린 것은?

① 증거능력이란 증거가 엄격한 증명의 자료로 사용될 수 있는 법률상의 자격을 말한다.
② 자유로운 증명의 자료가 되기 위하여는 증거능력을 요하지 않는다.
③ 증거능력은 미리 법률에 의하여 형식적으로 결정되어 있다.
④ 증명력이 충분한 경우에는 증거능력이 없는 증거라도 자유심증주의의 원칙상 사실인정의 자료가 될 수 있다.

┃ 해설 ┃ ④ 증거능력 없는 증거라면 증명력 문제는 대두될 여지가 없다.

┃Answer┃ 1.④ 2.④

Ⅰ. 위법수집증거배제법칙과 자백배제법칙

THEMA 44	위법수집증거배제법칙
의 의	"적법한 절차에 따르지 아니하고 수집한 증거는 증거로 할 수 없다."는 규정을 신설하여 위법수집증거배제법칙을 명문으로 규정하고 있다(제308조의 2).
연 혁	1. 영미의 증거법의 기본원칙 2. 미국 보이드(Boyd) 사건에 의하여 비롯, 1914년의 Weeks 사건에서 확립, 1961년 Mapp 사건을 통하여 주(州)에도 적용
적용범위	1. 위법수집증거배제법칙 ⇨ 진술증거뿐만 아니라 비진술증거에 대해서도 적용(대판 2007. 11.15, 2007도3061 전원합의체) 10 · 11. 경찰승진, 16. 9급 법원직 ▶ 비진술증거의 경우 압수절차가 위법하더라도 물건 자체의 성질 · 형상에 변경을 가져오는 것은 아니므로 압수절차가 위법하더라도 압수물에 대한 증거능력은 인정된다. (×) 09. 순경, 10. 교정특채, 12. 경찰간부, 09 · 15. 7급 국가직, 21. 경찰승진 2. 위법수집증거 ┌ 원칙 : 증거능력 부정 　　　　　　　 └ 예외 : 증거능력 인정 ▶ "절차 조항의 취지와 그 위반의 내용 및 정도, 구체적인 위반 경위와 회피가능성, 절차 조항이 보호하고자 하는 권리 또는 법익의 성질과 침해 정도 및 피고인과의 관련성, 절차 위반행위와 증거수집 사이의 인과관계 등 관련성의 정도, 수사기관(법원 ×)의 인식과 의도 등을 전체적 · 종합적으로 살펴볼 때, 수사기관의 절차 위반행위가 적법절차의 실질적인 내용을 침해하는 경우에 해당하지 아니하고, 오히려 그 증거의 증거능력을 배제하는 것이 적법절차의 원칙과 실체적 진실 규명의 조화를 도모하고 이를 통하여 형사 사법 정의를 실현하려 한 취지에 반하는 결과를 초래하는 것으로 평가되는 예외적인 경우라면, 법원은 그 증거를 유죄인정의 증거로 사용할 수 있다."(대판 2007.11.15, 2007도3061 전원합의체). 09. 7급 국가직, 10. 경찰승진 · 교정특채 · 9급 국가직, 09 · 11. 순경, 13. 순경 2차 · 경찰간부, 15. 9급 법원직 ▶ 수사기관이 외국인을 체포하거나 구속하면서 지체 없이 영사통보권 등이 있음을 고지하지 않았다면 체포나 구속 절차는 위법하다. 그러나 이러한 위법이 있더라도 절차 위반의 내용과 정도가 중대하거나 절차 조항이 보호하고자 하는 외국인 피고인의 권리나 법익을 본질적으로 침해하였다고 볼 수 없다면 유죄인정의 증거로 사용할 수 있다(대판 2022.4.28, 2021도17103).
증거동의	1. 위법하게 수집된 증거는 증거동의의 대상이 될 수 없다(대판 2012.4.15, 2011도15258). 12. 순경 2차, 16. 경찰승진 · 9급 법원직 2. 예외 : 동의 있으면 증거능력 인정 ① 증거보전절차에서 당사자에게 증인신문에 참여할 수 있는 기회를 주어야 하나 참여의 기회를 주지 아니한 경우라도 피고인과 변호인이 증인신문조서를 증거로 할 수 있음에 동의하여 별다른 이의 없이 적법하게 증거조사를 거친 경우에는 증거능력 인정(대판 1988.11.8, 86도1646). 12. 순경 3차

	② 공판준비 또는 공판기일에서 이미 증언을 마친 증인을 검사가 소환한 후 피고인에게 유리한 그 증언 내용을 추궁하여 이를 일방적으로 번복시키는 방식으로 작성한 진술조서는 피고인이 증거로 할 수 있음에 동의하지 아니하는 한 그 증거능력이 없다 (대판 2000.6.15, 99도1108 전원합의체). 14. 순경 2차, 14 · 15. 9급 법원직, 16. 7급 국가직 ▶ 이는 검사가 공판준비 또는 공판기일에서 이미 증언을 마친 그 증인을 상대로 위증의 혐의를 조사한 내용을 담은 피의자신문조서의 경우도 동의하지 아니하는 한 증거능력이 없다(대판 2013.8.14, 2012도13665).
탄핵증거	위법하게 수집된 증거 탄핵증거로도 사용불가(다수설)
독수과실 이론	1. 위법하게 수집된 1차적 증거에 의해 발견된 2차적 증거 ⇨ 증거능력 배제 2. 절차에 따르지 아니한 증거 수집과 2차적 증거 수집 사이 인과관계의 희석 또는 단절 ⇨ 2차적 증거 유죄인정의 증거로 사용 가능(대판 2007.11.15, 2007도3061 전원합의체). 10. 경찰승진, 13. 경찰간부, 09 · 15. 순경 1차, 15. 9급 검찰 · 마약 · 교정 · 보호 · 철도경찰

04

위법수집증거에 관한 판례는 특정절차에 국한된 것이 아니라, 형사소송 전 절차에서 논의될 수 있는 문제이다. 이미 해당 편에서 언급되었거나 이후 진행되는 절차에서 다루어질 내용들이 대부분이므로 본 단원에서는 기출문제 중심으로 점검해 보기로 한다.

01 위법수집증거배제법칙에 대한 설명으로 가장 적절한 것은?(다툼이 있는 경우 판례에 의함)

21. 경찰승진

① 위법수집증거배제법칙은 영미법상 판례에 의해 확립된 증거법칙으로, 우리나라 형사소송법에는 명문의 규정이 없지만 일반적인 형사법의 대원칙으로 자리잡고 있다.

② 수사기관이 영장 또는 감정처분허가장을 발부받지 아니한 채 피의자의 동의 없이 피의자의 신체로부터 혈액을 채취하고 사후에도 지체 없이 영장을 발부받지 않았다면, 그 혈액 중 알코올 농도에 관한 감정의뢰회보는 원칙적으로 유죄의 증거로 사용할 수 없다.

③ 사법경찰관이 피의자를 긴급체포하는 현장에서 영장 없이 압수한 물건을 계속 압수할 필요가 있어 압수 · 수색영장을 청구하였으나 이를 발부받지 못하고도 즉시 반환하지 아니한 압수물은 이를 유죄인정의 증거로 사용할 수 없지만, 피고인이나 변호인이 이를 증거로 함에 동의하였다면 유죄의 증거로 사용할 수 있다.

④ 비진술증거인 압수물은 압수절차가 위법하다 하더라도 그 물건 자체의 성질, 형태에 변경을 가져오는 것은 아니어서 그 형태 등에 관한 증거가치에는 변함이 없으므로 증거능력이 인정된다.

해설 ① 우리나라도 형사소송법 제308조의 2에서 명문으로 위법수집증거배제법칙을 규정하고 있다.
② 대판 2012.11.15, 2011도15258

Answer 1. ②

③ 사법경찰관이 피의자를 긴급체포하는 현장에서 영장 없이 압수한 물건을 계속 압수할 필요가 있어 압수·수색영장을 청구하였으나 이를 발부받지 못하고도 즉시 반환하지 아니한 압수물은 이를 유죄인정의 증거로 사용할 수 없는 것이고, 피고인이나 변호인이 이를 증거로 함에 동의하였다 하더라도 유죄의 증거로 사용할 수 없다(대판 2009.12.24, 2009도11401).

④ 비진술증거인 압수물의 경우에도 위법수집증거배제법칙의 적용이 되어 압수절차가 위법한 경우 그 압수물은 증거능력이 부정된다(대판 2007.11.15, 2007도3061 전원합의체).

02 2007도3061 전원합의체 판결에 따르면, 위법하게 수집된 증거는 원칙적으로 그 증거능력을 인정할 수 없다고 본다. 그러나 개별사건에서 위법하게 수집된 압수물의 증거능력 인정 여부를 최종적으로 판단함에 있어서 예외를 인정하여 여러 사정을 살펴 전체적으로 당해증거의 증거능력을 배제하는 것이 부당한 경우 증거능력을 인정하고 있다. 위법하게 수집된 증거의 증거능력을 인정 여부를 판단함에 있어 대법원 판례가 제시하고 있는 기준이 아닌 것은?

① 법원의 인식과 의도
② 구체적인 위반경위와 회피가능성
③ 절차위반행위와 증거수집 사이의 인과관계
④ 절차조항의 취지와 위반의 내용 및 정도

> ▌**해설**▐ 대법원은 절차조항의 취지와 그 위반의 내용, 구체적인 위반의 경위와 회피가능성, 절차조항이 보호하고자 하는 권리 또는 법익의 성질과 침해 정도 및 피고인과의 관련성, 절차위반행위와 증거수집 사이의 인과관계 등 관련성의 정도, 수사기관의 인식과 의도 등을 전체적·종합적으로 살펴 판단하여야 한다는 입장이다.

03 위법수집증거배제법칙에 대한 설명 중 가장 적절하지 않은 것은?(다툼이 있는 경우 판례에 의함)

20. 순경 1차

① 적법한 절차를 따르지 않고 수집한 증거를 예외적으로 유죄인정의 증거로 사용할 수 있는 구체적이고 특별한 사정이 존재한다는 점에 대한 입증책임은 검사에게 있다.

② 적법절차에 위배되는 행위의 영향이 차단되거나 소멸되었다고 볼 수 있는 상태에서 수집한 증거는 그 증거능력을 인정하더라도 적법절차의 실질적 내용에 대한 침해가 일어나지는 않았기 때문에 그 증거능력을 부정할 이유는 없다.

③ 위법수집증거배제법칙은 헌법 제12조의 적법절차를 보장하기 위한 성격을 가지기 때문에, 자신의 기본권을 침해당한 사람만이 위법수집증거배제법칙을 주장할 수 있다. 따라서 수사기관이 피고인 아닌 자를 상대로 적법한 절차에 따르지 아니하고 수집한 증거는 원칙적으로 피고인에 대한 유죄인정의 증거로 삼을 수 있다.

④ 위법하게 수집된 증거에서 파생하는 2차적 증거는 원칙적으로 증거능력이 배제되어야 하지만, 절차에 따르지 않은 증거수집과 2차적 증거수집 사이의 인과관계의 희석 또는 단절여부를 중심으로 2차적 증거수집과 관련된 모든 사정을 전체적·종합적으로 고려하여 예외적인 경우에는 2차적 증거의 증거능력을 인정할 수 있다.

▐Answer▌ **2.**① **3.**③

| 해설 | ① 대판 2011.4.28, 2009도10412

② 대판 2013.3.14, 2010도2094

③ 유흥주점 업주와 종업원인 피고인들이 이른바 '티켓영업' 형태로 성매매를 하면서 금품을 수수하였다고 하여 구 식품위생법 위반으로 기소된 사안에서, 경찰이 피고인 아닌 갑, 을을 사실상 강제연행한 상태에서 받은 각 자술서 및 이들에 대하여 작성한 각 진술조서는 위법수사로 얻은 진술증거에 해당하여 증거능력이 없다는 이유로, 이를 피고인들에 대한 유죄인정의 증거로 삼을 수 없다(대판 2011.6.30, 2009도6717).

④ 대판 2007.11.15, 2007도3061 전원합의체

04 사인(私人)에 의한 위법수집증거에 대한 설명으로 가장 적절한 것은?(다툼이 있는 경우 판례에 의함)

21. 경찰승진

① 위법수집증거배제법칙은 국가기관의 기본권 침해와 위법한 수사활동을 규제하기 위한 원칙이므로, 사인이 타인의 기본권을 침해하는 방법으로 수집한 증거에 대해서는 항상 적용되지 않는다.

② 피고인이 범행 후 피해자에게 전화를 걸어오자 피해자가 증거를 수집하려고 그 전화내용을 녹음한 경우, 그 녹음테이프가 피고인 모르게 녹음된 것이라 하여 이를 위법하게 수집된 증거라고 할 수 없다.

③ 소송사기의 피해자가 제3자로부터 대가를 지급하고 취득한 업무일지는 그것이 제3자에 의해 절취된 것이라면 위법수집증거에 해당하며, 그로 인하여 피고인의 사생활 영역을 침해하는 결과가 초래된다면 공익의 실현을 위한 것이라도 사기죄에 대한 증거로 사용할 수 없다.

④ 제3자가 대화당사자 일방만의 동의를 받고 통화내용을 녹음한 경우, 그 통화내용은 다른 상대방의 동의가 없었다고 하더라도 증거능력이 인정된다.

| 해설 | ① 모든 국민의 인간으로서의 존엄과 가치를 보장하는 것은 국가기관의 기본적인 의무에 속하는 것이고, 이는 형사절차에서도 당연히 구현되어야 하는 것이기는 하나 그렇다고 하여 국민의 사생활 영역에 관계된 모든 증거의 제출이 곧바로 금지되는 것으로 볼 수는 없고, 법원으로서는 효과적인 형사소추 및 형사소송에서의 진실발견이라는 공익과 개인의 사생활의 보호이익을 비교형량하여 그 허용 여부를 결정하여야 한다(대판 1997.9.30, 97도1230). 따라서 사인에 의한 권리침해에 대해서도 침해되는 이익과 보호되는 이익의 비교형량을 통해서 그 적용여부를 판단해야 할 것으로 보인다.

② 대판 1997.3.28, 97도240

③ 사문서위조 · 위조사문서행사 및 소송사기로 이어지는 일련의 범행에 대하여 피고인을 형사소추하기 위해서는 이 사건 업무일지가 반드시 필요한 증거로 보이므로, 설령 그것이 제3자에 의하여 절취된 것으로서 위 소송사기 등의 피해자 측이 이를 수사기관에 증거자료로 제출하기 위하여 대가를 지급하였다 하더라도, 공익의 실현을 위하여는 이 사건 업무일지를 범죄의 증거로 제출하는 것이 허용되어야 하고, 이로 말미암아 피고인의 사생활 영역을 침해하는 결과가 초래된다 하더라도 이는 피고인이 수인하여야 할 기본권의 제한에 해당된다. 따라서 이 사건 업무일지는 증거능력이 인정된다(대판 2008.6.26, 2008도1584).

④ 제3자의 경우는 설령 전화통화 당사자 일방의 동의를 받고 그 통화 내용을 녹음하였다 하더라도 그 상대방의 동의가 없었던 이상, 이는 여기의 감청에 해당하여 통신비밀보호법 위반이 되고 이와 같이 위반한 불법감청에 의하여 녹음된 전화통화의 내용은 증거능력이 없다(대판 2010.10.14, 2010도9016).

| Answer | 4. ②

05 위법수집증거에 관한 다음 설명 중 가장 옳지 않은 것은? 　　　　21. 9급 법원직

① 영장 발부의 사유로 된 범죄 혐의사실과 무관한 별개의 증거를 압수하였을 경우 이는 원칙적으로 유죄인정의 증거로 사용할 수 없다. 그러나 압수·수색의 목적이 된 범죄나 이와 관련된 범죄의 경우에는 그 압수·수색의 결과를 유죄의 증거로 사용할 수 있다.

② 수사기관에 의한 진술거부권 고지 대상이 되는 피의자 지위는 수사기관이 조사대상자에 대한 범죄혐의를 인정하여 수사를 개시하는 행위를 한 때 인정되는 것으로 보아야 한다. 따라서 이러한 피의자 지위에 있지 아니한 자에 대하여는 진술거부권이 고지되지 아니하였더라도 진술의 증거능력을 부정할 것은 아니다.

③ 제1심에서 피고인에 대하여 무죄판결이 선고되어 검사가 항소한 후, 수사기관이 항소심 공판기일에 증인으로 신청하여 신문할 수 있는 사람을 특별한 사정 없이 미리 수사기관에 소환하여 작성한 진술조서는 피고인이 증거로 할 수 있음에 동의하지 않는 한 증거능력이 없으나 위 참고인이 나중에 법정에 증인으로 출석하여 위 진술조서의 성립의 진정을 인정하고 피고인측에 반대신문의 기회가 부여된다면 위 진술조서의 증거능력을 인정할 수 있다.

④ 범행 현장에서 지문채취 대상물에 대한 지문채취가 먼저 이루어진 이상, 수사기관이 그 이후에 지문채취 대상물을 적법한 절차에 의하지 아니한 채 압수하였다고 하더라도, 위와 같이 채취된 지문을 위법수집증거라고 할 수 없다.

| 해설 ① 대판 2020.2.13, 2019도14341 ② 대판 2014.4.30, 2012도725
③ 참고인이 나중에 법정에 증인으로 출석하여 위 진술조서의 성립의 진정을 인정하고 피고인 측에 반대신문의 기회가 부여된다 하더라도 위 진술조서의 증거능력을 인정할 수 없다(대판 2019.11.28, 2013도6825).
④ 대판 2008.10.23, 2008도7471

06 위법수집증거배제법칙에 대한 설명으로 가장 적절하지 않은 것은?(다툼이 있는 경우 판례에 의함)
　　　　21. 순경 1차

① 수사기관이 헌법과 형사소송법이 정한 절차에 따르지 아니하고 수집한 증거는 유죄인정의 증거로 삼을 수 없는 것이 원칙이므로, 수사기관이 피고인 아닌 자를 상대로 적법한 절차에 따르지 아니하고 수집한 증거는 원칙적으로 피고인에 대한 유죄인정의 증거로 삼을 수 없다.

② 법원의 증인신문절차 공개금지결정이 피고인의 공개재판을 받을 권리를 침해하는 경우, 그 절차에 의하여 이루어진 증인의 증언은 변호인의 반대신문권이 보장되지 않는 한 증거능력이 없다.

③ 제3자가 전화통화 당사자 중 일방만의 동의를 받고 통화 내용을 녹음하였더라도 그 상대방의 동의가 없었다면, 통신비밀보호법을 위반한 불법감청으로 그 녹음된 통화 내용의 증거능력을 인정할 수 없다.

| Answer 5.③　6.②

④ "범행 중 또는 범행 직후의 범죄 장소에서 긴급을 요하여 법원판사의 영장을 받을 수 없는 때에는 영장 없이 압수·수색 또는 검증을 할 수 있다. 이 경우에는 사후에 지체 없이 영장을 받아야 한다."고 규정하고 있는 형사소송법 제216조 제3항의 요건 중 어느 하나라도 갖추지 못한 경우에 그러한 압수·수색 또는 검증은 위법하며, 이에 대하여 사후에 법원으로부터 영장을 발부받았다고 하여 그 위법성이 치유되지 아니한다.

해설 ① 대판 2011.6.30, 2009도6717
② 공개금지사유가 없음에도 불구하고 재판의 심리에 관한 공개를 금지하기로 결정하였다면 그러한 공개금지결정은 피고인의 공개재판을 받을 권리를 침해한 것으로서 그 절차에 의하여 이루어진 증인의 증언은 증거능력이 없다고 할 것이고, 변호인의 반대신문권이 보장되었더라도 달리 볼 수 없으며, 이러한 법리는 공개금지결정의 선고가 없는 등으로 공개금지결정의 사유를 알 수 없는 경우에도 마찬가지라 할 것이다(대판 2015.10.29, 2014도5939).
③ 대판 2010.10.14, 2010도9016
④ 대판 2017.11.29, 2014도16080

04

07 위법수집증거배제법칙에 대한 설명으로 옳지 않은 것은?(다툼이 있는 경우 판례에 의함)

21. 9급 검찰·마약·교정·보호·철도경찰

① 사인이 위법하게 수집한 증거에 대해서는 효과적인 형사소추 및 형사소송에서의 진실발견이라는 공익과 개인의 인격적 이익 등의 보호이익을 비교형량하여 그 허용 여부를 결정하여야 한다.

② '악'과 같은 대화가 아닌 사람의 목소리를 녹음하거나 청취하는 행위가 개인의 사생활의 비밀과 자유 또는 인격권을 중대하게 침해하여 사회통념상 허용되는 한도를 벗어난 것이 아니라면 위와 같은 목소리를 들었다는 진술을 형사절차에서 증거로 사용할 수 있다.

③ 압수·수색영장의 집행과정에서 별건 범죄혐의와 관련된 증거를 우연히 발견하여 압수한 경우에는 별건 범죄혐의에 대해 별도의 압수·수색영장을 발부받지 않았다 하더라도 위법한 압수·수색에 해당하지 않는다.

④ 위법수집증거배제법칙에 대한 예외를 인정하기 위해서는 예외적인 경우에 해당한다고 볼 만한 구체적이고 특별한 사정이 존재한다는 점을 검사가 증명하여야 한다.

해설 ① 대판 1997.9.30, 97도1230
② 대판 2017.3.15, 2016도19843
③ 전자정보에 대한 압수·수색이 종료되기 전에 혐의사실과 관련된 전자정보를 적법하게 탐색하는 과정에서 별도의 범죄혐의와 관련된 전자정보를 우연히 발견한 경우라면, 수사기관은 더 이상의 추가 탐색을 중단하고 법원에서 별도의 범죄혐의에 대한 압수·수색영장을 발부받은 경우에 한하여 그러한 정보에 대하여도 적법하게 압수·수색을 할 수 있다(대결 2015.7.16, 2011모1839 전원합의체).
④ 대판 2011.4.28, 2009도1042

08 위법수집증거배제법칙에 대한 설명으로 다음 〈보기〉에서 옳은 것만 고른 것은?(다툼이 있으면 판례에 의함)
21. 해경 1차

> ㉠ 수사기관이 범행 현장에서 지문채취 대상물인 유리컵에서 지문을 채취한 후 그 유리컵을 적법한 절차에 의하지 아니한 채 압수하였다면 채취한 지문도 위법수집증거이다.
> ㉡ 수사기관이 영장을 발부받지 아니한 채 교통사고로 의식불명인 피의자의 동의 없이 그의 아버지의 동의를 받아 피의자의 혈액을 채취하고 사후에도 지체 없이 영장을 발부받지 않았다면 그 혈액에 대한 혈중알코올농도에 관한 감정의뢰회보는 위법수집증거이다.
> ㉢ 甲이 휴대전화기로 乙과 통화한 후 예우차원에서 바로 전화를 끊지 않고 기다리던 중 그 휴대전화기로부터 乙과 丙이 대화하는 내용이 들리자 이를 그 휴대전화기로 녹음한 경우, 이 녹음은 위법하다고 할 수 없다.
> ㉣ 수사기관이 압수·수색영장에 기하여 피의자의 주거지에서 증거물 A를 압수하고 며칠 후 영장유효기간이 도과하기 전에 위 영장으로 다시 같은 장소에서 증거물 B를 압수한 경우 증거물 B는 위법수집증거이다.

① ㉠, ㉡   ② ㉠, ㉣   ③ ㉡, ㉣   ④ ㉢, ㉣

해설 ㉠ ✕ : 범행 현장에서 지문채취 대상물에 대한 지문채취가 먼저 이루어진 이상, 수사기관이 그 이후에 지문채취 대상물을 적법한 절차에 의하지 아니한 채 압수하였다고 하더라도, 채취된 지문은 위법한 압수라고 보기도 어렵다(대판 2008.10.23, 2008도7471).
㉡ ○ : 대판 2014.11.13, 2013도1228
㉢ ✕ : 甲이 휴대전화기로 乙과 통화한 후 예우차원에서 바로 전화를 끊지 않고 기다리던 중 그 휴대전화기로부터 乙과 丙이 대화하는 내용이 들리자 이를 그 휴대전화기로 녹음한 경우, 甲은 대화에 참여하지 아니한 제3자이므로 이 녹음은 위법하다고 할 수 있다(대판 2016.5.12, 2013도15616).
㉣ ○ : 대결 1999.12.1, 99모161

09 위법수집증거배제법칙에 대한 설명으로 가장 적절하지 않은 것은?(다툼이 있는 경우 판례에 의함)
22. 경찰승진

① 피의자가 변호인의 참여를 원한다는 의사를 명백하게 표시하였음에도 수사기관이 정당한 사유 없이 변호인을 참여하게 하지 아니한 채 피의자를 신문하여 작성한 피의자신문조서는 적법한 절차에 따르지 아니하고 수집한 증거에 해당하므로 이를 증거로 할 수 없다.

② 제1심 법정에서의 피고인의 자백이, 진술거부권을 고지받지 않은 상태에서 이루어진 수사기관에서의 최초 자백 이후 몇 시간 뒤 바로 수사기관의 진술거부권 고지가 이루어졌고 그 후 신문시마다 진술거부권 고지가 모두 적법하게 이루어졌을 뿐만 아니라 40여 일이 지난 후에 변호인의 충분한 조력을 받으면서 공개된 법정에서 임의로 이루어진 것인 경우, 피고인의 그 법정자백은 예외적으로 유죄인정의 증거로 사용할 수 있다.

③ 검사가 형사사법공조절차를 거치지 아니한 채 과테말라공화국에 머무르는 우리나라 사람을 직접 만나 그를 참고인으로 조사하여 작성한 진술조서는 국제법상 마땅히 보장되어야 하는 외국의 영토주권을 침해하고 국제형사사법공조절차를 위반한 위법수집증거로서 그 증거능력이 부정되어야 한다.

④ 압수·수색은 영장 발부의 사유로 된 범죄 혐의사실과 관련된 증거에 한하여 할 수 있는 것이므로, 영장 발부의 사유로 된 범죄 혐의사실과 무관한 별개의 증거를 압수하였을 경우 이는 원칙적으로 유죄인정의 증거로 사용할 수 없지만, 수사기관이 그 별개의 증거를 피압수자 등에게 환부하고 후에 이를 임의 제출받아 다시 압수하였다면 그 증거를 압수한 최초의 절차 위반행위와 최종적인 증거수집 사이의 인과관계가 단절되었다고 평가할 수 있는 사정이 될 수 있다.

｜ 해설 ① 대판 2013.3.28, 2010도3359 ② 대판 2009.3.12, 2008도11437
③ 어떠한 영토주권 침해의 문제가 생겨날 수 없고, 더욱이 이는 우리나라와 과테말라공화국 사이의 국제법적 문제로서 피고인은 그 일방인 과테말라공화국과 국제법상 관할의 원인이 될 만한 아무런 연관성도 갖지 아니하므로, 피고인에 대한 국내 형사소송절차에서 위와 같은 사유로 인하여 위법수집증거배제법칙이 적용된다고 볼 수 없다(대판 2011.7.14, 2011도3809). 다만, 특신상태가 인정되지 않았다는 이유로 진술조서의 증거능력을 인정하지 않았다.
④ 대판 2016.3.10, 2013도11233

10 위법수집증거배제법칙에 관한 설명으로 가장 적절한 것은?(다툼이 있는 경우 판례에 의함)

22. 순경 1차

① 검사가 공소외 甲을 구속 기소한 후 다시 소환하여 피고인 등 공범과의 활동에 관한 신문을 하면서 피의자신문조서가 아닌 일반적인 진술조서의 형식으로 조서를 작성한 경우, 이 진술조서의 내용이 피의자신문조서와 실질적으로 같고 진술의 임의성이 인정되는 경우라도, 甲에게 미리 진술거부권을 고지하지 않은 때에는 그 진술은 위법수집증거에 해당하므로 피고인에 대한 유죄의 증거로 사용할 수 없다.

② 법관의 서명날인란에 서명만 있고 날인이 없는 영장은 형사소송법이 정한 요건을 갖추지 못하여 적법하게 발부되었다고 볼 수 없으므로, 비록 판사의 의사에 기초하여 진정하게 영장이 발부되었다는 점이 외관상 분명하고 의도적으로 적법절차의 실질적인 내용을 침해한다거나 영장주의를 회피할 의도를 가지고 이 영장에 따른 압수·수색을 하였다고 보기 어렵다 하더라도, 이 영장에 따라 압수한 파일 출력물과 이에 기초하여 획득한 2차적 증거인 피의자신문조서도 유죄인정의 증거로 사용할 수 없다.

③ 유흥주점 업주인 피고인이 성매매업을 하면서 금품을 수수하였다고 하여 기소된 사안에서, 경찰이 피고인 아닌 甲, 乙을 사실상 강제연행하여 불법체포한 상태에서 받은 자술서 및 진술조서가 위법수사로 얻은 진술증거에 해당하더라도, 이를 피고인에 대한 유죄인정의 증거로 삼을 수 있다.

④ 피고인이 발송한 이메일에 대한 압수·수색영장을 집행하면서 수사기관이 甲회사에 팩스로 영장 사본을 송신하였다면, 비록 영장 원본을 제시하거나 압수조서와 압수물 목록을 작성하여 피압수·수색 당사자에게 교부하지 않았더라도, 이 같은 방법으로 압수된 피고인의 이메일은 위법수집증거의 증거능력을 인정할 수 있는 예외적인 경우에 해당하므로 증거능력이 부정되지 않는다.

해설 ① 대판 2009.8.20, 2008도8213
② 법관의 서명날인란에 서명만 있고 날인이 없는 압수·수색영장은 야간집행을 허가하는 판사의 수기와 날인, 영장앞면과 별지 사이에 판사의 간인이 있어 법관의 진정한 의사에 따라 발부되었다는 점이 외관상 분명한 경우라도 적법하게 발부된 것으로 볼 수 없다. 다만, 이 경우 영장이 형사소송법이 정한 요건을 갖추지 못하여 적법하게 발부되지 못하였다고 하더라도, 절차상의 결함이 있지만 법익 침해 방지와 관련성이 적고, 절차 조항 위반의 내용과 정도가 중대하지 않고 절차 조항이 보호하고자 하는 권리나 법익을 본질적으로 침해하였다고 볼 수 없다(대판 2019.7.11, 2018도20504). 따라서 그 영장에 따라 수집한 이 사건파일 출력물의 증거능력을 인정할 수 있다.
③ 이른바 '티켓영업' 형태로 성매매를 하면서 금품을 수수하였다고 하여 구 식품위생법 위반으로 기소된 사안에서, 경찰이 피고인 아닌 甲, 乙을 사실상 강제연행하여 불법체포한 상태에서 甲, 乙 간의 성매매행위나 피고인들의 유흥업소 영업행위를 처벌하기 위하여 甲, 乙에게서 자술서를 받고 甲, 乙에 대한 진술조서를 작성한 경우, 위 각 자술서와 진술조서는 적법한 절차에 따르지 아니하고 수집한 증거에 해당하여 형사소송법 제308조의 2에 따라 증거능력이 부정된다(대판 2011.6.30, 2009도6717).
④ 수사기관이 이메일에 대한 압수·수색영장을 집행할 당시 피압수자인 주식회사에 팩스로 영장 사본을 송신했을 뿐 그 원본을 제시하지 않았고, 압수조서와 압수물 목록을 작성하여 피압수·수색 당사자에게 교부하였다고 볼 수도 없다면, 이러한 방법으로 압수된 이메일은 절차를 위반하여 수집한 증거이다(대판 2017.9.7, 2015도10648).

11 위법수집증거에 대한 설명으로 가장 적절하지 않은 것은?(다툼이 있는 경우 판례에 의함)

23. 경찰승진

① 수사기관이 甲으로부터 피고인의 범행에 대한 진술을 듣고, 추가적인 증거를 확보할 목적으로 구속수감되어 있던 甲에게 그의 압수된 휴대전화를 제공하여 피고인과 통화하고 위 범행에 관한 통화 내용을 녹음하게 한 행위는 불법감청에 해당하므로, 그 녹음 자체는 물론 이를 근거로 작성된 녹취록 첨부 수사보고는 피고인의 증거동의에 상관없이 그 증거능력이 없다.

② 검사 작성의 피의자신문조서가 검사에 의하여 피의자에 대한 변호인의 접견이 부당하게 제한되고 있는 동안에 작성된 경우그 피의자신문조서는 증거능력이 없다.

③ 수사기관으로부터 통신제한조치의 집행을 위탁받은 통신기관 등이 집행에 필요한 설비가 없는 때에는, 일단 수사기관의 위탁을 받은 이상, 그 통신기관이 수사기관에 설비제공을 요청하지 않고 통신제한조치허가서에 기재된 사항을 준수하지 아니한 채 통신제한조치를 집행하였다고 하더라도 이를 통하여 취득한 전기통신의 내용 등을 유죄의 증거로 사용할 수 있다.

④ 피고인이 범행 후 피해자에게 전화를 걸어오자 피해자가 증거를 수집하려고 그 전화내용을 녹음한 경우, 그 녹음테이프가 피고인 모르게 녹음된 것이라 하여 이를 위법하게 수집된 증거라고 할 수 없다.

해설 ① 대판 2010.10.14, 2010도9016
② 대판 2013.3.28, 2010도3359
③ 수사기관으로부터 통신제한조치의 집행을 위탁받은 통신기관 등이 집행에 필요한 설비가 없을 때에는 수사기관에 설비의 제공을 요청하여야 하는데, 그러한 요청 없이 통신제한조치허가서에 기재된 사항을 준수하지 아니한 채 통신제한조치를 집행하였다면, 그러한 집행으로 취득한 전기통신의 내용 등은 유죄인정의 증거로 할 수 없다(대판 2016.10.13, 2016도8137).
④ 대판 1997.3.28, 97도240

12 위법수집증거배제법칙에 관한 설명 중 옳은 것은 모두 몇 개인가?(다툼이 있는 경우 판례에 의함)
23. 순경 1차 · 전의경경채

㉠ 사기죄의 증거인 업무일지가 피고인의 사생활 영역과 관계된 자유로운 인격권의 발현물이라고 볼 수 없고 피고인을 형사소추하기 위해서는 이 사건 업무일지가 반드시 필요한 증거라 하더라도, 그것이 제3자에 의하여 절취된 것으로서 피해자측이 이를 수사기관에 증거자료로 제출하기 위하여 대가를 지급하였다면, 위 업무일지는 위법수집증거로서 증거로 사용할 수 없다.
㉡ 사법경찰관이 체포 당시 외국인 피고인에게 영사통보권을 지체 없이 고지하지 않았다면 피고인에게 영사조력이 가능한지 여부나 실질적인 불이익이 있었는지 여부와 상관없이 국제협약에 따른 피고인의 권리나 법익을 본질적으로 침해하였다고 볼 수 있으므로, 체포나 구속 이후 수집된 증거와 이에 기초한 증거들은 유죄인정의 증거로 사용할 수 없다.
㉢ 특별한 사정이 존재하지 아니하는 이상 피고인에게 실질적 반대신문권의 기회가 부여되지 아니한 채 이루어진 증인의 법정진술은 위법한 증거로서 증거능력을 인정하기 어렵지만, 피고인의 책문권 포기로 그 하자가 치유될 수 있고, 이 경우 피고인의 책문권 포기의 의사는 명시적인 것이어야 한다.
㉣ 검사가 공소제기 후 형사소송법 제215조에 따라 수소법원 이외의 지방법원 판사에게 청구하여 발부받은 영장에 의하여 압수·수색을 하였다면, 그와 같이 수집된 증거는 적법한 절차에 따른 것으로서 원칙적으로 유죄의 증거로 삼을 수 있다.

① 1개 ② 2개 ③ 3개 ④ 4개

해설 ㉠ × : 설령 그것이 제3자에 의하여 절취된 것으로서 위 소송사기 등의 피해자측이 이를 수사기관에 증거자료로 제출하기 위하여 대가를 지급하였다 하더라도, 공익의 실현을 위하여는 이 사건 업무일지를 범죄의 증거로 제출하는 것이 허용되어야 하고, 이로 말미암아 피고인의 사생활 영역을 침해하는 결과가 초래된다 하더라도 이는 피고인이 수인하여야 할 기본권의 제한에 해당된다. 따라서 업무일지를 사실인정의 자료로 삼은 조치는 옳고, 형사소송법상 증거능력에 관한 법리오해 등의 위법이 있다고 할 수 없다(대판 2008.6.26, 2008도1584).
㉡ × : 수사기관이 외국인을 체포하거나 구속하면서 지체 없이 자국 영사관에 영사통보권 등이 있음을 고지하지 않았다면 체포나 구속 절차는 위법하므로, 적법한 절차에 따르지 아니하고 수집한 증거는 증거로 할 수 없다. 그러나 구속된 피고인이 수사단계에서 자신의 구금 사실을 자국 영사관에 통보할 수 있음을 알게

Answer 12. ①

되었음에도 수사기관에 영사기관 통보를 요구하지 않은 사안에서, 절차 위반의 내용과 정도가 중대하거나 절차 조항이 보호하고자 하는 외국인 피고인의 권리나 법익을 본질적으로 침해하였다고 볼 수 없어 체포나 구속 이후 수집된 증거와 이에 기초한 증거들은 유죄 인정의 증거로 사용할 수 있다(대판 2022.4.28, 2021도 17103). ⓒ ○ : 대판 2022.3.17, 2016도17054

ⓔ × : 그와 같이 수집된 증거는 기본적 인권 보장을 위해 마련된 적법한 절차에 따르지 않은 것으로서 원칙적으로 유죄의 증거로 삼을 수 없다(대판 2011.4.28, 2009도10412).

13 위법수집증거배제법칙에 대한 설명으로 적절하지 않은 것은 몇 개인가?(다툼이 있는 경우 판례에 의함)

> ㉠ 경찰관들이 피고인들에 대한 혐의가 포착된 상태에서 나이트클럽 내의 음란행위 영업에 관한 증거를 보전하기 위하여위 불특정 다수에게 공개된 장소인 나이트클럽에 통상적인 방법으로 출입하여 손님들에게 공개된 모습을 촬영한 것은 강제수사에 해당하는데도 사전 또는 사후에 영장을 발부받지 않았으므로 그 촬영물은 위법수집증거로서 증거능력이 없다.
> ㉡ 교도관이 재소자가 맡긴 비망록을 수사기관에 임의로 제출하였다면 그 비망록의 증거사용에 대하여도 재소자의 사생활의 비밀 기타 인격적 법익이 침해되는 등의 특별한 사정이 없는 한 반드시 그 재소자의 동의를 받아야 하는 것은 아니며, 검사가 교도관으로부터 그가 보관하고 있던 피고인의 비망록을 임의로 제출받아 이를 압수한 경우, 피고인의 승낙 및 영장이 없더라도 적법절차를 위반한 위법이 있다고 할 수 없다.
> ㉢ 선거관리위원회 위원·직원이 관계인에게 진술이 녹음된다는 사실을 미리 알려주지 아니한 채 진술을 녹음하였더라도, 그와 같은 조사절차에 의하여 수집한 녹음파일 내지 그에 터 잡아 작성된 녹취록이 증거능력이 부정된다고 할 수 없다.
> ㉣ 형사소송법 제218조는 "사법경찰관은 소유자, 소지자 또는 보관자가 임의로 제출한 물건을 영장 없이 압수할 수 있다."고 규정하고 있는바, 위 규정을 위반하여 소유자, 소지자 또는 보관자가 아닌 자로부터 제출받은 물건을 영장 없이 압수한 경우 그 '압수물' 및 '압수물을 찍은 사진'은 이를 유죄인정의 증거로 사용할 수 없는 것이고, 헌법과 형사소송법이 선언한 영장주의의 중요성에 비추어 볼 때 피고인이나 변호인이 이를 증거로 함에 동의하였다고 하더라도 달리 볼 것은 아니다.
> ㉤ 경찰이 피고인의 집에서 20m 떨어진 곳에서 피고인을 체포한 후 피고인의 집안을 수색하여 칼과 합의서를 압수하였을 뿐만 아니라 적법한 시간 내에 압수·수색영장을 청구하여 발부받지도 않은 사안에서, 위 칼과 합의서는 위법하게 압수된 것으로서 증거능력이 없고, 이를 기초로 한 2차 증거인 '임의제출동의서', '압수조서 및 목록', '압수품 사진' 역시 증거능력이 없다.
> ㉥ 압수·수색영장의 집행과정에서 폭행 등의 피해를 당한 검사 등이 수사에 관여하였다는 이유만으로 그 검사 등이 작성한 참고인진술조서 등의 증거능력이 부정될 수 없다.
> ㉦ 피고인 甲, 乙의 간통 범행을 고소한 甲의 남편 丙이 甲의 주거에 침입하여 수집한 후 수사기관에 제출한 혈흔이 묻은 휴지들 및 침대시트를 목적물로 하여 이루어진 감정의뢰회보는 甲의 주거의 자유나 사생활의 비밀을 침해하여 얻은 것이므로 증거능력이 없다.
> ㉧ 압수한 휴대전화의 메신저 계정을 이용하여 새롭게 수신된 메시지를 확인한 후 그 메신저를 이용하여 위장수사를 함으로써 취득한 증거는 위법수집증거에 해당하여 증거능력이 없다.

① 1개   ② 2개   ③ 3개   ④ 4개

┃**해설**┃ ㉠ × : 경찰관들이 피고인들에 대한 범죄의 혐의가 포착된 상태에서 나이트클럽 내에서의 음란행위 영업에 관한 증거를 보전하기 위한 필요에 의하여, 불특정 다수에게 공개된 장소인 나이트클럽에 통상적인 방법으로 출입하여 손님들에게 공개된 모습을 촬영한 것이므로 영장 없이 촬영이 이루어졌다 하여 이를 위법하다고 할 수 없어 촬영물과 그 촬영물을 캡처한 영상사진은 그 증거능력이 인정된다(대판 2023.4.27, 2018도8161). ㉡ ○ : 대판 2008.5.15, 2008도1097

㉢ × : 선거관리위원회 위원·직원이 관계인에게 진술이 녹음된다는 사실을 미리 알려주지 아니한 채 진술을 녹음하였다면, 그와 같은 조사절차에 의하여 수집한 녹음파일 내지 그에 터 잡아 작성된 녹취록은 형사소송법 제308조의 2에서 정하는 '적법한 절차에 따르지 아니하고 수집한 증거'에 해당하여 원칙적으로 유죄의 증거로 쓸 수 없다(대판 2014.10.15, 2011도3509).

㉣ ○ : 대판 2010.1.28, 2009도10092

㉤ ○ : 대판 2010.7.22, 2009도14376

㉥ ○ : 대판 2013.9.12, 2011도12918

㉦ × : 피고인 甲, 乙의 간통 범행을 고소한 甲의 남편 丙이 甲의 주거에 침입하여 수집한 후 수사기관에 제출한 혈흔이 묻은 휴지들 및 침대시트를 목적물로 하여 이루어진 감정의뢰회보에 대하여, 丙이 甲의 주거에 침입한 시점은 甲이 그 주거에서의 실제상 거주를 종료한 이후이고, 위 회보는 피고인들에 대한 형사소추를 위하여 반드시 필요한 증거이므로 공익의 실현을 위해서 증거로 제출하는 것이 허용되어야 하고, 이로 말미암아 甲의 주거의 자유나 사생활의 비밀이 일정 정도 침해되는 결과를 초래하더라도 이는 甲이 수인하여야 할 기본권의 제한에 해당된다. 따라서 위 회보의 증거능력은 인정된다(대판 2010.9.9, 2008도3990).

㉧ ○ : 대판 2023.3.16, 2020도5336

14 독수의 과실이론에 관한 설명으로 가장 적절하지 않은 것은?(다툼이 있으면 판례에 의함)

15. 순경 1차

① 독수의 과실이론이란 위법하게 수집된 증거에 의하여 발견된 제2차 증거의 증거능력을 배제하는 이론이다.

② 대법원은 위법수집증거에 의하여 획득한 2차적 증거도 원칙적으로 유죄인정의 증거로 삼을 수 있다고 판시한 바 있다.

③ 적법절차를 따르지 않고 수집한 증거를 기초로 획득한 2차적 증거라도 1차 증거수집과의 사이에 인과관계의 희석 또는 단절 여부를 중심으로 2차적 증거수집과 관련된 모든 사정을 전체적·종합적으로 고려하여 예외적인 경우에는 유죄인정의 증거로 사용할 수 있다.

④ 강도 현행범으로 체포된 피고인이 진술거부권을 고지받지 아니한 채 자백을 하고, 이후 40여일이 지난 후에 변호인의 충분한 조력을 받으면서 공개된 법정에서 임의로 자백한 경우에 법정에서의 피고인의 자백은 증거로 사용할 수 있다.

┃**해설**┃ ① 위법하게 수집된 증거에 의하여 발견된 제2차 증거의 증거능력을 배제하는 이론이 독수과실이론이다.

②③ 절차에 따르지 아니하고 수집한 증거는 기본적 인권 보장을 위해 마련된 적법한 절차에 따르지 않은 것으로서 원칙적으로 유죄인정의 증거로 삼을 수 없다. 다만, 절차에 따르지 아니한 증거수집과 2차적 증거수집 사이 인과관계의 희석 또는 단절 여부를 중심으로 2차적 증거수집과 관련된 모든 사정을 전체적·종합적으로 고려하여 예외적인 경우에는 유죄인정의 증거로 사용할 수 있다(대판 2007.11.15, 2007도3061 전원합의체). ④ 대판 2009.3.12, 2008도11437

┃**Answer**┃ 14. ②

15 위법수집증거배제법칙에 관한 설명으로 가장 적절한 것은?(다툼이 있는 경우 판례에 의함)

23. 순경 2차

① 사법경찰관이 형사소송법 제215조 제2항을 위반하여 영장 없이 물건을 압수한 경우라도, 그러한 압수 직후 피고인으로부터 그 압수물에 대한 임의제출동의서를 작성받았고 그 동의서를 작성받음에 사법경찰관에 의한 강요나 기망의 정황이 없었다면, 그 압수물은 임의제출의 법리에 따라 유죄의 증거로 할 수 있다.

② 기본권의 본질적 영역에 대한 보호는 국가의 기본적 책무이고 사인 간의 공개되지 않은 대화에 대한 도청 및 감청을 불법으로 간주하는 통신비밀보호법의 취지 등을 종합적으로 고려하면 제3자가 권한 없이 개인의 전자우편을 무단으로 수집한 것은 비록 그 전자우편 서비스가 공공적 성격을 가지는 것이라고 하더라도 증거로 제출하는 것이 허용될 수 없다.

③ 형사소송법 제218조에 의하여 영장 없이 압수할 수 있는 유류물의 압수 후 압수조서의 작성 및 압수목록의 작성 교부절차가 제대로 이행되지 아니한 잘못이 있더라도 이는 위법수집증거의 배제법칙에 비추어 증거능력의 배제가 요구되는 경우에 해당한다고 볼 수는 없다.

④ 경찰이 영장에 의해 압수된 피고인의 휴대전화를 탐색하던 중 영장에 기재된 범죄사실이 기록된 파일을 발견하여 이를 별도의 저장매체에 복제·출력한 경우, 이러한 탐색·복제·출력의 과정에서 피고인에게 참여의 기회를 부여하지 않았어도 사후에 그 파일에 대한 압수·수색영장을 발부받아 절차가 진행되었다면 적법하게 수집된 증거이다.

| 해설 | ① 위법한 압수가 있은 직후에 피고인으로부터 작성받은 그 압수물에 대한 임의제출동의서가 있더라도 특별한 사정이 없는 한 그 압수물은 유죄의 증거로 할 수 없다(대판 2010.7.22, 2009도14376).
② 피고인의 사생활의 비밀이나 통신의 자유가 일정 정도 침해되는 결과를 초래한다 하더라도 이는 피고인이 수인하여야 할 기본권의 제한에 해당한다고 보아야 할 것이다. 따라서 증거로 제출하는 것은 허용되어야 할 것이다(대판 2013.11.28, 2010도12244).
③ 대판 2011.5.26, 2011도1902
④ 피압수자나 변호인에게 참여의 기회를 보장하고 혐의사실과 무관한 전자정보의 임의적인 복제 등을 막기 위한 적절한 조치를 취하는 등 영장주의 원칙과 적법절차를 준수하여야 한다. 특별한 사정이 없는 이상 압수·수색이 적법하다고 평가할 수 없다. 비록 수사기관이 저장매체 또는 복제본에서 혐의사실과 관련된 전자정보만을 복제·출력하였다고 하더라도 달리 볼 것은 아니다(대결 2015.7.16, 2011모1839 전원합의체).

16 위법수집증거의 배제에 관한 설명으로 옳은 것은 모두 몇 개인가?(다툼이 있는 경우 판례에 의함)

24. 경찰승진

> ○ 수사기관이 범행현장에서 지문채취 대상물인 유리컵에서 지문을 채취하고, 그 후 그 유리컵을 적법한 절차에 의하지 않고 압수했다고 하더라도, 채취된 지문은 위법하게 압수한 지문채취 대상물로부터 획득한 2차적 증거에 해당하지 않으므로 위법수집증거에 해당하지 않는다.
>
> ○ 경찰관들이 피고인 甲, 乙, 丙의 나이트클럽 내에서의 음란행위 영업에 관한 범죄 혐의가 포착된 상태에서 그 증거를 보전하기 위하여 불특정 다수에게 공개된 장소인 클럽에 통상적인 방법으로 출입하여 손님들에게 공개된 丙의 성행위를 묘사하는 장면이 포함된 공연에 대한 촬영이 영장 없이 이루어졌다면, 이 촬영물과 이를 캡처한 영상사진은 증거능력이 없다.
>
> ○ 호텔 투숙객 甲이 마약을 투약하였다는 신고를 받고 출동한 경찰관이 임의동행을 거부하는 甲을 강제로 경찰서로 데리고 가서 채뇨 요구를 하자 이에 甲이 응하여 소변검사가 이루어진 경우, 그 결과물인 '소변검사시인서'는 증거능력이 없다.
>
> ○ 甲이 휴대전화기로 乙과 약 8분간의 통화를 마친 후 乙에 대한 예우 차원에서 바로 전화를 끊지 않고 乙이 먼저 전화를 끊기를 기다리던 중, 그 휴대전화기로부터 乙과 丙이 대화하는 내용이 들리자 이를 그 휴대전화기의 수신 및 녹음기능을 이용하여 대화를 몰래 청취하면서 녹음한 경우에 이 녹음은 위법하다고 할 수 있다.

① 1개   ② 2개   ③ 3개   ④ 4개

해설 ○ ○ : 대판 2008.10.23, 2008도7471

○ × : 위 촬영물은 경찰관들이 피고인들에 대한 범죄 혐의가 포착된 상태에서 클럽 내에서의 음란행위 영업에 관한 증거를 보전하기 위하여, 불특정 다수에게 공개된 장소인 클럽에 통상적인 방법으로 출입하여 손님들에게 공개된 모습을 촬영한 것이므로, 영장 없이 촬영이 이루어졌더라도 위 촬영물과 이를 캡처한 영상사진은 증거능력이 인정된다(대판 2023.4.27, 2018도8161).

○ ○ : 대판 2013.3.14, 2012도1361

○ ○ : 대판 2016.5.12, 2013도15616

17 위법수집증거배제원칙에 관한 설명으로 가장 적절하지 않은 것은?(다툼이 있는 경우 판례에 의함)

24. 순경 1차

① 피의자에 대한 진술거부권 고지는 피의자의 진술거부권을 실효적으로 보장하여 진술이 강요되는 것을 막기 위한 것인데, 이러한 진술거부권 고지에 관한 형사소송법 규정내용 및 진술거부권 고지가 갖는 실질적인 의미를 고려하면, 수사기관이 수사를 개시하는 행위를 하기 전이어서 피의자 지위에 있지 아니한 자에 대하여 진술거부권이 고지되지 아니한 때에도 그 진술의 증거능력은 인정할 수 없다.

② 수사기관이 피압수자측에 참여의 기회를 보장하거나 압수한 전자정보 목록을 교부하지 않는 등 영장주의 원칙과 적법절차를 준수하지 않은 위법한 압수·수색 과정을 통하여 취득한 증거는 위법수집증거에 해당하고, 사후에 법원으로부터 영장이 발부되었다거나 피고인이나 변호인이 이를 증거로 함에 동의하였다고 하여 위법성이 치유되는 것도 아니다.

③ 수사기관이 네트워크 카메라 등을 설치·이용하여 피고인의 행동과 피고인이 본 태블릿 개인용 컴퓨터 화면내용을 일반적으로 허용되는 상당한 방법에 의하지 않고 영장 없이 촬영한 것은 수사의 비례성·상당성 원칙과 영장주의 등을 위반한 것이므로 그로 인해 취득한 영상물 등의 증거는 증거능력이 없다.

④ 수사기관의 절차 위반 행위가 적법절차의 실질적인 내용을 침해하지 아니하고, 오히려 그 증거의 증거능력을 배제하는 것이 헌법과 형사소송법이 형사소송에 관한 절차 조항을 마련하여 적법절차의 원칙과 실체적 진실 규명의 조화를 도모하고, 이를 통하여 형사 사법 정의를 실현하려고 한 취지에 반하는 결과를 초래하는 것으로 평가되는 예외적인 경우라면, 법원은 그 증거를 유죄 인정의 증거로 사용할 수 있다.

| 해설 | ① 피의자의 지위에 있지 아니한 자에 대하여는 진술거부권이 고지되지 아니하였다 하더라도 그 진술의 증거능력을 부정할 것은 아니다(대판 2014.4.30, 2012도725).
② 대판 2022.11.17, 2019도11967
③ 대판 2017.11.29, 2017도9747
④ 대판 2007.11.15, 2007도3061 전원합의체

18 사인(私人)에 의한 위법수집증거에 대한 설명으로 옳지 않은 것은?

24. 9급 검찰·마약·교정·보호·철도경찰

① 국민의 사생활 영역에 관계된 모든 증거의 제출이 곧바로 금지되는 것으로 볼 수는 없으므로 법원으로서는 효과적인 형사소추 및 형사소송에서 진실발견이라는 공익과 개인의 인격적 이익 등 보호이익을 비교형량하여 그 허용 여부를 결정하여야 한다.

② 택시 운전기사인 피고인이 자신의 택시에 승차한 피해자들에게 질문하여 지속적인 답변을 유도하는 등의 방법으로 피해자들과의 대화를 이어나가면서 그 대화 내용을 공개한 경우, 피해자들의 발언은 피고인에 대한 관계에서 통신비밀보호법 제3조 제1항에서 정한 '타인 간의 대화'에 해당한다고 할 수 없다.

③ 사문서위조·위조사문서행사 및 소송사기의 형사소추를 위해 반드시 필요한 증거인 업무일지를 제3자가 절취하였고, 이를 피해자측이 수사기관에 증거자료로 제출하기 위해 대가를 지급하고 취득한 경우라고 할지라도 그 업무일지를 증거로 제출하는 것은 허용될 수 있다.

④ 제3자가 권한 없이 비밀보호조치를 해제하는 방법으로 피고인이 공공업무용 전자문서관리 시스템을 이용하여 발송한 전자우편을 수집한 후, 이를 공무원의 지위를 이용한 공직선거법 위반행위인 공소사실의 증거로 제출하는 것은 관련 법률에 따라 형사처벌되는 범죄행위일 뿐만 아니라 피고인의 기본권을 침해하는 행위이므로 허용될 수 없다.

| 해설 | ① 대판 1997.9.30, 97도1230

② 대판 2014.5.16, 2013도16404

③ 대판 2008.6.26, 2008도1584

④ 동장 직무대리의 지위에 있던 피고인이 인사권자인 시장의 재선을 위하여 관할 구역의 통장이나 지역유지 등에게 시장을 도와 달라고 부탁하였다는 내용의 전자우편을 시장에게 보냈는데, 시청 소속의 다른 공무원(=제3자)이 권한 없이 전자우편에 대한 비밀보호조치를 해제하는 방법을 통하여 그 전자우편을 수집한 경우, 제3자가 위와 같은 방법으로 이 사건 전자우편을 수집한 행위는 공공적 성격을 완전히 배제할 수는 없고, 중대한 범죄에 해당하며, 피고인이 사건 전자우편을 이 사건 공소사실에 대한 증거로 함에 동의한 점 등을 종합하면, 이 사건 전자우편을 이 사건 공소사실에 대한 증거로 제출하는 것은 허용되어야 할 것이고, 이로 말미암아 피고인의 사생활의 비밀이나 통신의 자유가 일정 정도 침해되는 결과를 초래한다 하더라도 이는 피고인이 수인하여야 할 기본권의 제한에 해당한다고 보아야 할 것이다(대판 2013.11.28, 2010도12244).

04

🔖 최신판례

현역 군인인 피고인이 방산업체 관계자의 부탁을 받고 군사기밀 사항을 메모지에 옮겨 적은 후 이를 전달하여 누설한 행위와 관련하여 이 사건에 증거로 제출된 위 메모지가 누설 상대방의 다른 군사기밀 탐지·수집 혐의에 관하여 발부된 압수수색영장으로 압수한 것인데, 영장 혐의사실과 사이에 관련성이 인정되지 아니하여 위법수집증거에 해당하고, 군검사가 제출한 그 밖의 증거는 위법수집증거에 기초하여 획득한 2차 증거로서 최초 증거수집단계에서의 위법과 인과관계가 희석되거나 단절된다고 보기 어렵다 (대판 2023.6.1, 2018도18866).

THEMA 45 자백의 의의

자백에 관한 설명으로 맞는 것은?

① 검사의 기소요지진술에 대하여 피고인측이 명백하게 다투지 아니하면 자백한 것으로 본다.

② 형사미성년자의 범행시인은 자백이다.

③ 범죄사실을 시인하면서 강요된 행위였다고 주장하는 것은 자백이 아니다.

④ 범인이 수사개시 전에 그 처에게 한 범행시인은 자백이 아니다.

도움말 자백의 의의

자백이란 자기의 범죄사실의 전부 또는 일부를 인정하는 진술을 말하며, 구체적으로 살펴보면 다음과 같다.

1. 진술하는 자의 법률상 지위는 문제되지 않는다. 자백은 피고인의 진술뿐 아니라 피의자의 지위에서 또는 피의자의 지위가 발생되기 이전의 증인이나 참고인으로서 행한 진술도 자백에 해당한다.

2. 진술의 형식이나 상대방도 묻지 않는다. 구두 또는 서면에 의한 진술도 자백에 해당하며, 재판상 자백뿐 아니라 재판 외 자백도 포함된다. 또 상대방 없는 경우 예컨대 일기 등에 자기의 범죄사실을 기재하는 경우에도 자백에 해당한다.

3. 원래 영미법에서의 자백은 자기의 형사책임을 긍정하는 진술을 의미하나, 우리 형사소송법상의 자백에는 자인(단지 자기에게 불리한 사실 인정)을 포함하는 개념이다. 따라서 자백은 자기의 형사책임을 긍정하는 진술임을 요하지 않는다. 구성요건에 해당하는 사실을 행하였음을 인정하는 진술이면 되고, 자기의 형사책임을 긍정하는 진술임을 요하지 않는다(따라서 구성요건에 해당하는 사실을 인정하면서 위법성조각사유나 책임성조각사유의 존재를 주장하는 경우에도 자백에 해당한다 할 수 있다).

» ②

01 **자백에 대한 설명으로 옳지 않은 것은?**(다툼이 있으면 판례에 의함)

① 업무상 필요에 의하여 작성된 통상문서의 경우에는 설사 그 문서가 우연히 피고인이 작성하였고 그 문서의 내용 중 피고인의 범죄사실의 존재를 추론해 낼 수 있는, 즉 공소사실에 일부 부합되는 사실의 기재가 있다고 하더라도, 이를 피고인이 범죄사실을 자백하는 문서라고 볼 수 없다.

② 모두절차에서 피고인이 공소사실은 사실대로라고 진술한 경우에도 수사기관에서의 진술이나 검사나 변호인의 신문에 대한 전후의 진술을 종합하여 자백 여부를 판단해야 한다.

③ 항소이유서에 '피고인은 돈이 급해 지어서는 안될 죄를 지었습니다.', '진심으로 뉘우치고 있습니다.'라고 범죄사실을 인정하는 취지의 사실이 기재되어 있더라도, 이어진 검사와 재판장 및 변호인의 각 심문에 대하여 피고인은 범죄사실을 부인하였고, 수사단계에서도 일관되게 부인한다면 범죄사실을 자백한 것으로 볼 수 없다.

④ 검사가 피고인에게 공소사실 그대로의 사실유무를 묻자 "예, 그렇습니다."라고 대답하였다면 검사와 변호인의 물음에서나 그 이후의 공판정에서는 피고인이 상피고인의 부동산전매업을 도와 주는 모집책이 아니고 단순한 고객일 뿐이라고 진술하였더라도 피고인들과 공모하여 기망 내지 편취한 점까지 자백한 것이라고 볼 수 있다.

┃ 해설 ┃ ① 대판 1996.10.17, 94도2865
② 대판 1990.4.27, 89도1569
③ 대판 1999.11.12, 99도3341
④ 검사가 피고인에게 공소사실 그대로의 사실유무를 묻자 "예, 있습니다." "예, 그렇습니다."라고 대답하였으나, 검사와 변호인의 물음에서나 그 이후의 공판정에서는 피고인이 상피고인의 부동산전매업을 도와 주는 모집책이 아니고 단순한 고객일 뿐이라고 진술하고 있다면 피고인들과 공모하여 기망 내지 편취한 점까지 자백한 것이라고는 볼 수 없다(대판 1984.4.10, 84도141).

THEMA 46	**자백배제법칙**
의 의	제309조 : "피고인의 자백이 고문·폭행·협박·신체구속의 부당한 장기화 또는 기망 기타의 방법으로 임의로 진술한 것이 아니라고 의심할 만한 이유가 있는 때에는 이를 유죄의 증거로 하지 못한다." ▶ 예시적 열거(대판 1985.2.26, 82도2413)
적용범위	1. 고문·폭행·협박에 의한 자백·신체구속의 부당한 장기화로 인한 자백 　▶ 다른 피고인이 고문당하는 것을 보고 한 자백도 고문에 의한 자백에 해당(대판 1978.1.31, 77도463) 06. 순경 2차, 07. 7급 국가직, 15. 경찰승진 2. 기망 기타 방법에 의한 임의성에 의심이 있는 자백 　① 기망에 의한 자백 : 기망에는 적극적인 사술(詐術)이 사용되어야 하며, 단순히 상대방의 착오를 이용하는 것으로는 족하지 않다. 　　**예** • 다른 공범자는 이미 자백을 하였다고 속여 자백을 받아 낸 경우 07. 경찰승진 　　　• 거짓말탐지기의 검사결과 피의자의 진술이 거짓임이 판명되었다고 기망하여 자백을 받아낸 경우 　　　• 자백하면 피의사실 부분은 가볍게 처리하고 보호감호청구를 않겠다는 각서를 작성하여 주면서 자백을 유도한 후 실제로는 보호감호청구(대판 1985.12.10, 85도2182) 10. 경찰승진 　② 기타 방법에 의한 자백 　　㉠ 약속에 의한 자백 　　　**예** • 자백을 하면 기소유예를 해주겠다고 하여 자백을 받아 낸 경우 07. 경찰승진 　　　　• 특정범죄 가중처벌에 관한 법률을 적용하지 않고 가벼운 수뢰죄로 처벌받게 해주겠다고 약속하여 자백을 받아 낸 경우 임의성에 의심이 가고 진실성이 없어 증거능력이 없다(대판 1984.5.9, 83도2782). 09. 7급 국가직, 11. 교정특채 　　　▶ 담배나 커피를 주겠다는 약속과 같이 일상생활에서 통상적으로 행해지는 편의제공은 자백의 임의성을 해하지 않는다. 　　　▶ 일정한 증거가 발견되면 자백하겠다고 약속한 후 자백 ⇨ 임의성 없는 자백이라고 단정할 수는 없다(대판 1983.9.13, 83도712). 07·10. 경찰승진, 16. 7급 국가직 　　㉡ 위법한 신문방법에 의한 자백 : 야간신문 자체 ⇨ 위법 ×(판단능력을 상실한 정도의 수면부족 상태에서의 자백은 증거능력 부정) 　　㉢ 변호인 조력권 침해에 의한 자백 : 변호인의 조력을 받을 권리를 침해에 의한 자백 ⇨ 증거능력 부정(비변호인과의 접견이 금지된 상태하에서 피의자신문조서가 작성된 것만으로는 임의성이 부정되는 것은 아니다.) 　　㉣ 진술거부권의 불고지 : 대법원은 "진술거부권을 고지하지 않은 때에는 임의성은 인정되더라도 위법하게 수집된 증거로서 증거능력이 부정되어야 한다."라고 판시하여 자백배제법칙이 아닌 위법수집증거배제법칙에 근거함을 명백히 한 판례이다(대판 1992.6.23, 92도682). 09. 9급 국가직
임의성 입증	1. 검사가 그 임의성에 대한 입증을 하여야 한다(대판 2000.1.21, 99도4940). 14. 경찰간부, 16. 경찰승진·7급 국가직 2. 자백의 임의성은 자유로운 증명으로 족하다(대판 1986.11.25, 83도1718).
자백배제 법칙효과	임의성이 없거나 의심되는 자백은 증거동의가 있는 경우라도 증거능력이 없으며(대판 2013.7.11, 2011도14044), 13·14. 경찰간부, 15. 경찰승진, 16. 9급 법원직 탄핵증거로도 사용할 수 없다. 07. 9급 국가직, 13·14. 경찰간부, 15·16·22·24. 경찰승진

01 자백배제법칙에 대한 설명으로 가장 적절하지 않은 것은?(다툼이 있는 경우 판례에 의함)

① 일정한 증거가 발견되면 피의자가 자백하겠다고 한 약속이 검사의 강요나 위계에 의하여 이루어졌다던가 또는 불기소나 경한 죄의 소추 등 이익과 교환 조건으로 된 것으로 인정되지 않는다면 위와 같은 자백의 약속 하에 된 자백이라 하여 곧 임의성이 없는 자백이라고 단정할 수 없다.

② 피고인이 수사기관에서 가혹행위 등으로 인하여 임의성 없는 자백을 하고, 그 후 법정에서도 임의성 없는 심리상태가 계속되어 동일한 내용의 자백을 하였다면 법정에서의 자백도 임의성 없는 자백이라고 보아야 한다.

③ 진술의 임의성에 다툼이 있을 때에는 검사가 그 임의성의 의문점을 없애는 증명을 하여야 하며, 검사가 이를 증명하지 못하면 그 진술증거의 증거능력은 부정된다.

④ 검찰에서의 피고인의 자백이 임의성이 있어 그 증거능력이 부여된다면 자백의 진실성과 신빙성까지도 당연히 인정된다.

┃**해설**┃ ① 대판 1983.9.13, 83도712

② 대판 2012.11.29, 2010도3029

③ 대판 2000.1.21, 99도4940

④ 검찰에서의 피고인의 자백이 임의성이 있어 그 증거능력이 부여된다 하여 자백의 진실성과 신빙성까지도 당연히 인정되어야 하는 것은 아니다(대판 2007.9.6, 2007도4959).

02 다음 중 증거능력을 인정할 수 있는 것은 모두 몇 개인가?

> ㉠ 담배나 커피를 주겠다는 약속을 하여 자백을 받아낸 경우
> ㉡ 신문방법에는 강제가 없었으나 약 1년 3개월 동안 270회 검찰청으로 소환하여 조사받은 경우 작성된 진술조서
> ㉢ 약 30시간 동안 잠을 재우지 아니한 채 검사 2명이 교대로 신문을 하면서 회유한 끝에 받아낸 자백
> ㉣ 구속영장 없이 13일간 불법구속상태에서 한 자백
> ㉤ 검사가 자백하면 기소유예 해주겠다고 하여 이를 믿고 한 자백

① 1개   ② 2개   ③ 5개   ④ 모두 인정된다.

┃**해설**┃ ㉠ **인정** : 담배나 커피를 주겠다는 약속이나 증거가 발견되면 자백하겠다는 약속만으로는 임의성에 의심이 있는 자백이라 할 수 없다(대판 1983.9.13, 83도712).

㉡ **부정** : 대판 2006.1.26, 2004도517

㉢ **부정** : 대판 1997.6.27, 95도1964

㉣ **부정** : 대판 1985.2.26, 82도2413

㉤ **부정** : 약속에 의한 자백으로 임의성에 의심이 있는 경우이다.

03 자백배제법칙에 대한 설명으로 옳은 것만을 모두 고르면?(다툼이 있는 경우 판례에 의함)

22. 경찰간부

> ㉠ 피의자에게 진술거부권을 고지하지 않은 때에는 그 피의자의 진술은 위법하게 수집된 증거로서 진술의 임의성이 인정되는 경우라도 증거능력이 부인되어야 한다.
>
> ㉡ 피고인이 수사기관에서 임의성 없는 자백을 하고 그 후 법정에서도 임의성 없는 심리상태가 계속되어 동일한 내용의 자백을 하였다면, 법정에서의 자백도 임의성 없는 자백이 되어 증거능력이 부정된다.
>
> ㉢ 자백의 임의성에 다툼이 있을 때에는 그 임의성을 의심할 만한 합리적이고 구체적인 사실을 피고인이 증명할 것이 아니고, 검사가 그 임의성에 대한 의문점을 해소하는 입증을 하여야 하며, 이러한 자백의 임의성은 소송법적 사실이므로 법원은 자유로운 증명으로 그 임의성 유무를 판단해도 충분하다.
>
> ㉣ 피고인의 자백이 임의성이 없다고 의심할 만한 사유가 있는 때에 해당한다 할지라도 그 임의성이 없다고 의심하게 된 사유들과 피고인의 자백과의 사이에 인과관계가 존재하지 않은 것이 명백한 때에는 그 자백은 임의성이 있는 것으로 인정된다.

① ㉠, ㉡   ② ㉢, ㉣   ③ ㉡, ㉢, ㉣   ④ ㉠, ㉡, ㉢, ㉣

해설 ㉠ 대판 2014.4.10, 2014도1779
㉡ 대판 2012.11.29, 2010도3029
㉢ 대판 2013.7.11, 2011도14044
㉣ 대판 1984.11.27, 84도2252

04 자백의 증거능력에 관한 설명 중 가장 적절한 것은?(다툼이 있는 경우 판례에 의함)

① 피고인이 직접 고문을 당하지 않았다면 다른 피고인이 고문당하는 것을 보고 자백한 경우라도 자백의 증거능력은 인정된다.

② 비변호인과의 접견이 금지된 상태에서 작성된 피의자신문조서는 당연히 임의성이 부정된다.

③ 공범인 공동피고인의 법정 자백은 피고인들 간에 이해관계가 상반되지 않는 경우에만 다른 공동피고인에 대하여 독립한 증거능력이 있다.

④ 검사가 피의자에 대한 변호인의 접견을 부당하게 제한하고 있는 동안에 검사가 작성한 피의자신문조서는 증거능력이 없다.

해설 ① 피고인이 직접 고문을 당하지 않았다 할지라도 다른 피고인이 고문당하는 것을 보고 자백한 경우에는 자백의 증거능력이 인정되지 않는다(대판 1978.1.31, 77도463).
② 비변호인과의 접견이 금지된 상태에서 작성된 것만으로는 자백에 임의성이 없는 것으로 볼 수 없다(대판 1984.7.10, 84도846).
③ 공동피고인의 자백은 이에 대한 피고인의 반대신문권이 보장되어 있어 증인으로 신문한 경우와 다를 바 없으므로 독립한 증거능력이 있고, 이는 피고인들간에 이해관계가 상반된다고 하여도 마찬가지라 할 것이다(대판 2006.5.11, 2006도1944). ④ 대판 1990.8.24, 90도1285

05 자백배제법칙에 관한 다음 설명 중 틀린 것은?(다툼이 있으면 판례에 의함)

① 제1회 피의자신문조서가 사건의 송치를 받은 당일에 작성된 것이었다 하여 그와 같은 조서의 작성시기만으로 그 조서에 기재된 피고인의 자백진술이 임의성이 없다고 할 수 없다.

② 범죄의 피해자인 검사가 그 사건의 수사에 관여하거나, 압수·수색영장의 집행에 참여한 검사가 다시 수사에 관여하였다면 그 수사는 위법하며, 그에 따른 참고인이나 피의자의 진술에 임의성이 없다고 볼 수 있다.

③ 피고인이 수사기관에 영장 없이 연행되어 약 40일간 조사를 받다가 구속영장에 의하여 구속되고 검찰에 송치된 후 약 1개월간에 걸쳐 검사로부터 4회 신문을 받으면서 범죄사실을 자백한 경우라도, 피고인이 1·2심 법정에서 검사로부터 폭행·협박 등 부당한 대우를 받음이 없이 자유스러운 분위기에서 신문을 받았다고 진술하고 있고, 검찰에 송치된 후 4차의 신문을 받으면서 범행의 동기와 경위에 관하여 소상하게 진술을 하고 있다면, 피고인의 검사 앞에서의 자백은 특히 신빙할 수 있는 상태하에서 행하여진 임의성 있는 진술이라고 볼 수 있다.

④ 검찰주사가 피의자에게 피의사실을 자백하면 그 피의사실 부분은 가볍게 처리하고 보호감호의 청구를 하지 않겠다는 각서를 작성하여 주면서 자백을 유도한 경우에는 자백의 증거능력이 인정되지 않는다.

해설 ① 대판 1984.5.29, 84도378
② 범죄의 피해자인 검사가 그 사건의 수사에 관여하거나, 압수·수색영장의 집행에 참여한 검사가 다시 수사에 관여하였다는 이유만으로 바로 그 수사가 위법하다거나 그에 따른 참고인이나 피의자의 진술에 임의성이 없다고 볼 수는 없다(대판 2013.9.12, 2011도12918).
③ 대판 1984.10.23, 84도1846
④ 대판 1985.12.10, 85도2182

06 자백배제법칙에 대한 설명으로 적절하지 않은 것은?(다툼이 있는 경우 판례에 의함) 22. 경찰승진

① 피고인이 경찰에서 가혹행위 등으로 인하여 임의성 없는 자백을 하고 그 후 검찰이나 법정에서도 임의성 없는 심리상태가 계속되어 동일한 내용의 자백을 하였다면, 검찰에서의 자백은 임의성 없는 자백이라고 보아야 하지만 공개된 법정에서의 자백은 그러하지 아니하다.

② 경찰에서 부당한 신체구속을 당하였다 하더라도 검사 앞에서의 진술에 임의성이 인정되는 경우, 그와 같은 부당한 신체구속이 있었다는 사유만으로 검사가 작성한 피의자신문조서의 증거능력이 상실된다고 할 수 없다.

③ 검사 작성의 피의자신문조서가 사건의 송치를 받은 당일에 작성된 경우, 그와 같은 조서의 작성시기만으로는 그 조서에 기재된 피의자의 자백진술이 임의성 없다고 의심하여 증거능력을 부정할 수 없다.

④ 일정한 증거가 발견되면 피의자가 자백하겠다고 한 약속이 검사의 강요나 위계에 의하여 이루어졌다던가 또는 불기소나 경한 죄의 소추 등 이익과 교환조건으로 된 것이라고 인정되지 아니한 경우, 이와 같은 자백의 약속하에 된 자백을 곧 임의성이 없는 자백이라고 단정할 수는 없다.

| 해설 | ① 피고인이 경찰에서 가혹행위 등으로 인하여 임의성 없는 자백을 하고 그 후 검찰이나 법정에서도 임의성 없는 심리상태가 계속되어 동일한 내용의 자백을 하였다면 각 자백도 임의성 없는 자백이라고 보아야 한다(대판 2015.9.10, 2012도9879).
② 대판 1986.11.25, 83도1718
③ 대판 1984.5.29, 84도378
④ 대판 1983.9.13, 83도712

07 **자백배제법칙에 관한 설명으로 적절하지 않은 것은?**(다툼이 있는 경우 판례에 의함) 22. 순경 1차

① 피고인의 자백이 고문, 폭행, 협박, 신체구속의 부당한 장기화 또는 기망 기타의 방법으로 임의로 진술한 것이 아니라고 의심할 만한 이유가 있는 때에는 이를 유죄의 증거로 하지 못한다.

② 임의성이 인정되지 아니하여 증거능력이 없는 진술증거는 피고인이 증거로 함에 동의하더라도 증거로 삼을 수 없으나, 임의성이 의심되는 자백은 피고인의 법정에서의 진술을 탄핵하기 위한 반대증거로는 사용할 수 있다.

③ 피고인이 피의자신문조서에 기재된 피고인의 진술 및 공판기일에서의 피고인의 진술의 임의성을 다투면서 그것이 허위자백이라고 다투는 경우, 법원은 제반 사정을 참작하여 자유로운 심증으로 임의성 여부를 판단하면 된다.

④ 피고인이나 그 변호인이 검사 작성의 당해 피고인에 대한 피의자신문조서의 임의성을 인정하는 진술을 하였다가 이를 번복하는 경우에, 증거조사를 마친 조서의 임의성을 다투는 주장이 받아들여지게 되면, 그 조서는 증거배제결정을 통하여 유죄인정의 자료에서 제외되어야 한다.

| 해설 | ① 제309조
② 임의성이 인정되지 아니하여 증거능력이 없는 진술증거는 피고인이 증거로 함에 동의하더라도 증거로 삼을 수 없으며(대판 2013.7.11, 2011도14044), 임의성이 의심되는 자백은 피고인의 법정에서의 진술을 탄핵하기 위한 반대증거로도 사용할 수 없다(통설). 임의성 없는 자백의 증거능력 부정은 절대적이기 때문이다.
③ 대판 1986.11.25, 83도1718
④ 대판 2008.7.10, 2007도7760

08 **자백의 임의성에 대한 설명으로 적절하지 않은 것은?**(다툼이 있는 경우 판례에 의함) 23. 경찰승진

① 피고인이 수사기관에서 가혹행위 등으로 인하여 임의성 없는 자백을 하고 그 후 법정에서도 임의성 없는 심리상태가 계속되어 동일한 내용의 자백을 하였다면 그 법정에서의 자백도 임의성 없는 자백이라고 보아야 한다.

② 피고인이 자백의 임의성을 다투면서 그것이 허위자백이라고 다투는 경우, 검사가 그 임의성의 의문점을 없애는 증명을 해야 하는 것이 아니고, 피고인이 그 임의성을 의심할 만한 합리적이고 구체적인 사실을 증명해야 한다.

③ 피고인이 피의자신문조서에 기재된 피고인의 진술이 임의성 없는 허위자백이라고 다투는 경우, 법원은 구체적인 사건에 따라 피고인의 학력, 경력, 직업, 사회적 지위, 지능 정도, 진술의 내용, 피의자신문조서의 경우 그 조서의 형식 등 제반 사정을 참작하여 자유로운 심증으로 위 진술이 임의로 된 것인지 여부를 판단하면 된다.

④ 임의성 없는 자백은 피고인의 증거동의가 있는 경우에도 증거능력이 없다.

┃ 해설 ┃ ① 대판 2015.9.10, 2012도9879
② 임의성에 다툼이 있을 때에는 검사가 그 임의성에 대한 의문점을 해소하는 입증을 하여야 한다(대판 2000.1.21, 99도4940).
③ 대판 1986.11.25, 83도1718 ④ 대판 2006.11.23, 2004도7900

09 **자백의 임의성에 관한 설명 중 가장 적절하지 않은 것은?**(다툼이 있는 경우 판례에 의함)

① 국가안전기획부에서 조사를 받다가 변호인의 접견신청이 불허되어 이에 대한 준항고를 제기 중에 검찰로 송치되어 검사가 피고인을 신문하여 피의자신문조서를 작성한 후 준항고절차에서 위 접견불허처분이 취소되었다 할지라도 검사의 피의자신문은 변호인의 접견교통을 금지한 위법상태가 계속된 상황에서 시행된 것으로 볼 수는 없다.

② 국가안전기획부에서 신체구속의 장기화와 진술을 강요한 사실이 있다고 하더라도 피고인이 검찰에서 피의자로서 1, 2차는 각 구치소에서 3차에서 6차까지는 각 검사실에서 각 조사를 받았고, 조사받은 날짜와 장소, 그 내용 등을 검토하면 각 공소사실별로 조리정연하게 소상하게 진술하고 또 잘못된 진술은 정정, 일부 사실을 부인하는 경우라면 위 안전부에서의 사정이 검찰수사 과정에까지 영향을 미친 것으로 볼 수 없어 피고인의 검찰에서의 진술은 특히 신빙할 수 있는 상태에서 행하여진 임의의 진술임이 인정된다.

③ 피고인이 검사의 1, 2차 조사시에 범행을 자백하고, 1심 법정에서 경찰, 검찰에서의 자백의 임의성을 인정하였다가, 항소이유와 항소심 법정에서 비로소 경찰에서의 자백이 고문에 못이겨 한 것이고, 검찰에서의 자백은 감호청구를 하겠다는 말에 겁이 나서 한 것이라고 주장하는 경우에 경찰에서의 자백이 강요에 의한 것으로 임의성이 인정되지 아니한다 하더라도 다른 사정이 없는 한 경찰조사시의 임의성 없는 상태가 검사의 조사 당시까지 계속되었다고 할 수 없으므로 검찰진술 내용이 임의성 없는 자백이라고 할 수 없다.

┃ Answer ┃ 8. ② 9. ①

④ 피고인은 검찰에서 피의자신문을 받아 본건 방화사실을 자백하고 이어서 진술서를 작성·제출하고 그 다음 날부터 연 3일간 자기의 잘못을 반성하고 자백하는 내용의 양심서, 반성문, 사실서를 작성·제출하고 경찰의 검증조서에도 피고인이 자백하는 기재가 있으나, 검찰에 송치되자마자 검찰에서의 자백은 강요에 의한 것이라고 주장하면서 범행을 부인할 뿐더러 연 4일을 계속하여 매일 한장씩 진술서 등을 작성한다는 것은 부자연하다는 느낌이 드는 등 사정에 비추어 보면 위의 자백은 신빙성이 희박하다.

| 해설 | ① 국가안전기획부에서 조사를 받다가 변호인의 접견신청이 불허되어 이에 대한 준항고를 제기 중에 검찰로 송치되어 검사가 피고인을 신문하여 제1회 피의자신문조서를 작성한 후 준항고절차에서 위 접견불허처분이 취소되어 접견이 허용된 경우에는 검사의 피고인에 대한 위 제1회 피의자신문은 변호인의 접견교통을 금지한 위법상태가 계속된 상황에서 시행된 것으로 보아야 할 것이므로 그 피의자신문조서는 증거능력이 없다(대판 1990.9.25, 90도1586).
② 대판 1983.11.8, 83도2436 ③ 대판 1983.4.26, 82도2943 ④ 대판 1980.12.9, 80도2656

10 자백배제법칙에 관한 설명으로 가장 적절하지 않은 것은?(다툼이 있는 경우 판례에 의함)

23. 순경 2차

① 피고인의 자백이 임의로 진술한 것이 아니라고 의심할 만한 이유가 있는 때에는 유죄의 증거가 될 수 없으며 자백의 임의성이 인정되는 경우라도 수사기관에서의 신문절차에서 미리 진술거부권을 고지받지 아니하고 행한 것이라면 이는 위법하게 수집된 증거로서 증거능력이 부인되어야 한다.
② 자백은 일단 자백하였다가 이를 번복 내지 취소하더라도 그 효력이 없어지는 것은 아니기에, 피고인이 항소이유서에 '돈이 급해 지어서는 안될 죄를 지었습니다', '진심으로 뉘우치고 있습니다'라고 기재하였고 항소심 공판기일에 그 항소이유서를 진술하였다면, 이어진 검사의 신문에 범죄사실을 부인하였고 수사단계에서도 일관되게 범죄사실을 부인하여 온 사정이 있다고 하더라도 피고인이 자백한 것으로 볼 수 있다.
③ 피고인의 자백이 신문에 참여한 검찰주사가 피의사실을 자백하면 피의사실 부분은 가볍게 처리하고 부가적인 보안처분의 청구를 하지 않겠다는 각서를 작성하여 주면서 자백을 유도한 것에 기인한 것이라면 그 자백은 증거로 할 수 없다.
④ 형사소송법 제309조 소정의 사유로 임의성이 없다고 의심할 만한 이유가 있는 자백은 그 인과관계의 존재가 추정되는 것이므로 이를 유죄의 증거로 하려면 적극적으로 그 인과관계가 존재하지 아니하는 것이 인정되어야 할 것이다.

| 해설 | ① 대판 1992.6.23, 92도682 ② 피고인이 제출한 항소이유서에 '피고인은 돈이 급해 지어서는 안될 죄를 지었습니다', '진심으로 뉘우치고 있습니다'라고 기재되어 있고 피고인은 항소심 제2회 공판기일에 위 항소이유서를 진술하였으나, 곧 이어서 있은 검사와 재판장 및 변호인의 각 심문에 대하여 피고인은 범죄사실을 부인하였고, 수사단계에서도 일관되게 그와 같이 범죄사실을 부인하여 온 점에 비추어 볼 때, 위와 같이 추상적인 항소이유서의 기재만을 가지고 범죄사실을 자백한 것으로 볼 수 없다(대판 1999.11.12, 99도3341). ③ 대판 1985.12.10, 85도2182 ④ 대판 1984.11.27, 84도2252

11 자백 또는 그 증거능력에 관한 설명으로 가장 적절한 것은?(다툼이 있는 경우 판례에 의함)

24. 경찰승진

① 피고인이 제출한 항소이유서에 '돈이 급해 지어서는 안될 죄를 지었습니다', '진심으로 뉘우치고 있습니다'라고 기재되어 있고 피고인이 항소심 공판기일에 항소이유서를 진술하였다면, 곧 이어서 있은 검사와 재판장 및 변호인의 각 심문에 대하여 피고인이 범죄사실을 부인하였고, 수사단계에서도 범죄사실을 일관되게 부인하여 왔더라도 항소이유서의 기재만으로 범죄사실을 자백한 것으로 볼 수 있다.

② 자백은 피고인의 진술이나 피의자의 지위에서 행한 진술을 말하며, 피의자의 지위가 발생하기 이전의 참고인으로서 행한 진술은 자백에 해당하지 않는다.

③ 검찰에서의 피고인의 자백이 임의성이 있어 그 증거능력이 인정된다면 자백의 진실성과 신빙성은 당연히 인정된다.

④ 임의성 없는 자백은 증거동의의 대상이 아니고 탄핵증거로도 사용될 수 없다.

> **┃해설┃** ① 위와 같이 추상적인 항소이유서의 기재만을 가지고 범죄사실을 자백한 것으로 볼 수 없다(대판 1999.11.12, 99도3341).
> ② 자백배제법칙에서 말하는 자백은 피고인의 진술이나 피의자의 지위에서 행한 진술뿐만 아니라, 피의자의 지위가 발생하기 이전의 참고인으로서 행한 진술도 자백에 해당한다.
> ③ 임의성은 인정되나 신빙성이 없다(대판 2007.9.6, 2007도4959).
> ④ 대판 2006.11.23, 2004도7900

Ⅱ. 전문법칙

THEMA 47 전문증거

의 의	전문증거란 요증사실(증거에 의해 증명하려는 사실)을 체험한 자가 법원에 그 경험내용을 직접 보고하지 않고 중간매체(서면이나 타인의 진술)를 통하여 간접적으로 보고하는 경우를 말한다. 12. 9급 검찰 **예** 피고인 A가 B를 살해한 혐의로 기소된 사건에서 甲이 A가 B를 살해하고 있는 현장을 목격하였을 경우에 甲이 증인으로서 법정에 출석하여 "나는 A가 B를 살해하는 것을 보았다."라고 증언하였다면 이는 본래의 증거이다(원본증거). 그러나 甲이 목격한 바를 乙에게 말하고 乙이 증인으로 법정에 출석하여 "나는 甲으로부터 A가 B를 살해하는 것을 보았다는 말을 전해들었다."라고 증언하였다면 乙의 증언은 전문증거에 해당됨.
유 형	전문증거 : 사실을 직접 경험한 자의 진술을 청취한 제3자가 그 원진술의 내용을 법원에 대하여 구두로 진술하는 경우 전문서류 ┌ 진술서 : 원진술자(경험자) 자신이 체험사실을 서면에 기재하는 경우 **예** 피의자진술서, 참고인진술서 └ 진술녹취서 : 원진술자가 체험사실을 진술하고 이를 전해들은 타인이 내용을 서면에 기재하는 경우 **예** 피의자신문조서
범 위	1. 진술증거 : 전문증거는 요증사실을 직접 지각한 사람의 진술을 내용으로 하는 진술증거이다. 따라서 흉기와 같은 증거물은 비진술증거로서 전문증거가 될 수 없다. 2. 요증사실 : 어떤 증거가 전문증거인가의 여부는 그 증거에 의하여 증명하려는 사실(요증사실)과의 관계에 따라 정하여진다. 즉, 원진술의 내용이 된 사실의 존부(원진술자의 진술내용의 사실 여부)가 요증사실인 경우에는 전문증거이나, 원진술 존재 자체가 요증사실로 되는 경우에는 본래의 증거이지 전문증거가 아니다(대판 2012.7.26, 2012도2937). 21. 순경 1차 **예** 乙로부터 丙이 절도하는 것을 보았다는 말을 들은 甲이 증언 ⇨ 丙의 절도사건에서는 전문증거, 乙의 명예훼손사건에서는 본래의 증거(원본증거) • 제1심 법정에서 피해자 甲이 '피고인 1이 88체육관 부지를 공시지가로 매입하게 해 주고 KBS와의 시설이주 협의도 2개월 내로 완료하겠다고 말하였다.'고 진술한 경우, 위와 같은 원진술의 존재 자체가 이 부분 각 사기죄 또는 변호사법 위반죄에 있어서의 요증사실이므로, 이를 직접 경험한 피해자 甲 등이 피고인으로부터 위와 같은 말을 들었다고 하는 진술은 전문증거가 아니라 본래증거에 해당한다고 할 것이다(대판 2012.7.26, 2012도2937). 13. 7급 국가직, 19. 9급 교정 · 보호 · 철도경찰 • 어떤 진술이 범죄사실에 대한 직접증거로 사용함에 있어서는 전문증거가 된다고 하더라도 그와 같은 진술을 하였다는 것 자체 또는 그 진술의 진실성과 관계없는 간접사실에 대한 정황증거로 사용함에 있어서는 반드시 전문증거가 되는 것은 아니다(대판 2000.2.25, 99도1252). 16. 9급 법원직 · 9급 검찰 · 마약 · 교정 · 보호 · 철도경찰, 18. 경찰승진, 14 · 24. 순경 1차 • 공소외 1(전 청와대 경제수석비서관)의 진술 중 '지시 사항 부분'은 전직 대통령인 피고인이 공소외 1에게 지시를 한 사실을 증명하기 위한 것이라면 원진술의 존재 자체가 요증사실인 경우에 해당하여 본래증거이고 전문증거가 아니다(대판 2019.8.29, 2018도14303 전원합의체).

01 전문증거에 해당하는 것으로 가장 적절하지 않은 것은?

15. 경찰승진

① 검사가 피해자의 진술을 기재한 진술조서
② 범행목격자의 공판정에서의 증언
③ 피고인 스스로 작성한 진술서
④ 경찰관이 범인에게 들은 내용에 대해 법정에서 한 진술

해설 ②는 원본증거이고, ①③④는 전문증거에 해당한다.

02 다음의 내용 중 전문증거가 될 수 없는 것으로 모두 짝지어진 것은 어느 것인가?

> ㉠ A가 B에게 수명의 혐의자 중 강도범이 누구인지 지적하여 달라고 하자 B는 C를 지적하였는데, A가 법정에서 B의 지적행동을 증언하는 경우, A의 증언
> ㉡ B가 C를 껴안은 행동이 폭행인지 우정의 표현인지를 설명하기 위하여 그 장면을 목격한 A가 법정에서 "B는 C에게 나쁜 놈이라고 격노에 찬 말을 하였다."라고 증언한 경우, A의 증언
> ㉢ B에 대하여 무고죄로 기소된 사건에서 A가 B로부터 "C가 훔치는 것을 보았다."라는 말을 전해들었다고 증언한 경우, A의 증언
> ㉣ 피고인 B의 정신상태를 나타내기 위해 A가 "평소 B는 자신이 신이라고 말하였다."고 증언한 경우, A의 증언
> ㉤ "피고인으로부터 2005. 8.경 건축허가 담당 공무원이 외국연수를 가므로 사례비를 주어야 한다."는 말, "2006. 2.경 건축허가 담당 공무원이 4,000만원을 요구하는데 사례비로 2,000만원을 주어야 한다."는 말을 들었다는 취지의 증언을 한 경우

① ㉠, ㉡
② ㉠, ㉢
③ ㉠, ㉡, ㉣
④ ㉡, ㉢, ㉣, ㉤

해설 ㉠ **전문증거** ○ : A가 법정에서 B로부터 들었던 말을 증언한 경우라면 A의 증언은 전문증거에 해당한다.
㉡ **전문증거** × : A의 증언은 B가 C를 껴안은 행동이 폭행인지 우정의 표현인지를 설명하기 위한 것이므로 전문증거가 아니다.
㉢ **전문증거** × : A의 증언은 C의 절도죄 사건에서는 전문증거가 되나, B의 무고죄 사건에서는 원본증거이다.
㉣ **전문증거** × : 정신상태를 나타내기 위한 간접증거로 사용되는 경우이므로 전문증거가 아니다.
㉤ **전문증거** × : "피고인으로부터 2005. 8.경 건축허가 담당 공무원이 외국연수를 가므로 사례비를 주어야 한다"는 말, "2006. 2.경 건축허가 담당 공무원이 4,000만원을 요구하는데 사례비로 2,000만원을 주어야 한다"는 말을 들었다는 취지의 증언을 한 경우, 피고인의 원진술의 존재 자체가 알선수재죄에 있어서의 요증사실이므로, 이를 직접 경험한 자가 한 피고인으로부터 위와 같은 말들을 들었다고 하는 진술들은 전문증거가 아니라 본래증거에 해당된다(대판 2008.11.13, 2008도8007).

03 다음 사례에 대한 설명으로 옳지 않은 것은?(다툼이 있는 경우 판례에 의함) 16. 9급 검찰·마약수사

> 평상시 남편의 가정폭력으로 이혼을 결심한 A는 남편 甲과의 이혼 소송에 대비하여, 甲과의 대화 도중 甲 모르게 대화내용을 스마트폰으로 녹음하였다. 이에 甲이 격분하여 "3년 전에 내가 X도 죽였는데 너는 못 죽이겠냐. 내 말 안 듣고 이혼을 요구하면 죽여버린다."라며 협박한 내용과 X를 살해한 사실을 자백하는 내용이 포함되어 있었다.

① 대화 일방 당사자인 A의 녹음은 위법수집증거에 해당되지 않는다.

② 甲의 협박죄 사건의 공판정에서 "내 말 안 듣고 이혼을 요구하면 죽여버린다."라고 甲이 말하였다고 A가 증언하였다면 이는 전문증거이다.

③ X의 사망사건 수사에 관하여 검사가 작성한 A의 진술조서에 甲이 "내가 X도 죽였다."고 말했다는 취지의 부분이 기재되어 있다면 전문진술이 기재된 조서로 재전문서류에 해당한다.

④ 대화내용을 녹음한 파일 등 전자매체는 대화내용을 녹음한 원본이거나 원본으로부터 복사한 사본인 경우 복사과정에서 편집되는 등의 인위적 개작 없이 원본의 내용 그대로 복사된 사본임이 증명되어야 한다.

│ 해설 │ ①④ 대판 2012.9.13, 2012도7461
② 협박사실을 직접 경험한 자의 진술이므로 전문증거가 아니라 원본증거이다(대판 2000.2.25, 99도1252).
③ A의 진술은 甲의 말을 전해들은 전문진술이고, 그 진술이 기재된 검사 작성 참고인진술조서는 재전문서류(전문진술이 기재된 조서)에 해당한다. 재전문증거에 대하여 대법원 판례에 의하면 원칙적으로 증거능력을 부정하고 있으나, 위 참고인진술조서와 같은 경우에는 제312조 제4항이나 제314조 규정에 의한 요건을 구비함은 물론 제316조 제1항의 요건이 구비되면 증거능력을 인정한다(대판 2000.9.8, 99도4814).

04 다음 중 전문증거에 해당하는 것은?(다툼이 있는 경우 판례에 의함) 19. 9급 교정·보호·철도경찰

① 甲이 정보통신망을 통하여 공포심이나 불안감을 유발하는 글을 반복적으로 상대방에게 도달하게 하는 행위를 하였음을 공소사실로 하여 기소되었는데, 검사가 위 죄에 대한 유죄의 증거로 휴대전화기에 저장된 문자정보를 제출한 경우

② 증인이 법정에서 "甲이 ○○체육관 부지를 공시지가로 매입하게 해 주겠다고 말하였다."라고 증언하였는데, 그 증언이 甲이 그와 같이 말한 사실의 존재를 증명하기 위한 증거로 제출된 경우

③ 甲이 반국가단체 구성원 A와 회합한 후 A로부터 지령을 받고 국가기밀을 탐지·수집하였다는 공소사실로 기소되었고, 甲의 컴퓨터에서 "A선생 앞 : 2011년 면담은 1월 30일 북경에서 하였으면 하는 의견입니다."라는 등의 내용이 담겨 있는 파일이 발견되었는데, 이 파일이 甲과 A의 회합을 입증하기 위한 증거로 제출된 경우

④ 甲이 반국가단체로부터 지령을 받고 국가기밀을 탐지·수집하였다는 공소사실로 기소되었는데 甲의 컴퓨터에 저장되어 있던 국가기밀을 담은 서류가 증거로 제출된 경우

해설 ① 정보통신망을 통하여 공포심이나 불안감을 유발하는 글을 반복적으로 상대방에게 도달하게 하는 행위를 하였다는 공소사실에 대하여 휴대전화기에 저장된 문자정보가 그 증거가 되는 경우와 같이, 그 문자정보가 범행의 직접적인 수단이 될 뿐 경험자의 진술에 갈음하는 대체물에 해당하지 않는 경우에는 형사소송법 제310조의 2에서 정한 전문법칙이 적용될 여지가 없다(대판 2008.11.13, 2006도2556).
② 증인이 '피고인이 ○○체육관 부지를 공시지가로 매입하게 해 주고 KBS와의 시설이주 협의도 2개월 내로 완료하겠다고 말하였다.'고 증언한 경우 원진술의 존재 자체가 사기죄 또는 변호사법 위반죄에 있어서의 요증사실이므로, 이를 직접 경험한 증인이 피고인으로부터 위와 같은 말을 들었다고 하는 진술은 전문증거가 아니라 본래증거에 해당한다고 할 것이다(대판 2012.7.26, 2012도2937).
③ "A선생 앞 : '2011년 면담은 1월 30일 ~ 2월 1일까지 북경에서 하였으면 하는 의견입니다.'라는 등의 내용이 담겨져 있는 파일들이 피고인의 컴퓨터에 '저장'되어 있는 경우 이 파일이 피고인 甲과 A의 회합을 입증하기 위한 경우에는 문건 내용이 진실한지가 문제되므로 전문법칙이 적용된다고 할 것이다."(대판 2013.7.26, 2013도2511) ④ 반국가단체로부터 지령을 받고 국가기밀을 탐지·수집하였다는 공소사실과 관련하여 수령한 지령 및 탐지·수집하여 취득한 국가기밀이 문건의 형태로 존재하는 경우나 편의제공의 목적물이 문건인 경우 등에는, 문건 내용의 진실성이 문제 되는 것이 아니라 그러한 내용의 문건이 존재하는 것 자체가 증거가 되는 것으로서, 위와 같은 공소사실에 대하여는 전문법칙이 적용되지 않는다(대판 2013.7.26, 2013도2511).

05 전문증거에 대한 설명으로 옳은 것은?(다툼이 있는 경우 판례에 의함)
① 어떤 진술이 기재된 서류가 그 내용의 진실성이 범죄사실에 대한 직접증거로 사용될 때는 전문증거가 되지만, 그와 같은 진술을 하였다는 것 자체 또는 진술의 진실성과 관계없는 간접사실에 대한 정황증거로 사용될 때는 반드시 전문증거가 되는 것은 아니다.
② 감금된 피해자 A가 甲으로부터 풀려나는 당일 남동생 B에게 도움을 요청하면서 甲이 협박한 말을 포함하여 공갈 등 甲으로부터 피해를 입은 내용을 문자메시지로 보낸 경우, 이 문자메시지의 내용을 촬영한 사진은 A의 진술서로 볼 수 없다.
③ 어떠한 내용의 진술을 하였다는 사실 자체에 대한 정황증거로 사용될 것이라는 이유로 서류의 증거능력을 인정한 다음 그 사실을 다시 진술내용이나 그 진실성을 증명하는 간접사실로 사용하는 경우에 그 서류는 원본증거에 해당한다.
④ 피고인이 수표를 발행하였으나 예금부족 또는 거래정지처분으로 지급되지 아니하게 하였다는 부정수표단속법위반의 공소사실을 증명하기 위하여 제출되는 수표는 어떠한 사실을 직접 경험한 사람의 진술에 갈음하는 대체물이므로, 이에 대하여는 형사소송법 제310조의 2에서 정한 전문법칙이 적용된다.

해설 ① 대판 2019.8.29, 2018도14303 전원합의체
② 피해자가 피고인으로부터 당한 공갈 등 피해 내용을 담아 남동생에게 보낸 문자메시지를 촬영한 사진은 형사소송법 제313조에 규정된 '피해자의 진술서'에 준하는 것으로 보아야 한다(대판 2010.11.25, 2010도8735).
③ 어떠한 내용의 진술을 하였다는 사실 자체에 대한 정황증거로 사용될 것이라는 이유로 서류의 증거능력을 인정한 다음 그 사실을 다시 진술내용이나 그 진실성을 증명하는 간접사실로 사용하는 경우에 그 서류는 전문증거에 해당한다(대판 2019.8.29, 2018도14303 전원합의체).
④ 피고인이 수표를 발행하였으나 예금부족 또는 거래정지처분으로 지급되지 아니하게 하였다는 부정수표단속법위반의 공소사실을 증명하기 위하여 제출되는 수표는 그 서류의 존재 또는 상태 자체가 증거가 되는 것이어서 증거물인 서면에 해당하고 어떠한 사실을 직접 경험한 사람의 진술에 갈음하는 대체물이 아니므로, 증거능력은 증거물의 예에 의하여 판단하여야 하고, 이에 대하여는 형사소송법 제310조의 2에서 정한 전문법칙이 적용될 여지가 없다(대판 2015.4.23, 2015도2275).

Answer 5. ①

06 다음 중 전문증거에 대한 설명으로 가장 옳지 않은 것은?(다툼이 있는 경우 판례에 의함)

24. 해경승진

① 감금된 피해자 A가 甲으로부터 풀려나는 당일 남동생 B에게 도움을 요청하면서 甲이 협박한 말을 포함하여 공갈 등 甲으로부터 피해를 입은 내용을 문자로 보낸 경우, 이 문자메시지의 내용을 촬영한 사진은 A의 진술서로 볼 수 없다.

② 甲이 수표를 발행하였으나 예금부족으로 지급되지 아니하게 하였다는 부정수표단속법 위반의 공소사실을 증명하기 위하여 제출되는 수표는 증거물인 서면에 해당한다.

③ A가 B에게 행한 진술이 기재된 서류가 A가 그러한 내용의 진술을 하였다는 사실 자체에 대한 정황증거로 사용될 것이라는 이유로 서류의 증거능력을 인정한 다음 그 사실을 다시 A의 B에 대한 진술내용이나 그 진실성을 증명하는 간접사실로 사용하는 경우, 그 서류는 전문증거에 해당한다.

④ A가 피해자들을 흉기로 살해하면서 "이것은 신의 명령을 집행하는 것이다."라고 말하였는데 이 말을 들은 B가 법정에서 A의 정신상태를 증명하기 위해 그 내용을 증언하는 경우 이 진술은 전문증거에 해당하지 않는다.

▌ **해설** ① 피해자가 피고인으로부터 당한 공갈 등 피해 내용을 담아 남동생에게 보낸 문자메시지를 촬영한 사진은 형사소송법 제313조에 규정된 '피해자의 진술서'에 준하는 것이다(대판 2010.11.25, 2010도8735).
② 대판 2015.4.23, 2015도2275
③ 대판 2019.8.29, 2018도14303 전원합의체
④ 진술의 진실성과 관계없는 정신적 상황 등을 증명하기 위한 정황증거로 사용되는 경우이므로 전문법칙적용이 없다.

THEMA 48 전문법칙

의 의	전문증거는 증거능력이 없다는 것을 전문법칙이라 한다(제310조의 2). ▶ 영미증거법에서 유래하는 원칙임
전문법칙의 이론적 근거	반대신문권의 보장, 신용성의 결여, 직접주의의 요청
전문법칙의 예외	전문법칙만을 지나치게 고집한다면 재판의 지연을 초래할 뿐 아니라, 재판에 필요한 증거를 잃어 버리게 됨으로써 도리어 정당한 사실인정을 방해할 염려가 있다. 따라서 실체적 진실발견과 소송경제를 위해 전문법칙의 예외를 인정할 필요가 있다.

	예외 인정의 이론적 근거	1. 신용성의 정황적 보장 : 진술의 진실성을 보장할 만한 외부적 정황을 의미 2. 필요성 : 원진술자를 공판정에 출석케 하여 진술시키는 것이 불가능하거나 곤란하기 때문에 부득이 전문증거를 증거로 사용할 필요가 있는 경우
	전문법칙의 예외 인정 규정	현행 형사소송법은 제311조 내지 제316조에서 전문법칙의 예외규정을 두어 증거능력을 인정하고 있다(제311조에서 제315조까지는 전문서류를, 제316조에서는 전문진술을 규정). 이러한 예외규정에 해당하지 않으면 전문증거는 증거능력이 없다(제310조의 2).

01 다음 중 전문법칙과 관련한 내용으로 잘못된 것은?

① 전문법칙은 전문증거를 유죄의 증거로 사용하지 못하게 함으로써 피고인이 억울하게 처벌되는 일이 없도록 하려는 소극적 실체적 진실주의와 관련이 있다.

② 전문법칙을 인정한 이론적 근거는 반대신문권보장, 신용성 결여, 직접주의 요청 등이다.

③ 간이공판절차, 재정신청사건의 공판절차, 약식절차 등은 전문법칙이 적용되지 않는 절차이다.

④ 법정증거주의, 자유심증주의 등은 증명력의 문제이므로 전문법칙과는 무관하다.

│ **해설** │ ③ 비진술증거, 원진술자의 행동 의미를 설명하기 위해 원진술자의 말을 옮기는 경우(언어적 행동), 원진술 자체가 요증사실인 경우, 원진술자의 정신적 상황 등을 증명하기 위한 정황증거, 탄핵증거, 간이공판절차, 약식절차, 즉결심판절차에서 일부 증거(제312조 제3항, 제313조) 전문법칙이 적용되지 않으나, 재정신청사건에서 고등법원의 공소제기결정에 의해 공판절차로 진행된 경우에는 전문법칙 적용이 있다.

THEMA 49 법원 또는 법관면전조서

의 의	법원 또는 법관면전에서 행한 진술을 기재한 조서는 그 성립이 진정하고 신용성의 정황적 보장도 높으므로 무조건 증거능력을 인정하고 있다(제311조). **예** 공판조서, 법원 또는 법관의 검증조서, 증거보전절차에서 작성한 조서, 증인신문청구 절차에서 작성한 조서 등 1. 증인신문조서가 증거보전절차에서 증인으로서 증언한 내용을 기재한 것이 아니라 피의자였던 피고인이 당사자로 참여하여 위 증인에게 반대신문한 내용이 기재되어 있을 뿐이라면, 위 조서는 공판준비 또는 공판기일에 피고인 등의 진술을 기재한 조서도 아니고, 반대신문과정에서 피의자가 한 진술에 관한 한 형사소송법 제184조에 의한 증인신문조서도 아니므로 형사소송법 제311조에 의한 증거능력을 인정할 수 없다(대판 1984.5.15, 84도508). 12. 9급 법원직, 13. 경찰승진, 14. 변호사시험, 16. 순경 2차 2. 사인(私人)이 피고인이 아닌 사람과의 대화내용을 녹음한 녹음테이프에 대해 법원이 그 진술당시 진술자의 상태 등을 확인하기 위하여 작성한 검증조서는 법원의 검증 결과를 기재한 조서로서 형사소송법 제311조에 의하여 당연히 증거로 할 수 있다(대판 2008.7.10, 2007도10755). 16. 9급 검찰·마약수사
다른 사건의 공판준비조서와 공판조서	제311조 적용 대상인 '공판준비조서 또는 공판조서'는 당해 사건의 조서를 의미한다. 다른 사건의 조서는 제315조 제3호의 '특히 신용할 만한 정황에서 작성된 문서'로서 증거로 사용할 수 있다(대판 2005.1.14, 2004도6646).

01 다음 중 법원 또는 법관면전에서 행한 진술을 기재한 조서와 관련한 내용으로 옳은 것은?

① 다른 피고사건의 공판조서도 형사소송법 제311조 해당 문서로서 당연히 증거능력이 있다.

② 증인신문조서가 증거보전절차에서 피의자였던 피고인이 당사자로 참여하여 자신의 범행 사실을 시인하는 전제하에 위 증인에게 반대신문한 내용이 기재되어 있을 경우에도 위 조서는 형사소송법 제184조에 의한 증인신문조서로서 피의자의 진술기재부분에 대하여 는 형사소송법 제311조에 의한 증거능력을 인정할 수 있다.

③ 사인(私人)이 피고인이 아닌 사람과의 대화내용을 녹음한 녹음테이프에 대해 법원이 그 진술당시 진술자의 상태 등을 확인하기 위하여 작성한 검증조서는 법원의 검증 결과를 기재한 조서로서 형사소송법 제311조에 의하여 당연히 증거로 할 수 있다.

④ 피고인과 별개의 범죄사실로 기소되어 병합심리 중 선서 없이 한 공동피고인의 법정진술 은 피고인의 공소 범죄사실을 인정하는 증거로 할 수 있다.

▌해설▐ ① 다른 피고사건의 공판조서는 형사소송법 제315조 제3호의 문서로서 당연히 증거능력이 있다 (대판 2005.1.14, 2004도6646).
② 위 조서는 공판준비 또는 공판기일에 피고인 등의 진술을 기재한 조서도 아니고, 반대신문과정에서 피의 자가 한 진술에 관한 한 형사소송법 제184조에 의한 증인신문조서도 아니므로 위 조서 중 피의자의 진술기재 부분에 대하여는 형사소송법 제311조에 의한 증거능력을 인정할 수 없다(대판 1984.5.15, 84도508).
③ 대판 2008.7.10, 2007도10755
④ 피고인과 별개의 범죄사실로 기소되어 병합심리 중인 공동피고인은 피고인의 범죄사실에 관하여는 증인 의 지위에 있다 할 것이므로 선서 없이 한 공동피고인의 법정진술이나 피고인이 증거로 함에 동의한 바 없는 공동피고인에 대한 피의자신문조서는 피고인의 공소 범죄사실을 인정하는 증거로 할 수 없다(대판 1982.9.14, 82도1000).

THEMA 50 **피의자신문조서**

피의자신문조서의 증거능력을 인정하기 위한 전제조건으로 조서에 기재된 진술의 임의성이 인정되어야 한다. 즉, 진술내용이 자백인 때에는 제309조에 의하여, 자백 이외의 진술인 때에는 제317조에 의하여 임의성이 인정될 것을 요한다.

검사 작성	1. **제312조 제1항** : 검사가 작성한 피의자신문조서는 적법한 절차와 방식에 따라 작성된 것으로서 공판준비, 공판기일에 그 피의자였던 피고인 또는 변호인이 그 내용을 인정할 때에 한정하여 증거로 할 수 있다. ▶ 개정 전 형사소송법에서는 검사 작성 피의자신문조서의 증거능력 요건과 사법경찰관 작성 피의자신문조서의 증거능력 요건 사이에 차등을 두었으나, 개정 형사소송법에서는 양자 모두 동일하게 조정되었다. ▶ 검사 작성 피의자신문조서에 대하여 피고인이 그 조서의 성립의 진정을 부인하는 경우에 영상녹화물 등에 의한 대체적 증명방법을 규정하였던 개정 전 형사소송법 제312조 제2항은 2021. 1. 1. 삭제되었다. 따라서 검사 작성 피의자신문조서에 대해 진정성립의 영상녹화물 등에 의한 대체적인 증명방법은 허용되지 아니한다. ▶ 제312조 제1항의 개정규정은 같은 개정규정 시행 후 공소제기된 사건부터 적용한다(부칙 제1조의 2 제1항). 제312조 제1항의 개정규정 시행 전에 공소제기된 사건에 관하여는 종전의 규정에 따른다(부칙 제1조의 2 제2항). ▶ 검찰에 송치되기 전 검사 작성의 피의자신문조서 ⇨ 송치 후에 작성된 검사 작성 피의자신문조서와 동일취급 ×(대판 1994.8.9, 94도1228). 16. 경찰간부, 18. 변호사시험 ▶ 사법연수생인 검사 직무대리가 단독판사심판사건(재정합의부 사건 포함)의 피의자에 대하여 작성한 피의자신문조서 ⇨ 검사가 작성한 피의자신문조서와 마찬가지로 그 증거능력이 인정된다(대판 2010.4.15, 2010도1107 ; 대판 2012.6.28, 2012도3927). 13. 9급 국가직 2. **적법한 절차와 방식** : 검사가 작성한 피의자신문조서가 증거능력을 인정받으려면, 먼저 '적법한 절차와 방식'에 따라 작성된 것이어야 한다. 여기서 '적법한 절차와 방식'이라 함은 2007년 개정 전의 형식적 진정성립(조서에 기재된 서명·날인 등이 진술자의 것임이 틀림없는 경우)보다는 넓은 개념이다. 즉, 형식적 진정성립 이외에도 검사에 의한 작성과 참여자(제243조), 변호인참여(제243조의 2), 피의자신문조서의 작성방법(제244조), 수사기관의 피의자에 대한 진술거부권의 고지(제244조의 3), 수사과정의 기록(제244조의 4) 등 개정법이 정한 절차와 방식에 따라 조서가 작성되어야 한다는 것을 의미한다. 3. **내용인정** : 검사가 작성한 피의자신문조서가 증거능력을 인정 받으려면, 적법한 절차와 방식에 따라 작성되어야 하고 공판준비, 공판기일에 그 피의자였던 피고인 또는 변호인이 그 내용을 인정해야 한다. 내용인정은 조서의 기재내용이 객관적 진실에 부합함을 인정하는 진술을 의미한다(대판 2023.4.27, 2023도2102). 24. 순경 1차 − 피의자신문조서의 기재내용이 진술한 대로 기재되어 있다는 의미인 '실질적 진정성립'과는 구별을 요함. ▶ 피고인은 제1심에서 공소사실을 부인하였으므로 증거목록에 피고인이 제1심에서 검찰 피의자신문조서에 동의한 것으로 기재되어 있어도 내용을 인정하지 않았다고 보아야 하고, 증거목록에 위와 같이 기재되어 있는 것은 착오 기재이거나 조서를 잘못 정리한 것으로 이해될 뿐 이로써 위 검찰 피의자신문조서가 증거능력을 가지게 되는 것은 아니다(대판 2023.4.27, 2023도2102).

	✉ 제312조 제1항 적용범위 : 형사소송법 제312조 제1항에서 정한 '검사가 작성한 피의자신문조서'란 당해 피고인에 대한 피의자신문조서만이 아니라 당해 피고인과 공범관계에 있는 다른 피고인이나 피의자에 대하여 검사가 작성한 피의자신문조서도 포함되고, 여기서 말하는 '공범'에는 형법 총칙의 공범 이외에도 필요적 공범 또는 대향범까지 포함한다. 따라서 피고인이 자신과 공범관계에 있는 다른 피고인이나 피의자에 대하여 검사가 작성한 피의자신문조서의 내용을 부인하는 경우에는 형사소송법 제312조 제1항에 따라 유죄의 증거로 쓸 수 없다(대판 2023.6.1, 2023도3741). 24. 순경 1차 4. 제314조 적용 여부 : 피고인은 공판정에서 심판받고 있는 사람을 전제로 하는데, 제314조는 피고인이 사망·질병·외국거주·소재불명 그 밖에 이에 준하는 사유로 진술할 수 없는 상황을 전제로 한 규정이므로, 검사 작성 피의자신문조서에 제314조의 적용을 부정하는 것이 타당하다고 보여진다.
사법경찰관 작성	1. 제312조 제3항 : 적법한 절차와 방식(형식적 진정성립 포함)＋피의자였던 피고인 또는 변호인의 내용인정 20. 순경 1차 ▶ 외국의 수사기관도 포함(대판 2006.1.13.2003도6548) ▶ '그 내용을 인정할 때'라 함은 피의자신문조서의 기재 내용이 진술내용대로 기재되어 있다는 의미가 아니고 그와 같이 진술한 내용이 실제 사실과 부합한다는 것을 의미한다(대판 2010.6.24, 2010도5040). ▶ 당해 피고인과 공범관계가 있는 다른 피의자에 대하여 사법경찰관이 작성한 피의자신문조서는, 당해 피고인이 공판기일에서 그 조서의 내용을 부인한 이상 이를 유죄인정의 증거로 사용할 수 없다(대판 2009.7.9, 2009도2865). 13·15·16. 9급 교정·보호·철도경찰, 11·13·18. 순경 2차, 18. 순경 3차, 19. 변호사시험, 20. 순경 1차, 12·14·15·20. 경찰승진 ▶ 형사소송법 제312조 제3항은 전혀 별개의 사건에서 피의자였던 피고인에 대한 검사 이외의 수사기관 작성의 피의자신문조서도 그 적용대상으로 하고 있는 것이라고 보아야 한다(대판 1995.3.24, 94도2287). ▶ 형사소송법 제312조 제3항이 형법 총칙의 공범 이외에도, 서로 대향된 행위의 존재를 필요로 할 뿐 각자의 구성요건을 실현하고 별도의 형벌 규정에 따라 처벌되는 강학상 필요적 공범 내지 대향범 관계에 있는 자들 사이에서도 적용된다(대판 2020.6.11, 2016도9367). ▶ 양벌규정에 따라 처벌되는 행위자의 위반행위에 대하여 행위자가 아닌 법인 또는 개인이 양벌규정에 따라 기소된 경우 양벌규정에 따라 처벌되는 행위자와 행위자가 아닌 법인 또는 개인 간의 관계는, 공범관계 등과 마찬가지로 형사소송법 제312조 제3항이 이들 사이에서도 적용된다고 보는 것이 타당하다(대판 2020.6.11, 2016도9367). 2. 제314조 적용 여부 : 적용 × ▶ 당해 피고인과 공범관계가 있는 다른 피의자에 대한 검사 이외의 수사기관 작성의 피의자신문조서는 그 피의자의 법정진술에 의하여 그 성립의 진정이 인정되더라도 당해 피고인이 공판기일에서 그 조서의 내용을 부인하면 증거능력이 부정되므로 그 당연한 결과로 그 피의자신문조서에 대하여는 사망 등 사유로 인하여 법정에서 진술할 수 없는 때에 예외적으로 증거능력을 인정하는 규정인 형사소송법 제314조가 적용되지 아니한다(대판 2004.7.15, 2003도7185 전원합의체). 17. 순경 2차·7급 국가직, 18. 순경 1차, 19. 변호사시험, 14·20. 경찰승진, 21. 경찰간부, 22. 9급 검찰·마약·교정·보호·철도경찰

04

01 검사 작성 피의자신문조서에 대한 설명으로 가장 적절한 것은?(다툼이 있으면 판례에 의함)

① 피고인의 기명만이 있고 그 날인이나 무인이 없는, 검사 작성의 피고인에 대한 피의자신문조서는 증거능력이 없다.

② 수사기관이 피의자신문조서를 작성함에 있어서는 그것을 열람하게 하거나 읽어 들려야 하는 것이나 그 절차가 행해지지 안했다면 그 피의자신문조서가 증거능력이 없다.

③ 사법연수생인 검사 직무대리가 단독판사심판사건(재정합의부 사건 제외)의 피의자에 대하여 작성한 피의자신문조서는 검사가 작성한 피의자신문조서와 마찬가지로 그 증거능력이 인정된다.

④ 검사 작성 피의자신문조서에 대하여 피고인이 그 조서의 성립의 진정을 부인하는 경우에는 그 조서에 기재된 진술이 피고인이 진술한 내용과 동일하게 기재되어 있음이 영상녹화물이나 그 밖의 객관적인 방법에 의하여 증명할 수 있다.

> **┃ 해설 ┃** ① 대판 1999.4.13, 99도237
> ② 수사기관이 피의자신문조서를 작성함에 있어서는 그것을 열람하게 하거나 읽어 들려야 하는 것이나 그 절차가 비록 행해지지 아니하였더라도 그 피의자신문조서가 증거능력이 없게 된다고는 할 수 없고 제312조에서 규정하고 있는 피의자신문조서의 증거능력 인정 요건을 갖추게 되면 그것을 증거로 할 수 있다(대판 1988.5.10, 87도2716).
> ③ 사법연수생인 검사 직무대리가 단독판사심판사건(재정합의부 사건 포함)의 피의자에 대하여 작성한 피의자신문조서는 검사가 작성한 피의자신문조서와 마찬가지로 그 증거능력이 인정된다(대판 2010.4.15, 2010도1107 ; 대판 2012.6.28, 2012도3927).
> ④ 검사가 작성한 피의자신문조서는 적법한 절차와 방식에 따라 작성된 것으로서 공판준비, 공판기일에 그 피의자였던 피고인 또는 변호인이 그 내용을 인정할 때에 한정하여 증거로 할 수 있다(제312조 제1항). 검사 작성 피의자신문조서에 대하여 피고인이 그 조서의 성립의 진정을 부인하는 경우에 영상녹화물 등에 의한 대체적인 증명방법인 제312조 제2항은 삭제되었다.

02 사법경찰관은 甲과 乙을 강도상해죄의 공범으로 신문한 후 조서(A)를 작성하여 검사에게 송치하였고, 검사는 다시 甲과 乙을 신문한 후 조서(B)를 작성하였다. 이후 검사는 甲에 대해서는 불기소처분을 하고, 乙만을 기소하였다. A와 B에 대한 설명으로 옳은 것은?(다툼이 있는 경우 판례에 의함)
15. 9급 교정 · 보호 · 철도경찰

① 甲에 대한 A조서는 乙이 공판정에서 그 내용을 부인하더라도 甲이 공판정에서 성립의 진정을 인정하고 특신상태가 인정되면 증거로 사용할 수 있다.

② 乙에 대한 A조서는 乙이 공판정에서 그 내용을 인정한 때에 한하여 증거로 사용할 수 있다.

③ 甲에 대한 B조서는 乙이 공판정에서 그 내용을 인정한 때에 한하여 증거로 사용할 수 있다.

④ 乙에 대한 B조서는 乙이 공판정에서 성립의 진정을 부인하면 증거로 사용할 수 없다.

│ 해설 │ 출제 당시는 ②가 정답이었으나, 개정법에 의할 때 ③도 옳은 내용으로 볼 여지가 있으므로, ②③을 정답으로 처리해 둔다.

① 甲에 대한 A조서(사법경찰관 작성 피의자신문조서)는 甲의 법정진술에 의하여 성립의 진정이 인정되더라도 乙(당해 피고인)이 이 공판기일에서 그 조서의 내용을 부인하면 증거능력이 부정된다(대판 2014.4.10, 2014도1779).

② 乙에 대한 A조서는 乙이 공판정에서 그 내용을 인정한 때에 한하여 증거로 사용할 수 있다(제312조 제3항).

③ 개정 전 법에 의하면, 甲에 대한 B조서(검사 작성 피의자신문조서)는 제312조 제4항(참고인진술조서)이 적용되므로 적법절차와 방식에 따라 작성되어야 하고, 원진술자의 성립의 진정, 특신상태, 원진술자를 신문할 수 있는 경우라야 증거능력이 인정되므로 ③은 틀린 지문에 해당된다.

그러나 개정법에 의하면 검사 작성 피의자신문조서와 사법경찰관 작성 피의자신문조서의 증거능력 인정요건에 차이를 두고 있지 않다. 다만, 피고인이 된 피의자뿐만 아니라 당해 피고인과 공범관계가 있는 공동피고인 또는 피의자에 대해서도 제312조 제1항(검사 작성 피의자신문조서)을 적용할 것인가에 대하여 명문의 규정은 없으나, 대법원은 그 적용을 인정하고 있다(대판 2023.6.1, 2023도3741).

④ 검사 작성 피의자신문조서에 해당하므로, 종전 법에 의하면 적법한 절차와 방식에 따라 작성된 것으로서 피고인이 진술한 내용과 동일하게 기재되어 있음이 공판준비 또는 공판기일에서의 피고인의 진술에 의하여 인정되고, 그 조서에 기재된 진술이 특히 신빙할 수 있는 상태하에서 행하여졌음이 증명된 때에 한하여 증거로 할 수 있으나, 개정법에 의하면 사법경찰관 작성 피의자신문조서와 동일하게 적법한 절차와 방식에 따라 작성된 것으로서 공판준비, 공판기일에 그 피의자였던 피고인 또는 변호인이 그 내용을 인정할 때에 한정하여 증거로 할 수 있다(제312조 제1항).

03 경찰, 검찰에서 공범 乙과 함께 특수절도의 범행을 일체 자백한 피의자 甲이 제1심 법정에서 이를 번복하면서 범행일체를 부인하고 있다. 다음 보기 중 옳은 것은 모두 몇 개인가?(다툼이 있는 경우 판례에 의함)   13. 순경 2차

> ㉠ 사법경찰관 작성의 甲에 대한 피의자신문조서는 甲이 내용을 부인하므로 증거능력이 없다.
> ㉡ 사법경찰관 작성의 甲에 대한 피의자신문조서를 탄핵증거로 사용할 수 있다.
> ㉢ 甲을 조사한 경찰관은 법정에 증인으로 나가 甲의 자백 내용을 증언할 수 있다.
> ㉣ 乙에 대한 사법경찰관 작성의 피의자신문조서는 甲이 내용을 부인하더라도 乙이 성립의 진정을 인정하면 甲에 대해 증거능력이 있다.
> ㉤ 甲에 대한 사법경찰관 작성의 피의자신문조서는 영상녹화물에 의하여 성립의 진정이 증명되면 증거능력이 있다.

① 2개   ② 3개   ③ 4개   ④ 5개

│ 해설 │ ㉠ ○ : 제312조 제3항
㉡ ○ : 대판 2005.8.19, 2005도2617
㉢ ○ : 제316조 제1항
㉣ × : 피고인과 공범관계에 있는 공동피고인에 대해 검사 이외의 수사기관이 작성한 피의자신문조서는 그 공동피고인의 법정진술에 의하여 성립의 진정이 인정되더라도 당해 피고인이 공판기일에서 그 조서의 내용을 부인하면 증거능력이 부정된다(대판 2009.10.15, 2009도1889).
㉤ × : 사법경찰관 작성 피의자신문조서에 영상녹화물 등에 의한 성립의 진정을 증명하는 규정이 없다(제312조 제3항 참조).

04 사법경찰관 작성 피의자신문조서의 증거능력에 대한 설명으로 가장 적절하지 않은 것은?(다툼이 있는 경우 판례에 의함)   18. 순경 1차

① 사법경찰관이 작성한 피의자신문조서는 적법한 절차와 방식에 따라 작성된 것으로서 공판준비 또는 공판기일에 그 피의자였던 피고인 또는 변호인이 그 내용을 인정할 때에 한하여 증거로 할 수 있다.

② 피의자의 진술을 녹취 내지 기재한 서류 또는 문서가 수사기관에서의 조사 과정에서 작성된 것이지만 그것이 진술서라는 형식을 취하였다면 피의자신문조서와 달리 보아야 한다.

③ 당해 피고인과 공범관계가 있는 다른 피의자에 대한 사법경찰관 작성 피의자신문조서에 대하여는 사망 등 사유로 인하여 법정에서 진술할 수 없는 때에 예외적으로 증거능력을 인정하는 규정인 형사소송법 제314조가 적용되지 아니한다.

④ 형사소송법 제312조 제3항은 사법경찰관이 작성한 당해 피고인에 대한 피의자신문조서를 유죄의 증거로 하는 경우뿐만 아니라 사법경찰관이 작성한 당해 피고인과 공범관계에 있는 다른 피고인이나 피의자에 대한 피의자신문조서를 당해 피고인에 대한 유죄의 증거로 채택할 경우에도 적용된다.

> **해설** ① 제312조 제3항 ② 피의자의 진술을 녹취 내지 기재한 서류 또는 문서가 수사기관에서의 조사 과정에서 작성된 것이라면 그것이 진술서, 진술조서, 자술서라는 형식을 취하였더라도 피의자신문조서와 달리 볼 수는 없다(대판 2009.8.20, 2008도8213).
> ③ 대판 2004.7.15, 2003도7185 전원합의체 ④ 대판 2009.7.9, 2009도2865

05 사법경찰관 작성 피의자신문조서의 증거능력에 대한 설명으로 가장 적절하지 않은 것은?(다툼이 있는 경우 판례에 의함)   19. 경찰승진

① 검사 이외의 수사기관이 작성한 피의자신문조서는 적법한 절차와 방식에 따라 작성된 것으로서 공판준비 또는 공판기일에 그 피의자였던 피고인 또는 변호인이 그 내용을 인정할 때에 한하여 증거로 할 수 있다.

② 피고인이 제1심 제4회 공판기일부터 공소사실을 일관되게 부인하여 경찰 작성 피의자신문조서의 진술내용을 인정하지 않는 경우, 제1심 제4회 공판기일에 피고인이 그 서증의 내용을 인정한 것으로 공판조서에 기재된 것은 착오 기재 등으로 보아 피의자신문조서의 증거능력을 부정하여야 한다.

③ 미국 연방수사국(FBI) 수사관들에 의한 조사를 받는 과정에서 피고인이 작성하여 수사관들에게 제출한 진술서는 그 성립의 진정이 인정되는 이상 피고인이 그 내용을 부인하더라도 증거능력이 있다.

④ 피의자가 변호인 참여를 원하는 의사를 표시하였는데도 수사기관이 정당한 사유 없이 변호인을 참여하게 하지 아니한 채 피의자를 신문하여 작성한 피의자신문조서는 증거능력이 없다.

Answer⊃ 4. ② 5. ③

| 해설 | ① 제312조 제3항
② 대판 2010.6.24, 2010도5040
③ 미국 범죄수사대(CID), 연방수사국(FBI)의 수사관들이 작성한 수사보고서 및 피고인이 위 수사관들에 의한 조사를 받는 과정에서 작성하여 제출한 진술서는 피고인이 그 내용을 부인하는 이상 증거로 쓸 수 없다(대판 2006.1.13, 2003도6548).
④ 대판 2013.3.28, 2010도3359

06 사법경찰관 작성 피의자신문조서의 증거능력에 대한 설명 중 가장 적절하지 않은 것은?(다툼이 있는 경우 판례에 의함) 20. 순경 1차

① 검사 이외의 수사기관이 작성한 피의자신문조서는 적법한 절차와 방식에 따라 작성된 것으로서 공판준비 또는 공판기일에 그 피의자였던 피고인 또는 변호인이 그 내용을 인정할 때에 한하여 증거로 할 수 있다.

② 피고인이 제1심 제4회 공판기일부터 공소사실을 일관되게 부인하여 경찰 작성 피의자신문조서의 진술내용을 인정하지 않는 경우, 제1심 제4회 공판기일에 피고인이 그 서증의 내용을 인정한 것으로 공판조서에 기재된 것은 착오 기재 등으로 보아 피의자신문조서의 증거능력을 부정하여야 한다.

③ 사법경찰관이 피의자에게 진술거부권을 행사할 수 있음을 알려주고 그 행사 여부를 질문하였다면, 비록 형사소송법 제244조의 3 제2항에 규정된 방식에 위반하여 진술거부권 행사 여부에 대한 피의자의 답변이 자필로 기재되어 있지 않더라도 사법경찰관 작성의 피의자신문조서는 특별한 사정이 없는 한 그 증거능력을 인정할 수 있다.

④ 당해 피고인과 공범관계에 있는 공동피고인에 대하여 검사 이외의 수사기관이 작성한 피의자신문조서는 그 공동피고인의 법정진술에 의하여 성립의 진정이 인정되더라도 당해 피고인이 공판기일에서 그 조서의 내용을 부인하면 증거능력이 부정된다.

| 해설 | ① 제312조 제3항
② 대판 2001.9.28, 2001도3997
③ 비록 사법경찰관이 피의자에게 진술거부권을 행사할 수 있음을 알려 주고 그 행사 여부를 질문하였다 하더라도, 형사소송법 제244조의 3 제2항에 규정한 방식에 위반하여 진술거부권 행사 여부에 대한 피의자의 답변이 자필로 기재되어 있지 아니하거나 그 답변 부분에 피의자의 기명날인 또는 서명이 되어 있지 아니한 사법경찰관 작성의 피의자신문조서는 특별한 사정이 없는 한 형사소송법 제312조 제3항에서 정한 '적법한 절차와 방식'에 따라 작성된 조서라 할 수 없으므로 그 증거능력을 인정할 수 없다(대판 2013.3.28, 2010도3359).
④ 대판 2009.7.9, 2009도2865

07 다음 중 증거능력에 관한 설명으로 옳은 것은?(판례에 의함)

① 검사 작성의 피고인이 된 피의자신문조서가 초본의 형식으로 제출된 경우, 원본 제출이 곤란한 경우가 아니라도 원본과 상위 없다는 인증을 받았다면 원본과 동일하게 취급할 수 있다.

② 피의자였던 피고인이 사법경찰리의 면전에서 자백한 진술에 따라 사고 당시의 상황을 재현한 사진과 그 진술내용으로 된 사법경찰리 작성의 실황조사서는 피고인이 내용을 부인하면 증거사용이 불가능하다.

③ 피고인이 제1심 법정에서 공소사실을 계속 부인하는 경우, 증거목록에 피고인이 경찰 작성의 피의자신문조서의 내용을 인정한 것으로 기재되었다면 그 피의자신문조서는 증거능력이 인정된다.

④ 甲과 乙이 서로 싸움을 하였다는 혐의로 각 폭행죄로 기소되어 공동피고인이 된 경우, 甲의 범행을 인정하는 진술을 한 사법경찰관 작성의 乙에 대한 피의자신문조서에 대하여 甲이 증거로 함에 부동의한 경우, 이를 甲의 범행에 대한 증거로서 증거능력을 인정하기 위해서는 형사소송법 제312조 제4항의 요건을 갖추어야 하지만 乙이 진정성립을 인정하는 진술을 할 때 증인으로서 선서할 필요는 없다.

│ 해설 ① 피고인에 대한 검사 작성의 피의자신문조서가 그 내용 중 일부를 가린 채 복사를 한 다음 원본과 상위 없다는 인증을 하여 초본의 형식으로 제출된 경우에, 위와 같은 피의자신문조서초본은 피의자신문조서 원본 중 가려진 부분의 내용이 가려지지 않은 부분과 분리 가능하고 당해 공소사실과 관련성이 없는 경우에만, 그 피의자신문조서의 원본이 존재하거나 존재하였을 것, 피의자신문조서의 원본 제출이 불능 또는 곤란한 사정이 있을 것, 원본을 정확하게 전사하였을 것 등 3가지 요건을 전제로 피고인에 대한 검사 작성의 피의자신문조서원본과 동일하게 취급할 수 있다(대판 2002.10.22, 2000도5461).
② 실황조사서의 기재가 사법경찰관리의 의견을 기재하는 것에 불과하다면 그 실황조사서는 증거능력이 없으며(대판 1983.6.28, 83도948), 피고인의 진술내용과 재현사진 등은 피고인이 공판정에서 내용을 부인하면 증거능력이 없다(대판 1989.12.26, 89도1557). 실질은 피의자신문조서이므로 내용을 부인하면 증거능력이 없다는 판례
③ 피고인이 공소사실을 부인하고 있으므로, 이는 피고인의 위 주장과 반대되는 취지가 담겨 있는 사법경찰관 작성의 피고인에 대한 각 피의자신문조서의 진술내용을 인정하지 않는 것이라고 보아야 하고, 기록에 편철된 증거목록상으로 피고인이 위 피의자신문조서의 내용을 인정한 것으로 기재된 것은 착오 기재였거나 아니면 피고인이 그와 같은 진술이 있었다는 사실을 인정한 것을 '내용인정'으로 조서를 잘못 정리한 것으로 위 각 피의자신문조서는 증거능력이 없다(대판 2007.5.10, 2007도1807).
④ 형사소송법 제312조 제2항(현, 제3항)은 당해 사건에서 피의자였던 피고인에 대한 검사 이외의 수사기관 작성의 피의자신문조서에만 적용되는 것은 아니고 전혀 별개의 사건에서 피의자였던 피고인에 대한 검사 이외의 수사기관 작성의 피의자신문조서도 그 적용대상으로 하고 있는 것이라고 보아야 한다(대판 1995. 3.24, 94도2287). 따라서 위 쌍방폭행의 경우 甲의 범행에 대한 乙의 피의자신문조서를 증거로 하기 위해서는 피고인 甲이 공판기일에서 그 조서의 내용을 인정해야 한다.

08 사법경찰관이 작성한 조서의 증거능력에 관한 설명으로 가장 적절한 것은?(다툼이 있는 경우 판례에 의함)
21. 순경 2차

① 검사 이외의 수사기관이 작성한 피의자신문조서의 증거능력에 관한 형사소송법 제312조 제3항은 당해 사건에서 작성한 피의자신문조서뿐만 아니라 별개 사건에서 작성한 피의자신문조서에 대해서도 적용되므로, 피의자였던 피고인이 별개 사건에서 작성된 피의자신문조서의 내용을 부인하는 이상 그 조서는 당해 사건에 대한 유죄의 증거로 할 수 없다.

② 형사소송법 제312조 제3항은 검사 이외의 수사기관이 작성한 당해 피고인 甲에 대한 피의자신문조서를 유죄의 증거로 하는 경우에만 적용되고 甲과 공범관계에 있는 다른 피의자 乙에 대한 피의자신문조서에는 적용되지 않으므로, 乙에 대한 사법경찰관 작성의 피의자신문조서는 甲이 공판기일에서 그 조서의 내용을 부인하더라도 乙의 법정진술에 의하여 그 성립의 진정이 인정되면 증거로 할 수 있다.

③ 사법경찰관이 피의자 아닌 자의 진술을 기재한 조서를 작성함에 있어서 진술자의 성명을 가명으로 기재하였다면 그 이유만으로도 그 조서는 적법한 절차와 방식에 따라 작성되었다고 할 수 없고, 공판기일에 원진술자가 출석하여 자신의 진술을 기재한 조서임을 확인함과 아울러 그 조서의 실질적 진정성립을 인정하고 나아가 그에 대한 반대신문이 이루어졌다고 하더라도 그 증거능력이 인정되지 않는다.

④ 사법경찰관이 피의자를 조사하는 경우와는 달리 피의자가 아닌 자를 조사하는 경우에는 조사과정의 진행경과를 확인하기 위하여 필요한 사항을 조서에 기록하거나 별도의 서면에 기록한 후 수사기록에 편철할 것을 요하지 않으므로, 사법경찰관이 그 조사과정을 기록하지 아니하였더라도 다른 특별한 사정이 없는 한 피의자 아닌 자가 조사과정에서 작성한 진술서는 증거로 할 수 있다.

┃ **해설** ┃ ① 대판 1995.3.24, 94도2287
② 형사소송법 제312조 제3항은 검사 이외의 수사기관이 작성한 당해 피고인 甲에 대한 피의자신문조서를 유죄의 증거로 하는 경우뿐만 아니라, 甲과 공범관계에 있는 다른 피의자 乙에 대한 피의자신문조서에도 적용된다. 따라서 乙에 대한 사법경찰관 작성의 피의자신문조서는 당해 피고인 甲이 공판기일에서 그 조서의 내용을 부인하면 이를 유죄의 증거로 사용할 수 없다(대판 2009.7.9, 2009도2865).
③ 형사소송법은 조서에 진술자의 실명 등 인적 사항을 확인하여 이를 그대로 밝혀 기재할 것을 요구하는 규정을 따로 두고 있지는 아니하다. 따라서 특정범죄신고자 등 보호법 등에서처럼 명시적으로 진술자의 인적 사항의 전부 또는 일부의 기재를 생략할 수 있도록 한 경우가 아니라 하더라도, 진술자와 피고인의 관계, 범죄의 종류, 진술자 보호의 필요성 등 여러 사정으로 볼 때 상당한 이유가 있는 경우에는 수사기관이 진술자의 성명을 가명으로 기재하여 조서를 작성하였다고 해서 그 이유만으로 그 조서가 '적법한 절차와 방식'에 따라 작성되지 않았다고 할 것은 아니다. 그러한 조서라도 공판기일 등에 원진술자가 출석하여 자신의 진술을 기재한 조서임을 확인함과 아울러 그 조서의 실질적 진정성립을 인정하고 나아가 그에 대한 반대신문이 이루어지는 등 형사소송법 제312조 제4항에서 규정한 조서의 증거능력 인정에 관한 다른 요건이 모두 갖추어진 이상 그 증거능력을 부정할 것은 아니라고 할 것이다(대판 2012.5.24, 2011도7757).

④ 피고인이 아닌 자가 수사과정에서 진술서를 작성하였지만 수사기관이 그에 대한 조사과정을 기록하지 아니하여 형사소송법 제244조의 4 제3항, 제1항에서 정한 절차를 위반한 경우에는, 특별한 사정이 없는 한 '적법한 절차와 방식'에 따라 수사과정에서 진술서가 작성되었다 할 수 없으므로 증거능력을 인정할 수 없다(대판 2015.4.23, 2013도3790).

09 형사소송법 제312조 제3항에 대한 설명으로 옳지 않은 것은?(다툼이 있는 경우 판례에 의함)

22. 9급 검찰 · 마약 · 교정 · 보호 · 철도경찰

① 사법경찰관이 작성한 피고인의 공범에 대한 피의자신문조서의 경우에 사망 등의 사유로 인하여 법정에서 진술할 수 없는 때에는 예외적으로 증거능력을 인정하는 규정인 형사소송법 제314조가 적용된다.

② 형사소송법 제312조 제3항의 '그 내용을 인정할 때'라 함은 피의자신문조서의 기재내용이 진술내용대로 기재되어 있다는 의미가 아니고 그와 같이 진술한 내용이 실제 사실과 부합한다는 것을 의미한다.

③ 피고인과 공범관계에 있는 공동피고인에 대하여 수사과정에서 작성된 피의자신문조서는 그 공동피고인에 의하여 성립의 진정이 인정되더라도 해당 피고인이 공판기일에 그 조서의 내용을 부인하면 증거능력이 없다.

④ 사법경찰관이 작성한 양벌규정 위반 행위자의 피의자신문조서가 적법한 절차와 방식에 따라 작성된 것이지만, 공판기일에 양벌규정에 의해 기소된 사업주가 그 내용을 증거로 함에 동의하지 않고 그 내용을 부인하였다면 증거로 할 수 없다.

│ 해설 ① 당해 피고인과 공범관계가 있는 다른 피의자에 대한 검사 이외의 수사기관 작성의 피의자신문조서는 그 피의자의 법정진술에 의하여 그 성립의 진정이 인정되더라도 당해 피고인이 공판기일에서 그 조서의 내용을 부인하면 증거능력이 부정되므로 그 당연한 결과로 그 피의자신문조서에 대하여는 사망 등 사유로 인하여 법정에서 진술할 수 없는 때에 예외적으로 증거능력을 인정하는 규정인 형사소송법 제314조가 적용되지 아니한다(대판 2004.7.15, 2003도7185 전원합의체).
② 대판 2010.6.24, 2010도5040
③ 대판 2009.7.9, 2009도2865
④ 대판 2020.6.11, 2016도9367

10 피의자신문조서의 증거능력에 대한 설명으로 옳은 것은? 24. 9급 검찰·마약·교정·보호·철도경찰

① 형사소송법 제312조 제3항은 검사 이외의 수사기관이 작성한 해당 피고인과 공범관계에 있는 다른 피고인이나 피의자에 대한 피의자신문조서를 해당 피고인에 대한 유죄의 증거로 채택할 경우에도 적용되지만, 양벌규정에 따라 처벌되는 행위자와 행위자가 아닌 법인 또는 개인 간의 관계에는 적용되지 않는다.

② 검사 작성의 피고인에 대한 피의자신문조서에 피고인의 서명만 있고 날인이나 간인이 없는 경우라도, 그와 같이 작성된 이유가 피고인이 당시 날인이나 간인을 거부하였기 때문이라는 취지가 조서 말미에 기재되어 있고, 피고인이 법정에서 그 피의자신문조서의 임의성을 인정하였다면 형식적 진정성립은 긍정된다.

③ 피고인이 법정에서 공소사실을 부인하면서도 검사가 작성한 피의자신문조서에 대하여 자신이 진술한 대로 기재되어 있다는 점을 명확하게 밝힌 경우, 그 피의자신문조서 중 공소사실을 인정하는 취지의 진술 기재 부분은 형사소송법 제312조 제1항에 따라 증거능력이 인정된다.

④ A에게 필로폰을 매도한 혐의로 기소된 甲이 검사 작성의 A에 대한 피의자신문조서 사본에 대하여 내용부인의 취지로 증거로 사용함에 부동의한 경우, 그 피의자신문조서 사본은 형사소송법 제312조 제1항에 따라 甲에 대한 유죄의 증거로 사용할 수 없다.

┃ 해설 ┃ ① 형사소송법 제312조 제3항은 검사 이외의 수사기관이 작성한 해당 피고인에 대한 피의자신문조서를 유죄의 증거로 하는 경우뿐만 아니라 검사 이외의 수사기관이 작성한 해당 피고인과 공범관계에 있는 다른 피고인이나 피의자에 대한 피의자신문조서를 해당 피고인에 대한 유죄의 증거로 채택할 경우에도 적용된다. 이러한 법리는 법인의 대표자나 법인 또는 개인의 대리인, 사용인, 그 밖의 종업원 등 행위자의 위반행위에 대하여 행위자가 아닌 법인 또는 개인이 양벌규정에 따라 기소된 경우, 이러한 법인 또는 개인과 행위자 사이의 관계에서도 마찬가지로 적용된다고 보아야 한다(대판 2020.6.11, 2016도9367).

② 조서말미에 피고인의 서명만이 있고, 그 날인(무인 포함)이나 간인이 없는 검사 작성의 피고인에 대한 피의자신문조서는 증거능력이 없다고 할 것이고, 그 날인이나 간인이 없는 것이 피고인이 그 날인이나 간인을 거부하였기 때문이어서 그러한 취지가 조서말미에 기재되었다거나, 피고인이 법정에서 그 피의자신문조서의 임의성을 인정하였다고 하여 달리 볼 것은 아니다(대판 1999.4.13, 99도237).

③ 형사소송법 제312조 제1항은 검사가 작성한 피의자신문조서는 공판준비, 공판기일에 그 피의자였던 피고인 또는 변호인이 그 내용을 인정할 때에 한정하여 증거로 할 수 있다고 규정하고 있다. 여기서 '그 내용을 인정할 때'라 함은 피의자신문조서의 기재 내용이 진술 내용대로 기재되어 있다는 의미가 아니고 그와 같이 진술한 내용이 실제 사실과 부합한다는 것을 의미한다. 따라서 피고인이 공소사실을 부인하는 경우 검사가 작성한 피의자신문조서 중 공소사실을 인정하는 취지의 진술 부분은 그 내용을 인정하지 않았다고 보아야 한다(대판 2023.4.27, 2023도2102).

④ 대판 2023.6.1, 2023도3741

THEMA 51	참고인진술조서
의 의	검사 또는 사법경찰관이 피의자 아닌 자(예 참고인)의 진술을 기재한 조서를 말한다(제312조 제4항).
증거능력 인정요건	검사 또는 사법경찰관이 피고인이 아닌 자(참고인)의 진술을 기재한 조서는 적법한 절차와 방식에 따라 작성된 것으로서 그 조서가 검사 또는 사법경찰관 앞에서 진술한 내용과 동일하게 기재되어 있음(실질적 진정성립)이 원진술자의 공판준비 또는 공판기일에서의 진술이나 영상녹화물 또는 그 밖의 객관적인 방법에 의하여 증명되고, 피고인 또는 변호인이 공판준비 또는 공판기일에 그 기재 내용에 관하여 원진술자를 신문할 수 있었던 때(반대신문 기회부여)에는 증거로 할 수 있다. 다만, 그 조서에 기재된 진술이 특히 신빙할 수 있는 상태하에서 행하여졌음이 증명된 때에 한한다(제312조 제4항). ▶ 정리 : 적법한 절차와 방식(형식적 진정성립 포함)＋실질적 진정성립 증명(영상녹화물 등에 의한 증명)＋반대신문기회 부여＋특신상태 증명 09 · 11 · 12. 순경 1. '영상녹화물이나 그 밖의 객관적인 방법'에서 그 밖의 객관적인 방법이라 함은 영상녹화물에 준할 정도로 피고인의 진술을 과학적·기계적·객관적으로 재현해 낼 수 있는 방법만을 의미한다고 봄이 타당하고, 그 외에 조사관 또는 조사 과정에 참여한 통역인 등의 증언은 이에 해당한다고 볼 수 없다(대판 2016.2.18, 2015도16586). 2. 제314조에 의해 증거능력 인정 : 공판준비 또는 공판기일에서 진술을 요할 자가 사망·질병·외국거주·소재불명 그 밖에 이에 준하는 사유로 인하여 진술할 수 없고(필요성), 신용성의 정황적 보장이 인정되는 때(특신상태)에는 원진술자에 의하여 성립의 진정이 인정되지 않아도 증거로 할 수 있다.

01 진술조서의 증거능력에 관한 설명 중 가장 적절한 것은?(다툼이 있는 경우 판례에 의함)

① 검사 또는 사법경찰관의 참고인의 진술을 기재한 조서는 적법한 절차와 방식에 따라 작성된 것으로서 실질적 진정성립이 인정되고, 반대신문 기회가 보장되어야 할뿐 아니라 그 조서에 기재된 진술이 특히 신빙할 수 있는 상태하에서 행하여졌음이 증명된 때에 증거로 할 수 있다.

② 피고인 아닌 자의 진술이 기재된 조서에 원진술자가 실질적 성립의 진정을 부인하더라도 영상녹화물 또는 그 밖의 객관적인 방법에 의하여 증명하는 방법이 있는데, 여기서 객관적인 방법이라 함은 영상녹화물에 준할 정도로 피고인의 진술을 과학적·기계적·객관적으로 재현해 낼 수 있는 방법뿐만 아니라 조사관 또는 조사 과정에 참여한 통역인 등의 증언도 이에 해당한다고 볼 수 있다.

③ 참고인진술조서는 피의자신문조서와 같이 제314조에 의해 증거능력을 인정할 수 없다.

④ 검찰관이 피고인을 뇌물수수 혐의로 기소한 후, 형사사법공조절차를 거치지 아니한 채 과테말라공화국에 현지출장하여 그곳 호텔에서 뇌물공여자 甲을 상대로 참고인 진술조서를 작성한 사안에서, 진술이 특별히 신빙할 수 있는 상태에서 이루어졌다고 볼 수 있어 甲의 진술조서는 증거능력이 인정되 이를 유죄의 증거로 삼을 수 있다.

│ **해설** │ ① 제312조 제4항

② 제312조 제4항의 '영상녹화물 또는 그 밖의 객관적인 방법'에서 그 밖의 객관적인 방법이라 함은 영상녹화물에 준할 정도로 피고인의 진술을 과학적·기계적·객관적으로 재현해 낼 수 있는 방법만을 의미한다고 봄이 타당하고, 그 외에 조사관 또는 조사 과정에 참여한 통역인 등의 증언은 이에 해당한다고 볼 수 없다(대판 2016.2.18, 2015도16586).

③ 공판준비 또는 공판기일에서 진술을 요할 자가 사망·질병·외국거주·소재불명 그밖에 이에 준하는 사유로 인하여 진술할 수 없고(필요성), 신용성의 정황적 보장이 인정되는 때(특신상태)에는 원진술자에 의하여 성립의 진정이 인정되지 않아도 증거로 할 수 있다(제314조).

④ 검찰관이 피고인을 뇌물수수 혐의로 기소한 후, 형사사법공조절차를 거치지 아니한 채 과테말라공화국에 현지출장하여 그곳 호텔에서 뇌물공여자 甲을 상대로 참고인 진술조서를 작성한 사안에서, 甲이 자유스러운 분위기에서 임의수사 형태로 조사에 응하였고 조서에 직접 서명·무인하였다는 사정만으로 특신상태를 인정하기에 부족할 뿐만 아니라, 검찰관이 군사법원의 증거조사절차 외에서, 그것도 형사사법공조절차나 과테말라공화국 주재 우리나라 영사를 통한 조사 등의 방법을 택하지 않고 직접 현지에 가서 조사를 실시한 것은 수사의 정형적 형태를 벗어난 것이라고 볼 수 있는 점 등 제반 사정에 비추어 볼 때, 진술이 특별히 신빙할 수 있는 상태에서 이루어졌다는 점에 관한 증명이 있다고 보기 어려워 甲의 진술조서는 증거능력이 인정되지 아니하므로, 이를 유죄의 증거로 삼을 수 없다(대판 2011.7.14, 2011도3809).

▶ 위법수집증거까지는 아니다 하더라도 특신정황을 인정할 수 없어서 유죄증거로 삼을 수 없다는 판례

02 진술조서에 관한 설명 중 적절하지 않은 것은?(다툼이 있는 경우 판례에 의함)

① 진술조서 말미의 진술자란의 서명 옆에 날인이 없고 진술자란의 서명이 그의 필적이라고 단정하기는 분명하지 않다 하더라도 진술자의 간인이 되어 있고 그 인영이 압수물가환부청구서와 압수물영수증 중의 인영과 동일한 것으로 인정되는 등의 정황에 비추어 위 날인이 없는 것은 단순한 착오에 의한 누락이라고 보여질 뿐 위 조서는 진정한 것으로 인정된다.

② 검사의 피고인에 대한 진술조서는 기소 후에 작성된 것이라는 이유만으로 증거능력이 없는 것은 아니다.

③ 검사가 작성한 참고인진술조서에 간인, 서명, 날인의 진정이 인정되는 것만으로도 성립의 진정을 인정할 수 있다.

④ 진술자가 법정에서 진술조서의 진술기재내용이 자기가 진술한 것과 다른데도 검사 또는 사법경찰관리가 마음대로 공소사실에 부합되도록 기재한 다음 괜찮으니 서명날인하라고 요구하여서 할 수 없이 진술조서의 끝부분에 서명날인한 것이라고 진술하였다면 진술조서는 증거능력이 없다.

│해설│ ① 대판 1982.3.9, 82도63 ② 대판 1984.9.25, 84도1646
③ 검사 또는 사법경찰관이 피고인이 아닌 자의 진술을 기재한 조서는 적법한 절차와 방식에 따라 작성된 것으로서 그 조서가 검사 또는 사법경찰관 앞에서 진술한 내용과 동일하게 기재되어 있음이 원진술자의 공판준비 또는 공판기일에서의 진술이나 영상녹화물 또는 그 밖의 객관적인 방법에 의하여 증명되고, 피고인 또는 변호인이 공판준비 또는 공판기일에 그 기재 내용에 관하여 원진술자를 신문할 수 있었던 때에는 증거로 할 수 있다. 다만, 그 조서에 기재된 진술이 특히 신빙할 수 있는 상태하에서 행하여졌음이 증명된 때에 한한다(제312조 제4항). ④ 대판 1990.10.16, 90도1474

03 대법원은 "공판준비 또는 공판기일에서 이미 증언을 마친 증인을 검사가 소환한 후 피고인에게 유리한 증언내용을 추궁하여 이를 일방적으로 번복시키는 방식으로 작성한 진술조서는 피고인이 증거로 할 수 있음에 동의하지 않는 한 그 증거능력이 부정된다."고 판시하고 있다. 이 판례의 이론적 근거와 거리가 먼 것은?

02. 행시

① 당사자주의　　　　　② 공판중심주의　　　　　③ 자유심증주의
④ 직접주의　　　　　　⑤ 헌법 제27조의 재판을 받을 권리

│해설│ 공판준비 또는 공판기일에서 이미 증언을 마친 증인을 검사가 소환한 후 피고인에게 유리한 그 증언내용을 추궁하여 이를 일방적으로 번복시키는 방식으로 작성한 진술조서를 유죄의 증거로 삼는 것은 당사자주의·공판중심주의·직접주의를 지향하는 현대 형사소송법의 기본구조에 어긋나는 것일 뿐만 아니라, 헌법 제27조가 보장하는 기본권, 즉 법관의 면전에서 모든 증거자료가 조사·진술되고 이에 대하여 피고인이 공격·방어할 수 있는 기회가 실질적으로 부여되는 재판을 받을 권리를 침해하는 것이므로, 이러한 진술조서는 피고인이 증거로 할 수 있음에 동의하지 아니하는 한 그 증거능력이 없다고 하여야 할 것이고, 그 후 원진술자인 종전 증인이 다시 법정에 출석하여 증언을 하면서 그 진술조서의 성립의 진정을 인정하고 피고인측에 반대신문의 기회가 부여되었다고 하더라도 그 증언 자체를 유죄의 증거로 할 수 있음은 별론으로 하고 위와 같은 진술조서의 증거능력은 인정될 수 없다(대판 2000.6.15, 99도1108 전원합의체).

04 진술조서에 관한 설명으로 틀린 것은 몇 개인가?(판례에 의함)

㉠ 사법경찰관 작성의 진술조서에 4시간 10여 분에 달하는 녹음파일을 재생하여 들려준 것으로 기재되어 있음에도 조사는 3시간 25분 만에 종료된 것으로 기재되어 있고, 조사 과정에 대한 영상녹화물이 존재하지 않는 점 등 여러 사정이 있다하더라도, 위 조서가 작성된 곳이 수사기관이 아니라 호텔방이고, 조서의 양이 수십 페이지에 달하는 방대한 양이라는 점을 고려해 볼 때 제1심 법정에서 원진술자가 그 내용이 자신이 말한대로 적혀 있다고 진술하였다면, 실질적 진정성립의 증명되어 증거능력이 인정된다.

㉡ 범죄인지서를 작성하여 사건수리 절차를 밟기 전에 수사과정에서 작성된 진술조서는 수사를 개시한 이상 범죄를 인지한 것으로 보아야 할 것이므로, 그 수사가 장차 인지의 가능성이 전혀 없는 상태에서 행하여졌다는 등의 특별한 사정이 없는 한 증거능력이 인정된다.

㉢ '수사기관에서 사실대로 진술하고 진술한 대로 기재되어 있는지 확인하고 서명무인하였다.'는 취지로 증언한 경우 그 진술이 진술조서의 진정성립을 인정하는 취지로 볼 수 있으므로 위 진술조서 중 그 진술 기재 부분은 증거능력이 있다.

㉣ 외국에 거주하고 있는 참고인과의 대화내용을 문답형식으로 기재한 검찰주사보 작성의 수사 보고서는 원진술자의 서명 또는 날인이 없더라도 제313조를 적용하여 그 요건을 구비하면 증 거능력이 인정된다.

㉤ 피고인 아닌 제3자가 검찰 및 제1심 공판정에서 경찰에서의 진술을 번복하여 "경찰에서 조사 받을 때에는 일부 사실과 다르게 진술하였습니다."라고 진술한 바 있다 하여 그러한 진술만으로써 경찰진술조서의 진정성립을 인정하기에는 부족하다.

㉥ 증인이 법정에서 이 건으로 검찰, 경찰에서 진술한 내용이 틀림없다는 증언을 하고 있다면 위 진술만으로 동인에 대한 검찰 또는 경찰에서 작성한 진술조서의 진정성립을 인정하기 부족함이 없다.

㉦ 형사소송법 제312조 제4항에 규정된 '영상녹화물'이라 함은 형사소송법 및 형사소송규칙에 규정된 방식과 절차에 따라 제작되어 조사 신청된 영상녹화물을 의미한다고 봄이 타당하다.

① 1개   ② 2개   ③ 3개   ④ 4개

해설 ㉠ × : 제1심 법정에서 사법경찰관 작성의 제2, 4회 진술조서는 그 내용이 자신이 말한대로 적혀 있다고 진술하였으나, 제2회 진술조서에 4시간 10여 분에 달하는 녹음파일을 재생하여 들려준 것으로 기재되어 있음에도 조사는 3시간 25분 만에 종료된 것으로 기재되어 있는 점, 제4회 진술조서에도 10시간에 달하는 녹음파일을 재생하여 들려준 것으로 기재되어 있음에도 조사는 4시간 만에 종료된 것으로 기재되어 있는 점, 위 조서가 작성된 곳이 수사기관이 아니라 호텔방이고, 조서의 양이 수십 페이지에 달하는 방대한 양이며, 조사 과정에 대한 영상녹화물이 존재하지 않는 점 등 여러 사정을 고려해 보면, 실질적 진정성립이 합리적인 의심을 배제할 정도로 증명되었다고 할 수 없어 사법경찰관 작성의 제2, 4회 각 진술조서는 증거 능력이 없다(대판 2015.1.22, 2014도10978 전원합의체).
㉡ ○ : 대판 2001.10.26, 2000도2968
㉢ × : '수사기관에서 사실대로 진술하고 진술한 대로 기재되어 있는지 확인하고 서명무인하였다.'는 취지로 증언하였을 뿐이어서 그 진술이 진술조서의 진정성립을 인정하는 취지인지 분명하지 아니하고, 오히려 공소사실에 부합하는 진술 부분은 자신이 진술한 사실이 없음에도 잘못 기재되었다는 취지로 증언한 사안에서, 위 진술조서 중 그 진술 기재 부분은 증거능력이 없다(대판 2013.8.14, 2012도13665).

ⓐ × : 수사기관인 검찰주사보가 외국에 거주하고 있는 참고인에 대한 고소보충 기타 참고사항에 관하여 조사함에 있어서 그들에게 국제전화를 걸어 그 대화내용을 문답형식으로 기재한 후 그들의 서명 또는 기명날인이 없이 검찰주사보만 기명날인을 한 검찰주사보 작성의 각 수사보고서는 전문증거로서 제311조 내지 제316조에 규정된 것 이외에는 이를 증거로 삼을 수 없는 것인데, 위 수사보고서는 제311조, 제312조, 제315조, 제316조의 적용대상이 되지 아니함이 분명하므로, 결국 제313조(개정법 제312조 제4항)의 진술을 기재한 서류에 해당할 수 있느냐의 여부가 문제될 것인바, 제313조가 적용되기 위하여는 그 진술을 기재한 서류에 그 진술자의 서명 또는 날인이 있어야 할 것이다(대판 1999.2.26, 98도2742).

ⓜ ○ : 대판 1984.5.9, 84도297

ⓗ × : 증인이 법정에서 이 건으로 검찰, 경찰에서 진술한 내용이 틀림없다는 증언을 하고 있을 뿐인 경우에는 위 진술만으로는 동인에 대한 검찰 또는 경찰에서 작성한 진술조서의 진정성립을 인정하기 부족하다(대판 1979.11.27, 76도3962).

ⓐ ○ : 대판 2022.6.16, 2022도364

05 진술조서의 증거능력에 대한 설명으로 가장 적절하지 않은 것은?(다툼이 있는 경우 판례에 의함)

22. 경찰승진

① 만약 동석한 사람이 피의자를 대신하여 진술한 부분이 조서에 기재되어 있다면 그 부분은 피의자의 진술을 기재한 것이 아니라 동석한 사람의 진술을 기재한 조서에 해당하므로 그 사람에 대한 진술조서로서의 증거능력을 취득하기 위한 요건을 충족하지 못하는 한 이를 유죄인정의 증거로 사용할 수 없다.

② 검사가 피의자 아닌 자의 진술을 기재한 조서에 대하여 그 원진술자가 공판기일에서 그 조서의 내용과 다른 진술을 하거나 변호인 또는 피고인의 반대신문에 대하여 아무런 답변을 하지 아니하였다 하여 곧 증거능력 자체를 부정할 사유가 되지는 아니한다.

③ 원진술자가 법정에서 증인으로 나와 진술조서의 기재 내용을 열람하거나 고지받지 못한 채 단지 검사나 재판장의 신문에 대하여 수사기관에서 사실대로 진술하였다는 취지의 증언만을 하고 있을 뿐이라면, 그 진술조서는 증거능력을 인정할 수 없다.

④ 사법경찰관 작성의 피해자에 대한 진술조서가 피해자의 화상으로 인한 서명불능을 이유로 입회하고 있던 피해자의 동생에게 대신 읽어 주고 그 동생으로 하여금 서명날인하게 하는 방법으로 작성되었다면, 이는 형사소송법 제312조 제4항 소정의 형식적 요건을 구비한 서류로서 증거로 사용할 수 있다.

해설 ① 대판 2009.6.23, 2009도1322

② 대판 2001.9.14, 2001도1550

③ 대판 1994.11.11, 94도343

④ 사법경찰관 작성의 피해자에 대한 진술조서가 피해자의 화상으로 인한 서명불능을 이유로 입회하고 있던 피해자의 동생에게 대신 읽어 주고 그 동생으로 하여금 서명날인하게 하는 방법으로 작성되었다면, 이는 증거로 사용할 수 없다(대판 1997.4.11, 96도2865).

THEMA 52	진술서 및 진술기재서의 증거능력 인정요건	
의 의		• 진술서 : 자기의 의사·사상·관념 및 사실관계를 기재한 서면(메모, 일기장 등도 해당 ; 반대견해 有)으로서, 자술서·시말서 등 명칭의 여하를 불문하며, 반드시 자필일 필요는 없다(타이핑 가능). • 진술기재서 : 변호인이나 제3자가 피고인 또는 피고인 아닌 자의 진술을 기재한 서면
종 류		피고인(피의자)진술서, 참고인진술서, 피고인(피의자)진술기재서, 참고인진술기재서
수사과정에서 작성된 진술서		제312조 제1항부터 제4항 준용(제312조 제5항) ∴ 피의자진술서 ⇨ 피의자신문조서, 참고인진술서 ⇨ 참고인진술조서
수사과정 이외 에서 작성한 진술서 및 진술기재서	**피고인 아닌 자 (참고인)가 직접 작성한 진술서**	작성자(진술자)의 자필이거나, 서명 또는 날인+작성자에 의한 성립 의 진정함을 증명 ▶ 작성자가 성립진정부인 ⇨ 객관적 방법으로 증명+피고인 또는 변호인이 기재내용에 대해 원진술자를 반대신문할 수 있었을 때 증거능력 인정
	피고인(피의자)이 직접 작성한 진술서	작성자(진술자)의 자필이거나, 서명 또는 날인+작성자에 의한 성립 의 진정함을 증명+특신정황(대판 2001.9.4, 2000도1743) ▶ 작성자가 성립진정부인 ⇨ 객관적 방법으로 증명 가능 21. 9급 검 찰·마약·교정·보호·철도경찰
	참고인진술기재서	진술자의 서명 또는 날인+진술자에 의한 성립의 진정함을 증명
	피고인(피의자) 진술기재서	작성자의 진술에 의하여 그 성립의 진정함이 증명되고 그 진술(피고 인의 진술)이 특히 신빙할 수 있는 상태하에서 행하여진 때에 한하 여 피고인의 공판준비 또는 공판기일에서의 진술에 불구하고 증거 로 할 수 있다. ▶ '진술에 불구하고' 의미 : 피고인의 '진정성립을 부정하는 진술'에 도 불구하고(대판 2022.4.28, 2021도3914) ▶ 피고인과 피해자 사이의 대화내용에 관한 녹취서가 공소사실의 증거로 제출되어 그 녹취서의 기재내용과 녹음테이프의 녹음내용 이 동일한지 여부에 관하여 법원이 검증을 실시한 경우에 증거자 료가 되는 것은 녹음테이프에 녹음된 대화내용 그 자체이고, 그중 피고인의 진술내용은 실질적으로 피고인의 진술을 기재한 서류와 다름없어 피고인이 그 녹음테이프를 증거로 할 수 있음에 동의하 지 않은 이상 그 녹음테이프 검증조서의 기재 중 피고인의 진술내 용을 증거로 사용하기 위해서는 형사소송법 제313조 제1항 단서 에 따라 공판준비 또는 공판기일에서 그 작성자인 피해자의 진술 에 의하여 녹음테이프에 녹음된 피고인의 진술내용이 피고인이 진술한 대로 녹음된 것임이 증명되고 나아가 그 진술이 특히 신빙 할 수 있는 상태하에서 행하여진 것임이 인정되어야 한다(대판 2008.3.13, 2007도10804).

04

📖 **제313조 개정(2016. 5. 29)** : 디지털 전문증거의 증거능력 확대 등을 주요내용으로 하는 형사소송법이 개정되었다. 문자·사진·영상 등의 정보가 저장된 컴퓨터용디스크 등 디지털 증거까지 진술서 등의 대상에 포함시켰으며(제313조 제1항 본문), 전문증거의 작성자가 공판준비기일이나 공판기일에서 그 성립의 진정을 부인하는 경우에도 과학적 분석결과에 기초한 디지털포렌식 자료나 감정 등 객관적 방법으로 진정 성립이 증명되는 때에는 증거로 할 수 있으며, 피고인 아닌 사람이 작성한 진술서(참고인진술서)는 위 객관적 방법에 의한 진정 성립의 증명 이외에 피고인이나 변호인이 공판에서 그 기재 내용에 관해 원진술자를 신문할 수 있었을 때 (반대신문권보장) 증거로 할 수 있다는 규정을 두었다(제313조 제2항).

01 진술서 등에 관한 설명으로 가장 옳지 않은 것은?

① 피고인 또는 피고인 아닌 자가 작성하였거나 진술한 내용이 포함된 문자·사진·영상 등의 정보로서 컴퓨터용디스크, 그 밖에 이와 비슷한 정보저장매체에 저장된 것도 제313조 전문증거 대상에 포함되는 규정이 신설되었다.

② 피고인 아닌 자의 진술을 기재한 서류는 공판준비 또는 공판기일에서의 진술자의 진술에 의하여 그 성립의 진정함이 증명된 때에는 증거로 할 수 있다. 다만, 그 성립의 진정을 부인하는 경우에는 과학적 분석결과에 기초한 디지털포렌식 자료, 감정 등 객관적 방법으로 성립의 진정함이 증명되고, 피고인 측이 원진술자에 대하여 반대신문권 행사를 할 수 있었을 때 증거로 할 수 있다.

③ 피고인의 진술서의 경우 증거로 사용하기 위하여는 작성자가 성립의 진정을 증명하여야 하는데, 이를 부인하는 경우에는 과학적 분석결과에 기초한 디지털포렌식 자료, 감정 등 객관적 방법으로 성립의 진정함이 증명되는 때에도 증거로 할 수 있다.

④ 제312조 또는 제313조의 경우에 공판준비 또는 공판기일에 진술을 요하는 자가 사망·질병·외국거주·소재불명 그 밖에 이에 준하는 사유로 인하여 진술할 수 없는 때에는 그 조서 및 그 밖의 서류를 증거로 할 수 있다. 여기서 그밖의 서류에는 피고인 또는 피고인 아닌 자가 작성하였거나 진술한 내용이 포함된 문자·사진·영상 등의 정보로서 컴퓨터용디스크, 그 밖에 이와 비슷한 정보저장매체에 저장된 것을 포함한다.

▍**해설**▍ ① 제313조 제1항

② 피고인 아닌 자의 진술서에 관한 개정 내용이다. 진술 기재 서류(진술자와 작성자가 다름)는 개정 대상에서 제외했다. 따라서 피고인 아닌 자의 진술을 기재한 서류에 대해서는 '과학적 분석결과에 기초한 디지털포렌식 자료, 감정 등 객관적 방법으로 성립의 진정함이 증명되고, 피고인 측이 원진술자에 대하여 반대신문권 행사를 할 수 있었을 때 증거로 할 수 있다.'는 규정이 적용되지 않는다.

③ 제313조 제2항

④ 제314조

02 사법경찰관 甲은 피의자 乙을 신문하는 과정에서 乙로부터 범행 당일의 행적에 대하여 자필진술서를 받았다. 그러나 그후 피고인 乙은 공판정에서 그 진술서의 내용을 전면 부인하였다. 이 경우 그 진술서의 증거능력에 관한 설명 중 옳은 것은?

① 언제나 증거능력이 인정된다.
② 성립의 진정이 인정되면 증거능력이 있다.
③ 증거능력이 부정된다.
④ 성립의 진정이 증명되면 증거능력이 있다.

▌해설▐ 사법경찰관의 수사과정에서의 피의자가 작성한 진술서는 피의자신문조서의 요건을 필요로 한다(제312조 제5항). 따라서 내용을 부인하면 증거능력이 없다.

04

03 진술서의 증거능력에 관한 내용으로 옳은 것은 몇 개인가?

> ㉠ 작성자의 기명 다음에 사인이 되어 있는 진술서의 증거능력은 인정되지 않는다.
> ㉡ 사법경찰관에게 제출한 참고인진술서는 사법경찰관 작성 피의자신문조서보다 증거능력 인정 요건이 더 엄격하다.
> ㉢ 피해자가 피고인으로부터 풀려난 당일에 남동생에게 도움을 요청하면서 피고인이 협박한 말 등 피고인으로부터 피해를 입은 내용이 들어있는 문자메시지의 내용을 촬영한 사진은 그 문자정보가 범행의 직접적인 수단이 될 뿐 경험자의 진술에 갈음하는 대체물에 해당하지 않는 경우이므로 전문법칙이 적용될 여지가 없다.
> ㉣ 피고인이 아닌 자가 작성한 진술서나 그 진술을 기재한 서류로서 그 작성자 또는 진술자의 자필이거나 그 서명 또는 날인이 있는 것은 공판준비나 공판기일에서의 그 작성자 또는 진술자의 진술에 의하여 그 성립의 진정함이 증명되고, 그 진술이 특히 신빙할 수 있는 상태하에서 행하여진 때에 한하여 증거로 할 수 있다.
> ㉤ 피고인이 아닌 자가 수사과정에서 진술서를 작성하였지만 수사기관이 그에 대한 조사과정을 기록하지 아니하여 형사소송법 제244조의 4 제3항, 제1항에서 정한 절차를 위반한 경우에는, 특별한 사정이 없는 한 '적법한 절차와 방식'에 따라 수사과정에서 진술서가 작성되었다 할 수 없으므로 그 증거능력을 인정할 수 없다.
> ㉥ 조세범칙조사를 담당하는 세무공무원이 피고인이 된 혐의자 또는 참고인에 대하여 심문한 내용을 기재한 조서는 검사·사법경찰관 등 수사기관이 작성한 조서와 동일하게 볼 수 있으므로 형사소송법 제312조에 따라 증거능력의 존부를 판단하여야 한다.

① 1개   ② 2개   ③ 3개   ④ 없다.

▌해설▐ ㉠ × : 작성자의 자필이거나 서명 또는 날인이 있는 것은 공판준비나 공판기일에서의 그 작성자의 진술에 의하여 성립의 진정함이 증명된 때에는 증거로 할 수 있다. 진술서는 반드시 자필일 것을 요하지 않으며 타이프 기타 부동문자에 의한 진술서도 진술서에 포함된다. 따라서 자필이 아니라 하더라도 서명 또는 날인이 있는 진술서는 증거능력이 인정될 수 있다고 해야 한다. 대법원은 작성자의 기명 다음에 사인이 있는 경우에도 진술서의 증거능력을 인정한다(대판 1979.8.31, 79도1431).

ⓛ ×: 사법경찰관에게 제출한 피의자진술서나 참고인진술서는 각각 피의자신문조서나 참고인진술조서로 취급한다(제312조 제5항). 따라서 참고인진술서가 증거능력을 인정받기 위해서 내용인정까지 요구되는 피의자진술서보다 증거능력 인정요건이 더 엄격하지 않다.

ⓒ ×: 피해자가 피고인으로부터 풀려난 당일에 남동생에게 도움을 요청하면서 피고인이 협박한 말을 포함하여 공갈 등 피고인으로부터 피해를 입은 내용을 문자메시지로 보낸 것이므로, 이 사건 문자메시지의 내용을 촬영한 사진은 증거서류 중 피해자의 진술서에 준하는 것으로 취급함이 상당할 것인바, 진술서에 관한 형사소송법 제313조에 따라 이 사건 문자메시지의 작성자인 피해자가 제1심 법정에 출석하여 자신이 이 사건 문자메시지를 작성하여 동생에게 보낸 것과 같음을 확인하고, 동생도 제1심 법정에 출석하여 피해자가 보낸 이 사건 문자메시지를 촬영한 사진이 맞다고 확인한 이상, 이 사건 문자메시지를 촬영한 사진은 그 성립의 진정함이 증명되었다고 볼 수 있으므로 이를 증거로 할 수 있다(대판 2010.11.25, 2010도8735).

▶ 휴대폰 등을 통해 협박내용을 반복적으로 보내는 경우는 그 문자정보가 범행의 직접적인 수단이 되는 것일뿐 전문증거라고 할 수 없다. 그러나 위 지문은 경험자의 진술이 들어있는 문자메시지이므로 전문증거에 해당한다.

ⓔ ×: 피고인이 아닌 자가 작성한 진술서나 그 진술을 기재한 서류는 그 작성자 또는 진술자의 자필이거나 그 서명 또는 날인이 있고 공판준비나 공판기일에서의 그 작성자 또는 진술자의 진술에 의하여 그 성립의 진정함이 증명되면 증거능력이 인정되며, 그 진술이 특히 신빙할 수 있는 상태하에서 행하여 진 때를 요건으로 하지 않는다. 특히 신빙할 수 있는 상태하에서 행하여질 것이 요구되는 경우는 피고인(피의자) 진술서 또는 그 진술기재서이다(제313조 제1항).

ⓜ ○: 대판 2015.4.23, 2013도3790

ⓗ ×: 사법경찰관리의 직무를 수행할 자와 그 직무범위에 관한 법률은 특별사법경찰관리를 구체적으로 열거하면서 '관세법에 따라 관세범의 조사 업무에 종사하는 세관공무원'만 명시하였을 뿐 '조세범칙조사를 담당하는 세무공무원'을 포함시키지 않고 있으므로, 조세범칙조사를 담당하는 세무공무원이 피고인이 된 혐의자 또는 참고인에 대하여 심문한 내용을 기재한 조서는 검사·사법경찰관 등 수사기관이 작성한 조서와 동일하게 볼 수 없으므로 형사소송법 제312조에 따라 증거능력의 존부를 판단할 수는 없고, 피고인 또는 피고인이 아닌 자가 작성한 진술서나 그 진술을 기재한 서류에 해당하므로 형사소송법 제313조에 따라 증거능력의 존부를 판단하여야 한다(대판 2022.12.15, 2022도8824).

04 진술서의 증거능력에 관한 설명으로 틀린 것은 몇 개인가?(판례에 의함)

> ㉠ 변호사가 법률자문 과정에 작성하여 甲 회사 측에 전송한 전자문서를 출력한 '법률의견서'는 압수된 디지털 저장매체로부터 출력한 문건으로서 실질에 있어서 형사소송법 제313조 제1항에 규정된 '피고인 아닌 자가 작성한 진술서나 그 진술을 기재한 서류'에 해당하는데, 공판준비 또는 공판기일에서 작성자 또는 진술자인 변호사의 진술에 의하여 성립의 진정함이 증명되지 아니한 경우라면 증거능력이 인정되지 않는다.
>
> ㉡ 변호사가 법률자문 과정에 작성하여 회사 측에 전송한 전자문서를 출력한 '법률의견서'에 대하여 피고인들이 증거로 함에 동의하지 아니하고, 변호사가 그에 관한 증언을 거부한 사안에서, 위 증거능력을 부정하는 이유로서 변호인·의뢰인 특권을 근거로 내세우는 것은 적절하다.
>
> ㉢ 사인(私人)이 피고인 아닌 자와의 전화대화를 녹음한 녹음테이프에 대하여 법원이 실시한 검증조서의 기재 중 피고인 아닌 자의 진술내용을 증거로 사용하기 위해서는 형사소송법 제313조 제1항에 따라 공판준비나 공판기일에서 원진술자의 진술에 의하여 그 녹음테이프에 녹음된 진술내용이 자신이 진술한 대로 녹음된 것이라는 점이 인정되어야 한다.

㉣ 피고인이 자신의 아들 등에게 폭행을 당하여 입원한 피해자의 병실로 찾아가 그의 모 甲과 대화하던 중 허위사실을 적시하여 피해자의 명예를 훼손하였다는 내용으로 기소된 사안에서, 甲이 법정에서 "乙이 사건 당시 피고인의 말을 다 들었다. 그래서 지금 녹취도 해왔다."고 진술하였을 뿐, 검사가 녹취록 작성의 토대가 된 대화내용을 녹음한 원본 녹음테이프 등을 증거로 제출하지 아니한 경우 위 녹취록은 증거능력이 없다.

① 1개   ② 2개   ③ 3개   ④ 없다.

| 해설 | ㉠ ○ : 대판 2012.5.17, 2009도6788 전원합의체

㉡ × : 공판준비 또는 공판기일에서 작성자 또는 진술자인 변호사의 진술에 의하여 성립의 진정함이 증명되지 아니하였으므로 위 규정에 의하여 증거능력을 인정할 수 없고, 나아가 원심 공판기일에 출석한 변호사가 그 진정성립 등에 관하여 진술하지 아니한 것은 형사소송법 제149조에서 정한 바에 따라 정당하게 증언거부권을 행사한 경우에 해당하므로 형사소송법 제314조에 의하여 증거능력을 인정할 수도 없다. 이 사건 법률의견서의 증거능력을 부정하는 이유로서 변호인·의뢰인 특권을 근거로 내세우는 것은 적절하다고 할 수 없다(대판 2012.5.17, 2009도6788 전원합의체).

㉢ ○ : 수사기관이 아닌 사인(私人)이 피고인 아닌 자와의 전화대화를 녹음한 녹음테이프에 대하여 법원이 실시한 검증의 내용이 녹음테이프에 녹음된 전화대화의 내용이 검증조서에 첨부된 녹취서에 기재된 내용과 같다는 것에 불과한 경우에는 증거자료가 되는 것은 여전히 녹음테이프에 녹음된 대화내용이므로, 그중 피고인 아닌 자와의 대화의 내용은 실질적으로 피고인 아닌 자의 진술을 기재한 서류와 다를 바 없어서, 검증조서의 기재 중 피고인 아닌 자의 진술내용을 증거로 사용하기 위해서는 형사소송법 제313조 제1항에 따라 공판준비나 공판기일에서 원진술자의 진술에 의하여 그 녹음테이프에 녹음된 진술내용이 자신이 진술한 대로 녹음된 것이라는 점이 인정되어야 한다(대판 2008.7.10, 2007도10755).

▶ 이와는 달리 녹음테이프에 대한 법원의 검증의 내용이 그 진술 당시 진술자의 상태 등을 확인하기 위한 것인 경우에는, 녹음테이프에 대한 검증조서의 기재 중 진술내용을 증거로 사용하는 경우에 관한 위 법리는 적용되지 아니하고, 따라서 위 검증조서는 법원의 검증의 결과를 기재한 조서로서 형사소송법 제311조에 의하여 당연히 증거로 할 수 있다(대판 2008.7.10, 2007도10755).

㉣ ○ : 피고인이 자신의 아들 등에게 폭행을 당하여 입원한 피해자의 병실로 찾아가 그의 모 甲과 대화하던 중 '학교에 알아보니 원래 정신병이 있었다고 하더라.'는 허위사실을 적시하여 피해자의 명예를 훼손하였다는 내용으로 기소된 사안에서, 녹취록은 甲이 甲의 이웃 乙과 나눈 대화내용을 녹음한 녹음테이프 등을 기초로 작성된 것으로서, 형사소송법 제313조의 진술서에 준하여 피고인의 동의가 있거나 원진술자의 공판준비나 공판기일에서의 진술에 의하여 성립의 진정함이 증명되어야 증거능력을 인정할 수 있는데, 피고인이 녹취록을 증거로 함에 동의하지 않았고, 甲이 법정에서 "乙이 사건 당시 피고인의 말을 다 들었다. 그래서 지금 녹취도 해왔다."고 진술하였을 뿐, 검사가 녹취록 작성의 토대가 된 대화내용을 녹음한 원본 녹음테이프 등을 증거로 제출하지 아니하고, 원진술자인 甲과 乙의 공판준비나 공판기일에서의 진술에 의하여 자신들이 진술한 대로 기재된 것이라는 점이 인정되지도 아니하는 등 형사소송법 제313조 제1항에 따라 녹취록의 진정성립을 인정할 수 있는 요건이 전혀 갖추어지지 않았으므로, 위 녹취록은 증거능력이 없다(대판 2011.9.8, 2010도7497).

05 디지털 정보 저장매체를 압수하여 증거로 사용함에 관한 설명 중 옳지 않은 것은 모두 몇 개인가?
(다툼이 있는 경우 판례에 의함)

> ⊙ 컴퓨터디스크에 기억된 문자정보를 증거로 제출하는 경우에는 이를 읽을 수 있도록 출력하여 인증한 등본으로 낼 수 있다.
> ⓛ 컴퓨터디스크에 기억된 문자정보를 증거로 하는 경우에 상대방이 요구한 때에는 컴퓨터디스크에 입력한 사람과 입력한 일시, 출력한 사람과 출력한 일시를 밝혀야 한다.
> ⓒ 압수물인 정보저장매체에 입력하여 기억된 문자정보 또는 그 출력물을 증거로 사용하기 위해서는 정보저장매체 원본에 저장된 내용과 출력 문건의 동일성이 인정되어야 하고, 이를 위해서는 정보저장매체 원본이 압수시부터 문건 출력시까지 변경되지 않았다는 사정, 즉 무결성이 담보되어야 한다. 무결성·동일성을 인정할 수 있는 방법으로 반드시 압수·수색 과정을 촬영한 영상녹화물 재생 등의 방법으로만 증명하여야 한다.
> ⓔ 디지털 저장매체로부터 출력한 문건을 진술증거로 사용하는 경우, 그 기재 내용의 진실성에 관하여는 전문법칙이 적용되므로, 문서의 압수·수색의 주체가 검사인가 사법경찰관인가에 따라 증거능력의 인정요건이 달라지게 된다.
> ⓜ 컴퓨터 디스켓에 들어 있는 문건이 증거로 사용되는 경우 그 기재내용의 진실성에 관하여는 전문법칙이 적용된다고 할 것이고, 따라서 형사소송법 제313조 제1항에 의하여 그 작성자 또는 진술자의 진술에 의하여 그 성립의 진정함이 증명된 때에 한하여 이를 증거로 사용할 수 있다.

① 1개   ② 2개   ③ 3개   ④ 4개

| 해설 | ⊙ⓛ ○ : 규칙 제134조의 7 제1항·제2항
ⓒ × : 압수물인 정보저장매체에 입력하여 기억된 문자정보 또는 그 출력물을 증거로 사용하기 위해서는 정보저장매체 원본에 저장된 내용과 출력 문건의 동일성이 인정되어야 하고, 이를 위해서는 정보저장매체 원본이 압수시부터 문건 출력시까지 변경되지 않았다는 사정, 즉 무결성이 담보되어야 한다. 무결성·동일성을 인정할 수 있는 방법으로 반드시 압수·수색 과정을 촬영한 영상녹화물 재생 등의 방법으로만 증명하여야 한다고 볼 것은 아니다(대판 2013.7.26, 2013도2511).
ⓔ × : 디지털 저장매체로부터 출력한 문건은 압수·수색의 주체가 아니라, 작성자 또는 진술자가 누구냐에 따라 증거능력인정 요건이 달라지게 된다(제311조~제315조). ⓔⓘ 참고인진술서의 경우 형사소송법 제313조 제1항에 따라 그 작성자 또는 진술자의 진술에 의하여 그 성립의 진정함이 증명된 때에 한하여 이를 증거로 사용할 수 있다. ⓜ ○ : 대판 1999.9.3, 99도2317

📖 **최신판례**

1. 대검찰청 소속 진술분석관이 피해자와 면담하면서 그 과정을 영상녹화하여 제작한 영상녹화물은 수사과정 외에서 작성된 것이라고 볼 수 없으므로, 형사소송법 제313조 제1항에 따라 증거능력을 인정할 수 없고, 이 사건 영상녹화물은 수사기관이 작성한 피의자신문조서나 피고인이 아닌 자의 진술을 기재한 조서가 아니고, 피고인 또는 피고인이 아닌 자가 작성한 진술서도 아니므로 형사소송법 제312조에 의하여 증거능력을 인정할 수도 없다(대판 2024.3.28, 2023도15133).
2. 형사소송법 제313조 제1항이 규정하는 서류는 수사과정 외에서 작성된 서류를 의미한다. 따라서 서류가 수사과정 외에서 작성된 것이라고 보기 어렵다면, 형사소송법 제313조 제1항의 '전2조의 규정 이외에 피고인이 아닌 자의 진술을 기재한 서류'에 해당한다고 할 수 없다(대판 2024.3.28, 2023도15133).

THEMA 53

감정서에 관한 설명 중 옳지 않은 것은?

① 감정의 경과와 결과를 기재한 서류인 감정서는 진술서에 준하여 증거능력이 판단된다.

② 감정인이 사망·질병 등으로 진술할 수 없는 때에는 감정서는 그 작성이 특히 신빙할 수 있는 상태하에서 행하여진 때에 한하여 증거능력이 인정된다.

③ 수사기관에 의하여 감정을 촉탁받은 자(감정수탁자)가 작성한 감정서는 법원의 명에 의해 감정인이 작성한 감정서와는 달리 감정수탁자가 법관 면전에서 성립의 진정을 인정하여도 증거능력이 없다.

④ 사인인 의사가 작성한 진단서는 감정서가 아니라 진술서에 해당한다.

| 해설

① 감정서란 감정의 경과와 결과를 기재한 서류를 말한다. 감정은 법원의 명령에 의한 경우와 수사기관의 촉탁에 의한 경우가 있다. 감정서도 진술서에 준하여 증거능력이 인정된다(제313조 제3항). 따라서 감정인의 자필이거나 서명 또는 날인이 있고, 감정인에 의한 성립의 진정함을 증명한 때(제313조 제1항·제3항), 감정서의 작성자가 공판준비나 공판기일에서 그 성립의 진정을 부인하는 경우에는 과학적 분석결과에 기초한 디지털포렌식 자료, 감정 등 객관적 방법으로 성립의 진정함이 증명되는 때에는 증거로 할 수 있다. 다만, 피고인 또는 변호인이 공판준비 또는 공판기일에 그 기재 내용에 관하여 작성자를 신문할 수 있었을 것을 요한다(제313조 제2항·제3항).

② 제314조

③ 수사기관에 의하여 감정을 촉탁받은 자(감정수탁자)가 작성한 감정서도 감정수탁자가 법관 면전에서 성립의 진정이 증명되면 증거능력이 인정된다(제313조 제1항·제3항).

④ 참고인 진술서에 해당하며, 의사의 성립의 진정 증명으로 증거능력이 인정된다(제313조 제1항 본문).

≫③

THEMA 54 검증조서

의 의		검증조서란 법원 또는 수사기관이 검증(사람·물건·장소의 성질과 상태를 시각·미각·청각·후각·촉각 등의 오관작용에 의하여 인식하는 강제처분)의 결과를 기재한 조서를 말한다. 검증조서에는 법원·법관의 검증조서와 수사기관 작성의 검증조서가 있다.
법원·법관의 검증조서		공판준비기일이나 공판기일에서 법원·법관의 검증의 결과를 기재한 조서는 당연히 증거능력이 인정된다(제311조).
검사 또는 사법경찰관의 검증조서	**의 의**	검사 또는 사법경찰관이 작성한 검증조서란 수사기관이 영장에 의하거나(제215조) 영장에 의하지 아니하는 강제처분(제216조) 또는 피검자의 승낙에 의하여 검증한 결과를 기재한 조서를 말한다.
	증거능력 인정요건 (검사·사법경찰관 동일)	적법한 절차와 방식에 따라 작성된 것으로서 공판준비 또는 공판기일에서 작성자의 진술에 따라 그 성립의 진정함이 증명된 때에 한하여 증거능력이 있다(제312조 제6항). 00. 경찰승진, 06·09·12. 순경 1. 작성자라 함은 검사 또는 사법경찰관을 말하며, 검증에 참여한 자에 불과한 자는 포함되지 아니한다. 2. 검증조서는 당해사건에서 작성된 것만 아니라 다른 사건에 관한 것도 포함된다.
	검증조서에 기재된 진술의 증거능력	조서작성의 주체와 진술자에 따라 피의자신문조서나 참고인진술조서 규정(제312조 제1항 내지 제4항 등)이 적용된다고 해석함이 타당하다(통설·판례). 예 1. 검사 작성 검증조서에 피의자진술 기재 ⇨ 검사 작성 피의자신문조서(제312조 제1항) 2. 사법경찰관 작성 검증조서에 피의자진술 기재 ⇨ 사법경찰관 작성 피의자신문조서(제312조 제3항) ▶ 사법경찰관이 작성한 검증조서에 피의자이던 피고인이 검사 이외의 수사기관 앞에서 자백한 범행내용을 현장에 따라 진술·재연한 내용이 기재되고 그 재연 과정을 촬영한 사진이 첨부되어 있다면, 그러한 기재나 사진은 피고인이 공판정에서 그 진술내용 및 범행재연의 상황을 모두 부인하는 이상 증거능력이 없다(대판 2006.1.13, 2003도6548). 07. 순경 1차, 12. 교정특채
	제314조 적용 여부	필요성＋특신상태 ⇨ 증거능력 인정
	실황조사서 증거능력	1. 실황조사서란 교통사고, 화재사고 등 각종 재난사고 후에 수사기관이 사고현장의 상황을 임의로 조사하여 그 결과를 기재한 서류를 말한다. 2. 사법경찰관 사무취급이 작성한 실황조서가 사고발생 직후 사고장소에서 긴급을 요하여 판사의 영장없이 시행된 것으로서 형사소송법 제216조 제3항에 의한 검증에 따라 작성된 것이라면 사후영장을 받지 않는 한 유죄의 증거로 삼을 수 없다(대판 1989.3.14, 88도1399). 06. 순경, 09. 9급 법원직

04

3. 실황조사서에 진술을 기재한 부분, 사진 첨부 ⇨ 누구의 진술이냐에 따라 피의자이면 피의자신문조서와 같이, 참고인이면 참고인 진술조서와 같이 다루면 된다.
▶ 사고 당시의 상황을 재현한 사진과 그 진술내용으로 된 사법경찰리 작성의 실황조사서는 피고인이 공판정에서 그 범행 재현의 상황을 모두 부인하고 있는 이상 이를 범죄사실의 인정자료로 할 수 없다(대판 1989.12.26, 89도1557).

01 **검증조서와 관련한 내용으로 가장 적절한 것은?**(다툼이 있으면 판례에 의함)

① 사법경찰관이 작성한 검증조서에 피의자가 수사기관 앞에서 자백한 범행내용을 현장검증조서에 진술·재연한 내용이 기재되고 그 재연 과정을 촬영한 사진이 첨부되어 있다면, 그러한 기재나 사진도 검증조서의 일부이므로 작성자의 성립의 진정이 인정되면 증거능력이 있다.

② 법원의 검증은 당연히 증거능력이 인정되나 수사기관의 검증조서는 검증자의 진술에 의하여 성립의 진정이 인정된 때 증거능력이 인정된다.

③ 사법경찰리가 작성한 실황조사서가 형사소송법 제216조 제3항에 의한 검증에 따라 작성된 것이라면 사후영장을 받지 않은 경우라도 증거능력이 인정된다.

④ 수사기관의 수사보고서에 검증결과에 해당하는 기재가 있는 경우에도 그 기재부분을 증거로 할 수 없다.

| 해설 | ① 사법경찰관이 작성한 검증조서에 피의자이던 피고인이 검사 이외의 수사기관 앞에서 자백한 범행내용을 현장에 따라 진술·재연한 내용이 기재되고 그 재연 과정을 촬영한 사진이 첨부되어 있다면, 그러한 기재나 사진은 피고인이 공판정에서 그 진술내용 및 범행재연의 상황을 모두 부인하는 이상 증거능력이 없다(대판 2006.1.13, 2003도6548). - 사법경찰관 작성 피의자신문조서와 동일취급
② '작성자'의 진술에 의해 성립의 진정이 인정된 때 증거능력이 인정된다(제311조, 제312조 제6항).
③ 사법경찰관 사무취급이 작성한 실황조사서가 사고발생 직후 사고장소에서 긴급을 요하여 판사의 영장 없이 시행된 것으로서 형사소송법 제216조 제3항에 의한 검증에 따라 작성된 것이라면 사후영장을 받지 않는 한 유죄의 증거로 삼을 수 없다(대판 1989.3.14, 88도1399).
④ 수사보고서에 검증의 결과에 해당하는 기재가 있는 경우, 그 기재 부분은 수사상 필요하다고 인정하여 범죄현장 또는 기타 장소에 임하여 실황을 조사할 때 작성하는 실황조사서에 해당하지 아니하며, 단지 수사의 경위 및 결과를 내부적으로 보고하기 위하여 작성된 서류에 불과하므로 그 안에 검증의 결과에 해당하는 기재가 있다고 하여 이를 형사소송법 제312조 제1항의 '검사 또는 사법경찰관이 검증의 결과를 기재한 조서'라고 할 수 없을 뿐만 아니라 이를 제313조 제1항의 '피고인 또는 피고인이 아닌 자가 작성한 진술서나 그 진술을 기재한 서류'라고 할 수도 없고, 같은 법 제311조, 제315조, 제316조의 적용대상이 되지 아니함이 분명하므로 그 기재부분은 증거로 할 수 없다(대판 2001.5.29, 2000도2933).

02 증거능력에 관한 다음 설명 중 틀린 것은? 10. 순경

① 검사 작성의 피고인 아닌 자의 진술을 기재한 조서와 사법경찰관 작성의 검증의 결과를 기재한 조서는 그 증거능력 인정요건이 다르다.

② 피고인 아닌 자의 공판준비 또는 공판기일에서의 진술이 피고인 아닌 타인의 진술을 그 내용으로 하는 것인 때에는 필요성과 특신상태의 증명을 필요로 한다.

③ 검사 또는 사법경찰관 작성의 검증의 결과를 기재한 조서는 적법한 절차와 방식에 따라 작성되어야 하고 특신상태의 증명이 필요하다.

④ 감정의 경과와 결과를 기재한 서류와 사법경찰관 작성의 피고인 아닌 자의 진술을 기재한 조서는 그 증거능력 인정요건이 다르다.

▌해설▐ ① 검사 작성의 피고인 아닌 자의 진술을 기재한 조서는 제312조 제4항, 사법경찰관 작성의 검증의 결과를 기재한 조서는 제312조 제6항이 적용된다.
② 제316조 제2항
③ 검사 또는 사법경찰관 작성의 검증의 결과를 기재한 조서는 적법한 절차와 방식에 따라 작성되어야 하고 작성자의 진술에 따라 그 성립의 진정함이 증명된 때에는 증거로 할 수 있으며, 특신상태의 증명은 그 요건이 아니다(제312조 제6항).
④ 감정의 경과와 결과를 기재한 서류는 제313조 제3항, 사법경찰관 작성의 피고인 아닌 자의 진술을 기재한 조서는 제312조 제4항이 적용된다.

THEMA 55	제314조
의 의	제314조는 제312조 및 제313조를 적용할 수 없을 때를 대비하기 위한 조문이다. 필요성과 특신정황을 동시에 구비할 때 증거능력을 인정하며, 전문법칙의 예외에 해당한다.
적용범위	1. 진술조서, 진술서, 감정서 등에 적용된다(외국수사기관 작성 서류 포함). 2. 피의자신문조서(검사, 사법경찰관) ⇨ 적용 × ▶ 공범 또는 공동피고인에 대한 피의자신문조서 　　┌ 검사 작성 : 제314조 적용 × 　　└ 사법경찰관 작성 : 제314조 적용 ×(대판 2004.7.15, 2003도7185 전원합의체)
증거능력 인정요건 (제314조)	1. 필요성 : 사망, 질병, 외국거주, 소재불명, 그 밖에 이에 준하는 사유〔엄격하게 해석(대판 2022.3.17, 2016도17054)〕로 진술할 수 없는 때 ▶ 외국거주 ⇨ 상당한 수단을 다하더라도 법정출석이 불가능한 경우(대판 2008.2.28, 2007도10004), 일시적 거주도 포함 ▶ 소재불명 ⇨ 소재수사를 해도 확인방도가 없어야 한다(대판 1983.5.24, 83도768). 2. 특신정황 : 필요성이 인정되는 경우라도 그 진술 또는 작성이 특히 신빙할 수 있는 상태(특신상태)하에서 행해진 경우 ▶ 제316조 제2항의 '특신상태' 해석과 동일(대판 2014.4.30, 2012도725) ▶ '특히 신빙할 수 있는 상태하에서 행하여졌음에 대한 증명'은 단지 그러할 개연성이 있다는 정도로는 부족하고 합리적인 의심의 여지를 배제할 정도에 이르러야 한다(대판 2014.4.30, 2012도725). 23. 순경 1차 ▶ 형사소송법 제314조에서 '특히 신빙할 수 있는 상태하에서 행하여졌음에 대한 증명'은 단지 그러할 개연성이 있다는 정도로는 부족하고, 합리적 의심의 여지를 배제할 정도, 즉 법정에서의 반대신문 등을 통한 검증을 굳이 거치지 않더라도 진술의 신빙성을 충분히 담보할 수 있어 실질적 직접심리주의와 전문법칙에 대한 예외로 평가할 수 있는 정도에 이르러야 한다(대판 2024.4.12, 2023도13406). - 따라서 유서라고 하여 언제나 '특히 신빙할 수 있는 상태'하에서 작성되었음이 인정되는 것은 아니다.

04

📑 **판례정리**

제314조 사유에 해당하는 경우	제314조 사유에 해당하지 않는 경우
1. 피해자가 공판정에서 진술을 한 경우라도 증인신문 당시 일정한 사항에 관하여 기억이 나지 않는다는 취지로 진술하여 그 진술의 일부가 재현 불가능하게 된 경우에도 제314조에서 규정하는 '원진술자가 진술을 할 수 없는 때'에 해당한다(대판 1999.11.26, 99도 3786). 10. 7급 국가직, 13 · 17. 경찰승진, 22. 경찰간부	1. 법정에 출석한 증인이 정당하게 증언거부권을 행사하여 증언을 거부한 경우는 형사소송법 제314조의 '그 밖에 이에 준하는 사유로 인하여 진술할 수 없는 때'에 해당하지 아니한다(대판 2012.5.17, 2009도6788 전원합의체). 12. 순경 2차, 15. 9급 교정 · 보호 · 철도경찰, 14 · 15 · 16. 9급 법원직, 17 · 22. 경찰승진, 22. 경찰간부
2. 공판기일에 진술을 요하는 자가 노인성 치매로 인한 기억력 장애 등으로 진술할 수 없는 상태에 있는 경우는 제314조에 규정된 사유로 인하여 진술할 수 없는 때에 해당한다(대판 1992.3.13, 91도2281). 15. 9급 교정 · 보호 · 철도경찰, 16. 경찰승진 · 9급 법원직	2. 만 5세 무렵에 당한 성추행으로 인하여 외상 후 스트레스 증후군을 앓고 있다는 등의 이유로 공판정에 출석하지 아니한 약 10세 남짓의 성추행 피해자에 대한 진술조서가 형사소송법 제314조에 정한 필요성의 요건과 신용성 정황적 보장의 요건을 모두 갖추지 못하여 증거능력이 없다(대판 2006.5.25, 2004도3619). 09 · 10 · 13. 경찰승진, 10. 7급 국가직, 12. 9급 법원직
3. 진술을 요할 자가 일정한 주거를 가지고 있더라도 법원의 소환에 계속 불응하고 구인하여도 구인장이 집행되지 아니하는 등 법정에서의 신문이 불가능한 상태의 경우 제314조의 "공판정에 출정하여 진술을 할 수 없는 경우"라는 요건이 충족되었다고 보아야 한다(대판 1995.6.13, 95도523). 12 · 16. 9급 법원직, 13. 경찰승진	3. 피고인이 증거서류의 진정성립을 묻는 검사의 질문에 대하여 진술거부권을 행사하여 진술을 거부한 경우는 형사소송법 제314조의 '그 밖에 이에 준하는 사유로 인하여 진술할 수 없는 때'에 해당하지 아니한다(대판 2013.6.13, 2012도16001). 15. 7급 국가직, 16. 9급 법원직
4. 수회에 걸쳐 소환장과 구인영장을 발부하여 그가 소환장을 직접 받은 적도 있었으나, 중풍, 언어장애 등 장애등급 3급 5호의 장애로 인하여 법정에 출석할 수 없었던 것이고, 그 후 신병을 치료하기 위하여 속초로 간 후에는 그에 대한 소재탐지가 불가능하게 된 경우는 제314조에 규정된 사유로 인하여 진술할 수 없는 때에 해당한다(대판 1999.5.14, 99도202) 12. 9급 법원직, 13 · 16 · 17. 경찰승진	4. 증인의 주소지가 아닌 곳으로 소환장을 보내 송달불능이 되자 그 곳을 중심한 소재탐지 끝에 소재불능 회보를 받은 경우에는 제314조에서 말하는 원진술자가 공판정에서 진술할 수 없는 때라고 할 수 없다(대판 1979.12.11, 79도1002). 09 · 10. 경찰승진
5. 증인으로 채택하여 국내의 주소지 등으로 소환하였으나 소환장이 송달불능되었고, 미국으로 출국하여 그곳에 거주하고 있음이 밝혀지자 다시 미국 내 주소지로 증인소환장을 발송하였으나, 제1심법원에 경위서를 제출하면서 장기간 귀국할 수 없음을 통보한 경우 외국거주 등 사유로 인하여 법정에서의 신문이 불가능한 상태의 경우에 해당된다고 할 것이다(대판 2007.6.14, 2004도5561). 14. 순경 2차, 17. 경찰승진	5. 공판기일에 증인으로 소환받고도 출산을 앞두고 있다는 이유로 출석하지 아니한 것은 제314조에 의한 증거능력이 있다고 할 수 없다(대판 1999.4.23, 99도 915). 09. 경찰승진
6. 일본에 거주하는 사람을 증인으로 채택하여 환문코자 하였으나 외교통상부로부터 현재 일본측에서 형사사건에 대하여는 양국 형법 체계상의 상이함을 이유로 송달에 응하지 않고 있어 그 송달이 불가능하다는 취지의 회신을 받은 경우 제314조에 규정된 진술을 요할 자가 사망 · 질병 · 외국거주 · 소재불명 그밖에	6. "비자(Visa) 조건이 외국 또는 대한민국으로 방문을 하였을시 3년간 호주 입국을 할 수 없는 임시 체류비자 'E'라는 조건으로 되어 있어 피고인에 대한 재판에 증인으로 참석이 불가능하다."는 이유로 공판정 출석을 거부하더라도 증언 자체를 거부하는 의사가 분명한 경우가 아닌 한 거주하는 외국의 주소나 연락처 등이 파악되고, 해당 국가와 대한민국 간에 국제형사사법공조조약이 체결된 상태라면 우선 사법공조의 절차에 의하여 증인을 소환할 수 있는지를 검토해 보아야 하고, 소환을 할 수 없는 경우라도 외국의 법원에 사법공조로 증인신문을 실시하도록 요청하는 등의 절차를 거쳐야 하고, 이러한 절차를 전혀 시도해 보지도 아니한 것은 가능하고 상당한 수단을

이에 준하는 사유로 진술할 수 없는 때에 해당한다 (대판 1987.9.8, 87도1446). 12. 9급 법원직, 13. 경찰승진

7. 이메일작성자인 乙은 프랑스에 거주하고 있고, 피고인과 이적단체 구성(코리아연대) 등 공동정범에 해당하기 때문에, 법원으로부터 소환장을 송달받는다고 하더라도 법정에 증인으로 출석할 것을 기대하기 어렵다고 봄이 상당하므로, 법원이 그의 소재 확인, 소환장 발송 등의 조치를 다하지 않았다고 하더라도 제314조의 '외국거주' 요건이 충족되었다고 할 수 있다(대판 2016.10.13, 2016도8137).

8. 일본으로 이주한 이래 전자우편에 의한 연락 이외에 그 주거지나 거소 등이 파악되지 않는 상태이고, 국가정보원에서의 진술 당시 이사할 계획을 밝히기는 하였지만 이사 후 자신의 진술과 관련된 자료를 찾아 제출하겠다고 진술하기도 하였으며, 수사기관은 유일한 연락처인 그의 전자우편 주소로 증인 출석을 수차례 권유하였으나 자필진술서를 통하여 그 증언을 거부할 뜻을 명확히 표시하였음을 알 수 있다. 소재를 확인하여 소환장을 발송하더라도 그가 법정에 증인으로 출석할 것을 기대하기는 어렵다고 할 것이므로, 설령 그의 일본 주소 등을 확인하여 증인소환장을 발송하는 등의 조치를 다하지 않았다 하더라도 형사소송법 제314조에 정한 '외국거주' 요건은 충족되었다고 보아야 할 것이다(대판 2013.7.26, 2013도2511).

9. 법원이 증인으로 채택, 소환하였으나 계속 불출석하여 3회에 걸쳐 구인영장을 발부하였으나 가출하여 소재불명이라는 이유로 집행되지 아니한 경우는 형사소송법 제314조의 공판기일에 진술을 요할 자가 기타 사유로 인하여 진술할 수 없는 때에 해당한다(대판 1986.2.5, 85도2788).

10. 형사소송법 제314조의 이른바 공판기일에 진술을 요할 자가 사망, 질병 기타 사유로 인하여 진술할 수 없는 때라고 함은 그 진술을 요할 자가 주소지를 떠나 그 주소를 알 수 없어 이를 공판기일에 출석하게 할 수 없으므로 인하여 진술할 수 없는 경우도 이에 포함된다 할 것이다(대판 1984.10.10, 84도1734).

11. 소환장의 송달이 불능되고 소재 탐지에 의하여서도 무단전출 또는 주민등록 미등재 등의 사유로 그 소재를 확인할 방도가 없는 경우 제314조의 진술을 요할 자가 진술할 수 없는 때에 해당한다(대판 1983.6.28, 83도931).

다하더라도 진술을 요하는 자를 법정에 출석하게 할 수 없는 사정이 있는 때에 해당한다고 보기 어렵다(대판 2016.2.18, 2015도17115). - 따라서 제314조 적용 부정

7. 제1심법원이 증인 甲의 주소지에 송달한 증인소환장이 송달되지 아니하자 甲에 대한 소재탐지를 촉탁하여 소재탐지 불능 보고서를 제출받은 다음 甲이 '소재불명'인 경우에 해당한다고 보아 甲에 대한 경찰 및 검찰 진술조서를 증거로 채택한 사안에서, 검사가 제출한 증인신청서에 휴대전화번호가 기재되어 있고, 수사기록 중 甲에 대한 경찰 진술조서에는 집 전화번호도 기재되어 있으며, 그 이후 작성된 검찰 진술조서에는 위 휴대전화번호와 다른 휴대전화번호가 기재되어 있는데도, 검사가 직접 또는 경찰을 통하여 위 각 전화번호로 甲에게 연락하여 법정 출석의사가 있는지 확인하는 등의 방법으로 甲의 법정 출석을 위하여 상당한 노력을 기울였다는 자료가 보이지 않는 사정에 비추어, 甲의 법정 출석을 위한 가능하고도 충분한 노력을 다하였음에도 부득이 甲의 법정 출석이 불가능하게 되었다는 사정이 증명된 경우라고 볼 수 없어 형사소송법 제314조의 '소재불명 그밖에 이에 준하는 사유로 인하여 진술할 수 없는 때'에 해당한다고 인정할 수 없다(대판 2013.4.11, 2013도435).

8. 경찰이 증인과 가족의 실거주지를 방문하지 않은 상태에서 전화상으로 증인의 모(母)로부터 법정에 출석케 할 의사가 없다는 취지의 진술을 들었다는 내용의 구인장 집행불능 보고서를 제출하고 있을 뿐이고, 검사가 기록상 확인된 증인의 휴대전화번호로 연락하여 법정 출석의사가 있는지를 확인하는 등의 방법으로 출석을 적극적으로 권유·독려하는 등 증인의 법정 출석을 위하여 상당한 노력을 기울이지 않은 경우, 형사소송법 제314조의 '기타 사유로 인하여 진술할 수 없는 때'에 해당하지 않는다(대판 2007.1.11, 2006도7228).

9. 단지 소환장이 주소불명 등으로 송달불능되었다거나 소재탐지촉탁을 하였으나 그 회보가 오지 않은 상태인 것만으로는 제314조 소정의 '공판기일에 진술을 요할 자가 사망, 질병 기타 사유로 인하여 진술할 수 없는 때'에 해당한다고 보기에 부족하다(대판 1996.5.14, 96도575).

10. 증인에 대한 진술조서의 진술내용이 상치되어 어느 것이 진실인지 알 수 없고, 증인으로 채택되어 소환장을 두 번이나 받고도 소환에 불응하고 주소지를 떠나 행방을 감춘 경우라면 동인의 위 진술이 특히 신빙할 수 있는 상태에서 행하여진 것으로 볼 수 없다(대판 1986.2.5, 85도2788).

11. 1심에서 송달불능이 된 증인을 항소심에서 다시 증인으로 채택하여 소환함에 있어서 1심에서 송달불능된 주소로만 소환하고 기록상 용이하게 알 수 있는 다른 주소로 소환하지 아니한 경우 제314조의 적용대상이 아니다(대판 1973.10.31, 73도2124).

12. 소환장이 송달불능된 자에 대하여는 소재탐사도 한 바 없이 또 소환을 받고도 2회나 출석하지 아니한 자에 대하여는 구인신청도 하지 아니한 채 검사가 도리어 양자의 소환신청을 철회함으로써 공판정에서의 신문을 할 수 없게 된 경우에 제314조의 진술을 요할 자가 사망, 질병, 기타 사유로 인하여 진술할 수 없는 경우에 해당된다고 볼 수 없다(대판 1969. 5.13, 69도364).

01 형사소송법 제314조는 "제312조 또는 제313조의 경우에 공판준비 또는 공판기일에 진술을 요하는 자가 사망, 질병, 외국거주, 소재불명 그 밖에 이에 준하는 사유로 인하여 진술할 수 없는 때에는 그 조서 및 그 밖의 서류를 증거로 할 수 있다. 다만, 그 진술 또는 작성이 특히 신빙할 수 있는 상태하에서 행하여졌음이 증명된 때에 한한다."라고 규정하여 전문법칙의 예외를 인정하고 있다. 이에 관한 다음 기술 중 가장 옳지 않은 것은?(다툼이 있으면 판례에 의함)

① 형사소송법 제312조 소정의 조서나 같은 법 제313조 소정의 서류를 반드시 우리나라의 권한 있는 수사기관 등이 작성한 조서 및 서류에만 한정하여 볼 것은 아니고, 외국의 권한 있는 수사기관 등이 작성한 조서나 서류도 같은 법 제314조 소정의 요건을 모두 갖춘 경우라면 이를 유죄의 증거로 삼을 수 있다.

② 그 밖에 이에 준하는 사유는 사망 또는 질병에 준하여 증인으로 소환될 당시부터 기억력이나 분별력의 상실상태에 있다거나 법정에 출석하여 증언거부권을 행사한다거나 증인 소환장을 송달받고 출석하지 아니하여 구인을 명하였으나 끝내 구인의 집행이 되지 아니하는 등으로 진술을 요할 자가 공판준비 또는 공판기일에 진술할 수 없는 예외적인 사유가 있어야 한다.

③ '특히 신빙할 수 있는 상태하에서 행하여진 때'는 증거능력의 요건에 해당하므로 검사가 그 존재에 대하여 구체적으로 주장·증명하여야 하지만, 이는 소송상의 사실에 관한 것이므로 엄격한 증명을 요하지 않고 자유로운 증명으로 족하다.

④ 당해 피고인과 공범관계에 있는 다른 피의자에 대한 검사 이외의 수사기관 작성의 피의자신문조서에 대하여는 사망 등 사유로 인하여 법정에서 진술할 수 없는 때에도 형사소송법 제314조가 적용되지 아니한다.

| 해설 | ① 대판 1997.7.25, 97도1351

② 형사소송법 제314조에 의하면, 같은 법 제312조 소정의 조서나 같은 법 제313조 소정의 서류 등을 증거로 하기 위해서는, 첫째로 진술을 요할 자가 사망, 질병, 외국거주 기타 사유로 인하여 공판준비 또는 공판기일에 진술할 수 없는 경우이어야 하고('필요성의 요건'), 둘째로 그 진술 또는 서류의 작성이 특히 신빙할 수 있는 상태하에서 행하여진 것이어야 한다('신용성 정황적 보장의 요건'). 위 필요성의 요건 중 '질병'은 진술을 요할 자가 공판이 계속되는 동안 임상신문이나 출장신문도 불가능할 정도의 중병임을 요한다고 할 것이고, '기타 사유'는 사망 또는 질병에 준하여 증인으로 소환될 당시부터 기억력이나 분별력의 상실 상태에 있다거나, 법정에 출석하여 증언거부권을 행사한다거나, 증인소환장을 송달받고 출석하지 아니하여 구인을 명하였으나 끝내 구인의 집행이 되지 아니하는 등으로 진술을 요할 자가 공판준비 또는 공판기일에 진술할 수 없는 예외적인 사유가 있어야 한다(대판 2006.5.25, 2004도3619). 그러나 대판 2012.5.17, 2009도6788 전원합의체 판결에 의해 증인이 법정에 출석하여 증언거부권을 행사한 경우는 폐기되었다. 따라서 현재 판례에 의하면 틀린 지문이다.

③ 대판 2001.9.4, 2000도1743(진술서에 관한 판례이지만 제314조에도 적용될 수 있을 것이다.)

④ 대판 2009.11.26, 2009도6602

02 형사소송법 제314조는 '필요성'과 '신용성의 정황적 보장'을 요건으로 예외적으로 진술조서의 증거능력을 인정하고 있다. '필요성'이 인정될 수 있는 것만을 모두 고른 것은?(다툼이 있는 경우 판례에 의함)

15. 9급 교정·보호·철도경찰

> ㉠ 노인성치매로 인하여 기억력에 장애가 있는 경우
> ㉡ 피해자인 증인이 출산을 앞두고 있다는 이유로 출석하지 않은 경우
> ㉢ 증인으로 출석해야 할 자가 외국에 거주하면서 법원의 소환에 계속 불응하고, 구인장 집행도 불가능한 상태에 있는 등 가능하고 상당한 수단을 다하더라도 그 진술을 요할 자를 법정에 출석하게 할 수 없는 경우
> ㉣ 증인이 형사소송법에서 정한 바에 따라 정당하게 증언거부권을 행사하여 증언을 거부하는 경우

① ㉠, ㉡   ② ㉠, ㉢

③ ㉢, ㉣   ④ ㉠, ㉢, ㉣

| 해설 | ㉠ 인정 ○ : 대판 1992.3.13, 91도2281

㉡ 인정 × : 대판 1999.4.23, 99도915

㉢ 인정 ○ : 대판 2007.6.14, 2004도5561

㉣ 인정 × : 대판 2012.5.17, 2009도6788 전원합의체

Answer 2. ②

03 형사소송법 제314조에 규정된 '진술을 요하는 자가 사망 · 질병 · 외국거주 · 소재불명 그 밖의 이에 준하는 사유로 진술할 수 없는 때'에 해당하지 않는 것은?(다툼이 있으면 판례에 의함)

16. 경찰승진

① 10세 남짓의 성추행 피해자인 진술자가 만 5세 무렵에 당한 성추행으로 인하여 외상 후 스트레스 증후군을 앓고 있다는 등의 이유로 공판정에 출석하지 아니한 경우
② 증인으로 소환당할 당시부터 노인성 치매로 인한 기억력 장애, 분별력 상실 등으로 인하여 진술할 수 없는 상태하에 있는 경우
③ 증인으로 출석해야 할 자가 외국에 거주하면서 법원의 소환에 계속 불응하고, 구인장 집행도 불가능한 상태에 있는 등 가능하고 상당한 수단을 다하더라도 그 진술을 요할 자를 법정에 출석하게 할 수 없는 경우
④ 진술을 요할 자가 중풍 · 언어장애 등 3급 5호의 장애로 인하여 법정에 출석할 수 없었고, 그 후 신병을 치료하기 위하여 속초로 간 후에는 그에 대한 소재탐지가 불가능하게 된 경우

▌해설 ▌ ① 제314조에 규정된 '진술할 수 없는 때'에 해당하지 아니한다(대판 2006.5.25, 2004도3619). ②③④ 모두 제314조에 규정된 '진술할 수 없는 때'에 해당한다(대판 1992.3.13, 91도2281, 대판 1995.6.13, 95도523, 대판 1999.5.14, 99도202).

04 다음 중 형사소송법 제314조에 규정된 '진술을 요하는 자가 사망 · 질병 · 외국거주 · 소재불명, 그 밖에 이에 준하는 사유로 진술할 수 없는 때'에 해당되는 경우는 모두 몇 개인가?(다툼이 있는 경우 판례에 의함)

16. 9급 법원직

> ㉠ 법정에 출석한 증인이 정당하게 증언거부권을 행사하여 증언을 거부한 경우
> ㉡ 피고인이 증거서류의 진정성립을 묻는 검사의 질문에 대하여 진술거부권을 행사하여 진술을 거부한 경우
> ㉢ 진술을 요하는 자가 법원의 소환에 계속 불응하고, 구인하여도 구인장이 집행되지 아니하는 등 법정에서의 신문이 불가능한 상태의 경우
> ㉣ 진술을 요하는 자가 외국에 있고 그를 공판정에 출석시켜 진술하게 할 가능하고 상당한 모든 수단을 다하더라도 출석하게 할 수 없는 경우
> ㉤ 공판기일에 진술을 요하는 자가 노인성 치매로 인한 기억력 장애 등으로 진술할 수 없는 상태일 때

① 1개   ② 2개   ③ 3개   ④ 4개

▌해설 ▌ 형사소송법 제314조에 규정된 '진술을 요하는 자가 사망 · 질병 · 외국거주 · 소재불명, 그 밖에 이에 준하는 사유로 진술할 수 없는 때'에 해당되는 경우는 ㉢(대판 1995.6.13, 95도523), ㉣(대판 2013.7.26, 2013도2511), ㉤(대판 1992.3.13, 91도2281)이다.

05 형사소송법 제314조에서 "제312조 또는 제313조의 경우에 공판준비 또는 공판기일에 진술을 요할 자가 사망, 질병, 외국거주, 소재불명 그 밖에 이에 준하는 사유로 인하여 진술할 수 없는 때에는 그 조서 및 그 밖의 서류를 증거로 할 수 있다."라고 규정하고 있다. 제314조와 관련한 판례의 내용으로 옳지 않은 것은 몇 개인가?

㉠ '외국거주'라고 함은 진술을 요할 자가 외국에 있다는 것만으로는 부족하고, 가능하고 상당한 수단을 다하더라도 그 진술을 요할 자를 법정에 출석하게 할 수 없는 사정이 있어야 예외적으로 그 적용이 있다고 할 것인데, 요건의 충족 여부는 항상 소재의 확인, 소환장의 발송과 같은 절차를 거쳐야만 확정된다.

㉡ 검사가 제출한 증인신청서에 휴대전화번호가 기재되어 있고, 수사기록 중 甲에 대한 경찰 진술조서에는 집 전화번호도 기재되어 있으며, 그 이후 작성된 검찰 진술조서에는 위 휴대전화번호와 다른 휴대전화번호가 기재되어 있는데도, 검사가 직접 또는 경찰을 통하여 위 각 전화번호로 甲에게 연락하여 법정 출석의사가 있는지 확인하는 등의 방법으로 법정 출석을 위한 가능하고도 충분한 노력을 다하지 아니한 경우 제314조의 '소재불명 그 밖에 이에 준하는 사유로 인하여 진술할 수 없는 때'에 해당한다고 인정할 수 없다.

㉢ 경찰이 증인과 가족의 실거주지를 방문하지 않은 상태에서 전화상으로 증인의 母로부터 법정에 출석케 할 의사가 없다는 취지의 진술을 들었다는 내용의 구인장 집행불능 보고서를 제출하고 있을 뿐이고, 검사가 증인의 법정 출석을 위하여 상당한 노력을 기울이지 않은 경우, 형사소송법 제314조의 '기타 사유로 인하여 진술할 수 없는 때'에 해당하지 않는다.

㉣ 수사기관에서 진술한 참고인이 법정에서 증언을 거부하여 피고인이 반대신문을 하지 못한 경우에는 정당하게 증언거부권을 행사한 것이 아니라도, 피고인이 증인의 증언거부 상황을 초래하였다는 등의 특별한 사정이 없는 한 형사소송법 제314조의 '그 밖에 이에 준하는 사유로 인하여 진술할 수 없는 때'에 해당하지 않는다고 보아야 한다. 따라서 증인이 정당하게 증언거부권을 행사하여 증언을 거부한 경우와 마찬가지로 수사기관에서 그 증인의 진술을 기재한 서류는 증거능력이 없다.

① 1개 ② 2개 ③ 3개 ④ 4개

| 해설 | ㉠ ✕ : 형사소송법 제314조에 의하여 같은 법 제312조의 조서나 같은 법 제313조의 진술서, 서류 등을 증거로 하기 위하여는 진술을 요할 자가 사망, 질병, 외국거주 기타 사유로 인하여 공판정에 출석하여 진술을 할 수 없는 경우이어야 하고, 그 진술 또는 서류의 작성이 특히 신빙할 수 있는 상태하에서 행하여진 것이라야 한다는 두 가지 요건이 갖추어져야 할 것인바, 첫째 요건과 관련하여 '외국거주'라고 함은 진술을 요할 자가 외국에 있다는 것만으로는 부족하고, 가능하고 상당한 수단을 다하더라도 그 진술을 요할 자를 법정에 출석하게 할 수 없는 사정이 있어야 예외적으로 그 적용이 있다고 할 것인데, 통상적으로 그 요건의 충족 여부는 소재의 확인, 소환장의 발송과 같은 절차를 거쳐 확정되는 것이기는 하지만 항상 그와 같은 절차를 거쳐야만 위 요건이 충족될 수 있는 것은 아니고, 경우에 따라서는 비록 그와 같은 절차를 거치지 않더라도 법원이 그 진술을 요할 자를 법정에서 신문할 것을 기대하기 어려운 사정이 있다고 인정할 수 있다면, 이로써 그 요건은 충족된다고 보아야 한다(대판 2002.3.26, 2001도5666).

㉡ ○ : 대판 2013.4.11, 2013도1435
㉢ ○ : 대판 2007.1.11, 2006도7228
㉣ ○ : 대판 2019.11.21, 2018도13945 전원합의체

06 전문법칙의 예외에 대한 설명으로 가장 적절하지 않은 것은?(다툼이 있는 경우 판례에 의함)

22. 경찰간부

① 피해자가 화상으로 인하여 서명할 수 없다는 이유로 입회하고 있던 동생에게 대신 읽어주고 그 동생으로 하여금 서명날인하게 한 서류는 형사소송법 제313조 제1항 소정의 형식적 요건을 결여한 서류로서 증거로 사용할 수 없다.

② 수사기관에서 진술한 참고인이 법정에서 증언을 거부하여 피고인이 반대신문을 하지 못한 경우에는 정당하게 증언거부권을 행사한 것이 아니라도, 피고인이 증인의 증언거부 상황을 초래하였다는 등의 특별한 사정이 없는 한 형사소송법 제314조의 '그 밖에 이에 준하는 사유로 인하여 진술할 수 없는 때'에 해당하지 아니한다.

③ 피고인이 증거서류의 진정성립을 묻는 검사의 질문에 대하여 진술거부권을 행사하여 진술을 거부한 경우는 형사소송법 제314조의 '그 밖에 이에 준하는 사유로 인하여 진술할 수 없는 때'에 해당하지 아니한다.

④ 원진술자인 만 4세의 피해자가 공판정에서 진술을 하였더라도 증인신문 당시 일정한 사항에 관하여 기억이 나지 않는다는 취지로 진술하여 그 진술의 일부가 재현 불가능하게 된 경우는 형사소송법 제314조의 '그 밖에 이에 준하는 사유로 인하여 진술할 수 없는 때'에 해당하지 아니한다.

┃ 해설 ┃ ① 대판 1997.4.11, 96도2865
② 대판 2019.11.21, 2018도13945
③ 대판 2013.6.13, 2012도16001
④ 원진술자인 만 4세의 피해자가 공판정에서 진술을 하였더라도 증인신문 당시 일정한 사항에 관하여 기억이 나지 않는다는 취지로 진술하여 그 진술의 일부가 재현 불가능하게 된 경우는 형사소송법 제314조의 '그 밖에 이에 준하는 사유로 인하여 진술할 수 없는 때'에 해당한다(대판 1999.11.26, 99도3786).

07 형사소송법 제314조에 의한 증거능력의 인정요건에 대한 설명으로 가장 적절하지 않은 것은?
(다툼이 있는 경우 판례에 의함)

22. 경찰승진

① 형사소송법 제314조에서 말하는 '외국거주'라고 함은 진술을 요할 자가 외국에 있다는 것만으로는 부족하고, 가능하고 상당한 수단을 다하더라도 그 진술을 요할 자를 법정에 출석하게 할 수 없는 사정이 있어야 예외적으로 그 적용이 있다.

② 진술을 요할 자가 일정한 주거를 가지고 있더라도 법원의 소환에 계속 불응하고 구인하여도 구인장이 집행되지 아니하는 등 법정에서의 신문이 불가능한 상태의 경우에는 형사소송법 제314조 소정의 '진술할 수 없는 때'에 해당한다.

③ 증인의 주소지가 아닌 곳으로 소환장을 보내 송달불능이 되자 그 곳을 중심으로 한 소재탐지 끝에 소재불능회보를 받은 경우에는 형사소송법 제314조에서 말하는 원진술자가 공판정에서 진술할 수 없는 때라고 할 수 없다.

④ 수사기관에서 진술한 참고인이 법정에서 증언을 거부하여 피고인이 반대신문을 하지 못한 경우, 정당하게 증언거부권을 행사한 것이 아니라면 피고인이 증인의 증언거부 상황을 초래하였다는 등의 특별한 사정이 있더라도 형사소송법 제314조의 '그 밖에 이에 준하는 사유로 인하여 진술할 수 없는 때'에 해당하지 않는다.

| 해설 | ① 대판 2016.10.13, 2016도8137

② 대판 1995.6.13, 95도523

③ 대판 2006.12.22, 2006도7479

④ 수사기관에서 진술한 참고인이 법정에서 증언을 거부하여 피고인이 반대신문을 하지 못한 경우에는 정당하게 증언거부권을 행사한 것이 아니라도, 피고인이 증인의 증언거부 상황을 초래하였다는 등의 특별한 사정이 없는 한 형사소송법 제314조의 '그 밖에 이에 준하는 사유로 인하여 진술할 수 없는 때'에 해당하지 않는다고 보아야 한다. 따라서 증인이 정당하게 증언거부권을 행사하여 증언을 거부한 경우와 마찬가지로 수사기관에서 그 증인의 진술을 기재한 서류는 증거능력이 없다. 다만, 피고인이 증인의 증언거부 상황을 초래하였다는 등의 특별한 사정이 있는 경우에는 형사소송법 제314조의 적용을 배제할 이유가 없다(대판 2019.11.21, 2018도13945 전원합의체).

08 형사소송법 제314조의 증거능력 인정요건에 관한 설명 중 가장 적절하지 않은 것은?(다툼이 있는 경우 판례에 의함)   23. 순경 1차·전의경경채

① 형사소송법 제314조의 특신상태의 증명은 참고인의 진술 또는 조서의 작성이 특히 신빙할 수 있는 상태하에서 행하여졌음에 대한 개연성 있는 정도의 증명으로 족하고, 법관으로 하여금 반드시 합리적인 의심의 여지를 배제할 정도에 이르러야 하는 것은 아니다.

② 형사소송법 제314조의 '특신상태'와 관련된 법리는 마찬가지로 원진술자의 소재불명 등을 전제로 하고 있는 형사소송법 제316조 제2항의 '특신상태'에 관한 해석에도 그대로 적용된다.

③ 형사소송법 제314조에서 말하는 '원진술자가 진술을 할 수 없는 때'에는 사망, 질병 등 명시적으로 열거된 사유 외에도, 원진술자가 공판정에서 진술을 한 경우라도 증인신문 당시 일정한 사항에 관하여 기억이 나지 않는다는 취지로 진술하여 그 진술의 일부가 재현 불가능하게 된 경우도 포함한다.

④ 수사기관에서 진술한 참고인이 법정에서 증언을 거부하여 피고인이 반대신문을 하지 못한 경우에는 정당하게 증언거부권을 행사한 것이 아니라도, 피고인이 증인의 증언거부 상황을 초래하였다는 등의 특별한 사정이 없는 한 형사소송법 제314조의 '그 밖에 이에 준하는 사유로 인하여 진술할 수 없는 때'에 해당하지 않는다고 보아야 한다.

| 해설 | ① 법관으로 하여금 반드시 합리적인 의심의 여지를 배제할 정도에 이르러야 한다(대판 2014.2.21, 2013도12652).

② 대판 2014.4.30, 2012도725

③ 대판 1999.11.26, 99도3786

④ 대판 2019.11.21, 2018도13945

Answer⇨ **8.①**

THEMA 56 당연히 증거능력이 있는 서류(제315조)

직무상 증명할 수 있는 사항에 관한 공무원 작성문서	1. 가족관계 기록사항에 관한 증명서 08. 순경 3차 · 9급 법원직, 14 · 15. 경찰승진
	2. 군의관 작성의 진단서 04 · 05 · 14. 경찰승진, 09. 순경 2차
	  ▶ 개인병원 의사의 진단서 ⇨ 제315조 적용 ×(진술서 규정인 제313조에 따라 증거능력 인정) 16. 9급 교정 · 보호 · 철도경찰
	3. 외국공무원이 직무상 작성한 문서 02 · 04 · 08. 순경
	4. 국립과학수사연구소장 작성의 감정의뢰회보서 11 · 13. 순경
	5. 일본하관 세관서 통괄심리관 작성의 범칙물건감정서등본과 분석의뢰서 16. 경찰승진
	6. 등기부등(초)본 13. 경찰간부
	7. 세관공무원 시가감정서 12. 교정특채
	8. 공정증서등본 08. 9급 법원직
	9. 보건복지부장관의 시가보고서 08. 순경 3차
	10. 신원증명서
	11. 인감증명
	12. 경찰관이 작성한 전과조회회보
	  ▶ 수사기관이 작성한 문서 ⇨ 당연히 증거능력이 인정되는 것은 아님. ⓔ 공소장, 수사보고서(외국수사기관 작성 포함), 피의자신문조서, 수사기관검증조서
	  ▶ 미연방 범죄수사관이 범죄현장을 확인하고 작성한 보고서는 당연히 증거능력이 인정되는 것에 해당한다. (×) 13. 순경 2차, 16. 경찰승진

업무상 필요로 작성한 통상문서	1. 성매매업소에서 고객정보를 입력하여 작성한 메모리카드 13. 순경 2차, 14. 9급 검찰 · 마약수사, 15. 경찰승진 2. 상업장부 02. 순경, 03. 여경, 08. 9급 법원직, 16. 9급 교정 · 보호 · 철도경찰 ▶ 비밀장부를 만들면서 외부에 보이기 위하여 작성한 표면상의 장부는 제315조 적용 × 3. 항해일지 13. 경찰간부, 16. 9급 교정 · 보호 · 철도경찰 4. 의사의 진료부 09. 순경 2차 5. 금전출납부 6. 전표 7. 통계표
기타 특히 신용할 만한 정황에 의하여 작성된 문서	1. 구속적부심에서의 심문조서 09 · 11. 순경, 13. 순경 2차, 14. 9급 검찰 · 마약수사, 14 · 15. 경찰승진 2. 다른 피고사건의 공판조서 08. 순경, 14. 9급 검찰 · 마약수사 3. 사법경찰관 작성 새세대 16호(이적표현물)에 대한 수사보고서 08. 순경 3차 4. 군법회의 판결문 사본 08. 9급 법원직, 11. 순경, 13. 경찰간부 5. 공공기록 6. 보고서 7. 역서 8. 정기간행물의 시장가격표 9. 스포츠기록 10. 공무소 작성의 통계와 연감 ▶ 주민들의 진정서 사본 ⇨ 당연히 증거능력이 인정된 것이 아니다(대판). 07 · 11. 순경, 09. 9급 국가직

01 형사소송법 제315조에 의해서 당연히 증거능력이 인정되는 것이 아닌 것은 모두 몇 개인가?(다툼이 있으면 판례에 의함)

> ⊙ 주민들의 진정서 사본   ⓒ 국립과학수사연구소장 작성의 감정의뢰 회보서
> ⓒ (구) 군법회의 판결사본   ② 육군과학수사연구소 실험분석관이 작성한 감정서
> ⓜ 검사의 공소장   ⓑ 구속적부심문조서

① 2개   ② 3개   ③ 4개   ④ 5개

해설 ⊙②ⓜ은 당연히 증거능력이 인정되는 서류는 아니다.

02 형사소송법 제315조 적용 여부와 관련한 내용으로 가장 적절한 것은?(다툼이 있는 경우 판례에 의함)

① 사법경찰관 작성의 새세대 16호에 대한 수사보고서는 제315조 제3호 소정의 "기타 특히 신용할 만한 정황에 의하여 작성된 문서"에 해당되지 않아 당연히 증거능력이 인정되지 않는다.

② 상업장부나 항해일지, 진료일지 또는 이와 유사한 금전출납부 등은 제315조 제2호에 의하여 당연히 증거능력이 인정된다.

③ 국가정보원 심리전단 직원의 이메일계정에서 압수한 425지논 파일, 시큐리티 파일은 제315조 제2호 또는 제3호에 정한 문서에 해당하여 당연히 증거능력이 인정된다고 할 수 있다.

④ 대한민국 주중국 대사관 영사가 작성한 사실확인서 중 공인 부분을 제외한 나머지 부분이 영사의 공무수행 과정 중 작성되었지만 공적인 증명보다는 상급자 등에 대한 보고를 목적으로 하는 것인 경우일지라도 형사소송법 제315조 제1호의 '공무원의 직무상 증명할 수 있는 사항에 관하여 작성한 문서' 또는 제3호의 '기타 특히 신뢰할 만한 정황에 의하여 작성된 문서'라고 볼 수 있다.

해설 ① 사법경찰관 작성의 새세대 16호에 대한 수사보고서는 피고인이 검찰에서 소지 탐독사실을 인정하고 있는 새세대 16호라는 유인물의 내용을 분석하고, 이를 기계적으로 복사하여 그 말미에 그대로 첨부한 문서로서 그 신용성이 담보되어 있어 형사소송법 제315조 제3호 소정의 "기타 특히 신용할 만한 정황에 의하여 작성된 문서"에 해당되는 문서로서 당연히 증거능력이 인정된다(대판 1992.8.14, 92도1211).
② 대판 2015.7.16, 2015도2625 전원합의체
③ 형사소송법 제315조 제3호에서 규정한 '기타 특히 신용할 만한 정황에 의하여 작성된 문서'는 형사소송법 제315조 제1호와 제2호에서 열거된 공권적 증명문서 및 업무상 통상문서에 준하여 '굳이 반대신문의 기회 부여 여부가 문제 되지 않을 정도로 고도의 신용성의 정황적 보장이 있는 문서'를 의미한다. 따라서 국가정보원 심리전단 직원의 이메일계정에서 압수한 425지논 파일(국정원장의 업무 지시 사항에 따라 심리전단이 활동해야 할 주제와 그에 관련된 2~3줄의 짧은 설명을 담고 있는 구체적 활동 지침에 해당하는 이른바 '이슈와 논지', 심리전단 직원으로서 수행함에 있어 필요한 자료, 심리전단 활동의 수행 방법 등 업무와 관련한 내용을 주로 담고 있음)은 기재된 업무 관련 내용도 아무런 설명이나 규칙 없이 나열되어 있는 경우가 대부분이어서 그중 어디까지가 이슈와 논지이고 어디부터가 작성자 자신이 심리전단 활동을 위하여 인터넷 등에서 모아 놓은 기사 등인지 애매하고, 시큐리티 파일(269개 트위터 계정을 포함하고 있는 심리전단 직원별 트위터 계정 정보, 트위터피드 계정에 관한 비밀번호 등 기본 정보, 직원들과 보수논객 등의 트위터 계정

의 정보 및 구체적인 심리전 활동 내역 등 업무와 관련한 내용을 주로 담고 있음)도 그 기재 내용이 영문자 또는 숫자의 조합이 아무런 설명 없이 나열되어 있을 뿐이어서, 그 기재 자체만으로는 그것이 트위터 계정 또는 그 비밀번호라는 사실조차도 알기 어려운 트위터 계정을 모아 놓은 것이 업무상 필요했던 이유 및 그 작성자의 심리전 활동 내용에 관하여 '굳이 반대신문의 기회를 부여하지 않아도 될 정도'로 고도의 신용성의 정황적 보장이 있다고 보기 어렵다. 따라서 위 두 파일이 형사소송법 제315조 제2호 또는 제3호에 정한 문서에 해당하여 당연히 증거능력이 인정된다고 할 수 없다(대판 2015.7.16, 2015도2625 전원합의체).
④ 대한민국 주중국 대사관 영사가 작성한 사실확인서 중 공인 부분을 제외한 나머지 부분이 비록 영사의 공무수행 과정 중 작성되었지만 공적인 증명보다는 상급자 등에 대한 보고를 목적으로 하는 것인 경우, 형사소송법 제315조 제1호의 '공무원의 직무상 증명할 수 있는 사항에 관하여 작성한 문서' 또는 제3호의 '기타 특히 신뢰할 만한 정황에 의하여 작성된 문서'라고 볼 수 없으므로 증거능력이 없다(대판 2007.12.13, 2007도7257).

03 형사소송법 제315조에 의해서 당연히 증거능력이 인정되는 것으로 가장 적절하지 않은 것은?
(다툼이 있는 경우 판례에 의함)   17. 순경 2차

① 미국 연방수사국(FBI)의 수사관이 작성한 수사보고서
② 성매매업소에서 영업에 참고하기 위하여 성매매상대방에 관한 정보를 입력하여 작성한 메모리카드의 내용
③ 구속적부심사절차에서 피의자를 심문하고 그 진술을 기재한 구속적부심문조서
④ 다른 피고인에 대한 형사사건의 공판조서

해설 ① 미국 연방수사국(FBI)의 수사관이 작성한 수사보고서는 제312조 제3항에 의하여 피고인 또는 변호인이 내용을 인정할 때에 한하여 증거능력이 인정된다(대판 2006.1.13, 2003도6548).
② (대판 2007.7.26, 2007도3219) ③ (대판 2004.1.16, 2003도5693) ④ (대판 2005.4.28, 2004도4428) 모두 당연히 증거능력이 있다.

04 다음 중 당연히 증거능력이 인정되는 서류는 모두 몇 개인가?(다툼이 있으면 판례에 의함)
    17. 해경간부

ㄱ 구속적부심사절차에서 피의자를 심문하고 그 진술을 기재한 구속적부심문조서
ㄴ 일본 세관공무원이 작성한 필로폰에 대한 범칙물건 감정서등본, 분석의뢰서, 분석회답서 등본
ㄷ 선박에서 항해할 때 작성한 항해일지
ㄹ 성매매업소 업주가 성매매를 전후하여 영업상 참고하기 위해 고객정보를 입력한 메모리카드에 기재된 내용
ㅁ 다른 피고사건의 공판조서

① 5개   ② 4개   ③ 3개   ④ 2개

해설 ㄱ 구속적부심문조서는 특히 신용할 만한 정황에 의하여 작성된 문서라고 할 것이므로 형사소송법 제315조 제3호에 의하여 당연히 그 증거능력이 인정된다(대판 2004.1.16, 2003도5693).
ㄴ 외국공무원이 직무상 증명할 수 있는 사항에 관하여 작성한 문서는 이를 증거로 할 수 있으므로, 원심이 일본 하관(下關)세관서 통괄심리관 작성의 범칙물건 감정서등본과 분석의뢰서 및 분석 회답서등본 등을 증거로 하였음은 적법하다(대판 1984.2.28, 83도3145).

Answer 3.① 4.①

ⓒ 항해일지는 당연히 증거능력이 인정된다(제315조 제2호).

ⓔ 메모리카드의 내용은 형사소송법 제315조 제2호의 영업상 필요로 작성한 통상문서로서 당연히 증거능력 있는 문서에 해당한다(대판 2007.7.26, 2007도3219).

ⓜ 다른 피고사건의 공판조서는 형사소송법 제315조 제3호의 문서로서 당연히 증거능력이 있다(대판 2005. 1.14, 2004도6646).

05 다음 중 형사소송법 제315조의 각 호에 해당하여 증거능력이 인정될 수 있는 증거가 아닌 것은?

18. 9급 법원직

① 특별한 자격을 갖추지 아니한 채 범칙물자에 대한 시가감정업무에 4~5년 종사해 온 것에 불과한 세관공무원이 세관에 비치된 기준과 수입신고서에 기재된 가격을 참작하여 작성한 감정서

② 성매매업소에 고용된 여성들이 성매매를 업으로 하면서 영업에 참고하기 위하여 성매매 상대방의 아이디와 전화번호 및 성매매 방법 등을 메모지에 적어두었다가 그 내용을 직접 입력하여 작성한 메모리카드의 기재 내용

③ 법원 또는 합의부원, 검사, 변호인, 청구인이 구속된 피의자를 심문하고 그에 대한 피의자의 진술 등을 기재한 구속적부심문조서

④ 보험사기 사건에서 건강보험심사평가원이 수사기관의 의뢰에 따라 수사기관이 보내온 자료를 토대로 입원진료의 적정성에 대한 의견을 제시하는 내용의 '건강보험심사평가원의 입원진료 적정성 여부 등 검토의뢰에 대한 회신'

┃해설┃ ① 제315조 제1호에 의거 증거능력 인정(대판 1985.4.9, 85도225)

② 제315조 제2호에 의거 증거능력 인정(대판 2007.7.26, 2007도3219)

③ 제315조 제3호에 의거 증거능력 인정(대판 2004.1.16, 2003도5693)

④ 사무처리 내역을 계속적·기계적으로 기재한 문서가 아니라 범죄사실의 인정 여부와 관련 있는 어떠한 의견을 제시하는 내용을 담고 있는 문서는 형사소송법 제315조 제3호에서 규정하는 당연히 증거능력이 있는 서류에 해당한다고 볼 수 없으므로, 이른바 보험사기 사건에서 건강보험심사평가원이 수사기관의 의뢰에 따라 그 보내온 자료를 토대로 입원진료의 적정성에 대한 의견을 제시하는 내용의 '건강보험심사평가원의 입원진료 적정성 여부 등 검토의뢰에 대한 회신'은 형사소송법 제315조 제3호의 '기타 특히 신용할 만한 정황에 의하여 작성된 문서'에 해당하지 않는다(대판 2017.12.5, 2017도12671).

06 형사소송법 제315조에 대한 설명으로 옳지 않은 것은?(다툼이 있는 경우 판례에 의함)

20. 7급 국가직

① 변호사가 피고인에 대한 법률자문 과정에 작성하여 피고인에게 전송한 전자문서를 출력한 법률의견서는 '업무상 필요로 작성한 통상문서'에 해당하지 않는다.

② '기타 특히 신용할 만한 정황에 의하여 작성된 문서'는 굳이 반대신문의 기회 부여 여부가 문제되지 않을 정도로 고도의 신용성의 정황적 보장이 있는 문서를 의미한다.

04

③ 다른 피고인에 대한 형사사건의 공판조서 중 일부인 증인신문조서는 '기타 특히 신용할 만한 정황에 의하여 작성된 문서'에 해당한다.

④ 특별한 자격이 없이 범칙물자에 대한 시가감정업무에 4~5년 종사해 온 세관공무원이 세관에 비치된 기준과 수입신고서에 기재된 가격을 참작하여 작성한 감정서는 '공무원의 직무상 증명할 수 있는 사항에 관하여 작성한 문서'에 해당하지 않는다.

│ 해설 │ ① 전자문서를 출력한 법률의견서는 '업무상 필요로 작성한 통상문서'에 해당하지 않고, 형사소송 법 제313조 제1항에 규정된 '피고인 아닌 자가 작성한 진술서나 그 진술을 기재한 서류'에 해당한다(대판 2012. 5.17, 2009도6788 전원합의체).
② 대판 2017.12.5, 2017도12671
③ 대판 2005.4.28, 2004도4428
④ 특별한 자격이 없이 범칙물자에 대한 시가감정업무에 4~5년 종사해 온 세관공무원이 세관에 비치된 기준과 수입신고서에 기재된 가격을 참작하여 작성한 감정서는 '공무원의 직무상 증명할 수 있는 사항에 관하여 작성한 문서'에 해당한다(대판 1985.4.9, 85도225).

07 형사소송법 제315조와 관련한 판례의 내용으로 옳지 않은 것은?

① 주민들의 진정서 사본은 피고인이 증거로 함에 동의하지 않고 기록상 원본의 존재나 그 진정성립을 인정할 아무런 자료도 없을 뿐 아니라 형사소송법 제315조 제3호의 규정사유 도 없으므로 이를 증거로 할 수 없다.

② 외국수사기관이 수사결과 얻은 정보를 회답하여 온 문서들은 공무원이 직무상 증명할 수 있는 사항에 관하여 작성한 문서 또는 제315조 제3호의 이른바 특히 신용할 만한 정황 에 의하여 작성된 문서에 해당한다고 볼 수 있다.

③ 전 청와대 경제수석비서관의 업무수첩은 사무처리의 편의를 위하여 자신이 경험한 사실 등을 기재해 놓은 것에 지나지 않아 이것은 '굳이 반대신문의 기회 부여가 문제되지 않을 정도로 고도의 신용성에 관한 정황적 보장이 있는 문서'라고 보기 어려우므로, 형사소송 법 제315조 제3호의 '기타 특히 신용할 만한 정황에 의하여 작성된 문서'에 해당하지 않 는다.

④ 체포 · 구속인접견부는 유치된 피의자가 죄증을 인멸하거나 도주를 기도하는 등 유치장 의 안전과 질서를 위태롭게 하는 것을 방지하기 위한 목적으로 작성되는 서류로 보일 뿐이어서 형사소송법 제315조 제2, 3호에 규정된 당연히 증거능력이 있는 서류로 볼 수 는 없다.

│ 해설 │ ① 대판 1983.12.13, 83도2613
② 외국수사기관이 수사결과 얻은 정보를 회답하여 온 문서들은 공무원이 직무상 증명할 수 있는 사항에 관하여 작성한 문서 또는 제315조 제3호의 이른바 특히 신용할 만한 정황에 의하여 작성된 문서에 해당한다 고 볼 수 없다(대판 1979.9.25, 79도1852).
③ 대판 2019.8.29, 2018도14303 전원합의체
④ 대판 2012.10.25, 2011도5459

08 다음 중 형사소송법 제315조에 의해서 당연히 증거능력이 인정되는 것은 모두 몇 개인가?(다툼이 있는 경우 판례에 의함)

24. 해경간부

> ㉠ 항해일지
> ㉡ 군의관이 작성한 진단서
> ㉢ 외국수사기관이 작성한 수사보고서
> ㉣ 국립과학수사연구소장 작성의 감정의뢰 회보서
> ㉤ 가족관계기록사항에 관한 증명서
> ㉥ 다른 피고인에 대한 형사사건의 공판조서 중 일부인 증인신문조서
> ㉦ 주민들의 진정서사본
> ㉧ 육군과학수사연구소 실험분석관 작성의 감정서
> ㉨ 건강보험심사평가원의 입원진료 적정성 여부 등 검토의뢰에 대한 회신
> ㉩ 대한민국 주중국 대사관 영사가 작성한 사실확인서 중 공인부분을 제외한 나머지 부분

① 4개 　　　　② 5개 　　　　③ 6개 　　　　④ 7개

해설 ㉠㉡㉣㉤㉥이 당연히 증거능력이 인정된다.

04

THEMA 57 전문진술

피고인의 진술을 내용으로 하는 3자의 진술 (제316조 제1항)	1. 피고인이 아닌 자(공소제기 전에 피고인을 피의자로 조사하였거나 그 조사에 참여하였던 자를 포함한다)의 공판준비 또는 공판기일에서의 진술이 피고인의 진술을 그 내용으로 하는 것인 때에는 그 진술이 특히 신빙할 수 있는 상태하에서 행하여졌음이 증명된 때에 한하여 이를 증거로 할 수 있다. 09. 순경, 13. 9급 검찰·마약수사, 10·11·12·14. 경찰승진 2. 피고인에는 피의자, 참고인, 기타 지위에서 행하여진 경우 포함 3. 공동피고인이나 공범은 피고인에 해당 ×(제316조 제2항에 해당함)
피고인 아닌 자의 진술을 내용으로 하는 3자의 진술 (제316조 제2항)	1. 피고인 아닌 자의 공판준비 또는 공판기일에서의 진술이 피고인 아닌 타인의 진술을 그 내용으로 하는 것인 때에는 원진술자가 사망, 질병, 외국거주, 소재불명 그 밖에 이에 준하는 사유로 인하여 진술할 수 없고(필요성), 그 진술이 특히 신빙할 수 있는 상태하에서 행하여졌음이 증명된 때(특신상태)에 한하여 이를 증거로 할 수 있다. 2. 여기서 피고인 아닌 자에는 3자, 공범과 공동피고인 모두 포함된다(대판 1984. 11.27, 84도2279). 09·12·14. 경찰승진, 15. 순경 2차·경찰간부

01 제316조(전문진술)와 관련하여 잘못 기술된 것은?

① 피의자 조사에 참여했던 자가 공판준비 또는 공판기일에서의 진술이 피고인의 진술을 내용으로 하는 것인 때에는 원진술자가 진술할 수 없고, 그 진술이 특히 신빙할 수 있는 상태하에서 행하여졌음이 증명된 때 한하여 증거로 할 수 있다.

② 피고인 아닌 자의 공판준비 또는 공판기일에서의 진술이 피고인 아닌 타인의 진술을 그 내용으로 하는 것인 때에는 원진술자가 사망, 질병, 외국거주, 소재불명 그 밖에 이에 준하는 사유로 인하여 진술할 수 없고, 그 진술이 특히 신빙할 수 있는 상태하에서 행하여졌음이 증명된 때에 한하여 이를 증거로 할 수 있다.

③ 제316조 제1항에서 '피고인의 진술'은 피고인의 지위에서 행해진 것에 국한하지 않고 피의자, 참고인, 증인, 기타 지위에서 행해진 것도 포함한다.

④ 피의자 단계에서 피고인을 조사한 경찰관의 전문진술에 대해 종래에는 피고인이 내용을 부인하면 증거능력이 없었으나, 이제는 내용을 부인하더라도 개정법률에 의하여 증거능력을 인정받을 수 있게 되었다.

│해설│ ① 피의자 조사에 참여했던 자가 공판준비 또는 공판기일에서의 진술이 피고인의 진술을 내용으로 하는 것인 때에는 그 진술이 특히 신빙할 수 있는 상태하에서 행하여졌음이 증명된 때 한하여 증거로 할 수 있다(원진술자가 진술할 수 없어 조사에 참여했던 자의 진술을 필요한 경우는 요건이 아니다).

02 전문진술의 증거능력에 관한 설명 중 가장 적절하지 않은 것은?(다툼이 있는 경우 판례에 의함)

14. 경찰승진

① 형사소송법 제316조 제2항에서 말하는 '피고인 아닌 타인'이라 함은 제3자는 말할 것도 없고 공동피고인이나 공범자를 포함한다.

② 피고인 아닌 자의 공판기일에서의 진술이 피고인의 진술을 그 내용으로 하는 것인 때에는 그 진술이 특히 신빙할 수 있는 상태하에서 행하여졌음이 증명된 때에 한하여 이를 증거로 할 수 있다.

③ 전문진술의 증거능력 인정기준 중의 하나인 '그 진술이 특히 신빙할 수 있는 상태하에서 행하여진 때'라 함은 그 진술내용이나 조서 또는 서류의 작성에 허위개입의 여지가 없고 그 진술내용의 신빙성이나 임의성을 담보할 구체적이고 외부적인 정황이 있는 경우를 가리킨다.

④ 형사소송법 제316조의 증거능력과 관련하여 원진술자가 법정에 출석하여 수사기관에서 한 진술을 부인하는 취지로 증언하더라도 원진술자의 진술을 내용으로 하는 조사자의 증언은 증거능력이 있다.

| **해설** ① 대판 1984.11.27, 84도2279
② 제316조 제1항 ③ 대판 1987.3.24, 87도81
④ 제316조 제2항에 따라 조사자의 증언에 증거능력이 인정되기 위해서는 원진술자가 사망, 질병, 외국거주, 소재불명, 그 밖에 이에 준하는 사유로 인하여 진술할 수 없어야 하는 것이라서, 원진술자가 법정에 출석하여 수사기관에서 한 진술을 부인하는 취지로 증언한 이상 원진술자의 진술을 내용으로 하는 조사자의 증언은 증거능력이 없다(대판 2008.9.25, 2008도6985).

03 전문진술에 관한 설명 중 가장 적절하지 않은 것은?(다툼이 있는 경우 판례에 의함) 20. 경찰승진

① 피고인을 피의자로 조사하였던 자는 공판기일에서 피고인의 진술을 그 내용으로 하는 진술을 할 수 있고 피고인의 원진술이 특히 신빙할 수 있는 상태하에서 행하여졌음이 증명된 경우에는 증거능력이 있다.

② 피고인 아닌 자의 공판기일에서 진술이 피고인의 진술을 그 내용으로 하는 것인 때에는 형사소송법 제316조 제1항이 적용되므로, 피고인 아닌 자의 공판기일에서의 진술이 공동 피고인의 진술을 내용으로 하는 것인 때에도 공동피고인 역시 피고인의 지위인 이상 형 사소송법 제316조 제1항이 적용된다.

③ 형사소송법 제316조 제2항의 피고인 아닌 자에는 공소제기 전에 피고인 아닌 타인을 조사하였던 자도 포함되지만 원진술자가 법정에 출석하여 수사기관에서의 진술을 부인하는 이상 원진술자의 진술을 내용으로 하는 조사자의 증언은 증거능력이 없다.

④ 전문의 진술을 증거로 함에 있어서는 전문진술자가 원진술자로부터 진술을 들을 당시 원진술자가 증언능력에 준하는 능력을 갖춘 상태에 있어야 한다.

| Answer 2. ④ 3. ②

해설 ① 제316조 제1항

② 형사소송법 제316조 제2항의 피고인 아닌 자라고 함은 제3자는 말할 것도 없고 공동피고인이나 공범자를 모두 포함한다고 해석된다(대판 2000.12.27, 99도5679).

③ 대판 2000.12.27, 99도5679

④ 대판 2006.4.14, 2005도9561

최신판례

형사소송법 제316조 제1항의 '특히 신빙할 수 있는 상태하에서 행하여졌음에 대한 증명'은 단지 그러할 개연성이 있다는 정도로는 부족하고 합리적인 의심의 여지를 배제할 정도에 이르러야 한다. 형사소송법 제312조 제1항, 제3항에 대한 중대한 예외를 인정하는 것이어서, 이를 폭넓게 허용하는 경우 형사소송법 제312조 제1항, 제3항의 입법취지와 기능이 크게 손상될 수 있기 때문이다(대판 2023.10.26, 2023도7301).

THEMA **58**	재전문증거
의 의	1. 재전문이란 전문진술을 기재한 조서 또는 타인의 전문진술을 들었다는 진술 또는 그 사실을 기재한 조서와 같이 이중의 전문이 되는 경우를 말한다. 2. 재전문증거에 대하여 현행법상 증거능력을 인정하는 조문이 없으므로 증거능력 인정 여부에 대하여 견해의 대립이 있으나, 대법원 판례에 의하면 원칙적으로 증거능력을 부정하고 있으며, 24. 순경 1차 예외적으로 전문진술이 기재된 조서에 대하여 일정한 요건하에 증거능력을 인정하고 있다. 3. 재전문증거라도 동의가 있으면 증거능력 인정
원본증거, 전문증거, 재전문증거	1. A(피해자)가 "甲이 돈을 내놓지 않으면 죽인다고 말하며 현금을 빼앗아갔다."라고 피해사실을 법정에서 증언 ⇨ 원본증거 2. 甲의 강도행위를 목격한 B의 증언 ⇨ 원본증거 3. 목격자 B로부터 목격사실을 전해들은 C의 증언 ⇨ 전문진술 4. 목격자 B에 대하여 검사가 작성한 참고인진술조서 ⇨ 전문서류 5. 피해자 A에 대하여 검사가 작성한 참고인진술조서 ⇨ 전문서류 6. 목격자 B로부터 전해들은 C에 대하여 검사가 작성한 참고인진술조서 ⇨ 재전문서류 (전문진술을 기재한 조서) 7. C가 목격자 B로부터 들은 내용을 D에게 전하고 D가 법정에서 증언 ⇨ 재전문진술 (타인의 전문진술을 들었다는 진술) 8. C로부터 전해들은 D에 대하여 검사가 작성한 참고인진술조서 ⇨ 재재전문서류(타인의 전문진술을 들었다는 진술을 기재한 조서, 재전문진술을 기재한 조서)

04

01 재전문증거에 대한 내용으로 가장 적절하지 아니한 것은?

① C가 목격자 B로부터 전해들은 내용을 D에게 전하고 D에 대하여 검사가 작성한 참고인 진술조서는 재전문서류에 해당한다.

② 전문진술이나 전문진술을 기재한 조서는 원칙적으로 증거능력이 없으나, 다만 피고인 아닌 자의 공판준비 또는 공판기일에서의 진술이 피고인의 진술을 그 내용으로 하는 것인 때에는 형사소송법 제316조 제1항의 규정에 따라 그 진술이 특히 신빙할 수 있는 상태하에서 행하여진 때에 한하여 이를 증거로 할 수 있고, 그 전문진술이 기재된 조서는 제312조 내지 제314조의 규정에 의하여 그 증거능력이 인정될 수 있는 경우에 해당하여야 함은 물론 나아가 제316조 제1항의 규정에 따른 위와 같은 조건을 갖춘 때에 예외적으로 증거능력을 인정하여야 할 것이다.

③ 형사소송법은 전문진술에 대하여 제316조에서 실질상 단순한 전문의 형태를 취하는 경우에 한하여 예외적으로 그 증거능력을 인정하는 규정을 두고 있을 뿐, 재전문진술이나 재전문 진술을 기재한 조서에 대하여는 달리 그 증거능력을 인정하는 규정을 두고 있지 아니하고 있으므로, 피고인이 증거로 하는데 동의하지 아니하는 한 이를 증거로 할 수 없다.

④ 피고인 아닌 자의 공판준비 또는 공판기일에서의 진술이 피고인 아닌 타인의 진술을 내용으로 하는 경우 그 전문진술은 제316조 제2항의 규정에 따라 원진술자가 사망, 질병, 외국거주 기타 사유로 인하여 진술할 수 없고 그 진술이 특히 신빙할 수 있는 상태하에서 행하여진 때에 한하여 예외적으로 증거능력이 있다고 할 것이고, 전문진술이 기재된 조서는 제312조 또는 제314조의 규정에 의하여 각 그 증거능력이 인정될 수 있는 경우에 해당하여야 함은 물론 나아가 제316조 제2항의 규정에 따른 위와 같은 요건을 갖추어야 예외적으로 증거능력이 있다.

▎해설▎ ① C가 목격자 B로부터 전해들은 내용을 D에게 전하고 D에 대하여 검사가 작성한 참고인진술조서 는 재재전문서류(재전문진술을 기재한 조서)에 해당한다.
② 대판 2000.9.8, 99도4814
③ 대판 2000.3.10, 2000도159
④ 대판 2001.7.27, 2001도2891

02 전문진술의 증거능력에 대한 설명으로 가장 적절하지 않은 것은?(다툼이 있으면 판례에 의함)

12. 경찰승진

① 피고인 아닌 자의 공판기일에서의 진술이 피고인의 진술을 그 내용으로 하는 것인 때에 는 그 진술이 특히 신빙할 수 있는 상태하에서 행하여진 때에는 이를 증거로 할 수 있다.

② 형사소송법 제316조 제2항에서 말하는 '피고인 아닌 타인'이라 함은 제3자는 말할 것도 없고 공동피고인이나 공범자를 포함한다.

▎Answer▎ 1.① 2.④

③ 전문진술의 증거능력 인정기준 중의 하나인 '그 진술이 특히 신빙할 수 있는 상태하에서 행하여진 때'라 함은 그 진술을 하였다는 것에 허위개입의 여지가 거의 없고, 그 진술내용의 신빙성이나 임의성을 담보할 구체적이고 외부적인 정황이 있는 경우를 말한다.

④ 형사소송법은 전문진술에 대하여 제316조에서 실질상 단순한 전문의 형태를 취하는 경우에 한하여 예외적으로 그 증거능력을 인정하는 규정을 두고 있을 뿐, 재전문진술이나 재전문진술을 기재한 조서에 대하여는 달리 그 증거능력을 인정하는 규정을 두고 있지 아니하고 있으므로, 피고인이 증거로 하는 데 동의하더라도 이를 증거로 할 수 없다.

해설 ① 제316조 제1항

② 대판 2007.2.23, 2004도8654

③ 대판 1999.11.26, 99도3786

④ 형사소송법은 전문진술에 대하여 제316조에서 실질상 단순한 전문의 형태를 취하는 경우에 한하여 예외적으로 그 증거능력을 인정하는 규정을 두고 있을 뿐, 재전문진술이나 재전문진술을 기재한 조서에 대하여는 달리 그 증거능력을 인정하는 규정을 두고 있지 아니하고 있으므로, 피고인이 증거로 하는 데 동의하지 아니하는 한 형사소송법 제310조의 2의 규정에 의하여 이를 증거로 할 수 없다(대판 2000.3.10, 2000도159). 따라서 피고인이 증거로 함에 동의하면 증거능력이 인정된다.

04

03 전문진술의 증거능력에 관한 다음 설명 중 가장 적절하지 않은 것은?(다툼이 있으면 판례에 의함)
15. 순경 2차

① 형사소송법은 전문진술에 대하여 제316조에서 실질상 단순한 전문의 형태를 취하는 경우에 한하여 예외적으로 그 증거능력을 인정하는 규정을 두고 있을 뿐, 재전문진술이나 재전문진술을 기재한 조서에 대하여는 달리 그 증거능력을 인정하는 규정을 두고 있지 아니하고 있으므로, 피고인이 증거로 하는 데 동의하지 아니하는 한 이를 증거로 할 수 없다.

② 피고인 아닌 자의 공판준비 또는 공판기일에서의 진술이 피고인 아닌 타인의 진술을 그 내용으로 하는 것인 때에는 원진술자가 사망, 질병 기타 사유로 인하여 진술할 수 없고 그 진술이 특히 신빙할 수 있는 상태하에서 행하여진 때에 한하여 이를 증거로 할 수 있는데, 여기서 말하는 피고인 아닌 자에는 공동피고인이나 공범자는 포함되지 아니한다.

③ 형사소송법 제316조에 규정된 '그 진술이 특히 신빙할 수 있는 상태하에서 행하여진 때'라 함은 그 진술을 하였다는 것에 허위개입의 여지가 거의 없고, 그 진술내용의 신빙성이나 임의성을 담보할 구체적이고 외부적인 정황이 있는 경우이어야만 한다.

④ 전문의 진술을 증거로 함에 있어서는 전문진술자가 원진술자로부터 진술을 들을 당시 원진술자가 증언능력에 준하는 능력을 갖춘 상태에 있어야 할 것이다.

해설 ① 대판 2000.3.10, 2000도159

② 제3자는 물론이고, 공동피고인이나 공범자도 포함한다(대판 2007.2.23, 2004도8654).

③ 대판 1999.11.26, 99도3786

④ 대판 2006.4.14, 2005도9561

04 전문진술의 증거능력에 관한 설명 중 가장 적절하지 않은 것은?(다툼이 있는 경우 판례에 의함)

17. 경찰승진

① 전문의 진술을 증거로 함에 있어서는 전문진술자가 원진술자로부터 진술을 들을 당시 원진술자가 증언능력에 준하는 능력을 갖춘 상태에 있어야 할 것이다.

② 형사소송법은 재전문진술이나 재전문진술을 기재한 조서에 대하여는 달리 그 증거능력을 인정하는 규정을 두고 있지 아니하고 있으므로 피고인이 증거로 하는데 동의하지 아니하는 이상 이를 증거로 할 수 없다.

③ 형사소송법 제316조의 증거능력과 관련하여 원진술자가 법정에 출석하여 수사기관에서 한 진술을 부인하는 취지로 증언하더라도 원진술자의 진술을 내용으로 하는 조사자의 증언은 증거능력이 있다.

④ '그 진술이 특히 신빙할 수 있는 상태하에서 행하여진 때'라 함은 그 진술내용이나 조서 또는 서류의 작성에 허위개입의 여지가 없고 그 진술내용의 신빙성이나 임의성을 담보할 구체적이고 외부적인 정황이 있는 경우를 말한다.

│ 해설 │ ① 대판 2006.4.14, 2005도9561 ② 대판 2012.5.24, 2010도5948
③ 원진술자가 법정에 출석하여 수사기관에서 한 진술을 부인하는 취지로 증언한 이상 원진술자의 진술을 내용으로 하는 조사자의 증언은 증거능력이 없다(대판 2008.9.25, 2008도6985).
④ 대판 2000.3.10, 2000도159

05 재전문증거에 관한 판례의 태도와 가장 일치하지 않는 것은?

① 전문진술을 기재한 서면은 형사소송법 제312조 내지 제314조의 규정에 따른 요건과 제316조 제1항 또는 제2항의 요건을 갖추면 예외적으로 증거능력이 인정된다.

② 성폭력 피해아동이 어머니에게 진술한 내용을 어머니가 상담원에게 전한 후, 상담원이 그 내용을 검사 면전에서 진술하여 작성된 진술조서는 이른바 '재전문진술을 기재한 조서'로서 피고인이 동의하지 않는한 증거능력이 인정되지 않는다.

③ 전문의 진술을 증거로 함에 있어서는 전문진술자가 원진술자로부터 진술을 들을 당시 원진술자가 증언능력에 준하는 능력을 갖춘 상태에 있어야 한다.

④ 피해자가 어머니에게 진술한 내용을 전해들은 아버지가 법정에서 그 내용을 진술한 경우 피해자와 어머니의 진술불능과 원진술의 특신상태가 증명되면 유죄의 증거로 할 수 있다.

│ 해설 │ ① 대판 2000.9.8, 99도4814 ; 대판 2000.3.10, 2000도159
② 대판 2000.3.10, 2000도159
③ 대판 2006.4.14, 2005도9561
④ 형사소송법은 전문진술에 대하여 제316조에서 실질상 단순한 전문의 형태를 취하는 경우에 한하여 예외적으로 그 증거능력을 인정하는 규정을 두고 있을 뿐, 재전문진술이나 재전문진술을 기재한 조서에 대하여는 달리 그 증거능력을 인정하는 규정을 두고 있지 아니하고 있으므로, 피고인이 증거로 하는 데 동의하지 아니하는 한 형사소송법 제310조의 2의 규정에 의하여 이를 증거로 할 수 없다(대판 2000.3.10, 2000도159).

│ Answer │ 4.③ 5.④

06 전문법칙에 관한 설명으로 가장 적절하지 않은 것은?(다툼이 있는 경우 판례에 의함)

22. 순경 1차

① 형사소송법은 헌법이 요구하는 적법 절차를 구현하기 위하여 사건의 실체에 대한 심증 형성은 법관의 면전에서 본래증거에 대한 반대신문이 보장된 증거조사를 통하여 이루어 져야 한다는 실질적 직접심리주의와 전문법칙을 채택하고 있다.

② 전문진술이 기재된 조서는 형사소송법 제312조 또는 제314조의 규정에 의하여 각 그 증 거능력이 인정될 수 있는 경우에 해당하여야 함은 물론 형사소송법 제316조의 규정에 따른 요건을 갖추어야 예외적으로 증거능력이 있다.

③ 정보통신망을 통하여 공포심이나 불안감을 유발하는 글을 반복적으로 상대방에게 도달 하게 하는 행위를 하였다는 공소사실에 대하여 휴대전화기에 저장된 문자정보가 그 증거 가 되는 경우, 그 문자정보는 범행의 직접적인 수단이고 경험자의 진술에 갈음하는 대체 물에 해당하므로 형사소송법 제310조의 2에서 정한 전문법칙이 적용된다.

④ 형사소송법은 재전문진술이나 재전문진술을 기재한 조서에 대하여는 그 증거능력을 인 정하는 규정을 두고 있지 아니하고 있으므로, 피고인이 증거로 하는 데 동의하지 아니하 는 한 형사소송법 제310조의 2의 규정에 의하여 이를 증거로 할 수 없다.

| 해설 | ① 대판 2019.11.21, 2018도13945
② 대판 2000.9.8, 99도4814 ; 대판 2001.7.27, 2001도2891
③ 정보통신망을 통하여 공포심이나 불안감을 유발하는 글을 반복적으로 상대방에게 도달하게 하는 행위를 하였다는 공소사실에 대하여 휴대전화기에 저장된 문자정보가 그 증거가 되는 경우, 그 문자정보는 범행의 직접적인 수단이고 경험자의 진술에 갈음하는 대체물에 해당하지 않으므로, 형사소송법 제310조의 2에서 정한 전문법칙이 적용되지 않는다(대판 2008.11.13, 2006도2556).
④ 대판 2000.3.10, 2000도159

07 전문진술에 관한 설명으로 가장 적절하지 않은 것은?(다툼이 있는 경우 판례에 의함)

24. 경찰승진

① 공소제기 전에 피고인 아닌 타인을 조사한 자의 증언은 원진술자가 법정에 출석하여 수 사기관에서 한 진술을 부인하는 취지로 증언하였다면 형사소송법 제316조 제2항에 따라 증거능력이 인정되지 않는다.

② 전문의 진술을 증거로 함에 있어서는 전문진술자가 원진술자로부터 진술을 들을 당시 원진술자가 증언능력에 준하는 능력을 갖춘 상태에 있어야 할 것인데, 그 능력의 유무는 단지 공술자의 연령에 의하므로 만 3세 3개월 내지 만 3세 7개월 가량된 유아의 증언능력 은 부인된다.

③ 형사소송법 제316조 제2항에서 말하는 '원진술자가 진술을 할 수 없는 때'에는 사망, 질병 등 명시적으로 열거된 사유 외에도 원진술자가 공판정에서 진술을 한 경우라도 증인신문 당시 일정한 사항에 관하여 기억이 나지 않는다는 취지로 진술하여 그 진술의 일부가 재현 불가능하게 된 경우도 포함한다.

④ 형사소송법 제316조 제2항에서 말하는 '그 진술이 특히 신빙할 수 있는 상태하에서 행하여진 때'라 함은 그 진술을 하였다는 것에 허위개입의 여지가 거의 없고, 그 진술내용의 신빙성이나 임의성을 담보할 구체적이고 외부적인 정황이 있는 경우를 가리킨다.

| 해설 | ① 대판 2008.9.25, 2008도6985

② 전문의 진술을 증거로 함에 있어서는 전문진술자가 원진술자로부터 진술을 들을 당시 원진술자가 증언능력에 준하는 능력을 갖춘 상태에 있어야 할 것인데, 사고 당시 만 3세 3개월 내지 만 3세 7개월 가량이던 피해자인 여아의 증언능력 및 그 진술의 신빙성이 인정된다(대판 2006.4.14, 2005도9561).

③ 대판 2006.4.14, 2005도9561

④ 대판 2000.3.10, 2000도159

08 전문증거에 관한 설명으로 가장 적절하지 않은 것은?(다툼이 있는 경우 판례에 의함)

24. 경찰승진

① 피고인의 범행을 직접 목격하고 현행범으로 체포한 경찰관의 법정진술은 전문증거에 해당하지 않는다.

② 어떠한 내용의 진술을 하였다는 사실 자체에 대한 정황증거로 사용될 것이라는 이유로 진술의 증거능력을 인정한 다음 그 사실을 다시 진술 내용이나 그 진실성을 증명하는 간접사실로 사용하는 경우에 그 진술은 전문증거에 해당한다.

③ 다른 피고인에 대한 형사사건의 공판조서는 형사소송법 제311조에 따라 당해 사건에서의 증거능력이 인정된다.

④ 형사소송법 제312조 제1항에서 정한 '검사가 작성한 피의자 신문조서'란 당해 피고인에 대한 피의자신문조서만이 아니라 당해 피고인과 공범관계에 있는 다른 피고인이나 피의자에 대하여 검사가 작성한 피의자신문조서도 포함된다.

| 해설 | ① 대판 1995.5.9, 95도535

② 대판 2019.8.29, 2018도14303 전원합의체

③ 다른 피고인에 대한 형사사건의 공판조서는 형사소송법 제315조 제3호에 정한 서류로서 당연히 증거능력이 있다(대판 2005.4.28, 2004도4428).

④ 대판 2023.6.1, 2023도3741

09 증거능력에 관한 설명으로 가장 적절하지 않은 것은?(다툼이 있는 경우 판례에 의함)

24. 경찰승진

① 수표를 발행한 후 예금부족 등으로 지급되지 아니하게 하였다는 부정수표단속법위반 공소사실을 증명하기 위하여 제출되는 증거물인 수표에 대하여 수표 원본이 아닌 복사한 사본이 증거로 제출되었고 피고인이 이를 증거로 하는 데 부동의한 경우, 사본을 증거로 사용하기 위해서는 원본을 법정에 제출할 수 없거나 제출이 곤란한 사정이 있고 원본이 존재하거나 존재하였으며 증거로 제출된 수표 사본이 이를 정확하게 전사한 것이라는 사실이 증명되어야 한다.

② 개인의 사생활 영역에 관계된 모든 증거의 제출이 금지되는 것은 아니며, 형사소추 및 형사소송에서의 진실발견이라는 공익과 개인의 인격적 이익 등 보호이익을 비교형량하여 그 허용 여부를 결정하여야 한다.

③ 정보저장매체로부터 출력된 문서에 대하여 정보저장매체 원본에 저장된 전자기록과 출력문서의 동일성이 인정되고, 정보저장매체 원본이 압수된 이후부터 문건 출력에 이르기까지 변경되지 않았다는 무결성이 담보되는 것만으로 출력된 문서의 내용을 전문증거로 사용할 수 있다.

④ 거짓말탐지기 검사결과는 항상 진실에 부합한다고 단정할 수 없을 뿐 아니라, 검사를 받는 사람의 진술의 신빙성을 가늠하는 정황증거로서 기능하는데 그친다.

| 해설 | ① 대판 2015.4.23, 2015도2275

② 대판 2020.10.29, 2020도3972

③ 정보저장매체로부터 출력된 문서에 대하여 정보저장매체 원본에 저장된 전자기록과 출력문서의 동일성이 인정되고, 정보저장매체 원본이 압수된 이후부터 문건 출력에 이르기까지 변경되지 않았다는 무결성이 담보되어야 한다. 피고인 또는 피고인 아닌 사람이 정보저장매체에 입력하여 기억된 문자정보 또는 그 출력물을 증거로 사용하는 경우, 이는 실질에 있어서 피고인 또는 피고인 아닌 사람이 작성한 진술서나 그 진술을 기재한 서류와 크게 다를 바 없으므로, 그 내용의 진실성에 관하여는 전문법칙이 적용되고, 형사소송법 제313조 제1항에 의하여 그 작성자 또는 진술자의 진술에 의하여 성립의 진정함이 증명된 때에 한하여 이를 증거로 사용할 수 있다(대판 2013.7.26, 2013도2511).

④ 대판 2017.1.25, 2016도15526

10 전문증거에 관한 설명으로 옳은 것은 모두 몇 개인가?(다툼이 있는 경우 판례에 의함)

⊙ 어떤 진술이 기재된 서류가 그 내용의 진실성이 범죄사실에 대한 직접증거로 사용될 때는 전문증거가 되지만, 그와 같은 진술을 하였다는 것 자체 또는 진술의 진실성과 관계없는 간접사실에 대한 정황증거로 사용될 때는 반드시 전문증거가 되는 것은 아니다.

ⓛ 형사소송법 제312조 제1항은 검사가 작성한 피의자신문조서는 공판준비, 공판기일에 그 피의자였던 피고인 또는 변호인이 그 내용을 인정할 때에 한정하여 증거로 할 수 있다고 규정하고 있다. 여기서 '그 내용을 인정할 때'라 함은 피의자신문조서의 기재 내용이 진술 내용대로 기재되어 있다는 의미가 아니고 그와 같이 진술한 내용이 실제 사실과 부합한다는 것을 의미한다.

ⓒ 피고인이 자신과 공범관계에 있는 다른 피고인이나 피의자에 대하여 검사가 작성한 피의자신문조서의 내용을 부인하는 경우에는 형사소송법 제312조 제1항이 적용되지 아니하므로 이를 유죄의 증거로 쓸 수 있다.

ⓔ 재전문진술이 기재된 조서는 형사소송법 312조 또는 제314조에 따라 증거능력이 인정될 수 있는 경우에 해당하여야 함은 물론 형사소송법 제316조 제2항에 따른 요건을 갖추어야 예외적으로 증거능력이 있다.

ⓜ 형사소송법은 전문진술에 대하여 제316조에서 실질상 단순한 전문의 형태를 취하는 경우에 한하여 예외적으로 그 증거능력을 인정하는 규정을 두고 있을 뿐, 재전문진술이나 재전문진술을 기재한 조서에 대하여는 달리 그 증거능력을 인정하는 규정을 두고 있지 아니하므로, 피고인이 증거로 하는 데 동의하더라도 형사소송법 제310조의 2의 규정에 의하여 이를 증거로 할 수 없다.

① 2개 　　　② 3개 　　　③ 4개 　　　④ 5개

┃해설┃ ⊙ ○ : 대판 2000.2.25, 99도1252

ⓛ ○ : 대판 2023.4.27, 2023도2102

ⓒ × : 피고인이 자신과 공범관계에 있는 다른 피고인이나 피의자에 대하여 검사가 작성한 피의자신문조서의 내용을 부인하는 경우에는 형사소송법 제312조 제1항에 따라 유죄의 증거로 쓸 수 없다(대판 2023.6.1, 2023도3741).

ⓔⓜ × : 재전문증거에 대하여 현행법상 증거능력을 인정하는 조문이 없으므로 증거능력 인정 여부에 대하여 견해의 대립이 있으나, 대법원 판례에 의하면 원칙적으로 증거능력을 부정하고 있으며, 예외적으로 전문진술이 기재된 조서에 대하여 일정한 요건하에 증거능력을 인정하고 있다. 따라서 재전문진술이나 재전문진술을 기재한 조서에 대하여는 달리 그 증거능력을 인정하는 규정을 두고 있지 아니하고 있으므로, 피고인이 증거로 하는 데 동의하지 아니하는 한 형사소송법 제310조의 2의 규정에 의하여 이를 증거로 할 수 없다(대판 2000.3.10, 2000도159).

| THEMA 59 | 증거능력의 인정요건 정리 |

구 분		증거능력의 인정요건
법원 · 법관의 면전 작성조서		무조건 증거능력 인정
제315조(직무상 증명문서, 업무상 통상문서 …)		당연히 증거능력 인정
피의자 신문조서	검사 작성	적법한 절차와 방식(형식적 진정성립) + 내용인정 ▶ 제314조 적용 ×
	사법경찰관 작성	적법한 절차와 방식(형식적 진정성립) + 내용인정 ▶ 제314조 적용 ×
참고인진술조서 (검사 · 사법경찰관 작성)		적법한 절차와 방식(형식적 진정성립) + 실질적 진정성립증명(원진술자가 부인하는 경우 영상녹화물 등에 의한 증명) + 반대신문 기회 부여 + 특신상태 증명 ▶ 제314조 적용 ○
진술서	수사과정 작성	수사기관이 작성한 조서와 동일하게 취급 ▶ 제314조 적용(피고인 · 피의자 진술서는 제외함이 타당)
	그 밖의 과정 / 참고인 작성 진술서	작성자(진술자)의 자필이거나, 서명 또는 날인 + 작성자에 의한 성립의 진정 증명 ▶ 작성자가 성립진정 부인 ⇨ 객관적 방법으로 증명+반대신문 기회보장
	그 밖의 과정 / 피고인 작성 진술서	작성자(진술자)의 자필이거나, 서명 또는 날인 + 작성자 성립의 진정 증명 + 특신정황(대판 2001. 9.4, 2000도1743) ▶ 작성자가 성립진정 부인 ⇨ 객관적 방법으로 증명 가능
	그 밖의 과정 / 참고인 진술기재서	진술자의 서명 또는 날인 + 진술자에 의한 성립의 진정함을 증명
	그 밖의 과정 / 피고인 진술기재서	작성자의 성립의 진정 증명 + 특신정황
감정서		제313조 제1항 및 제2항과 동일 ▶ 제314조 적용
검증조서 (검사 · 사법경찰관 작성)		적법한 절차와 방식 + 실질적 진정성립 증명 ▶ 제314조 적용
전문진술	제316조 제1항	특신상태 증명
	제316조 제2항	필요성 + 특신상태 증명

04

01 다음 중 형사소송법상 증거능력의 인정요건이 서로 다른 것으로 짝지어진 것은 몇 개인가?

> ㉠ 검사 작성 참고인진술조서 − 사법경찰관 작성 참고인진술조서
> ㉡ 검사 작성 피의자신문조서 − 사법경찰관 작성 피의자신문조서
> ㉢ 사법경찰관 작성 검증조서 − 검사 작성 검증조서
> ㉣ 감정결과를 기재한 서류 − 사법경찰관 면전 작성 참고인진술서
> ㉤ 수사과정 이외 피고인진술서 − 사법경찰관 작성 공범자 피의자신문조서

① 1개　　　　　② 2개　　　　　③ 3개　　　　　④ 4개

┃해설┃ 증거능력 인정 요건이 동일한 경우는 ㉠㉡㉢이고, 다른 경우는 ㉣㉤이다.
감정결과를 기재한 서류(제313조 제3항), 사법경찰관 면전 작성 참고인진술서(제312조 제5항), 수사과정 이외의 피고인진술서(제313조 제1항·제2항), 사법경찰관 작성 공범자 피의자신문조서(대판 2009.7.9, 2009도2865 − 피의자신문조서와 동일 취급)

02 전문법칙의 예외를 인정하기 위한 요건이 가장 완화되어 있는 것은?

① 사법경찰관 작성의 피의자신문조서
② 수사기관 이외의 절차에서 작성한 참고인진술서
③ 검사 작성의 피의자신문조서
④ 사법경찰관 작성의 참고인진술조서

┃해설┃ ① 적법절차와 방식 + 내용인정(제312조 제3항)
② 성립의 진정 증명(제313조 제1항)
③ 적법절차와 방식 + 내용인정(제312조 제1항)
④ 적법절차와 방식 + 실질적 진정성립 증명 + 반대신문기회보장 + 특신상태 증명(제312조 제4항)

THEMA 60	영상녹화물, 녹음테이프, 사진, 비디오테이프, 거짓말탐지기 검사결과의 증거능력	
영상 녹화물의 증거능력	의 의	영상녹화물이란 일정한 진술을 청취하는 과정에서 그 진술을 영상녹화하여 기록해 놓은 것을 말한다. 형사소송법은 법원이나 수사기관이 영상녹화한 기록물을 영상녹화물(녹음 포함)이라 표현하고, 법원이나 수사기관 이외의 사람이 본인이나 다른 사람의 진술을 녹화해 놓은 기록물은 여기에 해당하지 않는다. 형사소송법은 이러한 경우를 별도로 '녹음테이프', '비디오테이프'라는 표현을 사용하고 있다(제292조의 3).
	사용범위	1. 수사기관이 촬영한 영상녹화물을 범죄사실을 인정하는 엄격한 증명의 자료로 사용할 수 없다(피의자신문조서나 참고인진술조서를 대체하는 것은 허용되지 않는다). 2. 영상녹화물은 검사 또는 사법경찰관 작성 참고인진술조서의 실질적 진정성립을 증명하는 자료로 사용할 수 있으며, 진술자의 기억을 환기시키기 위한 자료로 사용하는 것은 가능하다.
	기타 증거방법과의 관계	녹음테이프나 비디오테이프가 수사기관에서 작성한 것인 때에는 영상녹화물에 관한 규정의 적용을 받으므로, 전문법칙에 의한 증거능력 인정 문제는 수사기관 이외의 사람이 본인이나 다른 사람의 진술을 녹화한 비디오테이프(녹음테이프 포함)가 문제될 것이다.
녹음 테이프의 증거능력	진술녹음의 증거능력	1. 의의 : 진술녹음이란 사람의 진술이 녹음되어 있고 그 진술내용의 진실성이 증명의 대상으로 되는 것을 말한다. 진술녹음도 진술증거로서 전문법칙이 적용된다는 점에서 견해가 일치되어 있다. 2. 근거규정 : 녹음테이프의 증거능력문제는 수사기관 이외의 사람이 채록한 것만을 대상으로 한다고 보아야 할 것이므로, 진술서에 관한 규정(제313조)이 근거규정으로 되어야 할 것으로 본다. 피고인 아닌 자의 진술이 녹음된 경우 참고인진술서와 같이 성립의 진정이 증명될 것이 요구되므로, 원진술자의 진술에 의하여 그 녹음테이프에 녹음된 내용이 자신들이 한 내용대로 녹음된 것이라는 점이 인정되어야 증거능력이 있다고 볼 것이다.
	현장녹음의 증거능력	1. 의의 : 현장녹음이란 범죄현장에서 범행에 수반하여 발성된 말이나 기타 음향을 녹음한 것을 말한다. 현장녹음의 증거능력에 관하여 견해의 대립이 있다. 2. 비진술증거설 : 녹음테이프는 비진술증거이므로 전문법칙이 적용되지 않으며 범죄사실과의 관련성만 인정되면 증거능력이 인정된다고 한다. 3. 진술증거설 : 녹음테이프도 진술증거이므로 전문법칙이 적용되며, 제312조 제6항의 검증조서에 준하여 증거능력이 인정된다는 견해이다. 4. 검증조서유사설 : 현장녹음은 사람의 내심의 의사를 외부로 표현하는 진술을 녹취한 것이 아니므로 비진술증거이지만 조작 가능성 때문에 검증조서에 준하여 증거능력을 판단해야 한다는 견해이다.

04

			5. 결 : 현장녹음의 경우도 사실을 보고하는 성질을 가지고 있고 녹음과 편집과정에서 조작의 위험성이 있다는 점에서 진술증거설이 타당하다. 따라서 녹음자의 진술에 의해 성립의 진정이 증명되면(제312조 제6항) 증거능력이 인정된다고 하겠다.
		증거조사의 방법	녹음테이프를 녹음재생기에 걸어서 청취하는 방법으로 한다(규칙 제134조의 8 제3항).
		비밀녹음의 증거능력	1. 수사기관에 의한 비밀녹음 : 수사기관이 법령에 의하지 않고 감청 내지 비밀녹음한 경우에는 녹음 자체가 위법하므로 증거능력이 부정된다. 2. 사인에 의한 비밀녹음 : 제3자가 타인 간의 대화를 비밀녹음한 경우는 그 녹음내용을 증거로 할 수 없다(통신비밀보호법 제14조). 대화 일방 당사자가 상대방의 동의 없이 녹음한 경우는 증거로 사용 가능(판례)
사진의 증거능력	구체적 검토	사본으로서의 사진	사본으로서의 사진이란 본래의 증거물에 대한 대용물로 제출되는 경우(예 문서를 촬영한 사진, 범행에 사용된 흉기의 사진)를 말한다. ▶ 진술기재서면 원본의 서명·날인이 사진에 찍혀 있는 이상 사진 자체에 서명·날인이 없더라도 무방하다.
		진술 일부인 사진	사진이 진술증거의 일부로 사용되는 경우(예 검증조서나 감정서에 사진을 첨부하는 경우)를 말하며, 이 경우에 사진은 진술증거의 일부를 이루는 보조수단에 불과하므로 사진의 증거능력도 진술증거인 검증조서·감정서와 일체적으로 판단해야 한다(통설·판례).
		현장사진	범행상황과 그 전후 상황을 촬영한 사진으로서 독립증거로 이용되는 증거를 말한다(예 현장 폐쇄회로에 찍힌 사진 등). 현장사진은 사실을 보고한다는 기능을 가지고 있기 때문에 진술증거로 보아야 한다는 진술증거설과 현장사진은 비진술증거로 보아야 한다는 비진술증거설 대립이 있다. 비진술증거로 보게 되면 전문법칙이 적용되지 않아 사진이 현장의 영상임이 입증되기만 하면 증거사용이 용이하다. 사진은 조작이 가능해서 쉽게 증거능력을 인정함은 위험하다는 점을 감안할 때 진술증거설이 타당하다. 진술증거로 보게 되면 사진의 증거능력은 검증조서(제312조 제6항)에 준하여 촬영자의 진술에 따라 진정하게 성립되었다는 것이 증명되었을 때에 한하여 증거로 할 수 있다고 하겠다.
		증거조사방법	사진이 증거서류에 준한 경우(문서, 사진복사)는 낭독이 원칙이나, 내용의 고지·제시하여 열람하는 방법으로도 증거조사가 가능하다(제292조, 규칙 제134조의 9). 흉기 사진과 같은 증거물에 준한 사진 또는 현장사진은 이를 제시하여 보여주는 방법으로 증거조사를 하여야 한다. 진술의 일부인 사진 역시 낭독이나 내용의 고지가 불가능하므로 소송관계인에게 제시하여 보여줄 것을 요한다고 해야 한다(제292조 제5항).
비디오 테이프의 증거능력			수사기관의 영상녹화물은 범죄사실을 인정하기 위한 증거로 사용할 수 없으며, 피고인의 진술을 탄핵하기 위한 탄핵증거로도 사용할 수 없다. 따라서 비디오테이프의 증거능력문제는 수사기관 이외의 사람이 녹화한 것을 대상으로 검토할 필요가 있다. 수사기관이 아닌 사인이 피고인이나 피고인이 아닌 타인과의 대화내용을 녹화한 비디오테이프는 진술서에 준하여 제313조에 따라 증거능력을 판단하면 될 것이다.

거짓말 탐지기 검사결과의 증거능력	대법원 판례에 의하면, 거짓말탐지기의 검사 결과에 대하여 증거능력을 인정할 수 있으려면, 첫째로 거짓말을 하면 반드시 일정한 심리상태의 변동이 일어나고, 둘째로 그 심리상태의 변동은 반드시 일정한 생리적 반응을 일으키며, 셋째로 그 생리적 반응에 의하여 피검사자 의 말이 거짓인지 아닌지가 정확히 판정될 수 있다는 세 가지 전제요건이 충족되어야 할 것이며, 특히 마지막 생리적 반응에 대한 거짓 여부 판정은 거짓말탐지기가 검사에 동의한 피검사자의 생리적 반응을 정확히 측정할 수 있는 장치이어야 하고, 질문사항의 작성과 검 사의 기술 및 방법이 합리적이어야 하며, 검사자가 탐지기의 측정내용을 객관성 있고 정확 하게 판독할 능력을 갖춘 경우라야만 그 정확성을 확보할 수 있는 것이므로, 이상과 같은 여러 가지 요건이 충족되지 않는 한 거짓말탐지기 검사 결과에 대하여 형사소송법상 증거능 력을 부여할 수는 없다(대판 2005.5.26, 2005도130). 위와 같은 조건이 모두 충족되어 증거능력이 있는 경우에도 그 검사결과는 검사를 받는 사람의 진술의 신빙성을 가늠하는 정황증거로서의 기능을 하는데 그치는 것이다(대판 1987.7.21, 87도968)라고 판시함으로써 거짓말탐지기의 검사결과에 대하여 원칙적으로 증거 능력을 부정하고 있다.

04

01 사인의 비밀녹음에 관한 내용으로 타당하지 못한 것은?

① 사인이 타인 간의 대화를 도청하거나 비밀리에 녹음한 것은 허용되지 않는다.

② 수사기관이 아닌 사인(私人)이 피고인 아닌 사람과의 대화내용을 촬영한 비디오테이프
   는 형사소송법 제311조, 제312조의 규정 이외에 피고인 아닌 자의 진술을 기재한 서류와
   다를 바 없다.

③ 사인이 비밀녹음한 녹음테이프의 검증조서 기재 중 피고인의 진술내용을 증거로 하기
   위해서는 피고인이 내용을 인정하여야 한다는 것이 판례의 태도이다.

④ 증거를 수집할 목적으로 피해자인 사인이 가해자로부터 자신에게 걸려온 전화내용을 비
   밀녹음한 경우 위법하게 수집된 증거로 볼 수 없다는 것이 판례의 태도이다.

| 해설 | ① 통신비밀보호법 제14조

② 대판 2004.9.13, 2004도3161

③ 녹음테이프 검증조서의 기재 중 고소인이 피고인과의 대화를 녹음한 부분은 녹음테이프에 녹음된 대화의
내용이 검증조서에 첨부된 녹취서에 기재된 내용과 같다는 것에 불과하여 증거자료가 되는 것은 여전히
녹음테이프에 녹음된 대화의 내용이라 할 것인바, 그중 피고인의 진술내용은 실질적으로 피고인의 진술을
기재한 서류와 다를 바 없으므로, 피고인이 그 녹음테이프를 증거로 할 수 있음에 동의하지 않은 이상 그
녹음테이프 검증조서의 기재 중 피고인의 진술내용을 증거로 사용하기 위해서는 형사소송법 제313조 제1항
단서에 따라 공판준비 또는 공판기일에서 그 작성자인 고소인의 진술에 의하여 녹음테이프에 녹음된 피고인
의 진술내용이 피고인이 진술한 대로 녹음된 것이라는 점이 증명되고 그 진술이 특히 신빙할 수 있는 상태하
에서 행하여진 것으로 인정되어야 한다(대판 2001.10.9, 2001도3106).

④ 대판 2002.10.8, 2002도123

02 다음은 녹음과 관련된 설명이다. 가장 적절하지 않은 것은?(다툼이 있는 경우 판례에 의함)

14. 순경 1차

① 수사기관 아닌 사인(私人)이 피고인 아닌 사람과의 대화내용을 녹음한 녹음테이프는 피고인의 증거동의가 없는 이상 그 증거능력을 부여하기 위해서는, 첫째 녹음테이프가 원본이거나 인위적 개작 없이 원본 내용 그대로 복사된 사본일 것, 둘째 형사소송법 제313조 제1항에 따라 공판준비나 공판기일에서 원진술자의 진술에 의하여 녹음테이프에 녹음된 각자의 진술내용이 자신이 진술한 대로 녹음된 것이라는 점이 인정되어야 한다.

② 디지털 녹음기로 녹음한 내용이 콤팩트디스크에 다시 복사되어 그 콤팩트디스크에 녹음된 내용을 담은 녹취록이 증거로 제출된 사안에서, 위 콤팩트디스크가 현장에서 녹음하는 데 사용된 디지털 녹음기의 녹음내용 원본을 그대로 복사한 것이라는 입증이 없는 이상, 그 콤팩트디스크의 내용이나 이를 녹취한 녹취록의 기재는 증거능력이 없다.

③ 피고인과의 대화내용을 녹음한 보이스펜 자체에 대하여는 증거동의가 있었지만 그 녹음내용을 재녹음한 녹음테이프, 녹음테이프의 음질을 개선한 후 재녹음한 시디 및 녹음테이프의 녹음내용을 풀어 쓴 녹취록 등에 대하여는 증거로 함에 부동의 하였다면, 극히 일부의 청취가 불가능한 부분을 제외하고는 보이스펜, 녹음테이프 등에 녹음된 대화내용과 녹취록의 기재가 일치하는 것으로 확인되고 그 진술이 특히 신빙할 수 있는 상태하에서 행하여진 것으로 인정되더라도 이를 증거로 사용할 수 없다.

④ 디지털 녹음기로 피고인과의 대화를 녹음한 후 저장된 녹음파일 원본을 컴퓨터에 복사하고 디지털 녹음기의 파일 원본을 삭제한 뒤 다음 대화를 다시 녹음하는 과정을 반복하여 작성한 녹음파일 사본과 해당 녹취록의 경우 복사 과정에서 편집되는 등의 인위적 개작 없이 원본 내용 그대로 복사된 것으로 대화자들이 진술한 대로 녹음된 것이 인정되고, 제반 상황에 비추어 그 진술이 특히 신빙할 수 있는 상태하에서 행하여진 것으로 인정된다면 그 녹음파일 사본과 녹취록의 증거능력은 인정된다.

┃해설┃ ① 대판 1999.3.9, 98도3169

② 대판 2007.3.15, 2006도8869

③ 피고인과의 대화내용을 녹음한 보이스펜 자체의 청취 결과 피고인의 변호인이 피고인의 음성임을 인정하고 이를 증거로 함에 동의하였고, 보이스펜의 녹음내용을 재녹음한 녹음테이프, 녹음테이프의 음질을 개선한 후 재녹음한 시디 및 녹음테이프의 녹음내용을 풀어쓴 녹취록 등에 대하여는 증거로 함에 부동의하였으나, 극히 일부의 청취가 불가능한 부분을 제외하고는 보이스펜, 녹음테이프 등에 녹음된 대화내용과 녹취록의 기재가 일치하는 것으로 확인된 사안에서, 원본인 보이스펜이나 복제본인 녹음테이프 등에 대한 검증조서(녹취록)에 기재된 진술은 그 성립의 진정을 인정하는 작성자의 법정진술은 없었으나, 피고인의 변호인이 보이스펜을 증거로 함에 동의하였고, 보이스펜, 녹음테이프 등에 녹음된 대화내용과 녹취록의 기재가 일치함을 확인하였으므로, 결국 그 진정성립이 인정된다고 할 것이고, 나아가 녹음의 경위 및 대화내용에 비추어 그 진술이 특히 신빙할 수 있는 상태하에서 행하여진 것으로 인정되므로 이를 증거로 사용할 수 있다(대판 2008.3.13, 2007도10804).

④ 대판 2012.9.13, 2012도7461

03 녹음테이프의 증거능력에 대한 설명으로 옳지 않은 것은?(다툼이 있는 경우 판례에 의함)

① 사인(私人)이 피고인 아닌 사람과의 대화내용을 녹음한 녹음테이프는 원본으로서 공판준비나 공판기일에서 원진술자의 진술에 의하여 녹음된 각자의 진술내용이 자신이 진술한 대로 녹음된 것이라는 점이 인정되더라도 피고인이 동의하지 않는다면 증거로 사용할 수 없다.

② 피고인과 A의 대화를 녹음한 녹취록에 관하여 피고인이 위 녹취록에 대하여 부동의한 사건에서, A가 위 대화를 자신이 녹음하였고 위 녹취록의 내용이 다 맞고 1심 법정에서 진술하였을 뿐 그 이외에 위 녹취록에 그 작성자가 기재되어 있지 않을 뿐만 아니라 검사는 위 녹취록 작성의 토대가 된 위 대화내용을 녹음한 원본 녹음테이프 등을 증거로 제출하지도 아니하는 경우, 위 녹취록의 기재는 증거능력이 없어 이를 증거로 사용할 수 없다.

③ 사인(私人)이 피고인이 아닌 사람과의 대화내용을 녹음한 녹음테이프에 대해 법원이 그 진술당시 진술자의 상태 등을 확인하기 위하여 작성한 검증조서는 법원의 검증 결과를 기재한 조서로서 형사소송법 제311조에 의하여 증거로 할 수 있다.

④ 피고인이 범행 후 피해자에게 전화를 걸어오자 피해자가 증거를 수집하려고 그 전화내용을 녹음한 경우 그 녹음테이프가 피고인 모르게 녹음된 것이라 하더라도 위법수집증거는 아니다.

해설 ① 수사기관 아닌 사인이 피고인 아닌 사람과의 대화내용을 녹음한 녹음테이프는 형사소송법 제311조, 제312조 규정 이외의 피고인 아닌 자의 진술을 기재한 서류와 다를 바 없으므로, 피고인이 녹음테이프를 증거로 할 수 있음에 동의하지 아니하는 이상 그 증거능력을 부여하기 위해서는, 첫째 녹음테이프가 원본이거나 원본으로부터 복사한 사본일 경우 복사과정에서 편집되는 등의 인위적 개작 없이 원본 내용 그대로 복사된 사본일 것, 둘째 형사소송법 제313조 제1항에 따라 공판준비나 공판기일에서 원진술자의 진술에 의하여 녹음테이프에 녹음된 각자의 진술내용이 자신이 진술한 대로 녹음된 것이라는 점이 인정되어야 한다(대판 2011.9.8, 2010도7497).
② 대판 2012.2.9, 2011도176858
③ 대판 2008.7.10, 2007도10755
④ 대판 1997.3.28, 97도240

04 특수한 증거방법의 증거능력에 대한 설명으로 옳지 않은 것은?(다툼이 있는 경우 판례에 의함)

① 사인(私人)이 녹음한 녹음테이프의 검증조서 기재 중 피고인의 진술내용을 증거로 하기 위해서는 피고인이 내용을 인정하여야 한다.

② 디지털 녹음기에 녹음된 내용을 전자적 방법으로 테이프에 전사한 사본인 녹음테이프를 대상으로 법원이 검증절차를 진행하여, 녹음된 내용이 녹취록의 기재와 일치하고 그 음성이 진술자의 음성임을 확인하였더라도, 그것만으로 녹음테이프의 증거능력을 인정할 수 없다.

③ 무인장비에 의한 속도위반차량 단속은 제한속도를 위반하여 차량을 주행하는 범죄가 현재 행하여지고 있고, 긴급하게 증거보전을 할 필요가 있는 상태에서 일반적으로 허용되는 한도를 넘지 않는 상당한 방법에 의한 것이므로 차량번호 등을 촬영한 사진은 증거능력이 인정된다.

④ 피고인이 범행 후 피해자에게 전화를 걸어오자 피해자가 증거를 수집하려고 그 전화내용을 녹음한 경우 그것이 피고인 모르게 녹음된 것이라 하여 이를 위법하게 수집된 증거라고 할 수 없다.

해설 ① 피고인과 상대방 사이의 대화내용에 관한 녹취서가 공소사실의 증거로 제출되어 그 녹취서의 기재내용과 녹음테이프의 녹음내용이 동일한지 여부에 대하여 법원이 검증을 실시한 경우에, 증거자료가 되는 것은 녹음테이프에 녹음된 대화내용 그 자체이고, 그중 피고인의 진술내용은 실질적으로 형사소송법 제311조, 제312조의 규정 이외에 피고인의 진술을 기재한 서류와 다름없어, 피고인이 그 녹음테이프를 증거로 할 수 있음에 동의하지 않은 이상 그 녹음테이프 검증조서의 기재 중 피고인의 진술내용을 증거로 사용하기 위해서는 형사소송법 제313조 제1항 단서에 따라 공판준비 또는 공판기일에서 그 작성자인 상대방의 진술에 의하여 녹음테이프에 녹음된 피고인의 진술내용이 피고인이 진술한 대로 녹음된 것임이 증명되고 나아가 그 진술이 특히, 신빙할 수 있는 상태하에서 행하여진 것임이 인정되어야 한다(대판 2008.12.24, 2008도9414).

② 녹음테이프는 그 성질상 작성자나 진술자의 서명 혹은 날인이 없을 뿐만 아니라, 녹음자의 의도나 특정한 기술에 의하여 그 내용이 편집, 조작될 위험성이 있음을 고려하여, 그 대화내용을 녹음한 원본이거나 혹은 원본으로부터 복사한 사본일 경우에는 복사과정에서 편집되는 등의 인위적 개작 없이 원본의 내용 그대로 복사된 사본임이 증명되어야만 하고, 그러한 증명이 없는 경우에는 쉽게 그 증거능력을 인정할 수 없다고 할 것이며, 녹음테이프에 수록된 대화내용이 이를 풀어쓴 녹취록의 기재와 일치한다거나 녹음테이프의 대화내용이 중단되었다고 볼 만한 사정이 없다는 녹음테이프에 대한 법원의 검증 결과만으로는 위와 같은 증명이 있다고는 할 수 없을 것이다(대판 2008.12.24, 2008도9414).

③ 대판 1999.12.7, 98도3329

④ 대판 1997.3.28, 97도240

05 녹음내용이 통신비밀보호법에 의하여 증거능력이 부정되는 것은 모두 몇 개인가?(다툼이 있으면 판례에 의함)

12. 경찰승진

> ㉠ 남편 甲은 처 乙이 골프연습장 강사 丙과 간통하는 것은 아닌가 의심하고 乙과 丙의 전화통화를 몰래 녹음한 경우
> ㉡ 이용원을 경영하는 甲이 경쟁업체를 고발하는 데 사용할 목적으로 乙의 동의를 얻어 乙로 하여금 경쟁미용실 주인 丙에게 전화하여 "귓볼을 뚫어주느냐"는 용건으로 통화하게 하고 이를 녹음한 경우
> ㉢ 채권자 甲은 채무자 乙이 돈을 빌린 사실을 부인하자, 변제를 요구하는 전화통화를 하면서 몰래 전화통화를 녹음한 경우
> ㉣ 경찰관 甲이 구속수감 중인 乙에게 압수된 乙의 휴대전화를 제공하여 공범인 丙과 통화토록 하고 통화내용을 녹음하게 한 경우

① 1개 　　② 2개 　　③ 3개 　　④ 4개

해설 증거능력이 부정된 것은 ㉠㉡㉢이다.

㉠ 피고인들 간의 전화통화를 녹음한 부분은 피고인의 동의 없이 불법감청한 것이므로 위 법 제4조에 의하여 그 증거능력이 없다(대판 2001.10.9, 2001도3106).

㉡ 전화통화 당사자의 일방이 상대방 모르게 통화내용을 녹음하는 것은 여기의 감청에 해당하지 아니하지만, 제3자의 경우는 설령 전화통화 당사자 일방의 동의를 받고 그 통화내용을 녹음하였다 하더라도 그 상대방의 동의가 없었던 이상, 사생활 및 통신의 불가침을 국민의 기본권의 하나로 선언하고 있는 헌법규정과 통신비밀의 보호와 통신의 자유신장을 목적으로 제정된 통신비밀보호법의 취지에 비추어 이는 법 제3조 제1항 위반이 된다고 해석하여야 할 것이다(이 점은 제3자가 공개되지 아니한 타인 간의 대화를 녹음한 경우에도 마찬가지이다 : 대판 2002.10.8, 2002도123).

㉢ 대화 당사자 간 녹음이므로 증거능력이 인정된다.

㉣ 불법감청에 해당(대판 2010.10.14, 2010도9016)

06 사진의 증거능력에 관한 설명으로 옳지 않은 것은?

① 증거서류에 준하는 것으로 사용되는 사진에 대한 증거조사방식은 원칙적으로 낭독이다.

② 현장사진의 증거능력에 관한 비진술증거설의 입장에서는 사진에 대하여 전문법칙의 적용을 인정한다.

③ 감정서에 사진이 첨부된 경우 사진의 증거능력은 감정서와 일체적으로 판단해야 한다.

④ 진술기재서면의 사진을 증거로 제출하는 경우에는 사진 자체에 서명·날인이 없더라도 원본의 서명·날인이 사취(寫取)된 이상 그 요건은 충족된다.

해설 ① 증거서류에 준하는 사진(❶ 계약서의 사진 복사본)에 대한 증거조사방식은 원칙적으로 낭독이며, 예외적으로 내용의 고지·제시하여 열람하게 하는 방법으로 할 수 있다(제292조).

② 비진술증거설의 입장에서 보면 현장사진은 진술증거가 아니므로 전문법칙 적용을 받지 않고 증거능력이 인정되나, 진술증거설의 입장에서는 현장사진이라도 오류개입의 위험성 때문에 전문법칙을 적용하여 증거능력을 제한해야 한다고 한다.

③ 진술내용을 명백히 하기 위하여 진술의 일부, 즉 설명증거로 사진을 사용하는 경우 그 사진은 진술 자체를 떠나서는 아무런 증명도 없으므로 진술의 일부로 취급되어 당해진술의 증거능력에 따라 증거로 할 수 있는가를 결정해야 한다. 따라서 검증조서나 감정서에 첨부된 사진도 검증조서, 감정서와 일체적으로 판단해야 한다.

④ 진술기재서면의 사진을 증거로 제출한 경우에 사진 자체에 서명·날인이 없더라도 원본에 서명·날인이 찍혀 있는 이상 그 요건을 충족한다고 해야 한다.

07 사인(私人)이 피고인 아닌 사람과의 대화내용을 촬영한 비디오테이프의 증거능력에 관한 설명으로 틀린 것은?(판례에 의함)

① 비디오테이프에 촬영·녹음된 내용을 재생기에 의해 시청을 마친 원진술자가 비디오테이프의 피촬영자의 모습과 음성을 확인하고 자신과 동일인이라고 진술한 것은 비디오테이프에 녹음된 진술내용이 자신이 진술한 대로 녹음된 것이라는 취지의 진술을 한 것으로 보아야 한다.

② 피고인이 그 비디오테이프를 증거로 함에 동의하지 아니하는 이상 그 진술부분에 대하여 증거능력을 부여하기 위하여는 비디오테이프가 원본이어야 한다.

③ 또한 형사소송법 제313조 제1항에 따라 공판준비나 공판기일에 원진술자의 진술에 의하여 그 비디오테이프에 녹음된 각자의 진술내용이 자신이 진술한 대로 녹음된 것이라는 점이 인정되어야 할 것이다.

④ 수사기관이 아닌 사인(私人)이 피고인 아닌 사람과의 대화내용을 촬영한 비디오테이프는 형사소송법 제311조, 제312조의 규정 이외에 피고인 아닌 자의 진술을 기재한 서류와 다를 바 없다.

해설 ② 피고인이 그 비디오테이프를 증거로 함에 동의하지 아니하는 이상 그 진술부분에 대하여 증거능력을 부여하기 위하여는 비디오테이프가 원본이거나 원본으로부터 복사한 사본일 경우에는 복사과정에서 편집되는 등 인위적 개작 없이 원본의 내용 그대로 복사된 사본이어야 한다(대판 2004.9.13, 2004도3161). ①③④ 대판 2004.9.13, 2004도3161

08 사진, 녹음테이프 또는 영상녹화물의 증거능력에 대한 설명으로 옳지 않은 것은?(다툼이 있는 경우 판례에 의함)   12. 9급 검찰 변형

① 검증조서에 첨부된 사진은 검증조서와 일체를 이루는 것이지만, 사법경찰관 작성의 검증조서 중 피고인 진술 기재부분 및 범행재연의 사진부분에 대하여 원진술자이며 행위자인 피고인에 의한 진정함의 인정이 없더라도 전체로서 증거능력이 없어지는 것은 아니다.

② 인위적 조작이 가해지지 않은 것을 전제로, 수사기관 아닌 사인(私人)이 피고인 아닌 자와의 대화내용을 촬영한 비디오테이프를 시청한 후, 원진술자가 비디오테이프의 모습과 음성을 확인하고 자신과 동일인이라고 진술한 것은 그 진술내용이 자신이 진술한 대로 녹음된 것이라는 취지의 진술을 한 것으로 보아야 한다.

③ 대화내용 녹취서가 공소사실의 증거로 제출되어 그 녹취서 기재내용과 녹음테이프 녹음내용의 동일 여부에 관해 법원이 검증을 실시한 경우, 피고인의 증거동의가 없는 이상, 녹음테이프 검증조서 기재 중 피고인의 진술내용을 증거로 사용하려면 공판준비 또는 공판기일에서 녹음테이프에 녹음된 피고인 진술내용이 피고인이 진술한 대로 녹음된 것임이 증명되고 나아가 그 진술이 특히 신빙할 수 있는 상태하에서 행해진 것임이 인정되어야 한다.

④ 참고인의 진술을 녹화한 수사기관의 영상녹화물은 참고인진술조서의 실질적 진정 성립의 증명을 위한 대체수단 및 진술자의 기억 환기를 위한 보조수단으로서 의미를 지닐 뿐이다.

해설 ① 사법경찰관 작성의 검증조서에 대하여 피고인이 증거로 함에 동의만 하였을 뿐 공판정에서 검증조서에 기재된 진술내용 및 범행을 재연한 부분에 대하여 그 성립의 진정 및 내용을 인정한 흔적을 찾아 볼 수 없고 오히려 이를 부인하고 있는 경우에는 그 증거능력을 인정할 수 없으므로, 위 검증조서 중 범행에 부합되는 피고인의 진술을 기재한 부분과 범행을 재연한 부분을 제외한 나머지 부분만을 증거로 채용하여야 함에도 이를 구분하지 아니한 채 그 전부를 유죄의 증거로 인용한 항소심의 조치는 위법하다(대판 1998.3.13, 98도159). ② 대판 2004.9.13, 2004도3161 ③ 대판 2008.12.24, 2008도9414 ④ 제312조 제4항·제5항, 제318조의 2 제2항

Answer 8. ①

09 다음 중 거짓말탐지기 검사결과에 대한 증거능력 인정 여부와 관련한 판례의 입장과 거리가 먼 것은?

① 거짓말을 하면 반드시 일정한 심리상태의 변동이 일어나고, 둘째로 그 심리상태의 변동은 반드시 일정한 생리적 반응을 일으키며, 셋째로 그 생리적 반응에 의하여 피검사자의 말이 거짓인지 아닌지가 정확히 판정될 수 있다는 세 가지 전제요건이 충족되어야 할 것이다.

② 생리적 반응에 대한 거짓 여부 판정은 거짓말탐지기가 검사에 동의한 피검사자의 생리적 반응을 정확히 측정할 수 있는 장치이어야 하고, 질문사항의 작성과 검사의 기술 및 방법이 합리적이어야 한다.

③ 판례에 의하면, 검사결과는 검사를 받는 사람의 진술의 신빙성을 가늠하는 정황증거로서의 기능을 하는데 그치는 것이라는 입장이므로, 거짓말탐지기의 검사결과에 대하여 원칙적으로 증거능력을 부정하고 있다.

④ 검사자가 탐지기의 측정내용을 주관적으로 정확하게 판독할 능력을 갖추어야 한다.

해설 ④ 검사자가 탐지기의 측정내용을 객관성 있고 정확하게 판독할 능력을 갖춘 경우라야만 그 정확성을 확보할 수 있는 것이다(대판 2005.5.26, 2005도130).

10 사인이 동의를 받고 피해자와 피고인이 아닌 자 간의 대화내용을 촬영한 비디오테이프의 증거능력에 대한 설명으로 가장 적절한 것은?(다툼이 있는 경우 판례에 의함)   18. 순경 2차

① 수사기관이 아닌 사인이 피고인 아닌 사람들 간의 대화내용을 촬영한 비디오테이프는 수사과정에서 피고인이 아닌 자가 작성한 진술서에 관한 규정이 준용된다.

② 피고인이 비디오테이프를 증거로 함에 동의하지 아니하는 이상, 그 진술부분에 대하여 증거능력을 부여하기 위해서는 비디오테이프가 원본이어야만 한다.

③ 비디오테이프는 공판준비나 공판기일에서 작성자인 촬영자의 진술에 의하여 그 비디오테이프에 녹음된 진술내용이 진술한 대로 녹음된 것이라는 점이 인정되어야 성립의 진정을 인정할 수 있다.

④ 비디오테이프의 내용에 인위적인 조작이 가해지지 않은 것을 전제로, 원진술자가 비디오테이프의 시청을 마친 후 피촬영자인 자신의 모습과 음성을 확인하고 자신과 동일인이라고 진술한 것은 비디오테이프에 녹음된 진술내용이 자신이 진술한 대로 녹음된 것이라는 취지의 진술을 한 것으로 보아야 한다.

해설 ① 수사기관이 아닌 사인이 피고인 아닌 사람들 간의 대화내용을 촬영한 비디오테이프는 수사과정에서 피고인이 아닌 자가 작성한 진술서에 관한 규정이 준용되는 것이 아니라 제311조, 제312조 규정 이외에 피고인 아닌 자의 진술을 기재한 서류와 다를 바 없다(대판 2004.9.13, 2004도3161). ② 피고인이 비디오테이프를 증거로 함에 동의하지 아니하는 이상, 그 진술부분에 대하여 증거능력을 부여하기 위해서는 비디오테이프가 원본이거나, 원본의 내용을 그대로 복사한 사본이어야 한다(대판 2004.9.13, 2004도3161).
③ 제313조 제1항에 따라 원진술자의 진술에 의하여 그 비디오테이프에 녹음된 진술내용이 진술한 대로 녹음된 것이라는 점이 인정되어야 한다(대판 2004.9.13, 2004도3161). ④ 대판 2004.9.13, 2004도3161

Answer 9.④ 10.④

11 사진 및 영상녹화물의 증거능력에 대한 설명으로 가장 적절하지 않은 것은?(다툼이 있는 경우 판례에 의함)
19. 순경 1차 변형

① 성폭력범죄의 처벌 등에 관한 특례법 제30조에 의하면 성폭력범죄의 피해자가 19세 미만인 경우 피해자의 진술내용과 조사과정을 영상녹화하여야 하는데, 해당 영상물에 수록된 피해자의 진술은 공판준비기일 또는 공판기일에 피해자나 조사 과정에 동석하였던 신뢰관계에 있는 사람 또는 진술조력인의 진술에 의하여 그 성립의 진정함이 인정된 경우에 증거로 할 수 있다.

② 사법경찰관이 작성한 검증조서에 피의자이던 피고인이 검사 이외의 수사기관 앞에서 자백한 범행내용을 현장에 따라 진술·재연한 내용이 기재되고 그 재연 과정을 촬영한 사진이 첨부되어 있다면, 그러한 사진은 피고인이 공판정에서 그 진술내용 및 범행재연의 상황을 모두 부인하는 이상 증거능력이 없다.

③ 정보통신망을 통하여 공포심이나 불안감을 유발하는 글을 반복적으로 상대방에게 도달하게 하는 행위를 하였다는 공소사실에 대하여 휴대전화기에 저장된 문자정보가 그 증거가 되는 경우와 같이, 그 문자정보가 범행의 직접적인 수단이 될 뿐 경험자의 진술에 갈음하는 대체물에 해당하지 않는 경우에는 형사소송법 제310조의 2에서 정한 전문법칙이 적용될 여지가 없다.

④ 검사가 피의자와 그 사건에 관하여 대화하는 내용과 장면을 녹화한 비디오테이프에 대한 법원의 검증조서는 이러한 비디오테이프의 녹화내용이 피의자의 진술을 기재한 피의자신문조서와 실질적으로 같다고 볼 것이므로 피의자신문조서에 준하여 그 증거능력을 가려야 한다.

> **│ 해설 │** ① 촬영한 영상물에 수록된 피해자의 진술은 공판준비기일 또는 공판기일에 피해자나 조사 과정에 동석하였던 신뢰관계에 있는 사람 또는 진술조력인의 진술에 의하여 그 성립의 진정함이 인정된 경우에 증거로 할 수 있다(성폭력범죄의 처벌 등에 관한 특례법 제30조 제6항). '촬영한 영상물에 수록된 피해자의 진술은 공판준비기일 또는 공판기일에 조사 과정에 동석하였던 신뢰관계에 있는 사람 또는 진술조력인의 진술에 의하여 그 성립의 진정함이 인정된 경우에 증거로 할 수 있다.' 부분 가운데 19세 미만 성폭력범죄 피해자에 관한 부분은 헌법에 위반된다(헌재결 2021.12.23, 2018헌바524). 따라서, 피해자가 19세 미만인 경우 피해자의 진술은 공판준비기일 또는 공판기일에 피해자의 진술에 의하여 그 성립의 진정함이 인정된 경우에 증거로 할 수 있다.
> ② 대판 2006.1.13, 2003도6548
> ③ 대판 2008.11.13, 2006도2556
> ④ 대판 1992.6.23, 92도682〔개정법령으로 의미를 상실한 판례이다. 현행법에 의할 때 수사기관 촬영의 영상녹화물은 조서의 진정성립의 증명(제312조 제4항·제5항)과 기억환기용(제318조의 2 제2항)으로 사용될 뿐 피의자신문조서나 참고인진술조서 등으로 대체하는 것은 허용되지 아니하기 때문이다.〕

12 다음 사례에 대한 〈보기〉의 설명으로 옳은 것은?(다툼이 있는 경우 판례에 의함) 19. 7급 국가직

〈사 례〉

2018. 5. 7. 21:00경 乙은 자신의 집에서 甲에게 금품을 강취당하면서 甲이 "돈을 안 주면 죽이겠다."라고 말하는 것을 자신의 휴대폰으로 녹음하였다. 한편, 사정을 모르는 乙의 친구 A가 전화를 걸자, 乙은 甲의 지시에 따라 평상시와 같이 A의 전화를 받고 통화를 마쳤으나 전화가 미처 끊기기 전에 A는 '악' 하는 乙의 비명소리와 '우당탕' 하는 소리를 듣게 되었다. 검사는 甲을 강도죄로 기소하고, 乙의 휴대폰에 저장된 甲의 협박이 담긴 녹음파일의 사본을 증거로 제출하였다. 또한, A는 수사기관의 참고인 조사에서 乙과의 통화도중 들은 것에 대하여 진술하였다. 한편, 甲은 녹음 파일의 사본과 A의 진술을 증거로 하는 것에 동의하지 않았다.

〈보 기〉

㉠ 乙의 녹음파일 사본에 대한 증거능력이 인정되기 위해서는, 해당 사본이 복사과정에서 편집되는 등 인위적 개작 없이 원본 내용 그대로 복사된 것임이 증명되어야 한다.

㉡ 녹음파일에 있는 甲의 진술을 증거로 함에 있어서는 공판준비 또는 공판기일에서 乙의 진술에 의하여 녹음파일에 있는 진술내용이 甲이 진술한 대로 녹음된 것임이 증명되고, 그 진술이 특히 신빙할 수 있는 상태하에서 행하여진 것임이 인정되어야 한다.

㉢ 乙의 '악'하는 비명소리는 통신비밀보호법에서 보호하는 타인 간의 '대화'에 해당하여 증거로 할 수 없지만, '우당탕' 하는 소리는 음향으로서 통신비밀보호법에서 보호하는 타인 간의 '대화'에 해당하지 않아 甲의 폭행사실에 대한 증거로 사용할 수 있다.

① ㉠, ㉡   ② ㉠, ㉢   ③ ㉡, ㉢   ④ ㉠, ㉡, ㉢

해설 ㉠ ○ : 대판 2014.8.26, 2011도6035
㉡ ○ : 甲의 진술은 범죄행위이므로 경험자, 즉 원진술자는 乙이다. 따라서 공판정에서 乙이 증언을 하면 원본증거가 되며, 乙이 피고인 甲의 진술을 녹음한 것은 피고인의 말을 받아 적어 놓은 것, 즉 피고인진술기재서와 같다 할 것이므로 제313조 제1항 단서에 의해 공판준비 또는 공판기일에서 乙의 진술에 의하여 녹음파일에 있는 진술내용이 甲이 진술한 대로 녹음된 것임이 증명되고, 그 진술이 특히 신빙할 수 있는 상태하에서 행하여진 것임이 인정되어야 한다.
㉢ × : '악'하는 비명소리는 그것만으로 상대방에게 의사를 전달하는 말이라고 보기는 어려워 통신비밀보호법에서 보호하는 타인 간의 '대화'에 해당한다고 볼 수 없고, '우당탕' 소리 또한 사물에서 발생하는 음향일 뿐 사람의 목소리가 아니므로 통신비밀보호법에서 말하는 타인 간의 '대화'에 해당하지 않는다. 따라서 甲의 폭행사실에 대한 증거로 사용할 수 있다(대판 2017.3.15, 2016도19843).

13 증거능력에 대한 다음 설명(㉠~㉣) 중 옳고 그름이 표시(○, ×)가 바르게 된 것은?(다툼이 있는 경우 판례에 의함)
20. 순경 1차

㉠ 대화 내용을 녹음한 파일 등의 전자매체는 성질상 작성자나 진술자의 서명 혹은 날인이 없을 뿐만 아니라, 녹음자의 의도나 특정한 기술에 의하여 내용이 편집·조작될 위험성이 있음을 고려하여 대화 내용을 녹음한 원본이거나 혹은 원본으로부터 복사한 사본일 경우에는 복사과정에서 편집되는 등 인위적 개작 없이 원본의 내용 그대로 복사된 사본임이 입증되어야만 하고, 그러한 입증이 없는 경우에는 쉽게 그 증거능력을 인정할 수 없다.

㉡ 수사기관이 참고인을 조사하는 과정에서 형사소송법 제221조 제1항에 따라 작성한 영상녹화물은 다른 법률에서 달리 규정하고 있는 등의 특별한 사정이 없는 한, 공소사실을 직접 증명할 수 있는 독립적인 증거로 사용될 수 있다고 해석함이 타당하다.

㉢ 정보통신망을 통하여 공포심이나 불안감을 유발하는 글을 반복적으로 상대방에게 도달하게 하는 행위를 하였다는 공소사실에 대하여 휴대전화기에 저장된 문자정보가 그 증거가 되는 경우 형사소송법 제310조의 2에서 정한 전문법칙이 적용되지 않는다.

㉣ 수사기관이 甲으로부터 피고인의 마약류관리에 관한 법률위반(향정) 범행에 대한 진술을 듣고 추가적인 증거를 확보할 목적으로, 구속수감되어 있던 甲에게 그의 압수된 휴대전화를 제공하여 피고인과 통화하고 위 범행에 관한 통화 내용을 녹음하게 하여 작성된 녹취록 첨부 수사보고는 피고인이 동의하는 한 증거능력이 있다.

① ㉠(○), ㉡(×), ㉢(×), ㉣(○)
② ㉠(○), ㉡(×), ㉢(○), ㉣(×)
③ ㉠(×), ㉡(○), ㉢(○), ㉣(○)
④ ㉠(○), ㉡(×), ㉢(×), ㉣(×)

| 해설 | ㉠ ○ : 대판 2012.9.13, 2012도7461
㉡ × : 수사기관이 참고인을 조사하는 과정에서 형사소송법 제221조 제1항에 따라 작성한 영상녹화물은, 다른 법률에서 달리 규정하고 있는 등의 특별한 사정이 없는 한, 공소사실을 직접 증명할 수 있는 독립적인 증거로 사용될 수는 없다고 해석함이 타당하다(대판 2014.7.10, 2012도5041).
㉢ ○ : 대판 2008.11.13, 2006도2556
㉣ × : 수사기관이 甲으로부터 피고인의 마약류관리에 관한 법률 위반 범행에 대한 진술을 듣고 추가적인 증거를 확보할 목적으로, 구속수감되어 있던 甲에게 그의 압수된 휴대전화를 제공하여 피고인과 통화하고 위 범행에 관한 통화 내용을 녹음하게 한 행위는 불법감청에 해당하므로, 그 녹음 자체는 물론 이를 근거로 작성된 녹취록 첨부 수사보고는 피고인의 증거동의에 상관없이 그 증거능력이 없다(대판 2010.10.14, 2010도9016).

14 영상녹화물, 녹음테이프 또는 사진의 증거능력에 대한 설명으로 가장 적절하지 않은 것은?(다툼이 있는 경우 판례에 의함)

23. 경찰승진

① 사인(私人)이 피고인 아닌 사람과의 대화내용을 녹음한 녹음테이프에 대해 법원이 그 진술 당시 진술자의 상태 등을 확인하기 위하여 작성한 검증조서는 법원의 검증 결과를 기재한 조서로서 형사소송법 제311조에 의하여 증거로 할 수 있다.

② 사인(私人)이 피고인 아닌 사람과의 대화내용을 녹음한 녹음테이프는 피고인의 증거동의가 없는 이상 그 증거능력을 부여하기 위해서는, 첫째 녹음테이프가 원본이거나 인위적 개작없이 원본 내용 그대로 복사된 사본일 것, 둘째 형사소송법 제313조 제1항에 따라 공판준비나 공판기일에서 원진술자의 진술에 의하여 녹음테이프에 녹음된 각자의 진술내용이 자신이 진술한 대로 녹음된 것이라는 점이 인정되어야 한다.

③ 검증조서에 첨부된 사진은 검증조서와 일체를 이루는 것이므로, 사법경찰관 작성의 검증조서 중 피고인 진술 기재부분 및 범행재연의 사진부분에 대하여 원진술자이며 행위자인 피고인이 그 진술 및 범행재연의 진정함을 인정하지 않는다고 하더라도 검증조서 전체의 증거능력이 인정된다.

④ 피고인 또는 피고인이 아닌 자의 진술을 내용으로 하는 영상녹화물은 공판준비 또는 공판기일에서 피고인 또는 피고인이 아닌 자가 진술함에 있어서 기억이 명백하지 아니한 사항에 관하여 기억을 환기시켜야 할 필요가 있다고 인정되는 때에 한하여 피고인 또는 피고인이 아닌 자에게 재생하여 시청하게 할 수 있다.

해설 ① 대판 2008.7.10, 2007도10755
② 대판 1999.3.9, 98도3169
③ 사법경찰관 작성의 검증조서에 대하여 피고인이 증거로 함에 동의만 하였을 뿐 공판정에서 검증조서에 기재된 진술내용 및 범행을 재연한 부분에 대하여 그 성립의 진정 및 내용을 인정한 흔적을 찾아 볼 수 없고 오히려 이를 부인하고 있는 경우에는 그 증거능력을 인정할 수 없다(대판 1998.3.13, 98도159).
④ 제318조의 2 제2항

Answer 14.③

Ⅲ. 당사자의 동의와 증거능력

THEMA 61		당사자의 동의와 증거능력
의 의		증거능력이 없는 전문증거일지라도 당사자가 동의한 경우에는 증거로 할 수 있다. ▶ 검사와 피고인이 증거로 할 수 있음을 동의한 서류 또는 물건은 진정한 것으로 인정한 때에는 증거로 할 수 있다(제318조 제1항). 21. 경찰승진 ▶ 진정한 것으로 인정한다의 의미는 서류 또는 물건의 신용성을 의심스럽게 하는 유형적 상황이 없음을 의미한다.
동의주체 · 상대방	동의주체	검사와 피고인(항상 양자의 동의를 구하여야 한다는 것은 아니다) ▶ ┌ 법원이 직권으로 수집한 증거 ⇨ 양 당사자의 동의 　└ 일방 당사자가 신청한 증거 ⇨ 타방 당사자의 동의 98. 7급 검찰, 07. 9급 법원직 ▶ 변호인의 동의 ┌ 피고인의 의사에 반하여 동의 불가(종속대리권설) 　　　　　　　└ 피고인의 명시한 의사에 반하지 않는 한 동의할 수 있다 (독립대리권설 : 판례). 20. 순경 1차
	상대방	동의의 상대방은 법원이어야 한다.
동의대상	서류 또는 물건	1. 서류 : 동의의 대상이 된다. 　▶ 판례에 의하면 피의자신문조서, 진술조서, 조서나 서류의 사본과 사진, 재전문증거 등도 동의의 대상으로 보며, 조서의 일부에 대해서도 동의가 가능하다. 2. 물건 : 물건(⑩ 장물, 범행도구 등)이 동의의 대상이 될 수 있는가의 여부 　┌ 적극설(제318조 문언에 입각) 　└ 소극설(다수설)
	증거능력이 없는 증거	1. 동의의 대상이 되는 것은 증거능력이 없는 전문증거에 한한다. 2. 임의성 없는 자백(제309조)은 언제나 동의의 대상이 되지 않으며, 23. 9급 법원직 위법수집증거 역시 원칙적으로 동의의 대상이 되지 않는다. 　▶ 판례 : 유죄증거에 대하여 반대증거로 제출된 서류 ⇨ 동의대상 ×
동의시기 · 방식	시 기	1. 원칙적으로 증거조사 전에 하여야 한다. 2. 다만, 증거조사 후에 동의가 있는 때에도 변론종결시까지는 그 하자가 치유(다수설). 동의는 반드시 공판기일에서 할 것을 요하지 않고 공판준비기일에서도 가능
	방 식	1. 동의는 서면 또는 구술로 할 수 있다. 98. 7급 검찰 2. 소극적 의사표시나 포괄적 동의도 허용된다(판례). 　▶ 별 의견이 없다고 진술(대판 1983.9.27, 83도516), 16. 7급 국가직 검사가 제시한 모든 증거에 대하여 동의한다는 방식 ⇨ 동의 효력 ○(대판 1983.3.8, 82도2873). 09. 9급 국가직, 10. 경찰승진, 13 · 16. 7급 국가직, 20. 순경 1차, 23. 9급 법원직

동의의제	**피고인 불출석**	피고인의 출정 없이 증거조사를 할 수 있는 경우에 피고인이 출정하지 아니한 때에는 피고인의 대리인 또는 변호인이 출정한 때를 제외하고 피고인이 증거로 함에 동의한 것으로 간주한다(제318조 제2항). 11. 9급 법원직, 12. 순경, 21. 경찰승진
	간이공판 절차	간이공판절차에서는 전문증거에 대하여도 동의가 있는 것으로 간주한다. 다만, 검사나 피고인 또는 변호인이 증거로 함에 이의가 있는 때에는 그러하지 아니하다(제318조의 3). 16. 변호사시험
동의효과	**증거능력 인정**	당사자가 동의한 서류 또는 물건은 증거능력 인정 요건(제311조 내지 제316조)을 갖추지 못한 경우라도 그 진정성이 인정되면 증거능력(증명력 ×)이 부여된다. 12·13. 변호사시험, 13. 경찰승진 ▶ 증거동의한 당사자도 그 증거의 증명력을 다툴 수 있다(다수설). ▶ 반대신문을 통해 증명력을 다투는 것은 허용되지 않는다.

04

01 증거동의에 관한 설명으로 옳지 않은 것은 몇 개인가?

㉠ 법원이 직권으로 수집한 증거에 대하여는 당사자 중 일방의 동의만 있으면 족하다.

㉡ 동의의 본질은 반대신문권의 포기이며, 증거능력이 없는 증거에 대하여 동의로써 증거능력을 부여하는 것이므로 동의의 상대방은 법원이다.

㉢ 동의의 대상은 증거능력이 없는 증거이기 때문에 이미 증거능력이 인정된 증거는 동의의 대상이 되지 않는다.

㉣ 동의의 방법은 서면이나 구두로써 할 수 있다.

㉤ 공동피고인 중의 1인이 동의한 경우에도 다른 공동피고인에게는 동의의 효력이 미치지 않는다.

㉥ 동의의 효력은 원칙적으로 동의의 대상이 된 서류 또는 물건의 전체에 미치며 일부에 대한 동의는 원칙적으로 허용되지 않는다.

① 1개   ② 2개   ③ 3개   ④ 4개

해설 ㉠ ×: 일방 당사자가 신청한 증거에 대하여는 타방 당사자의 동의가 있으면 족하다. 이에 반하여 법원에서 직권으로 수집한 증거에 대하여는 양 당사자의 동의가 있어야 한다.
㉡ ○: 동의의 본질은 반대신문권의 포기이며(대판 1983.3.8, 82도2873), 증거능력이 없는 증거에 대하여 동의로써 증거능력을 부여하는 것이므로 동의의 상대방은 법원이다.
㉢㉣㉤ ○
㉥ ○: 다만, 동의한 서류 또는 물건의 내용을 나눌 수 있는 경우에는 일부에 대한 동의도 가능하다.

02 증거동의에 대한 설명으로 옳지 않은 것은?(다툼이 있는 경우 판례에 의함) 19. 9급 검찰·마약수사

① 피고인이 제1심에서 사법경찰관 작성 조서에 대해 증거로 함에 동의하고 증거조사를 마쳤다면, 그 후 항소심에서 범행인정 여부를 다투고 있다 하여도 이미 한 증거동의의 효과에 아무런 영향이 없다.

② 피고인의 증거동의가 있으면 별도로 변호인의 동의는 필요 없지만, 변호인은 피고인의 명시한 의사에 반하지 않는 한 피고인을 대리하여 증거동의를 할 수 있다.

③ 피고인의 유죄증거에 대한 반대증거로 제출된 서류는 그것이 유죄사실을 인정하는 증거가 되지 않는 이상 증거동의가 없더라도 증거판단의 자료로 삼을 수 있다.

④ 피고인이 참고인의 진술조서에 대하여 이견이 없다고 진술하고 공판정에서도 그 진술조서의 기재내용과 부합되는 진술을 하였다 하더라도 증거동의에 대한 명시적 의사표시가 없는 한, 그 진술조서를 증거로 채용하는 데 동의한 것으로 볼 수 없다.

▌해설▐ ① 대판 1990.2.13, 89도2366
② 대판 2005.4.28, 2004도4428
③ 대판 1981.12.22, 80도1547
④ 피고인이 신청한 증인의 증언이 피고인 아닌 타인의 진술을 그 내용으로 하는 전문진술이라고 하더라도 피고인이 그 증언에 대하여 별 의견이 없다고 진술하였다면 그 증언을 증거로 함에 동의한 것으로 볼 수 있다(대판 1983.9.27, 83도516).

03 증거동의에 관한 설명 중 옳지 않은 것은 모두 몇 개인가?(다툼이 있는 경우 판례에 의함)
20. 경찰간부

㉠ 피고인이 변호인과 함께 출석한 공판기일의 공판조서에 검사가 제출한 증거에 대하여 동의한다는 기재가 되어 있더라도 이를 피고인이 증거동의한 것으로 보아서는 안 된다.

㉡ 피고인과의 대화내용을 피해자가 녹음한 보이스펜 자체에 대해서는 피고인이 증거동의하였으나, 그 녹음내용을 재녹음한 녹음테이프의 녹취록의 기재가 위 각 녹음된 내용과 모두 일치하는 것으로 확인하였을 뿐 녹음테이프를 증거로 함에 동의하지 않았더라도, 그 진술이 특히 신빙할 수 있는 상태하에서 행하여진 것으로 인정된다면 녹취록은 증거능력이 있다.

㉢ 피고인이 사법경찰관 작성의 피해자진술조서를 증거로 동의함에 있어서 그 동의가 법률적으로 어떠한 효과가 있는지를 모르고 한 것이었다고 주장한다면 설령 변호인이 그 동의시 공판정에 재정하고 있었고 피고인이 하는 동의에 대하여 아무런 이의나 취소를 제기한 사실이 없다 하더라도 그 동의에는 법률상 하자가 존재한다고 볼 수밖에 없다.

㉣ 변호인이 검사가 공판기일에 제출한 증거 중 뇌물공여자가 작성한 고발장에 대하여는 증거부동의 의견을 밝히고, 같은 고발장을 첨부문서로 포함하고 있는 검찰주사보 작성의 수사보고에 대하여는 증거에 동의하여 증거조사가 행하여진 경우, 수사보고에 대한 증거동의의 효력은 첨부된 고발장에도 당연히 미친다.

㉤ 증거동의는 명시적으로 하여야 하므로 피고인이 신청한 증인의 전문진술에 대하여 피고인이 별 의견이 없다고 진술한 것만으로는 그 증언을 증거로 함에 동의한 것으로 볼 수 없다.

▌Answer▐ 2.④ 3.④

ⓗ '재전문진술'이나 '전문진술이 기재된 조서', 그리고 '재전문진술을 기재한 조서'는 피고인이 증거로 하는 데 동의하더라도 증거능력이 없다.

ⓢ 검사 작성의 피고인 아닌 자에 대한 진술조서에 관하여 피고인이 공판정 진술과 배치되는 부분은 부동의한다고 진술한 것은 조서내용의 특정부분에 대하여 증거로 함에 동의한다는 특별한 사정이 있는 때와 같이 그 조서를 증거로 함에 동의한다는 취지로 해석하여야 한다.

① 3개   ② 4개   ③ 5개   ④ 6개

| 해설 | ㉠ × : 피고인이 변호인과 함께 출석한 공판기일의 공판조서에 검사가 제출한 증거에 대하여 동의한다는 기재가 되어 있다면, 이를 피고인이 증거동의한 것으로 보아야 한다(대판 2016.3.10, 2015도19139).
㉡ ○ : 원본인 보이스펜이나 복제본인 녹음테이프 등에 대한 검증조서(녹취록)에 기재된 진술은 그 성립의 진정을 인정하는 작성자의 법정진술은 없었으나, 피고인의 변호인이 보이스펜을 증거로 함에 동의하였고, 보이스펜, 녹음테이프 등에 녹음된 대화내용과 녹취록의 기재가 일치함을 확인하였으므로, 결국 그 진정성립이 인정된다고 할 것이고, 나아가 녹음의 경위 및 대화내용에 비추어 그 진술이 특히 신빙할 수 있는 상태하에서 행하여진 것으로 인정되므로 이를 증거로 사용할 수 있다(대판 2008.3.13, 2007도10804).
㉢ × : 피고인이 사법경찰관 작성의 피해자진술조서를 증거로 동의함에 있어서 그 동의가 법률적으로 어떠한 효과가 있는지를 모르고 한 것이었다고 주장하더라도 변호인이 그 동의시 공판정에 재정하고 있으면서 피고인이 하는 동의에 대하여 아무런 이의나 취소를 한 사실이 없다면 그 동의에 무슨 하자가 있다고 할 수 없다(대판 1983.6.28, 83도1019).
㉣ × : 수사보고에 대한 증거동의가 있다는 이유로 그에 첨부된 고발장까지 증거로 채택해 두었다가 판결을 선고하는 단계에 이르러 이를 유죄인정의 증거로 삼은 것은 실질적 적법절차의 원칙에 비추어 수긍할 수 없다. 결국 이 사건 수사보고에 첨부된 고발장은 적법한 증거신청·증거결정·증거조사의 절차를 거쳤다고 볼 수 없거나 공소사실을 뒷받침하는 증명력을 가진 증거가 아니므로 이를 유죄의 증거로 삼을 수 없다(대판 2011.7.14, 2011도3809).
㉤ × : 피고인이 별 의견이 없다고 진술하였다면, 그 증언을 증거로 함에 동의한 것으로 볼 수 있다(대판 1983.9.27, 83도516).
ⓗ × : '재전문진술'이나 '전문진술이 기재된 조서', 그리고 '재전문진술을 기재한 조서'는 피고인이 증거로 하는 데 동의하면 증거능력이 인정된다(대판 2003.3.10, 2000도159).
ⓢ × : 검사 작성의 피고인 아닌 자에 대한 진술조서에 관하여 피고인이 공판정 진술과 배치되는 부분은 부동의한다고 진술한 것은 조서내용의 특정부분에 대하여 증거로 함에 동의한다는 특별한 사정이 있는 때와는 달리 그 조서를 증거로 함에 동의하지 아니한다는 취지로 해석하여야 한다(대판 1984.10.10, 84도1552).

04 증거동의에 관한 설명 중 가장 적절한 것은?(다툼이 있는 경우 판례에 의함)   20. 경찰승진

① 수사기관이 긴급체포시 압수한 물건에 관하여 형사소송법 제217조 제2항·제3항의 규정에 의한 압수·수색영장을 발부받지 않고 즉시 반환도 하지 않은 경우라도 피고인이나 변호인이 이를 증거로 함에 동의하였다면 위법성이 치유되므로 유죄의 증거로 사용할 수 있다.

② 공판기일에서 피고인에게 유리한 증언을 한 증인을 검사가 소환한 후 그 증언 내용을 추궁하여 이를 일방적으로 번복시키는 방식으로 작성한 조서는 공판중심주의를 형해화하는 것이므로 증거동의의 대상이 될 수 없다.

③ 피고인이나 그 변호인이 검사 작성의 당해 피고인에 대한 피의자신문조서의 성립의 진정함을 인정하는 진술을 하였다 하더라도, 그 피의자신문조서에 대하여 증거조사가 완료되기 전에는 최초의 진술을 번복함으로써 그 피의자신문조서를 유죄인정의 자료로 사용할 수 없도록 할 수 있다.

④ 약식명령에 불복하여 정식재판을 청구한 피고인이 정식재판절차에서 2회 불출석하여 법원이 피고인의 출정 없이 증거조사를 하는 경우라도 피고인의 명시적인 동의 의사가 없는 이상 증거동의가 간주될 수 없다.

┃해설┃ ① 압수·수색영장을 발부받지 않고 즉시 반환도 하지 않은 경우 피고인이나 변호인이 이를 증거로 함에 동의하였다고 하더라도 유죄의 증거로 사용할 수 없다(대판 2009.12.24, 2009도11401).
② 피고인이 증거로 함에 동의한 경우에는 증거능력이 인정된다(대판 2008.9.25, 2008도6985).
③ 대판 2008.7.10, 2007도7760
④ 약식명령에 불복하여 정식재판을 청구한 피고인이 정식재판절차에서 2회 불출석하여 법원이 피고인의 출정 없이 증거조사를 하는 경우 피고인의 증거동의가 간주된다(대판 2010.7.15, 2007도5776).

05 증거동의에 대한 설명 중 가장 적절하지 않은 것은?(다툼이 있는 경우 판례에 의함) 20. 순경 1차

① 개개의 증거에 대하여 개별적인 증거조사방식을 거치지 아니하고 검사가 제시한 모든 증거에 대하여 피고인이 증거로 함에 동의한다는 방식은 증거동의로서의 효력을 가질 수 없다.

② 피고인과 변호인이 재판장의 허가 없이 퇴정한 상태에서 증거조사를 할 수밖에 없는 경우에는 피고인의 진의와는 관계없이 피고인의 증거동의가 있는 것으로 간주된다.

③ 사법경찰관 A는 살인죄 혐의로 B를 긴급체포하면서 흉기를 긴급히 압수할 필요가 있다고 판단하여 압수·수색영장 없이 압수하였음에도 영장을 발부받지 못하였다면, 이후 공판절차에서 B가 그 흉기를 증거로 사용함에 동의하였더라도 그 압수물의 증거능력은 인정할 수 없다.

④ 증거동의의 주체는 검사와 피고인이지만 피고인이 증거로 함에 동의하지 아니한다고 명시적인 의사표시를 한 경우 외에는 변호인은 서류나 물건에 대하여 증거로 함에 동의할 수 있고 이에 대해 피고인이 즉시 이의하지 아니하는 경우에는 증거능력이 인정된다.

┃해설┃ ① 개개의 증거에 대하여 개별적인 증거조사방식을 거치지 아니하고 검사가 제시한 모든 증거에 대하여 피고인이 증거로 함에 동의한다는 방식으로 이루어진 것이라 하여도 증거동의로서의 효력을 부정할 이유가 되지 못한다(대판 1983.3.8, 82도2873).
② 대판 1991.6.28, 91도865
③ 대판 2009.12.24, 2009도11401
④ 대판 1988.11.8, 88도1628

06 증거동의에 대한 설명으로 가장 적절하지 않은 것은?(다툼이 있는 경우 판례에 의함)

21. 경찰승진

① 검사와 피고인이 증거로 할 수 있음을 동의한 서류 또는 물건은 법원이 진정한 것으로 인정한 때에는 증거로 할 수 있다.

② 공판준비 또는 공판기일에서 피고인에게 유리한 증언을 한 증인을 수사기관이 법정 외에서 다시 참고인으로 조사하면서 그 증언을 번복하게 하여 작성한 참고인진술조서는 피고인이 동의하더라도 증거로 사용할 수 없다.

③ 피고인의 출정 없이 증거조사를 할 수 있는 경우에 피고인이 출정하지 아니한 때에는 피고인의 대리인 또는 변호인이 출정한 때를 제외하고 피고인이 증거로 함에 동의한 것으로 간주한다.

④ 경찰의 검증조서 중 일부에 대한 증거동의는 가능하다.

| 해설 | ①③ 제318조 제1항·제2항
② 공판준비 또는 공판기일에서 피고인에게 유리한 증언을 한 증인을 수사기관이 법정 외에서 다시 참고인으로 조사하면서 그 증언을 번복하게 하여 작성한 참고인진술조서는 피고인이 동의하지 아니하는 한 그 증거능력이 없다(대판 2008.9.25, 2008도6985).
④ 대판 1990.7.24, 90도1303

07 증거동의에 관한 설명으로 옳은 것은 모두 몇 개인가?(다툼이 있는 경우 판례에 의함)

21. 순경 2차

⊙ 소유자, 소지자 또는 보관자가 아닌 자로부터 제출받은 물건을 영장 없이 압수한 경우 그 압수물 및 압수물을 찍은 사진은 유죄의 증거로 사용할 수 없고, 피고인이나 변호인이 이를 증거로 함에 동의하였다고 하더라도 달리 볼 것은 아니다.

ⓒ 긴급체포현장에서 영장 없이 압수한 물건에 대하여 압수·수색 영장을 청구하여 이를 발부받지 아니하고도 즉시 반환하지 아니한 경우 그 압수물은 유죄의 증거로 사용할 수 없고, 피고인이나 변호인이 이를 증거로 함에 동의하였다고 하더라도 달리볼 것은 아니다.

ⓒ 수사기관이 법원으로부터 영장 또는 감정처분허가장을 발부받지 아니한 채 피의자의 동의 없이 피의자의 신체로부터 혈액을 채취하고 사후적으로도 지체 없이 그에 대한 영장을 발부받지도 아니한 채 피의자의 혈액 중 알코올농도에 관한 감정이 이루어졌다면, 그 감정결과보고서는 영장주의 원칙을 위반하여 수집한 증거로서 피고인이나 변호인의 증거동의가 있다고 하더라도 유죄의 증거로 사용할 수 없다.

ⓔ 수사기관이 마약사범 수사에 협조해 온 공소외인으로부터 피고인의 필로폰 판매 범행에 대한 진술을 들은 다음, 추가증거를 확보할 목적으로 필로폰투약 혐의로 구속수감되어 있는 공소외인에게 압수된 그의 휴대전화기를 제공하여 그로 하여금 피고인과 통화하고 범행에 관한 통화 내용을 몰래 녹음하게 한 행위는 불법감청에 해당하고, 그 녹취내용은 피고인의 증거동의에 상관없이 증거능력이 없다.

① 1개　　　　② 2개　　　　③ 3개　　　　④ 4개

| 해설 | 모든 항목이 옳은 내용이다.
㉠ 대판 2010.1.28, 2009도10092
㉡ 대판 2009.12.24, 2009도11401
㉢ 대판 2012.11.15, 2011도15258
㉣ 대판 2010.10.14, 2010도9016

08 증거동의에 대한 설명으로 옳지 않은 것은?(다툼이 있는 경우 판례에 의함)　　21. 7급 국가직

① 경찰의 검증조서 가운데 범행부분은 부동의하고 현장상황 부분에 대해서만 동의하는 것도 가능하고, 그 효력은 동의한 부분에 한하여 발생한다.

② 재전문진술을 기재한 조서도 동의의 대상이 된다.

③ 검사가 제시한 모든 증거에 대하여 동의한다는 포괄적 방식은 효력이 없다.

④ 증거신청시 그 입증취지를 명시하여 개별적으로 하지 않았음에도 증거동의를 거쳐 법원이 증거로 채택하는 결정을 하였다면 그 결정이 취소되지 않는 이상 단순히 입증취지를 명시하여 개별적으로 신청하지 않았다는 이유만을 내세워 그 증거에 대한 조사가 위법하다고 할 수 없다.

| 해설 | ① 대판 1990.7.24, 90도1303
② 대판 2020.5.24, 2010도5948
③ 피고인들의 의사표시가 하나 하나의 증거에 대하여 형사소송법상의 증거조사방식을 거쳐 이루어진 것이 아니라 검사가 제시한 모든 증거에 대하여 증거로 함에 동의한다는 방식으로 이루어진 것이라 하여 그 효력을 부정할 이유가 되지 못한다(대판 1983.3.8, 82도2873).
④ 대판 2009.10.29, 2009도5945

09 증거동의에 대한 설명으로 가장 적절하지 않은 것은?(다툼이 있는 경우 판례에 의함)
22. 경찰승진

① 피고인이 출석한 공판기일에서 증거로 함에 부동의한다는 의견을 진술한 후 피고인이 출석하지 아니한 공판기일에 변호인만이 출석하여 종전 의견을 번복하여 증거로 함에 동의하였다면 그 변호인의 증거동의는 원칙적으로 효력이 있다.

② 수사기관이 甲으로부터 피고인의 폭력행위 등 처벌에 관한 법률위반(단체 등의 구성·활동) 범행에 대한 진술을 듣고 추가적인 정보를 확보할 목적으로, 구속수감되어 있던 甲에게 그의 압수된 휴대전화를 제공하여 피고인과 통화하고 위 범행에 관한 통화내용을 녹음하게 한 경우, 그 녹음 자체는 물론 이를 근거로 작성된 녹취록 첨부 수사보고는 설령 피고인의 증거동의가 있는 경우에도 이를 유죄의 증거로 사용할 수 없다.

③ 필요적 변호사건에서 피고인과 변호인이 재판거부의 의사를 표시하고 재판장의 허가 없이 퇴정한 경우에는 증거동의가 있는 것으로 간주된다.

④ 피고인이 제1심 법정에서 경찰의 검증조서 가운데 범행 부분만 부동의하고 현장상황 부분에 대해서는 모두 증거로 함에 동의하였다면, 해당 검증조서 가운데 현장상황 부분만을 증거로 채용한 판결에 잘못이 없다.

| 해설 | ① 피고인이 출석한 공판기일에서 증거로 함에 부동의한다는 의견이 진술된 경우에는 그 후 피고인이 출석하지 아니한 공판기일에 변호인만이 출석하여 종전 의견을 번복하여 증거로 함에 동의하였다 하더라도 이는 특별한 사정이 없는 한 효력이 없다고 보아야 한다(대판 2013.3.28, 2013도3).
② 대판 2010.10.14, 2010도9016
③ 대판 1991.6.28, 91도865
④ 대판 1990.7.24, 90도1303

10 증거동의에 관한 설명으로 가장 적절하지 않은 것은?(다툼이 있는 경우 판례에 의함)

22. 순경 1차

① 피고인이 공소사실을 부인하고 있는 상황에서 검사가 신청한 증인의 법정진술이 전문증거로서 증거능력이 없는 경우, 피고인 또는 변호인에게 의견을 묻는 등의 적절한 방법으로 그러한 사정에 대하여 고지가 이루어지지 않은 채 증인신문이 진행되었다면, 피고인이 그 증거조사 결과에 대하여 별 의견이 없다고 진술하였더라도 증인의 법정증언을 증거로 삼는 데에 동의한 것으로 볼 수 없다.

② 피고인이 출석한 공판기일에서 증거로 함에 부동의한다는 의견이 진술된 경우에는 그 후 피고인이 출석하지 아니한 공판기일에 변호인만이 출석하여 증거로 함에 동의하였더라도 이는 특별한 사정이 없는 한 효력이 없다.

③ 증거동의의 의사표시는 증거조사가 완료되기 전까지 취소 또는 철회할 수 있으나, 일단 증거조사가 완료된 뒤에는 취소 또는 철회가 인정되지 아니하므로 이를 취소 또는 철회하더라도 이미 취득한 증거능력은 상실되지 않는다.

④ 피고인의 변호인이 증거 부동의 의견을 밝힌 고발장을 첨부문서로 포함하고 있는 검찰주사보 작성의 수사보고가 수사기관이 첨부한 자료를 통하여 얻은 인식·판단·추론이거나 자료의 단순한 요약에 불과하더라도, 피고인이 증거에 동의하여 증거조사가 행하여졌다면 그 수사보고에 대한 증거동의의 효력은 첨부된 고발장에도 당연히 미친다고 볼 것이므로 이를 유죄의 증거로 삼을 수 있다.

| 해설 | ① 대판 2019.11.14, 2019도11552
② 대판 2013.3.28, 2013도3
③ 대판 2010.7.8, 2008도7546
④ 고발장을 첨부문서로 포함하고 있는 검찰주사보 작성의 수사보고에 대하여는 증거에 동의하여 증거조사가 행하여졌는데, 수사보고에 대한 증거동의가 있다는 이유로 그에 첨부된 고발장까지 이를 유죄인정의 증거로 삼은 것은 실질적 적법절차의 원칙에 비추어 수긍할 수 없다. 결국 이 사건 수사보고에 첨부된 고발장은 유죄의 증거로 삼을 수 없다(대판 2011.7.14, 2011도3809).

Answer┌ 10. ④

11 증거동의에 대한 설명으로 옳지 않은 것은?(다툼이 있는 경우 판례에 의함)

22. 9급 검찰·마약·교정·보호·철도경찰

① 변호인은 피고인의 명시한 의사에 반하지 않는 한 피고인을 대리하여 증거로 함에 동의할 수 있다.

② 증거동의의 효력은 당해 심급에만 미치므로 공판절차의 갱신이 있거나 심급을 달리하면 그 효력이 상실된다.

③ 서류의 기재내용이 가분적인 경우에는 서류의 일부에 대한 증거동의도 가능하다.

④ 필요적 변호사건에서 피고인과 변호인이 무단퇴정하여 수소법원이 피고인이나 변호인이 출석하지 않은 상태에서 증거조사를 하는 경우, 피고인의 진의와 관계없이 증거로 함에 동의가 있는 것으로 간주한다.

▌해설▐ ① 대판 1988.11.8, 88도1628

② 증거동의의 효력은 공판절차의 갱신이 있거나 심급을 달리하는 경우에도 그 효력이 상실되지 아니한다 (대판 1994.7.29, 93도955 참조).

③ 원칙적으로 동의의 효력은 그 대상인 서류 또는 물건 전체에 미친다. 따라서 일부에 대한 동의는 허용되지 않는다. 다만, 동의한 서류 또는 물건의 내용을 나눌 수 있는 경우에는 일부에 대한 동의도 가능하다.

④ 대판 1991.6.28, 91도865

12 증거동의에 대한 설명으로 가장 적절하지 않은 것은?(다툼이 있는 경우 판례에 의함)

23. 경찰승진

① 소유자, 소지자 또는 보관자가 아닌 피해자로부터 임의로 제출받은 물건을 영장없이 압수한 경우 그 '압수물' 및 '압수물을 찍은 사진'에 대해 피고인이나 변호인이 증거동의를 하였다 하더라도 이를 유죄 인정의 증거로 사용할 수 없다.

② 피고인의 출정 없이 증거조사를 할 수 있는 경우에 피고인이 출정하지 아니한 때에는 피고인의 대리인 또는 변호인이 출정한 때를 제외하고 피고인이 증거로 함에 동의한 것으로 간주한다.

③ 수사기관이 참고인의 진술을 기재한 조서는 그 내용을 피고인이 부인하고 참고인의 법정 출석 및 반대신문이 이루어지지 못하였다면 이를 주된 증거로 하여 공소사실을 인정할 수 없는 것이 원칙이지만 피고인이 이에 대해 증거동의한 경우에는 그렇지 아니하다.

④ 공판준비 또는 공판기일에서 이미 증언을 마친 증인을 검사가 소환한 후 피고인에게 유리한 증언내용을 추궁하여 이를 일방적으로 번복시키는 방식으로 작성한 진술조서는 피고인이 증거로 할 수 있음에 동의하지 아니하는 한 증거능력이 없다.

▌해설▐ ① 대판 2010.1.28, 2009도10092

② 제318조 제2항

③ 수사기관이 참고인의 진술을 기재한 조서는 그 내용을 피고인이 부인하고 참고인의 법정출석 및 반대신문이 이루어지지 못하였다면, 그 조서는 진정한 증거가치(증명력)를 가진 것으로 인정받을 수 없어 이를 주된 증거로 하여 공소사실을 인정하는 것은 원칙적으로 허용될 수 없다. 이는 원진술자의 사망이나 질병 등으로 인하여 원진술자의 법정 출석 및 반대신문이 이루어지지 못한 경우는 물론 수사기관의 조서를 증거로 함에 피고인이 동의한 경우에도 마찬가지이다(대판 2006.12.8, 2005도9730).
▶ 증거능력이 아니라 증명력에 대한 판례임에 주의!
④ 대판 2013.8.14, 2012도13665

13 증거동의에 관한 설명 중 가장 적절하지 않은 것은?(다툼이 있는 경우 판례에 의함)

23. 순경 1차 · 전의경경채

① 형사소송법 제318조 제1항 증거동의는 전문증거금지의 원칙에 대한 예외로서 반대신문권을 포기하겠다는 피고인의 의사표시에 의하여 서류 또는 물건의 증거능력을 부여하려는 규정이다.
② 약식명령에 불복하여 정식재판을 청구한 피고인이 정식재판절차의 제1심에서 2회 불출정하여 형사소송법 제318조 제2항에 따라 피고인의 증거동의로 간주된 후, 제1심 법원이 증거조사를 완료하였더라도 피고인이 항소심에 출석하여 공소사실을 부인하면서 제1심에서 간주된 증거동의를 철회 또는 취소한다는 의사표시를 하면 해당 증거의 증거능력은 상실된다.
③ 피고인이 출석한 공판기일에서 증거로 함에 부동의한다는 의견이 진술된 경우에는 그 후 피고인이 출석하지 아니한 공판기일에 변호인만이 출석하여 종전 의견을 번복하여 증거로 함에 동의하였다 하더라도 이는 특별한 사정이 없는 한 효력이 없다고 보아야 한다.
④ 필요적 변호사건이라 하여도 피고인이 재판거부의 의사를 표시하고 재판장의 허가 없이 퇴정하고 변호인마저 이에 동조하여 퇴정해 버림으로써 피고인과 변호인들이 출석하지 않은 상태에서 증거조사를 할 수밖에 없는 경우, 형사소송법 제318조 제2항의 규정상 피고인의 진의와는 관계없이 증거동의가 있는 것으로 간주한다.

| 해설 | ① 대판 1983.3.8, 82도2873
② 약식명령에 불복하여 정식재판을 청구한 피고인이 정식재판절차의 제1심에서 2회 불출정하여 증거동의가 간주된 후 증거조사를 완료한 이상, 피고인이 항소심에 출석하여 공소사실을 부인하면서 간주된 증거동의를 철회 또는 취소한다는 의사표시를 하더라도 그로 인하여 적법하게 부여된 증거능력이 상실되는 것이 아니다(대판 2010.7.15, 2007도5776).
③ 대판 2013.3.28, 2013도3
④ 대판 1991.6.28, 91도865

04

14 다음 설명 중 가장 옳지 않은 것은?(다툼이 있는 경우 판례에 의하고, 전원합의체 판결의 경우 다
수의견에 의함)   23. 9급 법원직

① 피고인이 출석한 공판기일에서 증거로 함에 부동의한다는 의견이 진술된 경우에는 그 후
   피고인이 출석하지 아니한 공판기일에 변호인만이 출석하여 종전 의견을 번복하여 증거로
   함에 동의하였다 하더라도 이는 특별한 사정이 없는 한 효력이 없다고 보아야 한다.

② 약식명령에 불복하여 정식재판을 청구한 피고인이 정식재판절차의 제1심에서 2회 불출
   정하여 증거동의가 간주된 후 증거조사를 완료한 경우라도 증거동의 간주가 피고인의
   진의와는 관계없이 이루어지는 점에 비추어, 피고인이 항소심에 출석하여 공소사실을 부
   인하면서 간주된 증거동의를 철회 또는 취소한다는 의사표시를 하는 경우 증거동의 간주
   의 효력은 상실된다고 할 것이다.

③ 임의성이 인정되지 아니하여 증거능력이 없는 진술증거는 피고인이 증거로 함에 동의하
   더라도 증거로 삼을 수 없다.

④ 개개의 증거에 대하여 개별적인 증거조사방식을 거치지 아니하고 검사가 제시한 모든
   증거에 대하여 피고인이 증거로 함에 동의한다는 방식으로 이루어진 것이라 하여도 증거
   동의로서의 효력을 부정할 이유가 되지 못한다.

| 해설 | ① 대판 2013.3.28, 2013도3
② 피고인이 항소심에 출석하여 공소사실을 부인하면서 간주된 증거동의를 철회 또는 취소한다는 의사표시
를 하더라도 그로 인하여 적법하게 부여된 증거능력이 상실되는 것이 아니라고 할 것이다(대판 2010.7.15,
2007도5776).
③ 대판 2006.11.23, 2004도7900 ④ 대판 1983.3.8, 82도2873

15 증거동의에 관한 설명으로 옳은 것을 모두 고른 것은?(다툼이 있는 경우 판례에 의함)
                                                                                   24. 경찰승진

> ㉠ 피고인이 증거로 함에 동의하지 않는 명시적인 의사표시를 한 경우 이외에는 변호인은 서류나
>   물건에 대하여 증거로 함에 동의할 수 있고, 이 경우 변호인의 동의에 대하여 피고인이 즉시
>   이의하지 않는 경우에는 변호인의 동의로 증거능력이 인정된다.
> ㉡ 증거동의의 대상이 될 서류는 원본에 한하며 그 사본은 포함되지 않는다.
> ㉢ 당사자가 제출한 서류에 대하여 법원이 직권으로 증거조사를 하는 경우에 당해 서류를 제출한
>   당사자는 그것을 증거로 함에 동의하고 있음이 명백한 것이므로 상대방의 동의만 얻으면 충분
>   하다.

① ㉠, ㉡   ② ㉠, ㉢   ③ ㉡, ㉢   ④ ㉠, ㉡, ㉢

| 해설 | ㉠ ○ : 대판 1988.11.8, 88도1628
㉡ × : 문서의 사본이라도 피고인이 증거로 함에 동의하였고 진정으로 작성되었음이 인정되는 경우에는 증
거능력이 있다(대판 1996.1.26, 95도2526).
㉢ ○ : 대판 1989.10.10, 87도966

| Answer | 14. ② 15. ②

16 증거동의에 관한 설명으로 가장 적절하지 않은 것은?(다툼이 있는 경우 판례에 의함)

24. 순경 1차

① 형사소송법 제318조에 규정된 증거동의는 소송 주체인 검사와 피고인이 하는 것이고, 피고인이 변호인과 함께 출석한 공판기일의 공판조서에 검사가 제출한 증거에 대하여 동의한다는 기재가 되어 있다면 이는 피고인이 증거동의를 한 것으로 보아야 하고, 그 기재는 절대적인 증명력을 가진다.

② 형사소송법 제318조에 규정된 증거동의의 의사표시는 증거조사가 완료되기 전까지 취소 또는 철회할 수 있으나, 일단 증거조사가 완료된 뒤에는 취소 또는 철회가 인정되지 아니하므로 제1심에서 한 증거동의를 제2심에서 취소할 수 없고, 일단 증거조사가 종료된 후에 증거동의의 의사표시를 취소 또는 철회하더라도 취소 또는 철회 이전에 이미 취득한 증거능력이 상실되지 않는다.

③ 피고인이나 변호인이 무죄에 관한 자료로 제출한 서증 가운데 도리어 유죄임을 뒷받침하는 내용이 있다고 하여도, 법원은 그 서류의 진정성립 여부 등을 조사하고 아울러 그 서류에 대한 피고인이나 변호인의 의견과 변명의 기회를 주지 않았다면 상대방의 원용(동의)이 있더라도 그 서증을 유죄인정의 증거로 쓸 수 없다.

④ 피고인의 출정없이 증거조사를 할 수 있는 경우에 피고인이 출정하지 아니한 때에는 「형사소송법」 제318조 제1항에 의한 증거동의가 있는 것으로 간주한다. 다만, 피고인이 출정하지 아니하더라도 대리인 또는 변호인이 출정한 때에는 예외로 한다.

해설 ① 대판 2016.3.10, 2015도19139
② 대판 2010.7.15, 2007도5776
③ 피고인이나 변호인이 무죄에 관한 자료로 제출한 서증 가운데 도리어 유죄임을 뒷받침하는 내용이 있다 하여도 법원은 상대방의 원용(동의)이 없는 한 그 서류의 진정성립 여부 등을 조사하고 아울러 그 서류에 대한 피고인이나 변호인의 의견과 변명의 기회를 준 다음이 아니면 그 서증을 유죄인정의 증거로 쓸 수 없다고 보아야 한다(대판 1989.10.10, 87도966).
④ 제318조 제2항

Ⅳ. 탄핵증거

THEMA 62	탄핵증거
의 의	1. 진술의 증명력을 다투기 위한 증거(진술의 증거가치를 깎아내리기 위한 증거)를 가리켜 탄핵증거라 한다. 10. 순경 ▶ 영미증거법상의 개념 2. 형사소송법은 "증거로 할 수 없는 전문서류나 전문진술이라도 공판준비 또는 공판기일에서의 피고인 또는 피고인 아닌 자의 진술의 증명력을 다투기 위하여는 이를 증거로 할 수 있다."라고 규정하고 있다(제318조의 2). ▶ 증거능력이 없는 전문증거 ⇨ 탄핵증거로 사용 ○ 예 甲이 乙을 권총으로 살해하였다는 살인피고사건에 대하여 증인 A가 공판정에서 "甲이 乙을 향하여 권총을 쏜 것을 보았다."고 증언한 경우에, "총소리를 듣고 달려가 보니 乙이 쓰러져 있었으며 범인은 보지 못하였다는 말을 그 사건 직후에 A로부터 들었다."는 증인 B의 전문증언 ⇨ 증거능력은 없으나(제316조 제2항의 요건을 갖추지 못하였으므로) A의 증언의 증명력을 다투기 위한 증거(탄핵증거)로는 사용될 수 있다.
성 질	1. 탄핵증거 ⇨ 전문법칙의 적용 ×(통설) 2. 탄핵증거 ⇨ 자유심증주의 보강기능(자유심증주의 예외 ×)
탄핵증거로 사용할 수 있는 증거의 범위	견해의 대립이 있으나, 탄핵증거는 진술자의 신빙성을 다투는 증거이므로 자기모순의 진술이나 증인의 신빙성에 대한 보조사실을 증명하는 것이라면 무방하다 할 것이므로 절충설이 타당하다고 본다.
탄핵증거 자격	1. 전문증거 : 사용가능(제318조의 2 제1항). 성립의 진정을 요구하지 않음(대판 1981.12.22, 80도1547). 13. 순경, 15. 7급 국가직, 16. 경찰간부 2. 임의성 없는 자백 : 탄핵증거 사용 × 09. 순경, 11. 경찰승진 3. 공판정에서 증언 이후의 자기모순 진술(예 증언 이후 수사기관에서 작성한 참고인 진술조서) ⇨ 허용 × 10. 7급 국가직, 14. 순경 2차 4. 영상녹화물의 탄핵증거 사용 여부 ⇨ 탄핵증거로 사용 ×(제318조의 2 제2항). 08. 9급 법원직, 09. 7급 국가직, 10 · 11. 경찰승진
탄핵의 대상 · 범위	**대 상** 1. 피고인 진술 : 피고인의 진술도 탄핵의 대상이 된다(판례). ▶ 사법경찰리 작성의 피의자신문조서는 피고인의 법정에서의 진술을 탄핵하기 위한 반대증거로 사용할 수 있다(대판 1998.2.27, 97도1770). 09. 7급 국가직, 09 · 11. 순경, 13. 9급 국가직, 17. 변호사시험, 09 · 11 · 24. 경찰승진 2. 자기측 증인의 탄핵 : 가능
	범 위 증명력을 감쇄시키기 위한 경우를 의미하며, 범죄사실 또는 간접사실을 인정하는 증거로는 사용될 수 없다(대판 2012.10.25, 2011도5459). 09. 경찰승진 · 7급 국가직, 11. 순경 1차, 17. 변호사시험
증거조사방식	탄핵증거는 공판정에서의 증거조사는 필요하나, 범죄사실을 인정하는 증거가 아니므로 정식의 증거조사절차와 방식(엄격한 증거조사)은 필요치 않다(판례). 09. 7급 국가직, 10. 9급 법원직 · 교정특채, 11. 순경, 13. 9급 국가직, 17. 변호사시험, 09 · 24. 경찰승진

01 탄핵증거에 대한 설명으로 가장 적절하지 않은 것은?(다툼이 있는 경우 판례에 의함)

19. 경찰승진

① 탄핵증거는 진술의 증명력을 감쇄하기 위하여 인정되는 것이고 범죄사실 또는 그 간접사실 인정의 증거로서는 허용되지 않는다.

② 검사가 탄핵증거로 신청한 체포·구속인접견부 사본은 피고인의 부인진술을 탄핵한다는 것이므로 결국 검사에게 입증책임이 있는 공소사실 자체를 입증하기 위한 것에 불과하므로 탄핵증거로 볼 수 없다.

③ 탄핵증거는 엄격한 증거조사를 거쳐야 할 필요가 없지만 법정에서 이에 대한 탄핵증거로서의 증거조사는 필요하다.

④ 탄핵증거의 제출에 있어서도 상대방에게 이에 대한 공격방어의 수단을 강구할 기회를 사전에 부여하여야 하지만, 증명력을 다투고자 하는 증거의 어느 부분에 의하여 진술의 어느 부분을 다투려고 한다는 것인지를 사전에 상대방에게 알려야 할 필요는 없다.

| 해설 | ①② 대판 2012.10.25, 2011도5459 ③ 대판 2005.8.19, 2005도2617
④ 탄핵증거의 제출에 있어서도 상대방에게 이에 대한 공격방어의 수단을 강구할 기회를 사전에 부여하여야 한다는 점에서 그 증거와 증명하고자 하는 사실관계 및 입증취지 등을 미리 구체적으로 명시하여야 할 것이므로, 증명력을 다투고자 하는 증거의 어느 부분에 의하여 진술의 어느 부분을 다투려고 한다는 것인지를 사전에 상대방에게 알려야 한다(대판 2005.8.19, 2005도2617).

02 탄핵증거에 대한 설명 중 가장 적절한 것은?(다툼이 있는 경우 판례에 의함)   20. 순경 1차

① 사법경찰리 작성의 피고인에 대한 피의자신문조서와 피고인이 작성한 자술서들은 모두 검사가 유죄의 자료로 제출한 증거들로서 피고인이 각 그 내용을 부인하는 이상 증거능력이 없으므로 그것이 임의로 작성된 것이 아니라고 의심할 만한 사정이 없더라도 피고인의 법정에서의 진술을 탄핵하기 위한 반대증거로도 사용할 수 없다.

② 탄핵증거의 제출에 있어서도 상대방에게 이에 대한 공격방어의 수단을 강구할 기회를 사전에 부여하여야 할 것이지만, 증명력을 다투고자 하는 증거의 어느 부분에 의하여 진술의 어느 부분을 다투려고 한다는 것을 사전에 상대방에게 알려야 할 필요는 없다.

③ 탄핵증거는 진술의 증명력을 감쇄하기 위하여 인정되는 것이지만, 범죄사실 또는 간접사실의 인정의 증거로도 허용된다.

④ 검사가 탄핵증거로 신청한 체포·구속인접견부 사본은 피고인의 부인진술을 탄핵한다는 것이므로 결국 검사에게 입증책임이 있는 공소사실 자체를 입증하기 위한 것에 불과하므로 형사소송법 제318조의 2 제1항 소정의 피고인의 진술의 증명력을 다투기 위한 탄핵증거로 볼 수 없다.

| 해설 | ① 임의로 작성된 것이라면 탄핵증거로 사용할 수 있다(대판 1998.2.27, 97도1770).
② 탄핵증거의 제출에 있어서도 상대방에게 이에 대한 공격방어의 수단을 강구할 기회를 사전에 부여하여야 한다는 점에서 그 증거와 증명하고자 하는 사실과의 관계 및 입증취지 등을 미리 구체적으로 명시하여야

할 것이므로, 증명력을 다투고자 하는 증거의 어느 부분에 의하여 진술의 어느 부분을 다투려고 한다는 것을 사전에 상대방에게 알려야 한다(대판 2005.8.19, 2005도2617).
③ 탄핵증거는 진술의 증명력을 감쇄하기 위하여 인정되는 것이고 범죄사실 또는 그 간접사실의 인정의 증거로서는 허용되지 않는다(대판 2012.10.25, 2011도5459).
④ 대판 2012.10.25, 2011도5459

03 탄핵증거에 대한 설명으로 가장 적절하지 않은 것은?(다툼이 있는 경우 판례에 의함)

21. 순경 1차

① 탄핵증거는 범죄사실을 인정하는 증거가 아니어서 엄격한 증거능력을 요하지 아니한다.
② 법정에서 증거로 제출된 바가 없어 전혀 증거조사가 이루어지지 아니한 채 수사기록에만 편철되어 있는 증거를 피고인의 진술을 탄핵하는 증거로 사용할 수는 없다.
③ 검사가 유죄의 자료로 제출한 사법경찰리 작성의 피고인에 대한 피의자신문조서는 피고인이 그 내용을 부인하는 이상 증거능력이 없지만, 그것이 임의로 작성된 것이 아니라고 하더라도 피고인의 법정에서의 진술을 탄핵하기 위한 반대증거로는 사용할 수 있다.
④ 비록 증거목록에 기재되지 않았고 증거결정이 있지 아니하였다 하더라도 공판과정에서 그 입증취지가 구체적으로 명시되고 제시까지 된 이상, 그 제시된 증거에 대하여 탄핵증거로서의 증거조사는 이루어졌다고 보아야 할 것이다.

해설 ① 대판 2012.9.27, 2012도7467 ② 대판 1998.2.27, 97도1770
③ 피의자신문조서가 임의로 작성된 것이 아니라면 탄핵증거로도 사용할 수 없다(대판 2014.3.13, 2013도12507).
④ 대판 2006.5.26, 2005도6271

04 탄핵증거에 대한 설명으로 적절한 것은 모두 몇 개인가?(다툼이 있으면 판례에 의함)

㉠ 피고인이 내용을 부인하여 증거능력이 없는 사법경찰리 작성의 피의자신문조서가 당초 증거 제출 당시 탄핵증거라는 입증취지를 명시하지 아니하였지만 피고인의 법정 진술에 대한 탄핵증거로서의 증거조사절차가 대부분 이루어졌다고 볼 수 있는 점 등의 사정에 비추어 위 피의자신문조서를 피고인의 법정진술에 대한 탄핵증거로 사용할 수 있다.
㉡ 피고인이나 변호인이 무죄에 관한 자료로 제출한 서증 가운데 도리어 유죄임을 뒷받침하는 내용이 있다 하여도 법원은 상대방의 동의가 없는 한 그 서류의 진정성립 여부 등을 조사하고 아울러 그 서류에 대한 피고인이나 변호인의 의견과 변명의 기회를 준 다음이 아니면 그 서증을 유죄인정의 증거로 쓸 수 없다.
㉢ 검사가 유죄의 자료로 제출한 증거들이 그 진정성립이 인정되지 아니하고 이를 증거로 함에 상대방의 동의가 없더라도, 이는 유죄사실을 인정하는 증거로 사용하는 것이 아닌 이상 공소사실과 양립할 수 없는 사실을 인정하는 자료로 쓸 수 있다.
㉣ 탄핵의 대상은 진술의 증명력이고 진술에는 구두진술과 진술이 기재된 서면도 포함된다.

ⓜ 탄핵증거는 진술의 증명력을 다투기 위한 경우에만 허용되므로 처음부터 증명력을 지지하거나 보강하기 위하여 탄핵증거를 사용하는 것은 허용되지 않는다.

ⓗ 피고인의 진술을 내용으로 하는 영상녹화물은 공판준비 또는 공판기일에 피고인 진술의 증명력을 다투기 위한 증거로 사용할 수 없다.

① 2개   ② 3개   ③ 5개   ④ 6개

| 해설 | ㉠ ○ : 대판 2005.8.19, 2005도2617

ⓛ ○ : 대판 1989.10.10, 87도966

ⓒ ○ : 대판 1981.12.22, 80도1547

㉣ⓜ ○ : 대판 2012.10.25, 2011도5459

ⓗ ○ : 제318조의 2 제2항

05 다음 중 탄핵증거와 관련된 설명으로 가장 옳지 않은 것은?(다툼이 있으면 판례에 의함)

22. 해경간부

① 탄핵증거는 진술의 증명력을 감쇄하기 위하여 인정되는 것이고 범죄사실 또는 그 간접사실의 인정의 증거로서는 허용되지 않는다.

② 피고인이 내용을 부인하여 증거능력이 없는 사법경찰리 작성의 피의자신문조서에 대하여 비록 당초 증거제출 당시 탄핵증거라는 입증취지를 명시하지 아니하였지만 피고인의 법정 진술에 대한 탄핵증거로서의 증거조사절차가 대부분 이루어졌다고 볼 수 있는 점 등의 사정에 비추어 위 피의자신문조서를 피고인의 법정 진술에 대한 탄핵증거로 사용할 수 있다.

③ 증인신문에서는 반대신문뿐만 아니라 주신문에서도 진술의 증명력을 다투기 위한 신문을 할 수 있지만, 피의자신문에서는 반대신문이 아닌 주신문에서 진술의 증명력을 다투기 위한 신문을 할 수 없다.

④ 검사가 탄핵증거로 신청한 체포·구속인접견부 사본은 피고인의 부인진술을 탄핵한다는 것이므로 결국 검사에게 입증책임이 있는 공소사실 자체를 입증하기 위한 것에 불과하므로 형사소송법 제318조의 2 제1항 소정의 피고인의 진술의 증명력을 다투기 위한 탄핵증거로 볼 수 없다.

| 해설 | ① 대판 2012.10.25, 2011도5459

② 대판 2005.8.19, 2005도2617

③ 피고인신문은 증인신문에 있어서 교호신문의 방법을 준용하므로(제161조의 2, 제296조의 2 제3항), 피고인신문에서도 반대신문은 물론 주신문에서도 진술의 증명력을 다투기 위한 신문을 할 수 있다(규칙 제77조 제1항).

④ 대판 2012.10.25, 2011도5459

06 탄핵증거에 관한 설명으로 가장 적절하지 않은 것은?(다툼이 있는 경우 판례에 의함)

24. 경찰승진

① 탄핵증거의 제출에 있어서도 상대방에게 이에 대한 공격방어의 수단을 강구할 기회를 사전에 부여하여야 한다는 점에서 증명력을 다투고자 하는 증거의 어느 부분에 의하여 진술의 어느 부분을 다투려고 한다는 것을 사전에 상대방에게 알려야 한다.

② 탄핵증거는 범죄사실을 인정하는 증거가 아니지만 엄격한 증거조사를 요한다.

③ 탄핵증거는 진술의 증명력을 감쇄하기 위하여 인정되는 것이고 범죄사실 또는 그 간접사실의 인정의 증거로는 허용되지 않는다.

④ 내용부인으로 증거능력이 상실된 사법경찰리 작성 피의자신문조서에 문자 전송 내역이 첨부되어 있는 경우 검사는 위 조서가 임의로 작성된 것이 아니라고 의심할 만한 사정이 없는 한 피고인의 법정 진술의 증명력을 다투기 위한 탄핵증거로 사용할 수 있다.

┃ 해설 ① 대판 2005.8.19, 2005도2617
② 탄핵증거는 범죄사실을 인정하는 증거가 아니므로 엄격한 증거조사를 거쳐야 할 필요가 없음은 형사소송법 제318조의 2의 규정에 따라 명백하나 법정에서 이에 대한 탄핵증거로서의 증거조사는 필요하다(대판 2005.8.19, 2005도2617).
③ 대판 2012.10.25, 2011도5459
④ 대판 1998.2.27, 97도1770

```
종합문제
```

01 증거능력에 대한 설명으로 옳지 않은 것은?(다툼이 있는 경우 판례에 의함)

18. 9급 교정 · 보호 · 철도경찰

① 조서말미에 피고인의 서명만 있고 간인이 없는 검사 작성의 피고인에 대한 피의자신문조
서에 대해, 간인이 없는 것이 피고인이 간인을 거부하였기 때문이라는 취지가 조서말미
에 기재되었다면, 그 조서의 증거능력을 인정할 수 있다.

② 문자메시지가 표시된 휴대전화기의 화면을 촬영한 사진을 증거로 사용하려면 그 휴대전
화기를 법정에 제출할 수 없거나 제출이 곤란한 사정이 있고, 그 사진이 휴대전화기의
화면에 표시된 문자메시지와 정확하게 같다는 사실이 증명되어야 한다.

③ 형사소송법 제314조의 '특신상태'와 관련된 법리는 원진술자의 소재불명 등을 전제로 하
고 있는 형사소송법 제316조 제2항의 '특신상태'에 관한 해석과 동일하다.

④ 피고인이 아닌 자가 수사과정에서 진술서를 작성하였으나 수사기관이 그에 대한 조사과정
을 기록하지 아니한 경우, 특별한 사정이 없는 한 그 진술서의 증거능력을 인정할 수 없다.

해설 ① 조서말미에 피고인의 서명만이 있고, 그 날인(무인 포함)이나 간인이 없는 검사 작성의 피고인에
대한 피의자신문조서는 증거능력이 없다고 할 것이고, 그 날인이나 간인이 없는 것이 피고인이 그 날인이나
간인을 거부하였기 때문이어서 그러한 취지가 조서말미에 기재되었다거나, 피고인이 법정에서 그 피의자신
문조서의 임의성을 인정하였다고 하여도 증거능력을 인정할 수 없다(대판 1999.4.13, 99도237).
② 대판 2008.11.13, 2006도2556 ③ 대판 2014.4.30, 2012도725 ④ 대판 2015.4.23, 2013도3790

02 甲과 乙은 합동하여 A의 금반지를 절취한 사실로, 丙은 甲으로부터 위 금반지가 훔친 물건임을
알면서 이를 양수한 사실로 각 기소되어 한 사건절차 내에서 공동피고인으로 재판을 받고 있다.
다음의 설명 중 옳은 것(○)과 옳지 않은 것(×)을 올바르게 조합한 것은?(다툼이 있는 경우 판례
에 의함)

> ㉠ 공판절차 중 검사의 乙에 대한 피고인신문에서 乙이 한 "나(乙)는 甲과 함께 금반지를 훔쳤
> 다."라는 답변은 甲에 대한 유죄의 증거가 된다.
> ㉡ 공판절차 중 검사의 丙에 대한 피고인신문에서 丙이 한 "나(丙)는 甲이 A로부터 훔친 것인
> 줄 알면서 위 금반지를 甲으로부터 양수하였다."라는 답변은 甲에 대한 유죄의 증거가 된다.
> ㉢ 증거서류의 증거능력 유무에 관한 의견진술절차에서, 丙에 대한 검사 작성의 피의자신문조서
> 에 대하여 甲은 부동의하고 丙은 진정성립 및 임의성을 인정할 경우, 위 丙에 대한 검사 작성
> 의 피의자신문조서는 甲에 대한 유죄의 증거가 된다.
> ㉣ 甲이 수사기관과는 무관하게, A로부터 훔친 위 금반지를 처분하기 위하여 자신이 丙과 전화
> 통화한 흥정 내용을 丙 몰래 녹음한 경우, 그 녹음테이프가 형사소송법 제313조(진술서 등)
> 제1항의 요건을 충족한다면 丙에 대한 유죄의 증거가 된다.

① ㉠(○), ㉡(×), ㉢(×), ㉣(○) 　② ㉠(○), ㉡(○), ㉢(×), ㉣(×)

③ ㉠(×), ㉡(○), ㉢(×), ㉣(○) 　④ ㉠(○), ㉡(×), ㉢(○), ㉣(○)

⑤ ㉠(×), ㉡(○), ㉢(○), ㉣(×)

해설 ㉠ ○ : 대판 2008.6.26, 2008도3300

㉡ × : 피고인과 별개의 범죄사실로 기소되어 병합심리되고 있던 공동피고인은 피고인에 대한 관계에서는 증인의 지위에 있음에 불과하므로 선서 없이 한 그 공동피고인의 법정 및 검찰진술은 피고인에 대한 공소범죄사실을 인정하는 증거로 할 수 없다(대판 1982.6.22, 82도898).

㉢ × : 종전 법에 의하면 丙에 대한 검사 작성 피의자신문조서는 甲에 대한 사건에서는 참고인진술조서에 해당하므로, 丙에 대한 검사 작성 피의자신문조서가 甲에 대한 사건에 증거로 사용되기 위해서는 제312조 제4항 등에서 규정하고 있는 요건이 구비되어야 했으나, 개정된 현행법에 의하면 검사 작성 피의자신문조서도 사법경찰관 작성 피의자신문조서와 동일하게 당해 피고인인 또는 변호인이 그 내용을 인정해야 증거능력이 인정된다. 다만, 피고인이 된 피의자뿐만 아니라 당해 피고인과 공범관계가 있는 공동피고인 또는 피의자, 전혀 별개의 사건에서의 피의자신문조서에 대해서도 제312조 제1항(검사 작성 피의자신문조서)을 적용할 것인가에 대하여 명문의 규정은 없으나, 판례에 의하면 사법경찰관 작성 피의자신문조서의 경우 제312조 제3항의 적용을 당해 사건의 피고인에 한정하지 않고 공범자 등에 대한 피의자신문조서는 물론(대판 2004. 7.15, 2003도7185 전원합의체), 전혀 별개의 사건에서의 피의자신문조서의 경우에까지 확장하고 있다(대판 1995.3.24, 94도2287).

㉣ ○ : 대판 1999.3.9, 98도3169

03 다음 사례에 대한 설명으로 옳은 것은?(다툼이 있는 경우 판례에 의함)　　19. 9급 검찰·마약수사

> 甲은 출근길 지하철에서 휴대전화로 여성의 은밀한 신체 부위를 몰래 촬영하는 乙을 발견하고 소리를 지른 후 주위 사람들과 합세하여 乙을 현행범인으로 체포하였고, 이후 출동한 사법경찰관 丙에게 인계하였다. 丙은 인계받은 乙로부터 휴대전화를 임의제출 받아 영치하였지만 사후에 압수영장을 발부받지는 않았다. 한편 甲은 丙의 요청으로 인근 지하철 수사대 사무실로 가서 자신이 목격한 사실을 자필 진술서로 작성하여 丙에게 제출하였다. 이후 乙에 대한 공소가 제기되어 형사재판이 진행되었으나 甲의 소재 불명으로 법정 출석이 불가능하게 되자 검사는 甲의 진술서와 乙의 휴대전화를 증거로 제출하였다.

① 검사가 증거로 제출한 휴대전화는 위법수집증거로서 증거능력이 인정되지 않는다.

② 甲이 소재불명이라 하더라도 공판기일에 丙이 출석하여 甲의 진술서 작성사실에 대한 진정성립을 인정하면 甲의 진술서의 증거능력이 인정된다.

③ 甲이 소재불명이므로 甲의 진술서는 특히 신빙할 수 있는 상태에서 작성되었음이 증명된 경우에 한해 증거능력이 인정된다.

④ 위 ③의 특신상태의 증명은 단지 그러할 개연성이 있다는 정도로 충분하다.

해설 ① 검사 또는 사법경찰관은 피의자 등이 유류한 물건이나 소유자·소지자 또는 보관자가 임의로 제출한 물건은 영장 없이 압수할 수 있으므로, 현행범 체포 현장이나 범죄 장소에서도 소지자 등이 임의로 제출하는 물건은 위 조항에 의하여 영장 없이 압수할 수 있고, 이 경우에는 검사나 사법경찰관이 사후에 영장을 받을 필요가 없다(대판 2016.2.18, 2015도13726).

② 현행범을 체포한 甲이 사법경찰관 丙에게 작성·제출한 진술서는 참고인신문조서와 동일하게 취급하므로(제312조 제5항), 원진술자인 甲의 진술서에 대한 성립의 진정 증명, 특신상태, 반대신문기회부여 등의 요건이 인정되어야 한다(제312조 제4항). 원진술자(작성자)가 아닌 사법경찰관 丙이 甲 진술서 작성사실에 대한 성립의 진정을 인정하더라도 진술서의 증거능력은 인정되지 아니한다.
③ 甲이 사법경찰관 丙에게 작성·제출한 진술서는 제314조 적용 대상이므로, 원진술자가 소재불명 등으로 출석할 수 없는 경우에는 그 진술이나 작성이 특히 신빙할 수 있는 상태하에서 이루어졌음이 증명된 때에 증거로 할 수 있다(제314조).
④ 참고인의 진술 또는 작성이 '특히 신빙할 수 있는 상태하에서 행하여졌음에 대한 증명'은 단지 그러할 개연성이 있다는 정도로는 부족하고 합리적인 의심의 여지를 배제할 정도에 이르러야 한다(대판 2014.2.21, 2013도12652).

04 전문증거에 관한 다음 설명 중 가장 옳은 것은?(다툼이 있는 경우 판례에 의함) 21. 9급 법원직

① 피고인과 공범관계가 있는 다른 피의자에 대하여 검사 이외의 수사기관이 작성한 피의자신문조서는 그 피의자의 법정진술에 의하여 성립의 진정이 인정되는 등 형사소송법 제312조 제4항의 요건을 갖춘 경우라면 해당 피고인이 공판기일에서 그 조서의 내용을 부인하여도 이를 유죄인정의 증거로 사용할 수 있다.
② 수사기관에서 진술한 참고인이 법정에서 증언을 거부하여 피고인이 반대신문을 하지 못한 경우에는 증인이 정당하게 증언거부권을 행사한 것이 아니라면 형사소송법 제314조의 '그 밖에 이에 준하는 사유로 인하여 진술할 수 없는 때'에 해당한다고 보아야 한다.
③ 수사기관이 참고인을 조사하는 과정에서 참고인의 동의를 받아 작성한 영상녹화물은, 다른 법률에서 달리 규정하고 있는 등의 특별한 사정이 없는 한, 공소사실을 직접 증명할 수 있는 독립적인 증거로 사용될 수 있다.
④ 형사소송법은 전문진술에 대하여 제316조에서 실질상 단순한 전문의 형태를 취하는 경우에 한하여 예외적으로 그 증거능력을 인정하는 규정을 두고 있을 뿐, 재전문진술이나 재전문진술을 기재한 조서에 대하여는 달리 그 증거능력을 인정하는 규정을 두고 있지 아니하므로, 피고인이 증거로 하는 데 동의하지 아니하는 한 형사소송법 제310조의 2의 규정에 의하여 이를 증거로 할 수 없다.

| 해설 | ① 당해 피고인과 공범관계가 있는 다른 피의자에 대하여 검사 이외의 수사기관이 작성한 피의자신문조서는, 그 피의자의 법정진술에 의하여 그 성립의 진정이 인정되는 등 형사소송법 제312조 제4항의 요건을 갖춘 경우라고 하더라도 당해 피고인이 공판기일에서 그 조서의 내용을 부인한 이상 이를 유죄인정의 증거로 사용할 수 없다(대판 2009.7.9, 2009도2865).
② 수사기관에서 진술한 참고인이 법정에서 증언을 거부하여 피고인이 반대신문을 하지 못한 경우에는 정당하게 증언거부권을 행사한 것이 아니라도, 피고인이 증인의 증언거부 상황을 초래하였다는 등의 특별한 사정이 없는 한 형사소송법 제314조의 '그 밖에 이에 준하는 사유로 인하여 진술할 수 없는 때'에 해당하지 않는다고 보아야 한다. 따라서 증인이 정당하게 증언거부권을 행사하여 증언을 거부한 경우와 마찬가지로 수사기관에서 그 증인의 진술을 기재한 서류는 증거능력이 없다(대판 2019.11.21, 2018도13945 전원합의체).
③ 수사기관이 작성한 영상녹화물은, 다른 법률에서 달리 규정하고 있는 등의 특별한 사정이 없는 한, 공소사실을 직접 증명할 수 있는 독립적인 증거로 사용될 수 없다(대판 2014.7.10, 2012도5041).
④ 대판 2012.5.24, 2010도5948

Answer⟂ 4. ④

05 전문법칙에 대한 설명으로 적절한 것만을 고르면 모두 몇 개인가?(다툼이 있는 경우 판례에 의함)

21. 순경 1차

> ⊙ 다른 사람의 진술을 내용으로 하는 진술이 전문증거인지는 요증사실이 무엇인지에 따라 정해지는 바, 다른 사람의 진술, 즉 원진술의 내용인 사실이 요증사실인 경우에는 전문증거이지만 원진술의 존재 자체가 요증사실인 경우에는 본래증거이지 전문증거가 아니다.
>
> ⓛ 어떤 진술이 기재된 서류가 어떠한 내용의 진술을 하였다는 사실 자체에 대한 정황증거로 사용될 것이라는 이유로 서류의 증거능력을 인정한 다음 그 사실을 다시 진술내용이나 그 진실성을 증명하는 간접사실로 사용하는 경우에 그 서류는 전문증거에 해당한다.
>
> ⓒ 甲이 乙로부터 들은 피고인 A의 진술내용을 수사기관이 진술조서에 기재하여 증거로 제출하였다면, 그 진술조서 중 피고인 A의 진술을 기재한 부분은 乙이 증거로 하는 데 동의하지 않는 한 형사소송법 제310조의 2의 규정에 의하여 이를 증거로 할 수 없다.
>
> ⓔ 형사소송법 제312조부터 제316조까지의 규정에 따라 증거로 할 수 없는 서류나 진술이라도 공판준비 또는 공판기일에서의 피고인 또는 피고인 아닌 자의 진술의 증명력을 다투기 위하여 증거로 할 수 있다.

① 1개   ② 2개   ③ 3개   ④ 4개

│해설│ ⊙ ○ : 대판 2012.7.26, 2012도2937

ⓛ ○ : 어떤 진술이 기재된 서류가 그 내용의 진실성이 범죄사실에 대한 직접증거로 사용될 때는 전문증거가 되지만, 그와 같은 진술을 하였다는 것 자체 또는 진술의 진실성과 관계없는 간접사실에 대한 정황증거로 사용될 때는 반드시 전문증거가 되는 것이 아니다. 그러나 어떠한 내용의 진술을 하였다는 사실 자체에 대한 정황증거로 사용될 것이라는 이유로 서류의 증거능력을 인정한 다음 그 사실을 다시 진술내용이나 그 진실성을 증명하는 간접사실로 사용하는 경우에 그 서류는 전문증거에 해당한다. 서류가 그곳에 기재된 원진술의 내용인 사실을 증명하는 데 사용되어 원진술의 내용인 사실이 요증사실이 되기 때문이다. 이러한 경우 형사소송법 제311조부터 제316조까지 정한 요건을 충족하지 못한다면 증거능력이 없다(대판 2019. 8.29, 2018도14303 전원합의체).

ⓒ × : 전문진술이나 전문진술을 기재한 조서는 형사소송법 제310조의 2의 규정에 의하여 원칙적으로 증거능력이 없다. 다만, 피고인 아닌 자의 공판준비 또는 공판기일에서의 진술이 피고인의 진술을 그 내용으로 하는 것인 때에는 그 전문진술이 기재된 조서는 형사소송법 제312조 내지 314조의 규정에 의하여 그 증거능력이 인정될 수 있는 경우에 해당하여야 함은 물론 나아가 형사소송법 제316조 제1항의 규정에 따른 조건을 갖춘 때에 예외적으로 증거능력을 인정하여야 할 것이다(대판 2000.9.8, 99도4814).

ⓔ ○ : 제318조의 2

06 증거에 관한 설명으로 가장 적절하지 않은 것은?(다툼이 있는 경우 판례에 의함)   21. 순경 2차

① 공연히 사실을 적시하여 사람의 명예를 훼손한 행위가 형법 제310조의 규정에 따라서 위법성이 조각되기 위하여는 그것이 진실한 사실로서 오로지 공공의 이익에 관한 때에 해당된다는 점을 행위자가 증명하여야 하나, 그 증명은 엄격한 증거에 의할 것을 요하지 아니하므로 전문증거의 증거능력에 관한 형사소송법 제310조의 2는 적용될 여지가 없다.

② 정보통신망을 통하여 공포심이나 불안감을 유발하는 글을 반복적으로 상대방에게 도달하게 하는 행위를 하였다는 공소사실에 대하여 휴대전화기에 저장된 문자정보가 그 증거가 되는 경우, 그 문자정보는 범행의 직접적인 수단이고 경험자의 진술에 갈음하는 대체물에 해당하지 않으므로 형사소송법 제310조의 2에서 정한 전문법칙이 적용되지 않는다.

③ 영장 발부의 사유로 된 범죄 혐의사실과 무관한 별개의 증거를 압수하였을 경우 이는 원칙적으로 유죄의 증거로 사용할 수 없으나, 수사기관이 그 증거를 피압수자에게 환부한 후에 임의제출받아 다시 압수하였다면 최초의 절차 위반행위와 최종적인 증거수집 사이의 인과관계가 단절되었다고 평가할 수 있고, 제출에 임의성이 있다는 점을 검사가 합리적 의심을 배제할 수 있을 정도로 증명한 경우에는 증거능력을 인정할 수 있다.

④ 피고인의 수사기관에서나 제1심 법정에서의 자백이 항소심에서의 법정진술과 다른 경우 그 자백의 증명력 내지 신빙성이 의심스럽다고 할 것이고, 같은 사람의 검찰에서의 진술과 법정에서의 증언이 다를 경우 검찰에서의 진술을 믿고서 범죄사실을 인정하는 것은 자유심증주의의 한계를 벗어나는 것이다.

| 해설 | ① 대판 1996.10.25, 95도1473 ② 대판 2008.11.13, 2006도2556
③ 대판 2016.3.10, 2013도11233(다만, 임의로 제출된 것이라고 볼 수 없는 경우에는 그 증거능력을 인정할 수 없다.)
④ 증거의 취사와 사실인정은 채증법칙에 위반되지 아니하면 사실심의 전권사항에 속하는 것이고 같은 사람의 검찰에서의 진술과 법정에서의 증언이 다를 경우 반드시 후자를 믿어야 된다는 법칙은 없다고 할 것이므로 같은 사람의 법정에서의 증언과 다른 검찰에서의 진술을 믿고서 범죄사실을 인정하더라도 그것이 위법하게 진술된 것이 아닌 이상 자유심증에 속한다(대판 1988.6.28, 88도740).

07 증거에 대한 설명으로 옳지 않은 것은?(다툼이 있는 경우 판례에 의함)　　　21. 7급 국가직

① 유류물의 경우 영장 없이 압수하였더라도 영장주의를 위반한 잘못이 있다 할 수 없고, 압수 후 압수조서의 작성 및 압수목록의 작성·교부 절차가 제대로 이행되지 아니한 잘못이 있다 하더라도, 그것이 적법절차의 실질적인 내용을 침해하는 경우에 해당하는 것은 아니다.

② 제1심에서 피고인에 대하여 무죄판결이 선고되어 검사가 항소한 후, 수사기관이 항소심 공판기일에 증인으로 신청하여 신문할 수 있는 사람을 특별한 사정 없이 미리 수사기관에 소환하여 작성한 진술조서나 피의자신문조서는 피고인이 증거로 삼는 데 동의하지 않는 한 증거능력이 없지만, 참고인 등이 나중에 법정에 증인으로 출석하여 위 진술조서 등의 진정성립을 인정하고 피고인 측에 반대신문의 기회까지 충분히 부여되었다면 하자가 치유되었다고 할 것이므로 위 진술조서 등의 증거능력을 인정할 수 있다.

③ 피고인의 사용인이 위반행위를 하여 피고인이 양벌규정에 따라 기소된 경우, 사용인에 대하여 사법경찰관이 작성한 피의자신문조서에 대하여는 그 사용인이 사망하여 진술할 수 없더라도 형사소송법 제314조가 적용되지 않는다.

④ 압수조서의 '압수경위'란에 피고인이 범행을 저지르는 현장을 목격한 사법경찰관 및 사법경찰관의 진술이 담겨 있고, 그 하단에 피고인의 범행을 직접 목격하면서 위 압수조서를 작성한 사법경찰관 및 사법경찰리의 각 기명날인 들어가 있다면, 위 압수조서 중 '압수경위'란에 기재된 내용은 형사소송법 제312조 제5항에서 정한 '피고인이 아닌 자가 수사과정에서 작성한 진술서'에 준하는 것으로 볼 수 있다.

▎해설 ① 대판 2011.5.26, 2011도1902
② 제1심에서 피고인에 대하여 무죄판결이 선고되어 검사가 항소한 후, 수사기관이 항소심 공판기일에 증인으로 신청하여 신문할 수 있는 사람을 특별한 사정 없이 미리 수사기관에 소환하여 작성한 진술조서나 피의자신문조서는 피고인이 증거로 삼는 데 동의하지 않는 한 증거능력이 없다. 참고인 등이 나중에 법정에 증인으로 출석하여 위 진술조서 등의 진정성립을 인정하고 피고인 측에 반대신문의 기회가 부여된다 하더라도 위 진술조서 등의 증거능력을 인정할 수 없음은 마찬가지이다(대판 2020.1.30, 2018도2236 전원합의체).
③ 대판 2020.6.11, 2016도9367
④ 대판 2019.11.14, 2019도13290

08 전문증거의 증거능력에 대한 설명으로 옳지 않은 것은?(다툼이 있는 경우 판례에 의함)

21. 9급 검찰·마약·교정·보호·철도경찰

① 형사소송법 제312조 제4항에서 '적법한 절차와 방식에 따라 작성'한다는 것은 형사소송법이 피고인 아닌 사람의 진술에 대한 조서 작성 과정에서 지켜야 한다고 정한 여러 절차를 준수하고 조서의 작성 방식에도 어긋나지 않아야 한다는 것을 의미한다.
② 형사소송법 제313조에 따르면 피고인이 작성한 진술서는 공판준비나 공판기일에서의 피고인의 진술에 의하여 그 성립의 진정함이 증명된 때에만 증거로 할 수 있고, 피고인이 그 성립의 진정을 부인한 경우에는 증거로 할 수 있는 방법은 없다.
③ 형사소송법 제314조의 '외국거주'는 진술을 하여야 할 사람이 외국에 있다는 사정만으로는 부족하고, 가능하고 상당한 수단을 다하더라도 그 사람을 법정에 출석하게 할 수 없는 사정이 있어야 예외적으로 그 요건이 충족될 수 있다.
④ 형사소송법 제316조 제2항에서 '그 진술이 특히 신빙할 수 있는 상태하에서 행하여졌음'이란 진술내용에 허위가 개입할 여지가 거의 없고, 진술내용의 신빙성이나 임의성을 담보할 구체적이고 외부적인 정황이 있는 경우를 의미한다.

▎해설 ① 대판 2017.7.18, 2015도12981
② 피고인이 그 성립의 진정을 부인한 경우에는 과학적 분석결과에 기초한 디지털포렌식 자료, 감정 등 객관적 방법으로 성립의 진정함이 증명되는 때에는 증거로 할 수 있다(제313조 제2항).
③ 대판 2002.3.26, 2001도5666
④ 대판 1987.3.24, 87도81

09 전문증거에 대한 설명으로 옳은 것만을 모두 고르면?(다툼이 있는 경우 판례에 의함)

22. 9급 검찰·마약수사

> ㉠ 사법경찰관이 피의자를 신문하기 전에 피의자에게 진술거부권을 행사할 수 있음을 알려 주고 그 행사 여부를 질문하였다면 비록 진술거부권 행사 여부에 대한 피의자의 답변이 자필로 기재되어 있지 아니하더라도 사법경찰관 작성의 피의자신문조서는 특별한 사정이 없는 한 형사소송법 제312조 제3항에서 정한 '적법한 절차와 방식'에 따라 작성된 조서라 할 수 있다.
> ㉡ 어떤 진술이 기재된 서류가 그 내용의 진실성이 범죄 사실에 대한 직접증거로 사용함에 있어서는 전문증거가 된다고 하더라도 그와 같은 진술을 하였다는 것 자체 또는 그 진술의 진실성과 관계없이 간접사실에 대한 정황증거로 사용함에 있어서는 반드시 전문증거가 되는 것은 아니다.
> ㉢ 재전문진술이나 재전문진술을 기재한 조서는 증거능력이 인정되지 않으며, 나아가 설령 피고인이 증거로 하는 데 동의한 경우라 하더라도 증거로 할 수 없다.
> ㉣ 사법경찰관 사무취급이 작성한 실황조사서가 사고발생 직후 사고장소에서 긴급을 요하여 판사의 영장없이 시행된 것으로서 형사소송법 제216조 제3항에 의한 검증에 따라 작성된 것이라면 사후영장을 받지 않는 한 유죄의 증거로 삼을 수 없다.

① ㉠, ㉡　　　　② ㉡, ㉢　　　　③ ㉡, ㉣　　　　④ ㉢, ㉣

| 해설 ㉠ × : 사법경찰관이 피의자에게 진술거부권을 행사할 수 있음을 알려 주고 그 행사 여부를 질문하였다 하더라도, 형사소송법 제244조의 3 제2항에 규정한 방식에 위반하여 진술거부권 행사 여부에 대한 피의자의 답변이 자필로 기재되어 있지 아니하거나 그 답변 부분에 피의자의 기명날인 또는 서명이 되어 있지 아니한 사법경찰관 작성의 피의자신문조서는 특별한 사정이 없는 한 형사소송법 제312조 제3항에서 정한 '적법한 절차와 방식'에 따라 작성된 조서라 할 수 없으므로 그 증거능력을 인정할 수 없다(대판 2013.3.28, 2010도3359).
㉡ ○ : 대판 2000.2.25, 99도1252
㉢ × : 재전문진술이나 재전문진술을 기재한 조서는 증거능력을 인정하는 규정을 두고 있지 아니하고 있으므로, 피고인이 증거로 하는 데 동의하지 아니하는 한 이를 증거로 할 수 없다(대판 2000.3.10, 2000도159).
㉣ ○ : 대판 1989.3.14, 88도1399

10 전문증거에 대한 설명으로 옳지 않은 것은?(다툼이 있는 경우 판례에 의함)

22. 9급 교정·보호·철도경찰

① 검사가 작성한 피의자신문조서는 적법한 절차와 방식에 따라 작성된 것으로서, 공판기일에 그 피의자였던 피고인 또는 변호인이 그 내용을 인정할 때에 한하여 증거로 할 수 있다.
② 상업장부, 항해일지 기타 업무상 필요로 작성한 통상문서는 당연히 증거능력 있는 서류이다.
③ 법정에 출석한 증인이 형사소송법 제148조, 제149조 등에서 정한 바에 따라 정당하게 증언거부권을 행사하여 증언을 거부한 경우에도 형사소송법 제314조의 '그 밖에 이에 준하는 사유로 인하여 진술할 수 없는 때'에 해당한다.

| Answer 9. ③　10. ③

④ 피고인의 진술을 그 내용으로 하는 전문진술이 기재된 조서는 형사소송법 제312조 내지 제314조의 규정에 의하여 각 그 증거능력이 인정될 수 있는 경우에 해당하여야 함은 물론, 나아가 형사소송법 제316조 제1항의 규정에 따라 피고인의 진술이 특히 신빙할 수 있는 상태하에서 행하여진 때에는 이를 증거로 할 수 있다.

| 해설 | ① 제312조 제1항

② 제315조 제2호

③ 법정에 출석한 증인이 형사소송법 제148조, 제149조 등에서 정한 바에 따라 정당하게 증언거부권을 행사하여 증언을 거부한 경우는 형사소송법 제314조의 '그 밖에 이에 준하는 사유로 인하여 진술할 수 없는 때'에 해당하지 아니한다고 할 것이다(대판 2012.5.17, 2009도6788 전원합의체).

④ 대판 2000.9.8, 99도4814

11 **전문증거에 관한 설명으로 옳지 않은 것은?**(다툼이 있는 경우 판례에 의함) 22. 소방간부

① 전문진술을 증거로 하는 경우에는 전문진술자가 원진술자로부터 진술을 들을 당시 원진술자가 증언능력에 준하는 능력을 갖춘 상태에 있어야 한다.

② 형사소송법 제312조 제3항에서 '그 내용을 인정할 때'라 함은 피의자신문조서의 기재 내용이 진술내용대로 기재되어 있다는 의미가 아니고 그와 같이 진술한 내용이 실제사실과 부합한다는 것을 의미한다.

③ 피의자의 진술을 녹취한 서류가 수사기관의 조사과정에서 작성된 것이라면 그것이 진술조서 또는 진술서라는 형식을 취하였다 하더라도 수사기관이 작성한 피의자신문조서로 볼 수 있다.

④ 영업에 참고하기 위하여 성매매 상대방의 아이디와 전화번호 및 성매매방법 등을 메모지에 적어두었다가 직접 메모리카드에 입력하거나 업주가 고용한 여직원이 그 내용을 입력한 경우 위 메모리카드의 내용은 영업상 필요로 작성한 통상문서로서 당연히 증거능력 있는 문서에 해당한다.

⑤ 소재불명한 참고인의 진술조서나 진술서에 대하여 증거능력을 인정하는 경우 참고인의 진술 또는 작성이 '특히 신빙할 수 있는 상태 하에서 행하여졌음에 대한 증명'은 그러할 개연성이 있다는 정도에 이르러야 한다.

| 해설 | ① 대판 2006.4.14, 2005도9561

② 대판 2013.3.28, 2010도3359

③ 대판 2014.4.10, 2014도1779

④ 대판 2007.7.26, 2007도3219

⑤ 참고인의 진술 또는 작성이 '특히 신빙할 수 있는 상태하에서 행하여졌음에 대한 증명'은 단지 그러할 개연성이 있다는 정도로는 부족하고 합리적인 의심의 여지를 배제할 정도에 이르러야 한다고 할 것이다(대판 2014.2.21, 2013도12652).

12 **전문법칙의 예외에 관한 설명 중 가장 적절한 것은?**(다툼이 있는 경우 판례에 의함) 22. 순경 2차

① 사법경찰관이 적법한 절차와 방식에 따라 작성한 검증조서에 피의자 아닌 자의 진술이 기재된 경우, 그 진술이 영상녹화물에 의하여 증명되고 공판기일에서 작성자인 사법경찰관의 진술에 따라 그 성립의 진정함이 증명된 때에는 증거로 할 수 있다.

② A는 살인현장을 목격한 친구 B가 "甲이 길가던 여자를 죽였다."고 말한 내용을 자필 일기장에 작성하였고, 훗날 이 일기장이 甲의 살인죄 공판에 증거로 제출된 경우, 이 일기장은 형사소송법 제313조 제1항의 진술기재서(류)에 해당된다.

③ 자기에게 맡겨진 사무를 처리한 내역을 그때 그때 계속적, 기계적으로 기재한 문서라 하더라도 불법적인 업무과정에서 작성한 문서는 신용성이 없으므로 당연히 증거능력이 인정되지 않는다.

④ 甲이 살인죄로 공소제기된 공판에서 A가 증인으로 출석하여 교통사고로 사망한 B가 생전에 자신에게 "甲이 C를 살해하는 것을 보았다."는 말을 한 적이 있다고 진술한 경우, B의 진술이 특히 신빙할 수 있는 상태 하에서 행하여졌음이 증명된 때에 한하여 이를 증거로 할 수 있다.

> **해설** ① 사법경찰관이 적법한 절차와 방식에 따라 작성한 검증조서에 피의자 아닌 자의 진술이 기재된 경우, 이는 제312조 제4항이 적용되는 참고인진술조서로 보아야 한다(대판 1998.3.13, 98도159 참조). 따라서 그 조서가 검사 또는 사법경찰관 앞에서 진술한 내용과 동일하게 기재되어 있음이 원진술자의 공판준비 또는 공판기일에서의 진술이나 영상녹화물 또는 그 밖의 객관적인 방법에 의하여 증명되고, 피고인 또는 변호인이 공판준비 또는 공판기일에 그 기재 내용에 관하여 원진술자를 신문할 수 있었던 때에는 증거로 할 수 있다. 다만, 그 조서에 기재된 진술이 특히 신빙할 수 있는 상태하에서 행하여졌음이 증명된 때에 한한다(제312조 제4항).
> ② A가 목격자(B)로부터 전해들은 내용을 자신의 일기장에 기재한 것은 전문진술이 기재된 서류이므로 재전문증거(재전문서류)에 해당되어 형사소송법 제313조 제1항 적용대상이 아니다.
> ▶ 목격자에 대한 참고인진술조서와 구별을 요함. 참고인진술조서는 참고인(목격자)의 진술을 수사기관이 받아 적어 둔 서류이므로 재전문증거가 아니라 전문증거이다.
> ③ 자기에게 맡겨진 사무를 처리한 내역을 그때 그때 계속적, 기계적으로 기재한 문서라면 신용성이 있으므로 당연히 증거능력이 인정되며, 업무의 적법·불법은 문제가 되지 아니한다(대판 2007.7.26, 2007도3219 참조).
> ④ A(피고인 아닌 자)의 공판준비 또는 공판 기일에서의 진술이 B(피고인 아닌 타인)의 진술을 그 내용으로 하는 것인 때에는 B(원진술자)가 사망·질병 기타 사유로 인하여 진술할 수 없고 그 진술이 특히 신빙할 수 있는 상태하에서 행하여진 때에 한하여 이를 증거로 할 수 있다(제316조 제2항).

13 **전문법칙에 대한 설명으로 가장 적절한 것은?**(다툼이 있는 경우 판례에 의함)   23. 경찰승진

① 성매매업소에 고용된 여성들이 성매매를 업으로 하면서 영업에 참고하기 위하여 성매매 상대방의 아이디와 전화번호 및 성매매 방법 등을 메모지에 적어두었다가 이를 메모리카드에 입력한 경우, 그 메모리카드의 내용은 형사소송법 제315조 제2호의 '업무상 필요로 작성한 통상문서'로서 당연히 그 증거능력이 인정된다.

② 검사가 피고인이 된 피의자의 진술을 기재한 조서는 적법한 절차와 방식에 따라 작성된 것으로서 피고인이 진술한 내용과 동일하게 기재되어 있음이 공판준비 또는 공판기일에서의 피고인의 진술에 의하여 인정되고, 그 조서에 기재된 진술이 특히 신빙할 수 있는 상태에서 행하여졌음이 증명된 때에 한하여 증거로 할 수 있다.

③ 당해 피고인과 공범관계가 있는 다른 피의자에 대한 사법경찰관 작성의 피의자신문조서는 그 피의자의 법정진술에 의하여 그 성립의 진정이 인정된다면 당해 피고인이 공판기일에서 그 조서의 내용을 부인하더라도 증거능력이 인정된다.

④ 어떤 진술이 기재된 서류가 그 진술의 진실성과 관계없는 간접사실에 대한 정황증거로 사용되더라도 그 진술이 결국 요증사실을 간접적으로나마 뒷받침하므로 예외 없이 전문법칙이 적용된다.

| 해설 | ① 대판 2007.7.26, 2007도3219

② 검사가 피고인이 된 피의자의 진술을 기재한 조서(피의자신문조서)는 적법한 절차와 방식에 따라 작성된 것으로서 공판준비 또는 공판기일에 그 피의자였던 피고인 또는 변호인이 그 내용을 인정한 때에 한하여 증거로 할 수 있다(제312조 제1항).

③ 당해 피고인과 공범관계가 있는 다른 피의자에 대한 사법경찰관 작성의 피의자신문조서는 그 피의자의 법정진술에 의하여 그 성립의 진정이 인정되더라도 당해 피고인이 공판기일에서 그 조서의 내용을 부인하면 이를 유죄 인정의 증거로 사용할 수 없다(대판 2009.7.9, 2009도2865).

④ 어떤 진술이 범죄사실에 대한 직접증거로 사용함에 있어서는 전문증거가 된다고 하더라도 그와 같은 진술을 하였다는 것 자체 또는 그 진술의 진실성과 관계없는 간접사실에 대한 정황증거로 사용함에 있어서는 반드시 전문증거가 되는 것은 아니다(대판 2000.2.25, 99도1252).

14 전문증거에 관한 설명 중 가장 적절한 것은?(다툼이 있는 경우 판례에 의함)

23. 순경 1차·전의경 경채

① 제1심에서 피고인에 대하여 무죄판결이 선고되어 검사가 항소한 후, 수사기관이 항소심 공판기일에 증인으로 신청하여 신문할 수 있는 사람을 특별한 사정 없이 미리 수사기관에 소환하여 작성한 진술조서는 피고인이 증거로 할 수 있음에 동의하지 않는 한 증거능력이 없지만, 위 참고인이 법정에 증인으로 출석하여 위 진술조서의 진정성립을 인정하고 피고인측에 반대신문의 기회가 부여된다면 예외적으로 증거능력이 인정된다.

② 피고인의 진술을 피고인 아닌 자가 녹음한 경우 피고인이 해당 녹음테이프를 증거로 할 수 있음에 동의하지 않은 이상 녹음테이프에 녹음된 피고인의 진술내용을 증거로 사용하기 위해서는 형사소송법 제313조 제1항 단서에 따라 공판준비 또는 공판기일에서 진술자인 피고인의 진술에 의하여 녹음테이프에 녹음된 진술내용이 자신이 진술한 대로 녹음된 것임이 증명되고 나아가 그 진술이 특히 신빙할 수 있는 상태하에서 행하여진 것임이 인정되어야 한다.

③ 피고인이 아닌 자가 수사과정에서 진술서를 작성하였지만 수사기관이 그에 대한 조사과정을 기록하지 아니하여 형사소송법 제244조의 4 제3항, 제1항에서 정한 절차를 위반한 경우에는, 특별한 사정이 없는 한 '적법한 절차와 방식'에 따라 수사과정에서 진술서가 작성되었다 할 수 없으므로 증거능력을 인정할 수 없다.

④ 형사소송법 제316조 제2항에 의하면, '피고인 아닌 자'의 공판준비 또는 공판기일에서의 진술이 피고인 아닌 타인의 진술을 그 내용으로 하는 것인 때에는 원진술자가 사망, 질병 기타사유로 인하여 진술할 수 없고 그 진술이 특히 신빙할 수 있는 상태 하에서 행하여진 때에 한하여 이를 증거로 할 수 있다고 규정하고 있는데, 여기서 말하는 '피고인 아닌 자' 라고 함은 공동피고인이나 공범자를 제외한 제3자를 의미한다.

해설 ① 제1심에서 피고인에 대하여 무죄판결이 선고되어 검사가 항소한 후, 수사기관이 항소심 공판기일에 증인으로 신청하여 신문할 수 있는 사람을 특별한 사정 없이 미리 수사기관에 소환하여 작성한 진술조서는 피고인이 증거로 할 수 있음에 동의하지 않는 한 증거능력이 없다. 위 참고인이 나중에 법정에 증인으로 출석하여 위 진술조서의 성립의 진정을 인정하고 피고인 측에 반대신문의 기회가 부여된다 하더라도 위 진술조서의 증거능력을 인정할 수 없음은 마찬가지이다(대판 2019.11.28, 2013도6825).
② 형사소송법 제313조 제1항 단서에 따라 공판준비 또는 공판기일에서 그 작성자인 상대방의 진술에 의하여 녹음테이프에 녹음된 피고인의 진술내용이 피고인이 진술한 대로 녹음된 것임이 증명되고 나아가 그 진술이 특히 신빙할 수 있는 상태하에서 행하여진 것임이 인정되어야 한다(대판 2012.9.13, 2012도7461).
③ 대판 2015.4.23, 2013도3790
④ 여기서 말하는 '피고인 아닌 자'라고 함은 공동피고인이나 공범자를 포함한 제3자를 의미한다(대판 1984.11.27, 84도2279).

15 **전문증거의 증거능력에 대한 설명으로 옳은 것은?**   23. 9급 검찰·마약·교정·보호·철도경찰

① 진술이 기재된 서류가 그 진술을 하였다는 사실 자체에 대한 정황증거로 사용될 것이라는 이유로 그 서류의 증거능력이 인정된 다음 그 사실을 다시 진술내용의 진실성을 증명하는 간접사실로 사용하면 그 서류는 전문증거에 해당한다.

② 검사가 작성한 피고인 아닌 자에 대한 진술조서에 관하여 피고인이 공판정 진술과 배치되는 부분은 부동의한다고 진술하였다면, 진술조서 중 부동의한 부분을 제외한 나머지 부분에 대해서는 피고인이 그 조서를 증거로 함에 동의한다는 취지로 해석하여야 한다.

③ 검사의 조사를 받은 참고인이 법정에서 증언을 거부하여 피고인이 반대신문을 하지 못한 경우라도 그 증언거부권 행사가 정당하다면 형사소송법 제314조의 '그 밖에 이에 준하는 사유로 인하여 진술할 수 없는 때'에 해당하므로 특별한 사정이 없는 한 참고인에 대한 검사 작성 조서는 증거능력이 인정된다.

④ 참고인의 진술을 내용으로 하는 조사자의 증언은, 그 참고인이 법정에 출석하여 조사 당시의 진술을 부인하는 취지로 증언하였더라도, 그 진술이 '특히 신빙할 수 있는 상태하에서 행하여졌음'이 증명되면 증거능력이 인정된다.

04

해설 ① 대판 2019.8.29, 2018도14303 전원합의체

② 검사 작성의 피고인 아닌 자에 대한 진술조서에 관하여 피고인이 공판정 진술과 배치되는 부분은 부동의 한다고 진술한 것은 조서내용의 특정부분에 대하여 증거로 함에 동의한다는 특별한 사정이 있는 때와는 달리 그 조서를 증거로 함에 동의하지 아니한다는 취지로 해석하여야 한다(대판 1984.10.10, 84도1552).

③ 정당하게 증언거부권을 행사하여 증언을 거부한 경우에도 형사소송법 제314조의 '그 밖에 이에 준하는 사유로 인하여 진술할 수 없는 때'에 해당하지 아니한다. 따라서 참고인에 대한 검사 작성조서는 특별한 사정이 없는 한 증거능력이 부정된다(대판 2012.5.17, 2009도6788 전원합의체).

④ 참고인의 진술을 내용으로 하는 조사자의 증언에 증거능력이 인정되기 위해서는 원진술자가 사망, 질병, 외국거주, 소재불명, 그 밖에 이에 준하는 사유로 인하여 진술할 수 없어야 하는 것이라서(제316조 제2항) 원진술자가 법정에 출석하여 수사기관에서 한 진술을 부인하는 취지로 증언한 이상 원진술자의 진술을 내용으로 하는 조사자의 증언은 증거능력이 없다(대판 2008.9.25, 2008도6985).

16 피고인 甲은 A에게 휴대전화기로 "돈 100만원을 주지 않으면 너의 동생 B를 불구로 만들어 학교에 다니지 못하게 하겠다."는 내용의 문자메시지를 수차에 걸쳐서 보내는 방법으로 돈을 갈취하였다. 이에 A는 자신의 아버지 C에게 피고인 甲으로부터 피해를 입은 내용을 문자메시지로 보내면서 도움을 요청하였고, 동생 B에게도 자신이 입은 피해내용을 상세히 진술하였다. 이에 관한 다음 설명 중 가장 옳지 않은 것은?(다툼이 있으면 판례에 의함) 19. 경찰간부

① B가 A로부터 들은 진술내용을 수사기관에게 진술하였고 그러한 진술이 기재된 진술조서가 증거로 제출되었는데 피고인 甲이 증거부동의 하는 경우, A가 법정에 출석하여 그와 같은 대화내용에 관하여 증언을 하였더라도 위 진술조서는 증거로 할 수 없다.

② 검사가 공갈죄에 대한 유죄의 증거로 피고인 甲으로부터 피해를 입은 내용의 문자메시지가 저장된 C의 휴대전화기를 법정에 제출하였는데 휴대전화기에 저장된 A가 보낸 피해내용의 문자정보를 피고인이 증거부동의 하는 경우, A가 법정에 출석하여 자신이 그 문자메시지를 작성하여 아버지에게 보낸 것과 같다고 확인하였다면 성립의 진정함이 증명되었다고 볼 수 있어 증거로 할 수 있다.

③ 검사가 공갈죄에 대한 유죄의 증거로 피고인 甲의 협박 문자메시지가 저장된 피해자 A의 휴대전화기를 법정에 제출하였는데 휴대전화기에 저장된 피고인의 협박 문자정보를 피고인이 증거부동의 하는 경우, 위 문자정보는 피해자 A의 진술에 의하여 그 성립의 진정이 인정되어야 증거로 할 수 있다.

④ 만일 A가 피고인 甲과 사이에 피고인이 자신의 범행을 인정하는 내용의 대화를 녹음하여 그 녹음테이프 원본이 증거로 제출되었다면, 공판기일에서 甲이 녹음내용을 부인하여도 A의 진술에 의하여 녹음테이프에 녹음된 피고인의 진술내용이 피고인이 진술한 대로 녹음된 것이 증명되고 그 진술이 특히 신빙할 수 있는 상태하에서 행하여진 것이 인정되는 때에는 증거로 할 수 있다.

해설 상당히 사고를 요하는 문제이다. 먼저 대략적인 정리를 해보면, 피해자 A로부터 들은 동생 B의 진술은 피의자 아닌 자의 진술을 내용으로 하는 전문진술이고, 이에 대해 작성한 조서는 전문진술이 기재된

서류, 즉 재전문서류에 해당한다. 재전문증거에 대하여 대법원 판례에 의하면 원칙적으로 증거능력을 부정하고 있으며, 예외적으로 전문진술이 기재된 조서에 대하여 일정한 요건하에 증거능력을 인정하고 있다.

① 피의자 아닌 자의 진술을 내용으로 하는 전문진술이 기재된 조서는 형사소송법 제312조 또는 제314조의 규정에 의하여 각 그 증거능력이 인정될 수 있는 경우에 해당하여야 함은 물론, 나아가 형사소송법 제316조 제2항의 규정에 따른 위와 같은 요건을 갖추어야 예외적으로 증거능력이 있다(대판 2001.7.27, 2001도2891). 따라서 본 사안에서 전문진술이 기재된 조서는 제312조 제4항(참고인진술조서)의 요건을 갖추고 316조 제2항에 따라 원진술자인 A가 사망이나 질병 등으로 출석할 수 없어서 전해들은 사람의 진술이라도 들어야 할 필요성이 인정되고, 특신상태가 인정되어야 한다. 이러한 요건을 갖추지 못한채 A가 법정에 출석하여 그와 같은 대화내용에 관하여 증언을 하였다는 이유만으로는 증거로 할 수 없다.

② 이 사건 문자메시지의 내용을 촬영한 사진은 증거서류 중 피해자의 진술서에 준하는 것으로 취급함이 상당할 것인바, 진술서에 관한 형사소송법 제313조에 따라 이 사건 문자메시지의 작성자인 피해자가 제1심 법정에 출석하여 자신이 이 사건 문자메시지를 작성하여 아버지에게 보낸 것과 같음을 확인하고, 아버지 C도 제1심 법정에 출석하여 피해자가 보낸 이 사건 문자메시지를 촬영한 사진이 맞다고 확인한 이상, 이 사건 문자메시지를 촬영한 사진은 그 성립의 진정함이 증명되었다고 볼 수 있으므로 이를 증거로 할 수 있다(대판 2010.11.25, 2010도8735).

③ 정보통신망을 통하여 공포심이나 불안감을 유발하는 글을 반복적으로 상대방에게 도달하게 하는 행위를 하였다는 공소사실에 대하여 휴대전화기에 저장된 문자정보가 그 증거가 되는 경우와 같이, 그 문자정보가 범행의 직접적인 수단이 될 뿐 경험자의 진술에 갈음하는 대체물에 해당하지 않는 경우에는 전문법칙이 적용될 여지가 없다(대판 2008.11.13, 2006도255). 따라서 A의 진술에 의한 성립의 진정 여부와 무관하게 증거사용이 가능하다.

④ A가 피고인 甲과 사이에 피고인이 자신의 범행을 인정하는 내용의 대화를 녹음한 녹음테이프는 피고인의 진술을 타인이 기재한 진술서와 같으므로, 공판준비 또는 공판기일에서 그 서류의 작성자인 타인(A)의 진술에 의하여 그 성립의 진정함이 증명되고 그 진술이 특히 신빙할 수 있는 때에 한하여 피고인의 공판준비 또는 공판기일에서의 진술에도 불구하고 증거로 할 수 있다(제313조 제1항 단서).

17 증거능력에 관한 다음 설명 중 가장 옳지 않은 것은?(다툼이 있는 경우 판례에 의하고, 전원합의체 판결의 경우 다수의견에 의함)

23. 9급 법원직

① 임의제출된 정보저장매체에서 압수의 대상이 되는 전자정보의 범위를 넘어서는 전자정보에 대해 수사기관이 영장 없이 압수·수색하여 취득한 증거는 위법수집증거에 해당하고, 사후에 법원으로부터 영장이 발부되었다거나 피고인이나 변호인이 이를 증거로 함에 동의하였다고 하여 그 위법성이 치유되는 것도 아니므로 증거능력이 없다.

② 법원조직법 제57조 제1항에서 정한 공개금지사유가 없음에도 불구하고 재판의 심리에 관한 공개를 금지하기로 결정하였다면, 그 절차에 의하여 이루어진 증인의 증언은 증거능력이 없고, 변호인의 반대신문권이 보장되었더라도 달리 볼 수 없으며, 이러한 법리는 공개금지결정의 선고가 없는 등으로 공개금지결정의 사유를 알 수 없는 경우에도 마찬가지이다.

③ 형사소송법 제244조의 4(수사과정의 기록) 제1항은 피고인이 아닌 자가 수사과정에서 진술서를 작성하는 경우에도 준용되므로, 수사기관이 그에 대한 조사과정을 기록하지 아니한 경우에는, 특별한 사정이 없는 한 '적법한 절차와 방식'에 따라 수사과정에서 진술서가 작성되었다 할 수 없으므로 그 증거능력을 인정할 수 없다.

④ 경찰관이 피고인이 아닌 자의 주거지·근무지를 방문한 곳에서 진술서 작성을 요구하여 제출받은 경우 등 그 진술서가 경찰서에서 작성한 것이 아니라 작성자가 원하는 장소를 방문하여 받은 것이라면, 형사소송법 제244조의 4(수사과정의 기록) 제1항 규정이 적용되지 않는다.

해설 ① 대판 2021.11.18, 2016도348
② 대판 2015.10.29, 2014도5939
③ 대판 2022.10.27, 2022도9510
④ '수사과정에서 작성한 진술서'란 수사가 시작된 이후에 수사기관의 관여 아래 작성된 것이거나, 개시된 수사와 관련하여 수사과정에 제출할 목적으로 작성한 것으로, 작성 시기와 경위 등 여러 사정에 비추어 그 실질이 이에 해당하는 이상 명칭이나 작성된 장소 여부를 불문한다(대판 2022.10.27, 2022도9510). 따라서 형사소송법 제244조의 4(수사과정의 기록) 제1항 규정이 적용된다.

18 전문법칙의 예외에 관한 설명으로 가장 적절하지 않은 것은?(다툼이 있는 경우 판례에 의함)

23. 순경 2차

① A가 B와의 개별면담에서 대화한 내용을 피고인 甲에게 불러주었고, 그 내용이 기재된 甲의 업무수첩이 그 대화내용을 증명하기 위한 진술증거인 경우에는 피고인이 작성한 진술서에 대한 형사소송법 제313조 제1항에 따라 증거능력을 판단해야 한다.

② 공소제기 전에 피고인을 피의자로 조사했던 사법경찰관이 공판기일에 피고인의 진술을 그 내용으로 하여 한 진술을 증거로 하기 위해서는 사법경찰관이 피의자였던 피고인으로부터 진술을 들을 당시 피고인이 증언능력에 준하는 능력을 갖춘 상태에 있었어야 한다.

③ 피해자가 제1심 법정에서 수사기관에서의 진술조서에 대해 실질적 진정성립을 부인하는 취지로 진술하였다면, 이후 피해자가 사망하였더라도 피해자를 조사하였던 조사자에 의한 수사기관에서 이루어진 피해자의 진술을 내용으로 하는 제2심 법정에서의 증언은 증거능력이 없다.

④ 법원이 구속된 피의자를 심문하고 그에 대한 피의자의 진술 등을 기재한 구속적부심문조서는 형사소송법 제315조 제3호의 '특히 신용할 만한 정황에 의하여 작성된 문서'에 해당하여 피고인이 증거로 함에 부동의하더라도 당연히 그 증거능력이 인정된다.

해설 ① 피고인 甲의 업무수첩 등의 대화 내용 부분이 전 대통령과 개별 면담자 사이에서 대화한 내용을 증명하기 위한 진술증거인 경우에는 전문진술로서 형사소송법 제316조 제2항에 따라 원진술자가 사망, 질병, 외국거주, 소재불명 그 밖에 이에 준하는 사유로 진술할 수 없고 그 진술이 특히 신빙할 수 있는 상태에서 한 것임이 증명된 때에 한하여 증거로 사용할 수 있다(대판 2019.8.29, 2018도13792 전원합의체).
▶ 증인(청와대 경제수석비서관)의 업무수첩 등의 대화 내용 부분이 전직 대통령인 피고인과 개별 면담자 사이에서 대화한 내용을 증명하기 위한 진술증거인 경우에는 전문진술로서 형사소송법 제316조 제1항에 따라 그 진술이 특히 신빙할 수 있는 상태에서 한 것임이 증명된 때에 한하여 증거로 사용할 수 있다(대판 2019.8.29, 2018도14303 전원합의체)
② 대판 2006.4.14, 2005도9561 ③ 대판 2001.9.28, 2001도3997
④ 대판 2004.1.16, 2003도5693

Answer 18.①

19 전문증거에 관한 설명으로 가장 적절하지 않은 것은?(다툼이 있는 경우 판례에 의함)

24. 경찰간부

① 현장사진 중 '사진 가운데에 위치한 촬영일자' 부분이 조작된 것이라고 다투는 경우, 위 '현장사진의 촬영일자'는 전문법칙이 적용된다.

② 어떤 진술이 기재된 서류가 그 내용의 진술을 하였다는 사실 자체에 대한 정황증거로 사용되었다 하더라도, 그 서류가 다시 진술내용이나 그 진실성을 증명하는 간접사실로 사용되는 경우에는 전문증거에 해당하므로 전문법칙이 적용된다.

③ 피고인 아닌 자의 공판기일에서의 진술이 피고인 아닌 타인의 진술을 그 내용으로 하는 경우 형사소송법 제316조 제2항이 요구하는 특히 신빙할 수 있는 상태하에서 행하여졌음에 대한 증명은 단지 그러한 개연성이 있다는 정도로 족하며 합리적인 의심의 여지를 배제하는 정도에 이를 필요는 없다.

④ 피고인 아닌 자의 진술이 기재된 조서에 원진술자가 실질적 진정 성립을 부인하더라도 영상녹화물 또는 그 밖의 객관적인 방법에 의하여 증명하는 방법이 있는데, 여기서 '그 밖의 객관적인 방법'이라 함은 영상녹화물에 준할 정도로 피고인의 진술을 과학적·기계적·객관적으로 재현해 낼 수 있는 방법만을 의미하며 조사관 또는 조사과정에 참여한 통역인 등의 증언은 이에 해당한다고 볼 수 없다.

┃해설┃ ① 촬영일자 부분에 대하여 조작된 것이라고 다툰다고 하더라도 이 부분은 전문증거에 해당되어 별도로 증거능력이 있는지를 살펴보면 족한 것이다(대판 1997.9.30, 97도1230).
② 대판 2019.8.29, 2018도14303 전원합의체
③ '특히 신빙할 수 있는 상태하에서 행하여졌음에 대한 증명'은 단지 그러할 개연성이 있다는 정도로는 부족하고 합리적인 의심의 여지를 배제할 정도에 이르러야 한다고 할 것이다(대판 2014.2.21, 2013도12652).
④ 대판 2016.2.18, 2015도16586〔검사작성 피의자신문조서 제312조 제2항(현재는 삭제된 조문임)과 관련한 판례이나, 그 취지는 제312조 제4항에도 그대로 적용될 수 있을 것으로 보여진다.〕

20 전문법칙 또는 그 예외에 관한 설명으로 옳고 그름의 표시(○, ×)가 바르게 된 것은?(다툼이 있는 경우 판례에 의함)

24. 경찰승진

> ㉠ 대한민국 영사가 작성한 사실확인서 중 공인 부분을 제외한 나머지 부분이 공적인 증명보다는 상급자 등에 대한 보고를 목적으로 하는 경우에는 형사소송법 제315조 제1호에 정한 '공무원의 직무상 증명할 수 있는 사항에 관하여 작성한 문서'라고 할 수 없다.
> ㉡ 법원·법관의 공판기일에서의 검증의 결과를 기재한 조서와 수사기관이 작성한 검증조서는 당연히 증거능력이 인정된다.
> ㉢ 법관의 면전에서 조사·진술되지 않고 그에 대하여 피고인이 공격·방어할 수 있는 반대신문의 기회가 실질적으로 부여되지 않은 진술은 원칙적으로 증거로 할 수 없다.
> ㉣ 사인(私人)이 피고인 아닌 자의 전화 대화를 녹음한 녹음테이프에 대하여 법원이 실시한 검증의 내용이 그 진술 당시 진술자의 상태 등을 확인하기 위한 것인 경우에는 그 내용을 기재한 검증조서는 형사소송법 제313조 제1항에 따른 요건을 갖추어야 증거능력이 인정될 수 있다.

> ⑫ 감정의 경과와 결과를 기재한 서류는 공판준비 또는 공판기일에서 그 작성자가 성립의 진정을 부인하면 과학적 분석결과에 기초한 디지털포렌식 자료, 감정 등 객관적 방법으로 성립의 진정함이 증명되더라도 증거로 할 수 없다.

① ㉠(×), ㉡(×), ㉢(○), ㉣(×), ㉤(×)
② ㉠(○), ㉡(×), ㉢(○), ㉣(×), ㉤(×)
③ ㉠(○), ㉡(×), ㉢(○), ㉣(○), ㉤(×)
④ ㉠(×), ㉡(○), ㉢(×), ㉣(×), ㉤(○)

| 해설 | ㉠ ○ : 대판 2007.12.13, 2007도7257
㉡ × : 법원·법관의 공판기일에서의 검증의 결과를 기재한 조서는 당연히 증거능력이 인정된다(제311조). 그러나 수사기관이 작성한 검증조서는 적법한 절차와 방식에 따라 작성된 것으로서 공판준비 또는 공판기일에서의 작성자의 진술에 따라 그 성립의 진정함이 증명된 때에는 증거로 할 수 있다(제312조 제6항).
㉢ ○ : 대판 2014.2.21, 2013도12652
㉣ × : 녹음테이프에 대한 검증의 내용이 그 진술 당시 진술자의 상태 등을 확인하기 위한 것인 경우에는, 녹음테이프에 대한 검증조서의 기재 중 진술내용을 증거로 사용하는 경우에 관한 위 법리는 적용되지 아니하고, 따라서 위 검증조서는 법원의 검증의 결과를 기재한 조서로서 형사소송법 제311조에 의하여 당연히 증거로 할 수 있다(대판 2008.7.10, 2007도10755).
㉤ × : 감정의 경과와 결과를 기재한 서류는 공판준비 또는 공판기일에서 그 작성자가 성립의 진정을 부인하면 과학적 분석결과에 기초한 디지털포렌식 자료, 감정 등 객관적 방법으로 성립의 진정함이 증명되는 때에는 증거로 할 수 있다. 다만, 피고인 아닌 자가 작성한 진술서는 피고인 또는 변호인이 공판준비 또는 공판기일에 그 기재내용에 관하여 작성자를 신문할 수 있었을 것을 요한다(제313조 제2항·제3항).

21 증거 또는 증거능력에 관한 설명으로 가장 적절하지 않은 것은?(다툼이 있는 경우 판례에 의함)
24. 경찰승진

① 피의자가 휴대전화를 임의제출하면서 휴대전화에 저장된 전자정보가 아닌 클라우드 등 제3자가 관리하는 원격지에 저장되어 있는 전자정보를 수사기관에 제출한다는 의사로 수사기관에게 클라우드 등에 접속하기 위한 아이디와 비밀번호를 임의로 제공하였다면, 이는 해당 클라우드 등에 저장된 전자정보를 임의제출한 것으로 볼 수 있다.

② 긴급체포되어 조사를 받고 구속영장이 청구되지 않아서 석방된 후 검사가 그 석방일로부터 30일 이내에 석방통지를 법원에 하지 않더라도 긴급체포 당시 상황과 경위, 긴급체포에 의한 유치 중에 작성된 피의자신문조서가 위법하게 작성되었다고 볼 수는 없다.

③ 범죄의 피해자인 검사가 그 사건의 수사에 관여하거나, 압수·수색영장의 집행에 참여한 검사가 다시 수사에 관여하였다는 이유만으로도 바로 그 수사가 위법한 것이 되고, 그에 따른 참고인의 진술에 임의성이 있다고 볼 수 없으므로, 그 검사가 작성한 참고인 진술조서의 증거능력이 인정될 수 없다.

④ 구속적부심문조서는 형사소송법 제311조가 규정한 문서에는 해당하지 않지만, 특히 신용할 만한 정황에 의하여 작성된 문서이므로 특별한 사정이 없는 한 피고인의 증거동의가 없더라도 형사소송법 제315조 제3호에 의하여 당연히 증거능력이 인정된다.

Answer 21. ③

| **해설** | ① 대판 2021.7.29, 2020도14654

② 대판 2014.8.26, 2011도6035

③ 범죄의 피해자인 검사가 그 사건의 수사에 관여하거나, 압수·수색영장의 집행에 참여한 검사가 다시 수사에 관여하였다는 이유만으로 바로 그 수사가 위법하다거나 그에 따른 참고인이나 피의자의 진술에 임의성이 없다고 볼 수는 없다. 따라서 그 검사 등이 작성한 참고인 진술조서 등의 증거능력이 부정될 수 없다(대판 2013.9.12, 2011도12918).

④ 대판 2004.1.16, 2003도5693

22 증명에 관한 설명으로 가장 적절하지 않은 것은?(다툼이 있는 경우 판례에 의함)   24. 순경 1차

① 증거위조죄의 적용대상인 '증거'에는 범죄의 성립에 관한 증거 외에 양형의 기초가 되는 정상관계 사실에 관한 증거도 포함된다. 그런데 양형의 기초가 되는 정상관계 사실은 매우 복잡하고 비유형적일 뿐만 아니라 형사소송법 제307조가 규정한 엄격한 증명의 대상에도 해당하지 않는다.

② 탄핵증거의 제출에 있어서도 상대방에게 이에 대한 공격방어의 수단을 강구할 기회를 사전에 부여하여야 한다는 점에서 그 증거와 증명하고자 하는 사실과의 관계 및 입증취지 등을 미리 구체적으로 명시하여야 할 것이나, 증명력을 다투고자 하는 증거의 어느 부분에 의하여 진술의 어느 부분을 다투려고 한다는 것을 사전에 상대방에게 알려야 하는 것은 아니다.

③ 어떤 소송절차가 진행된 내용이 공판조서에 기재되지 않았다고 하여 당연히 그 소송절차가 당해 공판기일에 행하여지지 않은 것으로 추정되는 것은 아니고 공판조서에 기재되지 않은 소송절차의 존재가 공판조서에 기재된 다른 내용이나 공판조서 이외의 자료로 증명될 수 있고, 이는 소송법적 사실이므로 자유로운 증명의 대상이 된다.

④ 범행에 관한 간접증거만이 존재하고 더구나 그 간접증거의 증명력에 한계가 있는 경우, 범인으로 지목되고 있는 자에게 범행을 저지를 만한 동기가 발견되지 않는다면, 만연히 무엇인가 동기가 분명히 있는데도 이를 범인이 숨기고 있다고 단정할 것이 아니라 반대로 간접증거의 증명력이 그만큼 떨어진다고 평가하는 것이 형사증거법의 이념에 부합하는 것이다.

| **해설** | ① 대판 2021.1.28, 2020도2642

② 탄핵증거의 제출에 있어서도 상대방에게 이에 대한 공격방어의 수단을 강구할 기회를 사전에 부여하여야 한다는 점에서 그 증거와 증명하고자 하는 사실과의 관계 및 입증취지 등을 미리 구체적으로 명시하여야 할 것이므로, 증명력을 다투고자 하는 증거의 어느 부분에 의하여 진술의 어느 부분을 다투려고 한다는 것을 사전에 상대방에게 알려야 한다(대판 2005.8.19, 2005도2617).

③ 대판 2023.6.15, 2023도3038

④ 대판 2006.3.9, 2005도8675

공편저자 약력

조충환

- 중앙대학교 법학박사(형사법전공)
- 現 •교재집필 및 연구
- 前 •중앙대·울산대 출강
  - 노량진 남부경찰학원 대표강사
  - 노량진 남부행정고시학원 대표강사
  - 노량진 한교경찰학원 대표강사
  - 노량진 베리타스경찰학원 대표강사
  - 법무부 출간 교정지 출제위원
  - 경찰청 인터넷방송 초빙교수

상 훈

- 중앙대 강의평가 우수강사 총장 표창(3회)
- 모범강사 전국학원연합회 회장표창

오상훈

- 고려대학교 법과대학 졸업
- 現 •박문각경찰 형법·형사소송법 대표교수
- 前 •베리타스 법학원 강사
  - 윌비스 한림법학원 강사

양 건

- 現 •박문각 경찰승진 형법 대표교수
  - 공무원저널 형사법 판례교실 집필위원
  - 법률저널 경찰·교정직 집필위원
- 前 •조이에듀경찰학원 형법 대표강사
  - 신림동 태학관 법정연구회 강의
  - 종로행정고시학원 경찰승진 형법 대표강사
  - 중앙경찰고시학원 형법 대표강사
  - 경찰승진특강
  - 노량진 한교경찰학원 대표강사(형법)
  - 노량진 베리타스경찰학원 대표강사(형법)

2025 판례·기출증보판
조충환·양건 객관식 테마 **형사소송법** 3권

초판인쇄 : 2024년 6월 15일   초판발행 : 2024년 6월 20일
공편저자 : 조충환·양건·오상훈   발 행 인 : 박 용
발 행 처 : (주)박문각출판   등   록 : 2015. 4. 29 제2019-000137호
주   소 : 06654 서울시 서초구 효령로 283 서경 B/D
전   화 : 교재문의 (02) 6466-7202
팩   스 : (02) 584-2927

저자와의
협의하에
인지생략

정가 69,000원(전4권)

ISBN 979-11-7262-097-4
ISBN 979-11-7262-094-3(세트)